妹方

MEI FANG

张广天 著

四川文艺出版社

图书在版编目（CIP）数据

妹方 / 张广天著. -- 成都：四川文艺出版社，2025. 9. -- ISBN 978-7-5411-7337-0

Ⅰ. I247.5

中国国家版本馆CIP数据核字第2025LN2695号

MEI FANG

妹 方

张广天 著

出品人 冯 静
策划组稿 张庆宁
责任编辑 张雁飞 周 轶
封面设计 魏晓舸
内文设计 史小燕
责任印制 崔 娜

出版发行 四川文艺出版社（成都市锦江区三色路238号）
网 址 www.scwys.com
电 话 028-86361802（发行部） 028-86361781（编辑部）

排 版 四川胜翔数码印务设计有限公司
印 刷 四川机投印务有限公司
成品尺寸 148mm × 210mm 开 本 32开
印 张 16.625 字 数 420千
版 次 2025年9月第一版 印 次 2025年9月第一次印刷
书 号 ISBN 978-7-5411-7337-0
定 价 65.00元

目录

绪　言

老人和孩子

人常常会忘掉很多字，很多公式，很多地名，很多史迹，甚至很多人名也想不起来了。学校里学来的东西，但凡不用，就记不起来了。而有些东西，是挥之不去的。比如，到了端午节要悬挂艾叶，说了不吉利的话要斥呸或者再说一句反话，眼皮跳了于是心惊肉跳，吃桃子不慎吞下桃核恐怕肚里长出一棵桃树，女孩子到了例假时候禁忌生冷冰雨，看见有人家办葬礼要绕道而行……这些可以归入生活常识，但其实与我们在学校里学的常识课内容又格格不入。这些往往是祖辈的老年人告诉你的，它们在之后的漫长生活中时常会流露出来，或者情急之时，或者轻松休闲的片刻里。你曾经也没有刻意地要记住它们，后来在文明世界里几乎也竭力想忘掉它们，然而它们总是那么牢固地生根在心里，成为一种不算知识的认知。

侗族人有歌班，小孩子被送到歌师那里学习唱歌。那些歌的内容涉及史诗、地名、英雄人物、各路神灵以及日常规范。很多民族、部落、方国的人民，在远古的时候，大抵都在宗教和祭祀活动中获得人生的经验和矩则。另外，还有重要的事情是军事。夏商以来，在一个叫“序”的场地，教贵族子弟学习御射，其间也有礼法和仪式的学问。至于生产，是没有学校教的，因为都是农奴的劳作，都是养戎祀大事的基础而已。即便后来孔子给平民上课了，说“有教无类”，也是教这些农奴的孩子如何晋升，如何获得为“肉食者”谋的机会。直到西学东渐，人们才注意到生产的知识。因此，所谓科学，在先人看起来，不过是农奴的知识，就是弄吃弄喝的门道。

中国是一个祖先崇拜的国家，靠祖先沟通上帝，祭祀祖先的目的是委托祖先去敬拜上帝、获得天意。百姓祭祖，大夫祭灵，天子祭天，逐级上达，层层分明。弄吃弄喝的养弄文化的，弄文化的养弄诸神的，弄诸神的养大君圣上。只有大君圣上才知神天意志。这个通天的意志，在全社会是明确的，也就是说，即使你弄吃弄喝，你也清楚弄吃弄喝的目的。所以，生产作为经验在劳作实践中获得，而应天呼地的本领要在各级不同祭祀活动中受启。这样的知识观和教育观，造就了不论朝廷官学还是平民私学，都永远以戎祀为根本。戎即武，祀即文。（在日本，后来被称为“菊与刀”的精神。）同一种知识观，只是等级的差别，内容的深浅。在平头百姓眼里，武就是拳脚刀枪，文就是家道礼数。如果这样的根基并未动摇，那么，可想而知，后来引进的西学的教育是难以成功的。其实，在西方，这个问题也同样存在。尤其是欧洲，人们很难从灵魂深处相信，劳作的知识可以取代万古多神的知识，他们在潜意识中甚至可惜千百代以来为神献祭的努力白白浪费掉，那样的交互有过印证，也得到过好处，成为根深蒂固的文化和性格的联络。至于美国，工人农民在那里希望彻底逾越从贵族王权到诸神众灵的担保，直接跟上帝沟通，结果，劳作者的经验，那叫作科学的知识，反而慢慢肥大起来，居然成了隔绝的屏障。

用泥土来献祭，还是用泥土生养的稼禾牲畜来献祭，是根本不同的。泥土是无法用来献祭的，但泥土可以提醒稼禾牲畜这些祭品仅仅是祭品而不是神灵，绝不可能是上帝。但当祭品和献祭活动膨胀到以中介取代至高神天之时，用泥土的精神来敲打一下，也未尝不可。革命就是这样的，它解放奴隶，让奴隶的经验成为科学知识，并使科学大张旗鼓地挑战教会和等级制度，戳穿那些代理者以上帝自居的骗局，让人类在一个相对清明的条件下直接聆听天国的声音。祖先神，风火雷电神，科学，都是人造的，而人是上帝造的。上帝应许劳作去奉养祭祀以探及天理的精深，上帝也应许劳作作为力量和监督去控制祭祀的腐败。但劳作终归是劳作，祭祀终究是祭祀。劳作的经验即使冠以科学的美名，也绝不可能取代祭祀的知识。田土可以生养庄稼，田土也可以埋没庄稼，但田土不是庄稼。

“五十而知天命，六十而耳顺，七十而从心所欲不逾矩。”孔子在这里说到了“天命”和“矩”。什么是天命呢？天命就是上帝的意志，上帝的命令。什么是矩呢？矩就是规矩，法则，范轨。这个世界上，是有规矩要守的。只是这规矩不是人定的规矩，也不是人假托上帝之名定下的规矩，而是来自神天的规矩，所谓天矩。“七十而从心所欲不逾矩”，人老了，脱离社会了，不受社会的羁绊，反而从心便不逾矩了。心，就是圣灵充满的神天意志。人不随波顺世势了，必然从心依天意了。那么，当然也就不会逾越天矩了。

老人完成了劳作而渐离社会，小孩没有长成也在社会之外。人生不为世情束缚的两端，实际上最为靠近本心天意。在亚洲的传统中，纯粹的审美只存在于老人和孩子之中，人生的两端被极为看重。而人生中间那段辛苦，只作为支撑两端的底座，长久地默不作声。苏东坡对此喟叹道：“长恨此身非我有，何时忘却营营！”于是，哪怕所谓“现代化”的公学已经普及到村落山寨，人们依然从心底拒斥这样的教育，常常下意识地屏蔽掉与劳作苦痛有关的各类信息，竭力去寻求人生两端的幸福体验。这样的体验对他们来说，意味着自由。可见，自由在东方有完全不同的含义。它的前提必须脱离社会，摆脱劳作；它的方式必须享乐优哉，闲云野鹤；它的价值在于顺性从心，尘尽光生。那么，持这类追求的人们肯定难以理解社会化的劳动神圣，肯定更愿意相信“劳动神圣”是写给奥斯威辛集中营的囚徒和古希腊庄园中奴隶的口号。劳动是什么？是苦役，是体罚。劳动为了什么？劳动为了不再劳动。既如此，“劳动创造人”的观念还会有多少人真信呢？大部分人至多曲解为“非人的劳动养活不劳动的人”，而“人民群众创造绚烂的文化”，为什么创造而不直接享用“绚烂”呢？如果命运无法摆脱劳动，那么就忍着吧！显然，这“忍着”的劳作以及与劳作相关的经验，多么可恶，多么沉重啊！所以，他们愿意记住那些跟老人在一起的时光，也难忘那些老人说过的话。这并不来自于理性，也与感受无关，而直接关乎意象思维。这点我在上一本书《手珠记》中详尽地写过了。

孔子从“吾十有五而志于学”说起，并未说之前的孩童时期怎样。孩童是个什么状态呢？孩童也是“从心所欲”的状态。他们受天命的驱使，初心未泯，听得见这个世界以外的声响，看得见这个世界以外的景象。他们在父辈和祖辈之间，总是更愿意选择与后者相处，因为前者往往违拗他们的天命初心，将他们从天矩中拉出来，硬塞进人道世俗的规范中去。孩童是多么幸福地来到这个世界，又多么痛苦地不情愿进入这个世界之门啊！整个童年，在门外徘徊着，张望着，被人从祖父母怀里抱走，渐行渐远，恋恋不舍，直至那扇大门隔绝了祖孙。嬉戏是那么美好，玩乐是何等的重要！将此等心理贯彻到史学中，不难想象，定会有人号呼：“倘若西洋的坚船利炮没有闯入这里的水域，那么世界的大门还远远没有打开！”

西方之术入世为快，东土之学出世为乐。

教育直接关联到知识观。汉以后逐渐普及的儒学教育，因为始终与辅助治国的权术过于紧密地捆绑在一起，终究长时间地没有俘获民心。它更多地沦为政策与律令之外的软性义理，成为世俗生活中不得不遵从的社会规则。事情直到出现了王阳明，才有了改变。这位学者提倡“知行合一”，其初衷是强调入世的知识应该与自性的本能行为对应，应该将义理消化为自觉情愿的动机，也即人生两端的快乐如何接应人生中段的痛苦。但后世的人很快就庸俗化了他的“良知”说和“知行”观，将他的学问误解为道学和实用主义。倒是他日本的弟子三轮执斋看明了本质，说：“其本体之灵明，永放光辉，其灵明不涉及人意，自然发现，照明善恶，谓之良知，乃天神之光明也。”阳明之说，发乎孔孟仁爱，穿插于永嘉事功和程朱理学，承接并弥合了绝对与相对之间的深壑，凿开入世与出世的自由通道，使得那扇隔绝祖孙的大门轰然坍塌，儒学至此与始初贯通。按基督教的说法，愿圣灵充满我心，便见“天神之光明”。在天之神，在人之心，皆为上帝。其间人子作保，以人身证道，亦为上帝。

爱　情

旧时国人男子纳妾蓄婢蔚然成风，只这样的做派也有陈规制约，谓“四十纳妾”。四十或四十之后纳妾，不但不算坏事，还受到社会鼓励。人生四十不惑，近“知天命”之年。不惑者不为外物所动，知天命者窥晓天机。人渐渐离了外部世界的纷扰，内心甦醒过来，性情复得伸展，恰似老树又放新红。从感应力的方面讲，这时的男人才真的开始体会情致，晓得女人是怎么回事了。固然，弱冠与及笄，必有成婚的考虑，只是这样的婚姻，凭媒妁之言，为的是社会需要，男女欢爱则退居一旁。一般人家里，人生中段的苦痛也裹挟着婚姻，往来诸事，皆为营营奔突，夫妻维系，亦难以挣脱。

为了需求的男女相处，自然味同嚼蜡，交往胜于根性，只在得失轻渥上做文章，哪里来的纵情欢爱！是故大部分旧时家庭，唯敬重原配，却同衾无缘，两具紧贴的身子如同隔着千山万水。他们的容貌、才识、肉欲、年纪、地位、身份，无不受到人生轨迹的限定和身处这轨迹中产生的实际需要的驱使，直捣得原本的盼望和情愿支离破碎。看透的认命，看不透的毁灭，绝少两全其美的便宜圆满。革命后提倡自由恋爱、新式婚姻，但如果不彻底改变需求的认识，依然以劳作为苦楚，那么即使把妇女也解放出来去参加生产，只是需求由一处变为两处，苦楚由双倍积为四倍，麻烦和冲突愈演愈烈，也不但解决不了问题反而更深地陷入困境。这就是国人在新社会里始终不解西人之所谓爱情的根蒂。

我们是难以理解在需求中又超乎需求的那份爱情的。需求永远意味着实现的功名利禄和不实现的贫贱潦倒。我们学着他们那样接吻，学着他们那样过情人节，学着他们那样情无反顾地赴死，可是仍然鬼使神差地患得患失，竟先死的那个在未抵冥界前就喊冤，未死的那个远远盯着跨过界线的最后一步而逼责。我们是难以体悉也难以学会入世的审美的，我们是完全弄不明白夫妻戳破利害锱铢必较间又生出生死恋情的。自那大门被关闭以来，我们心心念念于门外之事，而含忿茹怨地消极抵抗需求的袭扰，我们长久以来没有想过心知与需求间存在融通的幽径，几近促狭地挥霍掉“知行合一”的思想遗产，幼稚而狡黠地悖逆着人生中段的漫漫路程，倔强地别过脸去，一次又一次地以泪洗面。

我们只喜欢玩乐的美。在这样的美中震惊世人。“过桥人似鉴中行”，“晴鸽试铃风力软”，“那堪更被明月，隔墙送过秋千影”。白发的长者和红颜的少女，在“一树梨花压海棠”的明媚中共绽生命的花朵。无论叔梁纥与颜氏、武帝与钩弋，抑或子野纳妾耄耋配二八，所谓老夫少妻、虬枝颤花，实质上都是性灵超越时间的邂逅。那些忘却年岁、时光消失后的根性交织，其质地更为纯粹，褪去了欲望的荷尔蒙气息，像蝉翼一样透明，如寒冰一般澄澈。衰羸的肢体簇拥的裸女，更显肤如凝脂，形似朽木的底座衬托的美玉，枯槁的藤蔓长出的绿叶……极端的外在对立，撕扯着现实与真实的两翼，令人顿时窒息，窒息中，心被牵动上来，悬浮在咽喉之间。这简直就是一个意象，象中之意唤醒你先验的愉快。好啊！你对我好，我对你好！就这么简单，别无其他。据说子野八十纳妾后，还活了八年，期间生了两个孩子。死的时候，二十出头的少妾悲恸欲绝。这样的情感很难用“爱情”来概括。只是对她好的人去了，再难有知她认她的人与她玩乐了，她心里难过极了。这是一种相好，发乎本心。这诚然不是相爱，相爱往往只在志趣相投，而相好总是怜恤心带动志趣。一个是经验的，一个是先验下的经验。所以，旧时只说相好，不言相爱，更不知以后舶来的爱情。

子野先生去了，留下了青春姣好的少妇。好者好矣，这往后的日子该怎么过呢？我曾经在汉城（今首尔）认识一位研究戏剧的女教授，做学问一流，为人也倜傥分明，只是到了近五十的年纪还不嫁人，成为庸遴的同事和后生的谈资。后来我们在工作中熟了，她告诉我，新近刚在纽约见了少年时的相好。会面前有人劝她不如不见，说留个青春时好的念想，否则人老珠黄的，见了倒是毁灭。她犹豫了一阵，还是见了。她说，相好不是长久的事，有来得早的，有来得晚的。她的，早早就来了，来过有过就足够了。现在见面也不是重续旧情，现在是朋友，不再相好未必不再相知。相知的人头发黄了，面容失去了光泽，真的两相看起来都很陈旧了，但这样的现实都敢于面对的人，才深知美好。教授这么想，恐怕那些古代送别了老夫的少妻也这么想。相好不是时间，而是内容。

然而，这样的相好对那些嫁给年轻男人的女子似乎不大公平。

在旧时的社会生活中，男主外，女主内，她要相夫教子，为了家政内务操持忙碌，战时祈祷征人安然归来，太平时寄心于夫君及第登科或者牵挂商贾贩运的迢迢远途，经常独居空房，年纪轻轻形同守活寡。而到头来，老了只剩寂寞的日子以及义理中虚妄的母仪尊敬。试想，此时看着曾经共蒙甘苦的夫君竟与豆蔻花龄的新夫人在偏室寻欢作乐，该是什么滋味？自然，不同阶层，不同遭遇，不同缘分，不同条件，都可能演绎出相反或差异的版本，只是大的格局中大多数妇女并摆脱不出这样的命运。而今时的新社会又怎样呢？今时的革命试图解决这个问题，但更为悲惨的是，革命后妇女不但没有从内务中解放出来，而且甚至要像男人一样去肩负社会生产劳动中的外务。愈加深重的负担，团聚起此世间女人的积怨，滚滚如流，悲愤难抑。结果，居然带动了消费主义加享乐主义的女权解放，旧时解散的家庭非但没有重组，反而翻造成一所所妓院。我们是否想过，这弥漫在全社会的紧张气氛，或者并非全部来自阶级斗争，更为深刻的冲突，其实来自心知和苦行的对立（心知与理知的对立），而革命有无可能解决这随革命而来的越来越尖锐的对立？

心知带来自性情愿的行动，而理知，即世俗义理，促使被迫压抑的作为。知行合一，正是要解决这个矛盾。如何从理知中甄别心知，由绝对心知统领相对理知去行走社会人生。

中国发生了什么？

仿佛突然之间，我们不再席地分餐，开始围桌共食。精细的菜谱纷纷被涮锅、面疙瘩、白煮、乱炖、氽汤取代，馄饨变成了饺子，馒头变成了窝头，牛羊肉换作了猪肉，里巷改称胡同，磨叽、嘎吱、邋遢、站赤这些阿尔泰语系的语音大量进入幽燕方言。北魏以降，山东以北鲜卑语通行，而南宋时期，淮河以北竟“庐人尽能女真语”。历史书上常说，“中华民族的不断壮大正是在各民族的交流和融合中实现的”。中华民族，这个概念怎么理解？按现代民族学原理，并不存在一个叫作“中华民族”的民族，只能说是中华地区的多民族。而按这个说法，那么多民族，又被解释为以“汉族为主”的多民族。汉族真的那么多吗？真的那么“为主”吗？的确，尽管崖山十万汉人投海殉国，但还是有一定数量的汉民生活在传统意义上的汉地，汉人也并未因此恶役而尽绝。问题是，这部分汉人以及他们的苗裔，还会在之后的历史中占血统主体吗？

我们的史学，尽量回避或者下意识忽略契丹、女真、蒙古的大部分人民在宋以后大批南下移居的事实。其实，到了南宋，想走能走的大部分汉人已经随朝廷南迁，淮河以北的广袤空地几乎被契丹人和女真人填满了。之后蒙古人来了，辽金被灭，这些遗民并无故国可归，只好世世代代扎根中原。迄洪武开国，又强制执行通婚改姓的办法，从文化上同化这些北方的旧遗民以及元蒙时代留下的色目人和蒙古人。《明史·本纪第二》记载：洪武元年二月壬子，“诏衣冠如唐制。”《国榷》第三卷又说：洪武元年二月壬子，“诏复衣冠如唐制，禁胡服、胡语、胡姓名。”《明会典·律令·婚姻》规定：“凡蒙古色目人，听与中国人为婚姻，务要两相情愿，不许本类自相嫁娶，违者杖八十，男女入官为奴。其中国人不愿与回回钦察为婚姻者，听从本类自相嫁娶，不在禁限。”这就是法定逼婚。不能彻底换血，就融血冠姓，长期同化，至少叫你在表面上看不出来。更直接点说，就是不管用什么办法，改个名意思意思就算汉人了。那么，历史透露的信息表明，汉人，尤其是宋以前典型的血统意义上的汉人为数并不很多，不少后来不得不认同汉文化的北方居民实际是外来的异族人。至此，中国发生了根本的改变，即文化认同成为建国的重要依据。明如是，清更如是。入主中原的满族人愿意接受以儒家为中心的思想，预备宪政时期，《条陈化满汉畛域办法八条折》主张，“放弃满洲根本，化除满汉畛域，诸族相忘，混成一体”。

那么，中国，中华，中华民族，这些概念，至少在宋之后，就不能“以汉人为主”了。在西语中，有两个比较固定的词是用来指代我们这个文化群的，一是China，另一为Cathay，而Cathay是指契丹。Cathay中国究竟是什么含义呢？从《尼布楚条约》划分疆界的背后，我们可以清楚地看到，北方蒙古-通古斯族群是将西伯利亚作为祖地故土的，而归化汉地新疆乃创立大Cathay中国的立足之本，于是从勒拿河退到北诺斯山，又暧昧地将乌第河一带留作待议地区，多少想在西伯利亚一带还留点本钱，且作权宜之策，以图日后东山再起。这番心思，“以汉族为主”的思维是难以揣透的。西伯利亚，关我何事啊？秦皇汉武，唐宗宋祖，没听说与西伯利亚有什么关系啊？汉人西出，认祖归宗，至多心悬羌藏之地，怎么也扯不到西伯利亚那么遥远的荒壤蛮野！然而从Cathay中国这个概念来看，蒙古—通古斯人是带着一千多万平方公里的厚礼来加入中华大家族的。所谓西伯利亚，也称作鲜卑利亚，或者锡伯利亚，是阿尔泰语系诸部族千古万代征夺、开发、生育、繁衍的故土。从匈奴以来，或者有史记载的更早的时代以来，北方人民终于通过战争、融合等各种办法，在宋元之后成功归化中国。

中国发生了什么？中国从宋以后，终于成为一个不是以汉人为主的中国。就好像希腊人罗马人创造了欧洲的文明，之后日耳曼人来了，罗马帝国分裂了，日耳曼人接过这个文明的成果延续了欧洲的寿命，难道这个以日耳曼人为民族主体的欧洲就不是欧洲吗？当然，日耳曼人接受了基督教，罗马希腊的古文化发生了变异；蒙古—通古斯人接受了喇嘛教，汉人创造的文化也发生了变异。

那么，当今中国又发生了什么？

一言蔽之，革命。但关于革命，既不是本书的内容，也不是本书的口气。我这里只想说一件很小的事。

你开车在大街上行驶，常会遇见前面有车想改道或希望你提供方便，这车的司机从车窗伸出手，给你做了一个竖大拇指的手势。你看不清楚他的表情，却显然读懂他踌躇满志的身态语言。这个从美国影片中学来的动作，本意是打个招呼。打个招呼而已，何以就踌躇满志了呢？在我们成长的过程中，即便你没有在学校里受教育，也有足够的经验告诉你如何打招呼。如果仅仅出于效率和安全的考虑，欲以某个简洁而明确的姿势示意尾随者，你的本能就会帮你做出比竖大拇指多得多的直接的选择。而他只做这一个动作，甚至多次遇到相似的情况也只做这一个动作。我不怀疑他处理这事的用心，我诧异他像一个幼稚而好奇的小孩一样，不停地重复刚学来的一句话，然后沾沾自喜，一天的心情都会变得好起来。这可能是刚从大学毕业买了新车的外地人，也可能是城里工人阶级的后代，他读了很多书，也受够了来自各方面的训诫，现在他似乎故意忘记了所有处事的经验，或者也许开始怀疑立足人生的基本规则，他要丢弃掉一切行之有效屡试屡验的方式，学习重新做人。他心中暗语："这个新学来的动作，你们会吗？"

就这样，我们一夜之间从万岁抽缩到三岁，跟着一个青涩的少年人邯郸学步、牙牙学语。仿佛连吃饭穿衣都不会了，急急收敛起皱纹密布、毛发稀疏的龙钟老态，徐徐瞪射出娇嫩含雾的童蒙双眼，满心期待托儿所的阿姨发一块糖吃。你真的可以做成一个小孩吗？老则老矣，不认老，就被老认了。一个老人想返老还童，那叫做梦！一个老人想要获得自己的位置，必须遵从老道才能获得尊重。

强大？我们在强大的梦里已经走得太远。你曾经强大过，你现在有比强大更尊贵、更深厚的事情要做。人有生住异灭，世有成住坏空，每个过程没有是非高低。人的意志想要脱离天道的秩序，只会带来荒谬和灾祸。人老了，致力于延年益寿，亦可容光焕发，而妄图青春永驻，则贻笑大方。身上有病，治一治，也无妨，吃点保健药，增强免疫力，此乃正途。心急乱投医，直下峻利猛药，又一剂不成再改凶戾暴烈之方，着实去掉些积溺宿汙，人也奄奄一息了。此时反不思过，又轻信妙手回春之说，忽然大服春药，大唱春天，过把瘾就死，坐待毙命。复兴？人怎可相信天癸再至精血复盛的虚妄呢？青春固美，夕阳更嘉。靠春药壮阳，靠补药填虚，都不可能伟势再举。“停车坐爱枫林晚，霜叶红于二月花。”入秋临冬，正是收熟入仓的时节，你何故弃万千金谷赤果于田野，去瞻羡远处还在春夏中的那片萋萋葱郁呢！

慕邻有耕，鄙已可获，骑墙举首，两顾空空。

再打个比方。一顶轿子十个人抬，十个人抬久了不满意，说，看人家十一个人步行蛮好的，我们废掉轿子也步行吧！结果，废掉轿子后，原先抬轿的十个人只会佝偻着走，几近爬行，而原先坐轿子里的那个人竟连步子都迈不开，只会站在那里打战。实在不去想想，人家那十一个人，从来就是步行的，不曾有轿，也不曾骑马，最多其中几个黑心的，贪便宜，时不时赚人背他一程而已。

说轿子是剥削阶级的旧文化，拆掉，扔掉，毁掉！可轿子是一件宝贝啊，无数不剥削阶级的血汗养出来的，怎么可以白白扔掉？怎么不想想，改造一下，装上轮子，抬轿的十个人都坐进去呢？人家苦于没有，远远看着，口水都掉出来了。如今你毁掉，四处散架地掉在地上，人家将污损的流苏、折断的坐箱通统捡拾起来，珍瑰似的，还慢慢拼凑起一个新玩意来。

青年人遭遇了什么?

青年人延续了孩童的趣味，生长出更为明显的性情。入世开始承担人间义务，所知与所行强烈冲突。知的那方面，是心知与理知的不同；行的那方面，是本能与要求的矛盾。长久以来，我们尚能分清理知与要求对生命的压迫，统治的文化也只在协调冲突、劝诫顺从方面做点文章。而如今的资本主义，充分利用语言的魔术，将“能指大于所指”推向了极致。文化为产品帮忙帮闲，已经到了炉火纯青、精彩绝伦的地步！一切的电影、音乐、戏剧和五花八门的门类艺术形式，都赤膊上阵，暴力灌输，潜移默化，谆谆告诫，明喻暗示，只为了告诉你，需求即为青春。资本在漫长的统治中，逐步解析了这一秘密，它在去掉武装的反抗之后，直捣那审美的核心。利用审美的动力，而不简单停留在宣传的粗暴上，既洗脑，又改换性情。

当性情中追风戏蝶的趣味被品牌虚名的消费取代之后，那么，千古人性的淳朴质地，就彻底沦为平庸，彻底异化得面目全非了。平庸的对立面，就是淳朴。人不再找得到自己淳朴的根性，错把恶习和消费当作生命本身，事实上就已经不再是人了。这也算是一种知行合一，变苦行为乐行，顺着势利丧失尽最后的本能。于是，赚钱打工便不辛苦了，劳作奔忙甘之如饴，大家在统一的消费品面前居然争先恐后地蜂拥而上。资本已经稳操胜券地坐稳了。它根本不怕格瓦拉的丛林游击队，也并不在意存在主义的痴人说梦，它倒是对那些“愚蠢”的、不入时的、油盐不进、还固持自己老旧趣味的“懒虫”有点担心。老旧的趣味？对于时下变异的本能，天然的根性趣味，既然是千古的，自然是老旧的。按说，新的，绝不怕旧的；可为什么“新的”，又要费尽脑汁时刻借新势将淳朴归入颓势呢？问题在于，这是一种审美的妖术，它巧妙地偷换了“朴庸”与

“新旧”的概念。

你如何证明这“新的”不是出自人类本能的需求呢?

十亿人有十亿淳朴的本质，每个人的需求都不尽相同。松菊苇蔓，虫豸鸟兽，大千世界，五花八门。冰寒不抵火炎，天雨可抗地旱。彼之长，在此竟为短。如何我们过着过着，居然面目雷同、趋步一致了呢?如今是十三亿人一个表情，买房买车，品牌明星，别无他择。但当那被鼓吹为“性情”的东西呈现出如此高度一致的需求面貌时，你竟不怀疑这是异化趋同吗?你竟看不清这是最极致的专制和奴役吗?

所以，文化的迷信也非常可怕。人们从神权的迷信、王权的迷信摆脱出来，眼下正在陷入到文化的迷信中不能自拔。什么叫作迷信呢?对相对的事物抱确信无疑的态度，就是迷信。理想主义时代之后，人们相信经验的东西是可靠的，欲以实践来检验推断，其实质就是要用奶来检验娘的真伪。娘是可以用来检验的吗?她有奶没奶都是娘，或爱或弃的现实都改不了娘的真实。实证主义者说，起于疑而止于信。这是多么荒唐和虚谬的逻辑!一切经验都局限在条件之中，人之信疑皆不可脱离处境的相对，哪来什么信疑的对立分明呢?如果实证主义还有现实意义的话，它恰恰应该始终坚持起于疑而止于疑的表述。人若舍弃了先验的那部分，转而服从经验的引领，必然只关乎得失而漠视真伪。归根结蒂沦为无所谓疑信的盲从。盲从势利，盲从流行。什么是流行呢?就是随波逐流。人常说，我们是小人物，过过日子，生活而已。可哪来什么比生命还大的大人物呢?生命之大，大于生活之中的君子小人，每个人基于生命也就不可能做什么小人物。世间哪有弃命而活的生活呢?诗人常叹，“热爱生活”，“生活多么美好”，这爱和美，实在都来自于日常事务中生命复苏的点滴。度日不是生活，生活乃是生命在人世中的千姿百态。战争，和平，奴役，自由……所有的苦痛和欢愉都改变不了性情的差异和复杂，人才得以繁衍下去。大同不是理想，大同是一个罪恶的梦，梦想为一处的极权和极利杀灭生灵，而生灵的方式正在于大不同，以大不同互补，以大不同进退。

这个亢奋难抑的新世纪，越来越多的中老年人被甩到信息公路之外反倒有些不同，而越来越多的青年人在统一的信息诱导下居然日益大同。事实似乎怪诞地指向一种结论：青春覆灭，青春老化。世界的年龄结构突然呈现出一幅倒映图——岁数越大越年轻，岁数越小越衰朽。青年人究竟遭遇了什么？青年人在这个资本的寒冬遭遇了退化，性欲淡化，情欲丧失，志趣瓦解，更年期提前到来……仿佛只有挨过了这暗夜的冰冻，索性被加速器无情抛弃掉，才得以喘息，得以按血肉的进程回春。从某种程度上讲，倒是落伍、失败、遗漏、隔绝才是幸运，才不自觉地躲过了高度社会化的洪流，保留下一部分残缺的天性赖以活命。这种现象的持续，又必将刺激另一部分自觉的对抗，即主动地以各种前所未有的方式去屏蔽庸常社会的主流毒害，甚至以毒抗毒地不断变形，慢慢酿积成一股灵敏而黏滑的难以抓牢的反力，去反动无处不在的全球化进程。

最后，青年一代不得不重新思考闭关自守。在一切开放的名义下进行的贸易中，为什么永远只有我买你东西的份呢？开放，原本仅为更好地接受输入。如此习惯性地被动接受导致自性生长的倒逆，其结果定然丧尽自性，再无输出可言。在一桩没有好处的买卖中，人们不会忍受太久的。他们首先会逆反地想到退回原点，先自闭起来，保存最后一点活气，再论下一步怎么办。是的，关闭接收器，油盐不进，排毒养颜，自我循环，还有可能成为未来开放中平等制衡的起点。至于关闭，又不同于曾经的不开门窗。不开是不肯开，打不开，而关闭是自觉关上。这种自觉，大可以打开北门，又另启南窗，让进来的气流从这边进又从那边出。更极端的，甚至把房顶掀了，把墙壁拆了，让风无所谓进出，无所谓去留。一种全球化可以抵御另一种全球化，一种大同可以销蚀掉另一种大同。让相反的极权和极利对立起来，个体反而独立出来。一边进盐，另一边进糖；这里倒油，那里灌水。油盐不进，是这么积极地做成的。说这么吃力，不如出世，可哪里还有一片净土没被资本的势利染指的呢？非此即彼，这个存在主义的典型态度正好被资本化世界利用，不如彼此彼此，让它们相互利用吧，你好逃脱，在人群中逃脱，逃脱到人群中。有什么关系呢？彼和此都是标签符号，都是幻相虚无。是彼非此，是此非彼，一样都是意识形态的执着。因此，现象是不会说话的，本质是被人偷换的，无处可逃的人群中不如任选其一、再选其一地游刃有余。选择的不选择，方可隐没。隐没的目的，在于从心顺性而不逾矩。这样大的智慧，先圣们竟是向路边的野花学来的。

我的朋友沈昭平

我的朋友沈昭平，1965年生于上海，属蛇，今年五十岁。祖籍河北沧州，母系浙江金华汤溪，与我外家同出一地。昭平是语言文字学的博士，长年钻研古文字和史籍，七年前受日本爱知大学邀请，到名古屋去教课。在那里，他和比他小二十六岁的学生松元行江结为夫妻。松元行江的曾祖父松元正雄毕业于东亚同文书院，而这个书院正是如今爱知大学的前身。1927年，他又入陆军士官学校，之后在日本帝国陆军部队服役，十三军建制不久，被调往军辖第二十二师团和第七十师团任官职，民国三十一年、三十三年间，带兵转战于金华至衢州铁路线以南一带，曾到过汤溪，与昭平的太公还有往来。这条断续而又交叉的线索，似乎成了他们姻缘的命运路径。

去年清明前，昭平的外婆离世了。他外婆长寿，一直活到一百零二岁，死的时候留下一间房子，归在昭平的名下。外婆走的时候，昭平没有回去。他说他害怕。害怕有的时候也是一种力量。追悼会、落葬、迎宾送客以及房屋遗产各类事宜，都是昭平的母亲沈阿姨和他妹妹沈凌微主理的。当时也非常顺利，并未想过会有什么纰漏，也更想不到之后可能生出纠葛。可是，今年6月，突然沈阿姨打电话给昭平，说他舅舅委托律师，状告房屋所有权不明，要他亲自来处理。于是，他从名古屋请假回到了上海。

昭平跟我有很长一段时间同住在永嘉路396弄，我们一起上学，一起逃课，一起追女孩子，一起考大学。后来，我写作，他教书，人生的路线渐渐不同。只是我们关心的问题还都接近，几十年也未变。他一到上海，首先来找我，前尘往事顿时涌上心头。我本来计划写《非学》，这是继去年《手珠记》后深入谈认识方法的书，意图通过用各种反学科和非学科的手段整合二元对立的分裂，但他的话匣子一开，把我的思路全部打乱了。我被他引到文化和历史的冲突中，家国，天下，烽火，情恨，一时间纷乱中锐密起来，迷离中沉凝下来。雪山森晓，风叶战秋。他常常三天打官司，两天来讲故事，彻底把我的写作计划粉碎了。而我从来就不是完美主义者，也不相信貌似逻辑的既定形式。倘要是摆脱不掉文史和人事的纠缠，那索性就将情态与岁月来做文章，“几处断垣围古井，向来一一是人家”。风动流光，雨静飞尘，星曜月明，此起彼伏。这样倒是根本上消解了问题和主义，专从往来住空中体悟，留得曲直，谈笑是非。

这样，我就想到了写这本书，写我们的外家。

他母亲和我母亲，都是汤溪人。他们出在前夏，我们住在东夏。两个村子相距不到一里地，按说祖上还是同脉。我以前用汤溪语写过一首歌，也在另外一本书里写过点我们的家世，但这些都是经历和说事顺带出来的点滴。而这次恐怕要走很长的路，要带着看客们跋山涉水，深入到门户，进抵至身心。如果一时出不来，也不要埋怨我。我可以保证，那是你从来都未曾去过的地方，那些话语也是你从来也未曾听过的衷肠。一旦你回过味来，或者还可以作为丰盛的谈资，或者想骂我也找到了骂的实处，或者也终于知道你我究竟何以难讨对方喜欢，以至于最后我们还是应该好好相处。

这不是一场说书，这是一本说说书人的书。尽管我不打算抽象了，但呈现的未必尽在具体。从理性中出来的叙述，何苦再退回到感受层面呢？你在这里自以为感受到的，实际上是接应到的和呼应到的。所以，一本不准备写成哲学的书，也并不准备写成说书蓝本。如果这样的文本不好归类，还是建议放在文学类的散文中吧。因为文学的对面是语学，就像文化的对面是语化一样的，那么，散文的对面就是聚文，聚在一类中，同类相聚。我这样的文章，难以与他聚类，不如散在外面，人得的好处不想要，人得的害处也自然就没有。千万不要想这是什么革新，这只不过是随遇而安的不得已。我跟昭平约定了，说说写写；我陪他聊天，帮他解决麻烦，不能一无所获；我的目的在于做我感兴趣的研究，由那本书达不到的，在这本书里必要达到。也许《非学》只能完成认识方法的探讨，而这本书却可以从人文角度来完成机体的愈合，使我们整个在学科和思维分裂下承继前人遗产的当下人生开阔起来。

书名叫《妹方》。妹，是昭平外婆夏光妹的妹。妹，是远古商汤姑蔑国的国名。姑蔑，在后来的历史中也叫姑妹。夏光妹的父亲夏玉书给她取这个名字，是要光耀姑妹的意思。汤溪人大部分都是姑妹人的后裔，成汤的亲戚。他们在商亡之后，迁徙到越国的西境，为了纪念成汤，把依溪而居的这片地方定名为汤溪。方，是方国的意思。在商汤或更早的时期，人们并无国的概念，常以方这个字示意聚落、氏族和部落的联盟。

妹方，是昭平的故乡，也是我的故乡。

卷一

松元君日志

第一章　从本山到中部国际机场

一早，松元行江就起来准备早餐。所谓早餐，就是在蒸熟的米饭上撒点萝卜缨，再煮一壶茶。这是沈昭平的日本口味。当初他刚来名古屋的时候，对这种萝卜缨米饭是嗤之以鼻的。在上海，谁会把萝卜叶子当菜吃呢？即便在旧时棚户区最贫寒的人家，也没听说吃萝卜叶子的。可是，在这里，人们居然视之为美食。起初他也不习惯，渐渐地，也许是气候的原因，反正吃了就气顺，胃口也好，腿脚便利，浑身轻松。

外面下着雨，天气开始闷热。这是个二层小楼，建筑材料老旧，楼下住着一个老太太，楼上有三间，一间窄小的做书房，一间稍大一点的是睡房，外面不足三十平米的算是起居间和厨房。昭平和行江租来二层的这个地方，已经住了三年。从靠着灶头的窗户望出去，雨水洗透的樟树叶子明绿晃眼，饭后靠在一边吸烟，有一种惬意舒放的感受。这或许也是吃了萝卜缨又被烟草的芬芳提升的结果。这是昭平最喜欢的角落和片刻。他以为，人生既为暂居，那么角落固然好于广场，而片刻必然胜于长久。至于佳偶，其实早早就接应到这番定力，在世界的他处静候，在过道的穿行中邂逅。行江就是这么来的，这么如云似霞地留住了晨昏。此刻，她哪怕有意早起，也无意地靠在窗边，趁等着茶水沸腾的间歇，燃上一支烟远望。她想，闷热也不坏，闷热中心里想要的凉意，才被樟树的叶子读懂。

睡房里有了动静。昭平起身了。行江知道他一起来喜欢沉默发呆，就极快地将茶饭收拾到餐桌，将灶台这边的窗户让出来。他今天倒没有走过去，而是急急地进到书房，一言不发地埋头找东西。

“你是在找我的手稿吗？”行江问。

“昨晚上你没拿给我……”昭平答。

“最后一节还没译完，我就没给你。等你睡了后，我又起来过。现在弄完了，我已经放进行李了。”

“是吗？那太好了。”昭平说着就转身出房走近餐桌，手急急地伸去端饭碗，“你拿出来，放到我的包里吧。这样我在路上可以看。”

“不要急的，慢慢吃。这里到地铁口才十分钟路，环线很快就到金山的。”

昭平也没接话，嘴里已经塞满了米饭。

他们从本山站出发，准备到金山换车，然后去中部国际机场。才六点多钟，车上人很少。两个人找到座位坐下，行李不多，也就随手放在一边。行江看昭平有点打不起精神，问他：

“睡好了吗？”

“睡得很好，”昭平说，“怕是你没睡好，夜里又起来翻译。你几点睡的？”

“快早晨才睡的。”

“我又把脚伸进你被子了……”

“我喜欢你这样。”

“压着你，沉不？”

“不沉。我喜欢你用脚压我的脚背。”

“现在睡觉总要分成两截。起来上个厕所，就再睡不着了。但贴着你就不一样，你身上有一股劲会传到我身上，从脚背那里来的，挡也挡不住，从我脚趾钻进身体，慢慢放射到全身，像醉了酒似的，接下来就昏过去了。这下完了，回上海又要睡不好了。”

“那你怎么不起劲？一副没睡好的样子！”

“没不起劲……”

这会儿，车停靠一个站，上来一个老头，一个染发的男孩，还有一个抱着一大堆公文的瘦高个。于是，他们俩开始讲上海话。

“昨天脑子一热，好像没出来，在里面了。”

“你什么都说，不怕人听见！”

“讲上海话，他们听得懂啊？不放心，我们说汤溪话吧。”

行江做昭平的学生后，开始学说上海话，去过上海和汤溪好几次了。最长在上海住了一年多，跟沈阿姨相处很投机，结果普通话基本全忘了，跟北方人交往就只靠写汉字。行江认字很多，文言也非常扎实，她这种状态，就像旧时的上海文人。

“我倒想要个孩子，”行江说，“你那个儿子比我都大，让他叫我妈妈，他受不了，我也受不了。”

“以前不想要，现在想要恐怕来不及了。从上年开始，我就体力不支，一直放空。是不是岁数到了，气血衰竭了？”

“我没看出来。三天两头，你没停过。”

“在你这个年纪的时候，哪止三天两头！”昭平很歉意地去贴近行江的头发。

“他们听不懂，还看不见？”

“以前你不是说，这么亲两个月就亲不起来了。后来呢？一年，两年，都六年了，还新鲜呢！”

对面那个老头愣愣地看着他们，忽然觉得有什么不对，就别过脸去不再看了。

“我那些失恋的同学说的，那个酒井葵，还有静子，都这么说。说男孩子就新鲜两个月，两个月里让你欲死欲仙，完了就成焦炭。”

“酒井葵？哦，她……一副不开窍的样子！”

“老师不要在背后议论自己的学生。”

“对，老师要有老师的样子。幸好我们熬过来了，你毕业了才结婚，要不我们都混不下去的。”

“你回去调养一下，就会好的。人一直不吃家乡的饭菜，就成了无源之木。”

“你不跟我去，我好不起来。魂灵被小鬼子拿走了！”

“再说一遍小鬼子，我爱听。”

“小鬼子！”

“让小鬼子闻闻你的头发！”闻头发，又说，“你洗澡了吗？”

“上次洗过了。”

“什么叫上次？”

“上次在上海洗的。”

“春节？”

“嗯。”

“把汗衫脱了！”

“现在？在车上？”

“脱了！你不怕小鬼子吗？”

“有三个人会看见的。”

“脱。我让你脱，你就脱。”

昭平把汗衫脱了，露出光光的身子。行江拿过汗衫，闻着，然后放进自己的背包，说：“拿回去洗。”

“会洗吗？”

“我警告你，最少三天洗一次澡，夏天必须一天洗一次。”说着又从行李中拿出一件干净衬衫给他。

“你跟我去上海，监督我才行。”

“我去不了，堀部教授做那个东莞调查的项目，一大堆资料靠我翻译呢。我不在，他死完了。”

“不是死完，是死定。北京人叫死定。教过你三十八遍了！”

“死定。”

“北京话普通话全忘光了？”

“你不是说文大于语吗？看看我翻译的日志吧，那中文水平已经甩你六条马路了！”

“我看看，”昭平拿出日志，读，“《松元君日志》。这个吗？一个侵华日军大佐的反动言论……”

“我提醒你，沈昭平，他可是我的曾祖父，也是你的曾祖父。”

“小鬼子！”

到了机场。昭平要去办理登机手续，行江突然问：“上次去柬埔寨回来后，我的护照是不是一直放在你包里？”昭平打开包找，果然找到了，递给行江。行江转身就朝售票处的窗口跑去，把昭平一个人留在那里。

一会儿她就跑回来了，拿着机票，笑着说：“南航CZ380，9:35起飞，姓名：松元行江。目的地：上海。”

“你疯了？堀部会把你煮熟的！”

第二章　花残月和皐月

飞机升空后，基本是直线朝西，不久出了本州，进到黄海上空。

行江这会儿坐在靠窗的位置上睡着了。昭平翻找出那份手稿，开始读。这是在岐阜县松元老家的祖屋里发现的。行江的爷爷松元清战后一直保留着一个美式行军箱，装有松元正雄从中国带回来的一些旧东西。两年前，行江带昭平去看爷爷，从堆放她童年玩具的储藏室里找到这个箱子，里面有几本宣纸装订起来的发黄的簿籍，一部分是纯粹的汉字记录，另一部分是日语书写，无意翻看中发现有“汤溪”“前夏”和“夏玉书”等字样，这引起了昭平的关注。于是，他们将这些稿本带回名古屋，逐页细看，竟出乎意料地寻出了遗落的往事。这是昭和十七年到十九年之间松元正雄在十三军服役时期的零星行军日志。那时，他随十三军攻打衢州，带着步兵联队常活动于金华城的西部。1942年夏秋和1944年6月中下旬，他的部队曾两次到过汤溪，驻扎在靠近九峰山的前夏村，而联队临时指挥部居然就设在昭平的太公家里。日志里写到的事情，是昭平闻所未闻的。他从外婆和母亲嘴里从来也没得到过半点类似的信息。出于好奇，他让行江整理翻译成现代中文，并将中间涉及的古籍断句分节。终于，现在这个本子完整了，由行江用颜体小楷誊抄，准确无误地呈现出当时的情状。

日志里有日常生活、战况、心绪、方物、人事、谈话等等，但最吸引昭平的是，这个松元正雄到底在他家里干了什么。

昭和十七年　花残月十六日

格里历1942年5月30日　阴　偶见小雨

十五师团的酒井中将在兰溪那边被炸死了。这是支那方面二十一军的独立工兵营干的，他们在兰溪以北的某个三岔路口埋设了地雷，酒井骑着马往路边高处去，结果踩炸了，人仰马翻。陆军建军以来，师团长阵亡，这还是首次。司令部严密封锁消息，只传达到大佐一级。这个家伙太阴狠，在南京那边搞“奸淫比赛”，评出虎、豹、豺三级，令士官当众行淫，胜者发奖品，兽性大发。这回也巧了，军医都下小队去了，他中雷后连基本的包扎都没人处理，活活流血流干了。这恐怕不能算是“战死”吧！

这家人姓夏，主人，夫人，两个儿子，大儿子的媳妇，再加上丫鬟和账房，一共七口，都没有走。支那官方执行坚壁清野，我们所到之处，几乎荒无人烟，能带走的都带走，能烧的他们自己都烧掉，偶尔会剩下几个老弱病残，都是没能力逃跑的。这番从汤溪城下来，往南部大山方向移动，竟然在这个叫“前夏”的村子碰见这样一户人家。老头子六十二岁了，叫夏玉书。他搬一把檀木椅子，朝南坐着，抽一杆烟，任雨水飘打，远远盯着我们过来。我走到他面前，礼貌地打招呼，他也礼貌地回应我。问他家里的情况，他也不隐瞒。问他村里的情况，他说人都走了。问他去向，他说不知道。我起先怀疑这是支那军队留下的特务组织，或者收买现成的一家人做联络站，但打开大门进到宅院后，一件事让我改变了想法。

这是一排十一进院的大房子，大门朝南，矗立村口，乌瓦白墙。门前的庭院没有院门，低矮的土垣简略地围着，并不算大，只可容得下些骡马，或者至多两顶轿子。宅子的门是原木的，不上漆，很窄小，墙却很高，一里以外都看得见。夏玉书端坐在那里凝视我们的时候，身后的大墙衬托渺小的人影，真的有一种震撼心魄的威力，正像空城计里的诸葛亮，无兵无马，亦却人千里之外。

推开宅子的小门，如果没有隔屏阻拦，大队兵马长驱直入，可直抵十一个院子的最远出口。一个天井连着一个天井，围廊重重，柱木冲天。我安排一个满员的大队深入，几分钟后居然人影全无，像是被一条巨龙吞噬了一样。我们非常谨慎，怕里面有游击队埋伏，我让勤务兵五岛太郎、司号员池野麻矢紧跟我，枪都上了膛，人贴着砖墙慢慢移动。走到第三进院，听到楼上传来异样的声音，细辨竟是女人的浪语。我本担心部下有人破坏行动，忍不住又强奸民女，便急速上楼查看。没想到推门进去，看见一男一女赤身交合在一起，女的在上，男的在下。最不可思议的是，步兵一个分队十五人荷枪实弹靠墙分开围着，虎视眈眈，却纹丝不动。那个女的用带着汤溪口音的官话对着我们说："等我还有一刻，就这趟丢了再跟你们去丢命！还差一点工夫，弟兄长官们再等一会儿……"那个男人一言不发，埋头拱动身子。突然，女人抑不住，战栗着发出"德德德"的叫喊，一阵急过一阵，然后像母马一样嘶鸣，简直就是凄厉的呼号，直号得我们腿脚发软。丫鬟沉静地跪在一边，从水盆里绞干毛巾替他们拭净身子。我们真的受到了震撼！我相信在床笫间，日本妇女从来都不可能发出"德德德"的叫床声，即使明朝的艳情小说里也没有写到过。那个女人在被丫鬟擦干净后起来，从容地一件一件穿好衣裳，一瘸一拐地，媚眼扫视了全体官兵，下楼去了。男人像死猪似的转过身子背对着我们。

我们身处其中，却又被长久地抛在外面，甚至由心底生出了害怕。

男人叫夏润韦，明治三十四年生人，四十一岁，比我大三岁，是夏玉书的长子。女人祝氏，名男来，明治二十九年生人，四十六岁，比男人大五岁。

但她看上去只有二十出头的样子，美艳得像切开的果肉。这是夏润韦非要娶回家的，他父亲绝不同意的，后来母亲做主才办成这门婚事。祝男来的坏名声和她的好容貌一样出色，传遍了汤溪方圆几十里地。因为从小就偷男人，终于有一次冲犯了凶恶的人家，被剪了脚跟的大筋，所以她走路一瘸一拐的。

我不得不整饬军纪，喊口令指挥列队下楼。我提高嗓门，把声音喊到最大。

我首先要喊醒我自己！

帝国的武士未饮散兵暗弹，何以吞咽村妇色刀！利刃所向无敌，难敌色刀刮骨削肉，夺魂散魄。

经历了这幕场景，我确定夏家是良民。

昭和十七年　花残月十七日

格里历1942年5月31日　阴　晴无常

联队与县城、各大队的通讯密码已经更换，今天通信兵应着手铺设电话线。七十师团已占金华。我二十二师团与河野混成旅正迂回西进，直逼衢州。本部联队控制铁路线南部一带，密切注意山南游击队和支那第四十师主力及暂编第十三师的行动。出发前司令部已经交代，战略目的在于消灭支那军队有生力量，兼顾毁坏衢州、丽水、玉山的浙江机场群。从目前的战况来看，支那方并非没有准备，而且抵抗顽强，帝国陆军出师不利，损兵折将。要做好长期作战、长期驻扎的打算，来回拉锯是免不了的。眼下，伤员还不多，粮食有点吃紧。昨天接到电报，前线士兵基本一天只发拳头大小的一个饭团，从宁波带过来的米看来不剩多少了。

必须赶紧找到县内各村的居民，下个月就要割水稻了，不能烂在地里。夏家是唯一的活口，必须善待，以诱出情报。藤田中佐主张把他们关押到县城监狱，用刑逼供，我不同意，这个办法不好。年纪大的受不了刑，很快就会死掉；年纪小的和女眷都不出门户，哪怕提供信息也没有多少价值。应该直钩子钓鱼，等他们的亲戚朋友露头，再顺藤摸瓜。

夏玉书一早起来，就打开后院的大门，率领一家人在屋外空地面北而拜。他说这不是给祖宗拜，也不是给北京的皇帝拜，而是给新京的皇帝拜。他说，康德帝乃满、汉、蒙、日和鲜族的君主，当然也是日本人的皇帝，要我们也拜。我告诉他，在满洲的时候，我们晨起举行朝会，要行两次遥拜礼，即先向东京的皇居方向，再向长春的帝宫方向，各行一个九十度鞠躬的最敬礼。

夏先生是个读书人，博学多才，光绪三十年（明治三十七年），即我出生的那年，他去河南参加会试，考中进士。吏部尚书张百熙评他的考卷说：“白圭之玷，尚可磨也。”可惜清国江河日下，斯国之玷，酿成坏疽，筋骨良肉皆无余；学子报国无门，唯余仰天长啸。民国二年，省府派人来请他出仕，任省教育部门一个官职，他拒绝了。他说：“君已不君，臣何以为臣？君受命于天，臣受命于君。汝等自谓受命于民，置天命罔顾，岂闻人道大于天道乎？文圭才疏，不为天子之臣，亦可安为天道之人。夫亘古未闻天道外人民邪！”

文圭，是他的字。

联队指挥所设在第三进院，那里天井比较开阔，采光好，便于看军事地图。开饭了，他们一家人围坐在前厅，开着门，让空气流通，看得见外面的水田和远处的青山，很像画卷中的山水图，颇有魏晋遗风。他们不叫我们上桌，我们也不去打搅他们。我们几个指挥官商议好了，用他们的灶头，不上他们的饭桌。宅子里大灶有三处，小灶有七处，足够联队炊事人员造饭的。出发的时候带的口粮只够十天，后来基本采取就地征发。几个指挥官可能还有一点精力饼和元气食，士兵们怕是连梅子干和盐都没有了。好在夏家在村后山背（他们管那些连接大山的起伏丘陵叫“山背”）的粮仓被我们发现了，存有至少五十石陈米和三十石去年收下的新米。这足够带过来的这个大队官兵吃一星期的。

吃夏家的粮，夏太太骂我们了。文圭先生劝阻她，说这是战争，自古兵燹百姓苦。

是的，这是战争！我们是占领军，占领区的百姓提供军援，是天经地义的。

猪圈里有三十头猪，散养的鸡鸭鹅有五六十只，还有几头牛。这应该不是全部禽畜，家里的其他人走的时候会带走不少。已经很好了！这家聪明人是绝不会拿身家性命去换这些鸡零狗碎的。默许也算智慧的待客之道。我真的要谢谢文圭先生和他的一家。

一会儿就要开晚饭了，五岛知道我爱吃烤鸭，已经吩咐他去弄了。这里的鸭子和支那别处的都不同，红头白毛，有的比鹅看起来还肥。配上点腌制菜，泡菜也还有一点点。他们从小灶那边还找到一些豆腐干，用来做味噌汤应该可以。或者向文圭先生再讨点酒喝？这个，有点过分了。好吧，我给他一条前门烟，这是从上海带来的，他应该能喜欢。算第一次中日在汤溪的民间贸易吧！

昭和十七年　花残月二十三日　芒种入梅
格里历1942年6月6日　大雨

前线战报：衢州方面，第三十二师团已占领常山港以南地区；第十五师团经激战，进至六马桥阵地；本部先头部队强渡乌溪江，已进入江山港南岸。对衢州城的包围基本完成。

不幸的是，3日，河野旅团一部渡江，遭遇敌方六十七师阻击，全部殉国。

今日入梅。在岐阜县老家，大家摘下梅子，用盐腌，再拿出来晒干，用紫苏叶晕色，制作梅干。孩子们总是在晒梅子的时候，就迫不及待地偷吃，牙齿常常被酸倒。由子联想到花。初春梅花开的时节，有“梅祭”，艺伎们在野外开茶会，书生们组织观梅俳句会。有人唱起了菅原道真的和歌：“东风阵阵，梅香袭人。花兮人兮，人去勿忘春！”那是他受奸佞陷害被放逐离家前的咏叹。道真死后，异象百出。醍醐天皇的皇子们接连病死，皇宫的清凉殿遭雷击起火，死伤广众。有人认为这是道真的冤魂作怪，于是追封亡灵以高级官位，并兴建北野天满宫，尊为雷神。

这个雷神，因为生前汉字诗文好，朝廷还任命他为遣唐使，死后也被民间尊为文神。这些天打雷下雨，不免又想起他。文神发怒，雷声隆隆。这就好比这场战争，支那人始终不明白我们正是出于同文的理想。

前些天在天井的檐阴下看胜海舟伯爵的《解难录》，夏润韦经过，居然问我要去翻看。他说：“东夷窃我部首字样以造书，半文半野，视之若江湖秘籍，串村走巷唱婺戏的本子也圈圈点点的，我见过，大抵如是。”我告诉他我们日本跟支那同文异语，照顾到百姓学字难，才改革用一些拼音。就像汤溪地方话跟官话不一样，也是同文异语，如果按假名记音，种田人很快就会拼写自己的语言了。他疑惑种田人何须知道这些，怕这样一来反倒容易联络起来造反。我说，种田人书写可以促进贸易，提高生产技术。这个他听懂了，露出了诧异的目光。

夏润韦属牛，四十一岁，比我长三岁。生在书香之家，本是读书考官的材料。但其父既断了仕路，自然也不打算让儿子再去从政，便将家里的产业交给他，让他打理农桑耕织以及县城里的药铺。他主要的任务，就是带着账房管家督促田间劳作，安排家族经济，间或贩运交易，年终收租理财。婚丧嫁娶，节庆祭祀，族人会议，这些决策和礼仪大事，还是由文圭先生主持。

夏润韦对我们还算客气，偶尔见了指挥所的官长，也行礼寒暄。只是他不停地跟藤田中佐闹别扭，埋怨我们把粮食吃空了，他们日后难以维持生计。藤田烦了，昨天拔出军刀吓唬了他一次。

他们家的男人，包括账房，基本都会说官话。老太太只说本地话，我们也听不懂。那个祝男来会说一点夹杂浓重口音的国语，加上比画、神色，三分懂七分猜，大致也过得去。令我吃惊的是，她常常下楼来找五岛，跟着五岛竟然学会说几句日语了。前天她偷了五岛的皮带，五岛怕得要死，不敢去要。我打了五岛一记耳光，责令他去当面讨回来。结果，这家伙被这个荡妇嬉引到外面的水田里，腼腆地站在田埂上哭了。

池野就比他有出息，拿出点军人的样子呵斥她。但说老实话，效果也不大。祝男来会直接上手，我看见在小灶那边，她拿个鸡蛋塞进池野的嘴里。

士兵中很多从农村来的，心地单纯。战场上杀敌，英勇有余；修理荡妇，门都没有入。不过，像祝氏这样的女人，我也是只在小说里看见过，真的活生生逼过来，也想钻地缝啊！我尽量躲得她远远的，联队官兵也躲得她远远的。远远地，又忍不住多看一眼。

终于组织两个中队的人，把小麦割了，趁着一个晴天收仓入库。汤溪的大部分水田这个季节都被水稻占着，但有些人家也会让出一点土地种小麦。阴历四月下旬，正值收割小麦。抓不到民夫，我们就自己征收。好在大部分人入伍前，都在家乡务农，做活的身手还都不差。

收麦子那天，三中队一小队的人看见山背那里过来几个壮年农民偷偷藏在麦田里。估计那是从山里跑下来的本村人，挂念麦熟了，也想弄一点走。没想到，士兵们发现这个情况晚了，七个人跑掉六个，一个被击毙。要是留个活口就好了，就能探出他们隐身的地方。现在看来，随着稻谷逐渐长熟，还有其他耕桑的推进，逐渐会有人回村的。庄稼人，不违农时。

收下来的粮食，仓库里放不下，有的就堆在宅子的空房里。我们另外还从其他人家和其他村庄收来一批咸肉、火腿，以及各式各样的牲畜家禽，不得已要占用夏家的祠堂。我去征求文圭先生的意见。我很礼貌地向他鞠躬行礼，为他点烟，向他请安，心里惴惴不安。没想到，他很大方地同意了，还有一番说辞："谷粮佳酿陈设两旁，牲首脯饩悬置宗祠，此乃献祭大礼，使得，使得！听说你们还要犒劳军士，那就也搬到祠堂去办。三牺太牢，爓以火，衅以血，大吉利也！只是管好你的手下，不要动弹祖先的牌位、画像，供台上的其他什物也一概不碰。"

这样，我们就在夏家祠堂美美地饕餮了一餐。喝他们的酒，米酿的，有点酸味，入口醇涩。酒很温人，纵人性情，这一夜我甚至梦见了今年初梦的场景，一条赤蛇在布满青苔的磐石上爬行。清今年十三岁了，他属蛇。

文圭先生的幼子才六岁，名叫夏旭宝。看见夏旭宝，我总要想起清。清在六岁的时候也很讨人喜欢，动静间常出语惊人。可惜我听不懂汤溪语，没法跟夏旭宝说话。他倒不怕生，跟进出的军人混得很熟，只是他好问不止，我们尽力了，也顶多答非所问。

我站在院门口，背着手凝望远山。他也站在一边背着手。我说："残云收翠岭，夕雾结长空。"他也跟着说相近的字音。

"你的半个柏叶饼被我吃掉了。"

"……"他的回答我听不懂，但皱着眉头，表情很用力的样子。

我用日语又说了一遍这句话，这是我跟清说过的话，他小时候我常拿这话吓唬他。

"……"他又接了我的话。这次仿佛有期盼，有愿望，还用手指示我看田边的橡树。他发出的那些单音节很像日语，说话的节奏跟我们岐阜人相仿。其实，汤溪人说话听起来很亲切。他们的语调、表情和神态就像家乡的农人。孩子和老人的微妙情绪尤其熟悉，柔软而悲悯，直刺人的心肠。

我有点难过，别转脸对着土垣。夏旭宝索性过来扯住我的衣角，歌谣一般的声调抑扬着他的自问自答。我用每次抱清的方式，把他抱起来。我贴着他的脸。雨和泪都落下来了。

忽雨忽晴，冷暖不定，老太太好像病了，病得还很严重，发高烧，咳嗽不止。远近人都跑光了，夏家必然请不到郎中大夫，我想让军医去替她检查一下，不知道文圭先生肯不肯。

昭和十七年　花残月三十日

格里历1942年6月13日　晴

文圭先生和老太太的主卧在二进院正堂楼上。25日，五岛从那里经过，瞥见夏润韦、账房先生和老太太在议事。来回间，听到他们一直在说“Jiufongwo”这个词。Jiufongwo是当地人对前夏村西边九峰的说法。九峰有禅寺，是汤溪的一处有历史渊源的名胜。这引起了我的警觉，恐怕他们想派人去九峰请郎中大夫。如果那边有郎中大夫，就意味着大批村民隐蔽在附近。

下午，果然账房先生出门了。我派一个军曹带着两个士兵尾随。掌灯时分，账房领着郎中大夫从西侧的边门进了宅子。

26日一早，藤田中佐集合了一个分队十五人，骑马直驱九峰。接下来，发生了一件怪事。当马队离山脚还有五百米远时，十五匹马突然齐刷刷地跪倒在草地上，不管如何抽打都不肯起来。不得已有人用马刺扎进马屁股，马才嘶叫着兀立，然后掉头就往回跑，根本勒不住。伍长濑户是养马出身，他很懂马的习性。他说，那边山峰上有“马峰”，即山脊形似马背，层层相连，日本养马的老马倌讲过“天马”的故事，各种马只要见到马峰，就像受到天马责令，都会曲腿磕拜。源实朝曾在寿福寺的山里也遭遇过类似的事情。

下午，再派步兵过去。发现人已经转移。

衢州已被我军占领。9日雨停。开始追击。西进途中遭遇敌方七十四师抵抗。师团长发来电报，命我部坚守蒋堂、汤溪、塔石和莘畈一带，抓紧征粮抽丁，维护南线西进的后勤输送。这样看来，原定7月结束战役已经无望。我们可能会长期驻扎下去。

28日夜。所有灯都亮起来了。

宅子里的，宅子外面的，一直到村外、山背、远路上。油灯，纸灯，宫灯，花灯，各式白的彩色的灯长龙一般飘浮在雾气上。西边和东边，有两个庞大的柱子顶起炉盆，里面盛着炭火，光焰照彻几十里地。院门口出现了一条大河，开阔得看不清对岸。渔船、彩舟和画舫接连而过。有一艘巨轮，百来个船工摇橹，徐徐从我面前经过。船舱里的人物历历在目。一个老夫人和一群女眷在行酒令，笑语欢声热浪一样炸开，直扑此岸人的头面。我甚至看清了一个丫鬟腕上的玉镯，一道内里射出的精光濡润迷离，钻到我心底。另有一艘大船，悬挂一片白帆。帆高桅重，像一面白墙扫过。此岸门口的街路上，三三两两，有女人孩子提着灯笼走去。嬉笑，细语，穿花过荫，款款而行。他们袜履虚若，步态轻盈，似有云轴拖拽，触地亦即亦离。

夏家人和全体官兵都趴在墙垣观看。有人想朝天射击，以证明身处之景不虚。可武器都失灵了，上不了膛，也扣不动扳机。有个小贩推车过来，伍长濑户买了一块糖糕。糕是糯米做的，上面撒了一些桂花，里面夹着三层薄馅，绿豆沙、红豆沙和黑豆沙。口味很清淡，咽下去又不断返上来清香。我从来没有吃过这么仙味的糕团！我也去买了两块，分给夏旭宝一块。池野买了，五岛买了，连藤田君也买了。

不知谁先走出了院子，跟着那些女人小孩走了。接着，一个一个，纷纷都走了。我们大队人马，散落在游街的人中间，蜿蜒向前，沿着由东外出的路走了。

这像是一次节庆的游行，所到之处，酒肆、茶楼、设宴的人家，比比皆是。全体沉醉在欢愉的气氛中，陶陶然，真的是乐而忘返。

有个中年人拍了一下我的肩膀，请我入室饮酒。他的酒壶比一口锅还大，水晶质地的，光照下酒色泛蓝。他的衣饰，看着很华丽，非唐非宋，比汉魏先秦还诡诞些。他的楼房，橡木和红岩的结构，厅堂相连，随处可见神龛。羊肉和桂皮的味道交织在一起，间有荷叶香与芦叶香。他问我从哪里来，我说日本。他又问日本在哪里，我说在大陆以东的岛上。他感叹这么远，来一趟不便。说着给我斟酒，又叫来侍女帮我抹一种香油。这油并不沾皮肤，也不刺激，慢慢渗到身体里，肌肉便放松下来。他说，吃酒前，这里的人都要抹这种油，抹了就不会吃醉。它的名字叫“回雪”。他告诉我，这天是姑妹人的祓禊节，要喝醉酒祓除不祥。酒能祛毒，日常用来敬神的，祭祀长可以喝一点，靠酒进入神境，而百姓不准喝。祓禊节是例外，酒也敬人，人借神力治好一年的病。为了加强酒力，一会儿在山背，还要跳《大护》舞。我们约好了，吃完酒一起去跳舞。

侍女的个头很高，她肩背处露出的一截肌肤油滑生光，一些令人猜不透的颗粒可以把人的目光聚拢到蚕丝的细度。这让我想起光子。她现在还好吗？她总是一个人生闷气，情绪时时不高。侍女看我低落的表情，对我笑了一下。她的笑容让人一下就放心了。放心的感觉，已经很久没有了。女人总是让人担心，她们在漫长的社会生活中已经失去了本来的光泽，好像总在提醒你各种契约，在契约中她才释放一点点感情。

酒后，我们来到山背。那里浓烟滚滚，篝火冲天。大家敲打着木鼓，拉着革弦的琴，音律似有若无，浑浑然震心。这大概就是庄子说的，“木声与人声，犁然有当于人之心。”古之大乐，不求外在的节奏和音高，专重内心的律动，以获取最大的自由。现在，我应该听到大乐了吧！人头攒动，舞和乐融在一起，形成巨浪。我终于看到汤溪的人民，他们从四面八方汇聚过来，一起加入到《大护》的仪式中。随列转动的时候，我遇见了文圭先生。他说，高兴啊！多久了，这样的事情才发生一次。上一次是他赴豫赶考前那一年，光绪二十九年的入梅天。整整三十九年了！三十九年来一次，时间太长了！他听他的祖父说，以前每两年就会来一次的。现在，人心不古了。我仿佛第一次听懂“不古”这两个字。古，原来不是一个时间概念，而是心的本来面目。心活着，可以活很久的，甚至永恒不死。古人说：“以天合天。”天，指的是天神；人心中也有天神，与天上的天神是同一个天神。跳舞的时候，我感觉到肉身太多余了，它对于内心来说，是外部世界的一部分。因此，它是要死掉的，它控制了心，心也要死掉的。帝国陆军第十三军第二十二师团步兵联队的大佐，是要死掉的！

下雨了，云团厮杀搏击，雷电又将它们破掉。顿时，人们四下逃散，远处立柱上的火焰也被浇灭。灯，一盏盏熄了。街市的光彩黯淡下去。船工收掉了一席席白帆，恶浪翻身上来淹没了舟楫。一切，霎那间，就像长画快速收拢一般，被藏进卷轴。只剩下军人和夏家老小，拖着淋湿的身子，艰难寻路而归。

回来后，大家议论，说，是不是一群人做了相同的梦，撞上了“团梦”。文圭先生很肯定地说，不是的，这是见祖，当地人叫“龀龆归”，以后还会有的。

龀龆，意思是儿童换牙，也指换牙的年龄。当地人认为，只有保持孩童的初心，才可以见到祖先。

昭和十七年　皐月（菖蒲月）初一
格里历1942年6月14日　细雨

阴历入皐月了，在岐阜县老家大野町的前秋村，揖斐川从远处流过，跟这里附近后大镇边上的大溪一样，背面的大谷山森林里杜鹃声声，池塘中的睡莲渐渐铺满，岸上已经有紫的黄的菖蒲花绽放。岐阜县跟徐州在同一个纬度，气候却跟汤溪差不多。估计以前中原的气候也不错，只是近些年支那军阀混战，破坏得多，渐露凋敝之象。目前，只有长江以南河流还清澈，树木生长茂密。

光子会编菖蒲蔓那样的发饰想念远方的亲人吗？该是洗过菖蒲

汤浴了！小时候，我最喜欢跟父亲架梯爬到屋顶，去插菖蒲葺，那叶尖一锋一锋地从瓦檐上伸出来，下面的人看着就像一柄柄青刀。中原的方士称之为“水剑”，难怪家乡的男孩子要用菖蒲编织草叶刀，或者用菖蒲叶子缠武士刀的刀柄。一会儿我也出去摘一点菖蒲叶，把军刀缠一下。皐月为毒月，地气熏蒸，疫气四散，菖蒲可驱邪杀毒。

文圭先生看我弄菖蒲，感叹道：“根叶肤浅，其花亦贱。”我告诉他，菖蒲在日语中发音与“尚武”相同，武士的精神从来就不肤浅。

连日阴雨。我喜欢下雨的时候在回廊里踱步，文圭先生也喜欢这样。他走在前面，我跟在后面。有时走着走着，距离拉开了，一个在这边，一个在那边。我们隔着天井，中间垂下雨帘，这时候倒说起话来。

“你们，就跟我二弟一样，狷介促狭。”文圭先生说，“他在外面贩了几年洋货，就觉得自己不得了了。上年在金华城里开了个西药房，赚到几分利，就来逼迫我，嫌我老了，要我把润韦那点铺子都交给他管。殊不知，老了有老了的办法。江河日下，未见得就是死局。”

“在我们日本，并不是都主张战争的。胜海舟伯爵就主张日韩支那同盟，按我们自己的方式生活，与西洋不同。近卫家族的人也这么认为。我青年时候，受同文会的人影响，在上海东亚同文书院念书。这个书院就是首相的家人主持的。”

“光绪二十一年在马关，中堂大人跟你们伊藤相讨一点归途的旅费，作为和约相让的一款，你们竟不肯。你知道他为什么要讨这点旅费吗？”

“恕不知。愿闻其详。”

"不要把路走绝！口口声声同文兄弟，斩尽杀绝，终究违逆天道的！"

"你们革命了，跟着英国人美国人走，做他们的臣妾。"

"那时我们还没革命！"

"所以，伊藤相次年就面见光绪皇帝，帮着他维新啊！我们同文会的人办报，在《同文沪报》和《盛京时报》上一直撰文'保全中国'。想必先生也有耳闻。"

"我那个二弟，逼人太甚，总有一天会把路走绝的。他也不小岁数了，也有老的时候。他用能耐跟后生比试，我的能耐只用来安度晚年。再不济，他还真能把我赶出这个家门？你们想越俎代庖，做我中华的皇帝，来复兴汉唐吗？"

"蒙古人做得，通古斯人做得，日本人为什么做不得？您不是也认了康德皇帝和光绪皇帝吗？再说，我们的初衷并没想发动战争。近卫首相也不得已，受军方的人摆布。"

"你们性子太急了。俗话说，中年忌怒，老年忌贪。我那个二弟就急，易怒，要坏事的。你们那个同文求和的话听起来不错，可怎就一夜翻脸了呢？说兄弟不合闹别扭，闹就闹一下。仗也打过了，钱也给你们了，差不多行了，不可贪得无厌。庚子年洋人犯京，人家还懂得紫禁城府库不动，御苑不侵呢！"

"你我合起来，西洋别说犯京，怕是连新疆都进不了。俄国人不是被我们打败了吗？我们替黄种人争脸了！看看你们，英法德俄，哪一国不是想来就来，门户大敞啊！"

"不要说我们你们。我留你在此，是看你也是读书人，趣味相投。说我们你们，你那点趣味，你们国里那点丘八看得上吗？你不是也被他们逼来杀人了吗？人心不古，万事毁败。"

"先生是要指点我阳明学吗？阳明学在你们这里不吃香，在我们那里可是大行其道啊！"

“又说你们我们，没趣！我只晓得，国军来，吃我的；皇军来，也吃我的。国军那个委员长，据说也学阳明。阳明的本在心，阳明说知行合一，行，难道在你们做起来就是杀人么！”

“先生也说你们了。”

“同文，倘若记得住自己的年岁，也罢。可口里说着同文，心里想跟青年人较量，就索性斯文扫地了。”

“先生的意思是说，当今美国人是青年。那么，试问，蒋委员长跟着那个青年人上蹿下跳，身子骨行吗？”

“希望他略知远交近攻，这样弄不好他还能打赢。现在看起来，他至少在耍滑头，诱敌深入，陷敌于水田山林，疲敌之计。”

“夏先生果有儒将城府，亏得没去民国做官。在下也是这么认为的，照这样打下去，败局已定。”

文圭先生停止不语，突然转了话题，说：“你可以进我的书房，书随便看，骨董不准动。”

“承蒙抬举，在下深感荣幸。”我向他鞠躬致谢。

昭和十七年　皐月（菖蒲月）初二
格里历1942年6月15日　阴

文圭先生的藏书中，最吸引我的，是关于姑妹的几册志乘。有《姑妹志》《逸昧乐书》《大末奏记》《成汤溪》和《蔑遗录》五本。大多出自两晋唐宋文人之手，不少篇幅摘录于先秦至汉的已散佚文献。这五本有两本是成化年的写刻本，另三本为夏氏族人在清代的钞本。《姑妹志》是残卷，《大末奏记》缺页颇多，《蔑遗录》比较精良，字迹灵秀，作者文笔亦隽永。

我还是同文书院的老习惯，到支那各地做大旅行，出村入户，广泛搜集地方志，收罗民俗风土资料。这五本古籍，显然不同于司空见惯的大路货，算得上秘籍孤本。我不想强取，也无意智取，只全部拍摄，立此存照。我的兴趣在于了解信息，不在于收藏独揽。

这里摘抄几段我感兴趣的章句，也正好练练汉字，许久不写，笔画都不周全了。

姑妹城在越西，依龙丘，双溪环绕。西溪曰姑妹，东溪自山中南下，曰汤溪。汤溪者，成汤之溪也。其民皆殷人裔胄，成王迁之于东南。故名。

《国语》记："句践之地，南至于句无，北至于御儿，东至于鄞，西至于姑蔑。"姑蔑，即姑妹也。

姑妹祖始豕韦。祝融弟吴回生陆终，陆终生彭祖，封于大彭，大彭氏国是也。豕韦防氏，脉出大彭氏。大彭、豕韦历虞夏、殷商二世。郑语记："大彭、豕韦为商伯矣。"太史公云："夏帝孔甲立刘累为豕韦国君以养龙，龙死，刘累惧，逃鲁山隐居姓刘。"故风氏豕韦复国。左传氏云："昔匄之祖，自虞以上为陶唐氏，在夏为御龙氏，在商为豕韦氏，在周为唐杜氏，晋主夏盟为范氏。"故今越西姑妹，多有丰、祝、刘、范姓。丰者，假借风也。又多夏姓，姓出大司乐。礼春官载："大司乐舞大夏，以祭山川。钟师掌金奏，凡乐事，以钟鼓奏九夏。"殷时，夏之乐官多有居豕韦，采歌于沬。沬，妹，蔑，韦，灭，秽，盖一属。在夏为韦灭秽，在殷为妹昧，在周为沬蔑，在秦汉为末幕。

书曰："明大命于妹邦。"妹邦，又名妹方，妹土。诗桑中有"沬之北矣"，"沬之东矣"，"沬之乡矣"。《汉书地理志》曰："琅琊郡有姑幕县。"是为奄境。殷亡，妹方族人转徙于东，据泗水，谓之薄姑。成王时，薄姑氏与四国共作乱，成王灭之。《吕览》云："商人服象，为虐于东夷。周公遂以师逐之，至于江南。”昔越王争霸，姑妹臣越，周志曰：“于越纳姑妹珍。”

姑妹城，东西二百二十步，南北一百六十八步，高一丈七尺，厚四尺，周四百七十步。城废，今人犹呼其墟为寺城麓。汉有龙丘苌隐于麓，故又名龙丘。城西东华山，有姑蔑子墓。

妹人善战，善猎，长砮矢，以卒旅为邮，五邮为一师。春秋时助战越王伐吴，谓之军中神武之师。《左传》记：“六月丙子，越子伐吴，为二隧。畴无余、讴阳自南方，先及郊。吴太子友、王子地、王孙弥庸、寿于姚自泓上观之。弥庸见姑蔑之旗，曰：‘吾父之旗也。不可以见仇而弗杀也。’”

百夫长刘说，御龙刘累苗裔，率犀象之师，于笠泽夜袭吴营，大破吴师，封通侯大将军，食邑三百家。

拜祝融、简狄、丰隆，祭家祖族祖中夏诸祖。舞《大护》，歌《晨露》，奏木鼓、革弦、玉筑，以舞乐娱神。善养豕雁，食豕肉，衣豕皮。姑妹珍异，有犀角，犀革，象牙，乌豕，赤首雁。妹人风气言语，同古之殷商，殊异于近乡远邻，去方圆百里外，无人能辨。

成汤灭夏，先翦韦。郑诗笺曰：“豕韦、顾、昆吾，三国当于桀与汤。先伐韦、顾，克之昆吾，夏桀则同时诛也。”豕韦又有一族，远走东胡地，今呼失韦。失韦国，在勿吉北千里，去洛六千里。其人唯食猪鱼，养牛马。父母死，男女聚哭三年，尸则置于林树之上。俗爱赤珠，为妇人饰，穿挂于颈，以多为贵，女不得此，乃至不嫁。其俗与姑妹人同。

东胡失韦中，又有数部，渡海，不知所终。

（松元正雄录晋人王桢撰《姑妹志・卷一》。
王桢，字干正，荆州江陵人。）

威王伐越，得越西之地，姝人归楚。封姑姝王离为姑蔑子，在伯侯之下。姑蔑王世家范姓，风姓之胄。防、风、范、丰义同，音异，皆风氏豖韦之后。离之子为寻，寻之子为况，况之子为杼，杼之子为囷，凡五世八十四岁至秦。秦灭楚，去姑蔑，设太末县。姑者，太也。郡守褫范囷子爵位，代以县令职。世袭终。

东华山有姑蔑子墓，盖二十四王、君夫人、姬妾冢。葬埋敞藏地宫，墓门不可知。有发丘者至，终无所获。

范者，陆终大彭一系；刘者，刘累之后；祝者，祝融之后。又有乙姓，或为天乙王孙后人也。

去龙丘西五十里，谷水之阳，有巨石窟，姝人凿以祈神，会堂是也。内具万神龛，坛台分明，石柱巍峩。设卜官，女人为官。上自夫人，下至巫妪。以龟甲、犀骨占验。岁中以春祭、秋祭为大，百姓白衣而歌，舞于岸丘，谓神浒游。以木鼓振林，以琴瑟扬波，水清木华之象。衅血注地，郁鬯灌土，臭阴达于渊泉。再用玉气，灌以圭璋，致阴气也，丰年可至，稔谷可获。姝人酝醴，饮神武不饮庶人。惟迎神、用兵饮之，他日者忌。所谓醪醴，神泉也。有神器，名丁彝，匿瓿，盛酒，则神至。辨百草，通百兽。武帝时，有猎夫进山，见老者仆地，与其粢脯，醒而立，一虎也。遗方书于地，记跳骨丹。言方中药味，皆虎狼所自识奇卉，啮服治病伤。人食之，碎骨跳跃，参差吻合，渐次自愈。

乡闾多神社，祭谷神、木神、武神、山神、火神。火神为众神之神，光明神。

姝人嗜玉，谓玉为神物，状神神在，状龙龙在，状豖豖在，状嘉禾嘉禾在，故不可落入恶人之手。夫先人以玉为兵，遇圣主使然，死而龙藏。姝人古心犹存，姑蔑子圣通明贤，是故玉神不去。又其人信火神，奉赤色为至上，尤爱赤玉。

秦末兵乱，焚太末县城，姑妹宫毁。汉初置县城于龙丘西。王莽改为末治。后汉孙吴改为大末，承袭至今。

（晋人王桢撰《姑妹志·卷一》）

炊糕

蔑之人蹄耕。放犀象鹿麃于田间，围以柴栅，佯攻以火。大骇，乃相搏突击，狂奔不已。久之，遂田土松通。又惧而屎溺，溅泻入泥，以资养田。逮兽疲，引出，导山中渠水入以灌之。此古法，殷商之术也。

大末姑蔑人，粒食之民，然植粳，不类越人植秈。粳者补中益气，秈者清肺胃火。中元谓鬼日，姑蔑俗于是日炊糕，以谢鬼。农夫于门前设小宴。不可作盛馔，盛则鬼恋之不去；亦不可俭薄，俭薄则鬼忿必害人。故常与以馐糕美酒。糕者，名灰糕。取新稻之秸，缠绾缭绕，形似锲，置于灶火中，即燃复出，遽浸入釜，使灰渗于釜汤。循回数番，则汤灰黑。以汤浸米，逮翌日米肥粗，可以碾碎之。出米汁，洒扫于笼屉，一层熟复洒一层，层层相叠。既成，则切如斜方，状似蔆。析其一层，照光明澈，温泽如玉。鬼喜之，人亦喜之。初者童牙啖之，之后妇老青壮民啖之。遂成俗。今人鬼皆食。

豚

蔑之人善畜豚，商邱子言其“畜牧有奇术，得之成汤”。姑蔑豚形色异，身白首乌，呼曰“两头乌”，体肥壮，胜出诸夏各乡彘豕之上。在水为龙，在天为马，在地为豕。故豚为龙化。姑蔑先人谙练御龙术，以御龙之术畜豚，孰可敌之？及至岁终，宰杀烹食，馀者淹渍。取彘尻贮于瓮，椒盐沤浸，每瓮中又置犬髀一二，故肉香妙远，色赤如火，名火膧。四明陈氏《本草》曰："火骽，产金华者佳。"金华，去姑蔑东六十里，为婺州治。金华之火骽，源自姑蔑大末境。

龙性淫，能幽能明，登天潜渊，兴云作雨，飞动无常，惟姑蔑人善治。余尝闻姑蔑人不死，龙不出。夫藏身绝技，然今无龙可御，岂英雄无所用武耶？神武兮斯民，斯民兮奈何，奈何从今怀土稼穑兮！

龙既化豚，意在俗形入世，耽睡贪食，可不战，不飞，不潜，不为高冷非凡，使御龙者无所觅踪，独享豢养。而龙亦知养育有报，任凭诛杀，与人食用。

有女丰氏，置玉豚于枕下，期年谷粮充廪而溢，举家富殖，财产累千金，越三世。

骇鸡犀

姑蔑贡物，一曰骇鸡犀。曩楚王献之于秦王。恂《岭表录》卷中："又有骇鸡犀、辟尘犀、辟水犀、光明犀，此数犀，但闻其说，不可得而见之。"证圣六月，婺州献贡造册，录"姑幕制犀角羽觞一对"。或可知，圣神前，尚有犀。犀象之类，商汤古兽，姑蔑南迁时携至江南。或可载物，或可征战。越攻吴，吴败于犀象之旅。斯犀，即骇鸡犀。抱朴子曰："又通天犀角，有一赤理如綖，有自本彻末，以角盛米，置鸡群中，鸡欲啄之，未至数寸，即惊却退，故南人或名通天犀为骇鸡犀。"

今不闻辟尘犀。以辟尘犀制妇人簪梳，尘不著也。

（松元正雄录南唐冯延鲁撰《蔑遗录·方物》。
冯延鲁，字叔文，寿春人。官至正五品上，中书舍人。）

昭和十七年　皐月（菖蒲月）初三
格里历1942年6月16日　雾

继续抄书。

豹犬

龙丘南大山中有豹，尾长三尺，土人捕而犬养，以护庄田。其髯修豪美，光可逼人，十步外视之，森森然可畏，人皆远之。

陈后主时，有僧人住龙丘寺，尝行山南道中遇豹。豹当其路，有巉刻血其筋骨，不能立。负以归，敷以药，旬愈。又训导曰："佛子佛子，尔无我虞，我无尔怖。"豹戢尾受戒，不动不吼，人争异之。僧曰："人豹相安，理之自然，于我法中未为贵也。"

僧殁，豹住寺。乡间尊之为"豸公"，谓其祥瑞有德。

龇龆归

俗有龇龆归。每至四月，入梅时节，忽有先祖神灵至，敲门入室。户外景物随之大异，有大川陈野，舟楫千帆，街市如古。其时，生人与先人共乐，笙歌满，漏刻长，彻夜不息。是夜必有大雨至，雨至则此景涣散，复归如初。

余尝闻上古有虞氏朝，人神并居，人鬼不分。今蔑之人古心未泯，稚若龀龆之童，故名“龀龆归”。

万舞淫米

迨至春种，蔑人有淫舞祀。淫舞者，古曰万舞是也。俟其日，青壮与成婚妇人同沐于汤溪，浴毕媾。馀者于两岸聚观，歌之舞之蹈之，諠呼满道，尘飞蔽天。媾之前合舞，男舞干戚以施阳德，女舞彡羽以布阴德。此乃商汤旧俗，勃发青春，助催谷禾。人之血气虚实，应乎草木荣枯。所谓同气相求也。

蔑之人拜米，视米粮为本。蒸米谓“炊玉”。梁陈以降，蔑之人有礼佛者，又呼米为银舍利。《魏书·释老至》曰：“佛既谢世，香木焚尸，灵骨分碎，大小如粒，击之不坏。”

米之为灵，亦以之施巫术，治小儿病。

（南唐冯延鲁撰《蔑遗录·俗闻》）

唐云韶府，有歌女名祝瑗。才气颖拔，风韵秀上。彼唱弹圆美流转，尝盛极一时。歌擅古风，曲曰《出云》。瑗生婺州，其村乡远鄙，乃越西姑蔑子故地也。

《优伶传》志：“《出云》一曲，或萦弦急调，或柔曼低吟。彷若玄鹤徘徊，凤鸟踟蹰。已而，繁音顿阕，雅韵诎清。疑泉咽夜，唧唧不止。曲终无异听，响极有馀情。闻者竟以为歌出己口，音出己心。”

究之所学，师出乡里歌社。师受之《昧乐》二卷，是为殷人乐书，今亡佚。《礼记》载："昧，东夷之乐也。"《孔传》曰："妹，地名，纣所都朝歌以北是。"又名妹邦，妹土，古沫。周时成王迁中土妹方至于东鲁，是故后人讹为东夷。

《昧乐》论乐："乐者，声色也，有声有色。众声相比而成乐，众色相和而成象。乐有声象，得象者传韵。声之象，非律非度非闻；非闻可见，象是也。"

瑗转轴弄索，不确弦音，惟张弛适度可矣。追觅声象于掩抑断续中，以妙应众音。曾云，缓疾节度随心而动，高低错落顺乎情致，则唱闻合一，大乐遂至，随心所欲矣！

《昧乐》又云："昧者，旦明，将明未明间。故昧乐在乐与不乐间。大音希声不希象。"

夫为乐师者，必先以身成象。动中藏静，静中见动。《优伶传》云："其眉目含笑，又深怀悲戚。所谓美人，不以色诱，视之者，虽铁石亦顿消为玉帛。"

（松元正雄录南宋翁卷撰《逸昧乐书》。翁卷，字灵舒，乐清人。）

水宋《东阳记》载："县龙丘山有九石，特秀林表，色丹白，远望尽如莲花。龙丘苌隐居于此，因以为名。其峰际复有岩穴，外如窗牖，中有石林。岩前有一桃树，其实甚甘，非山中自有，莫知谁植。"龙丘山，今者名曰九峰山，山下有姑蔑宫墟，宫毁于秦楚。汉筑新城，在九峰山西五十里，谷水南三里，东门临薄里溪，今龙游是也。九峰山中有新妇岩、莲花岩、龙潭岩，间不生蔓草，尽出龙须，尤多药物。《东阳记》曰："晋中朝时有王质者，常入山伐木，至石室，见童子四人弹琴而歌。质因留，跌斧柯而听之。童子以一物与质，状如枣核。质取而含之，便不复饥，遂复少留。俄顷，童子曰：'汝来已久，何不速去？’质诺而起，所坐斧柯烂尽。既归，计离家已数十年矣。旧宅迁移，室宇靡存，遂号恸而绝。”

山南岭上有深潭，多有鱼鳖。潭边修竹伟懋，迎风垂屈，扫地恒洁，如人扫之。

向有兰溪贯休，依九峰香炉冈建翠峰院，于院中画罗汉数载。得十七罗汉像，苦思不得十八罗汉。有农人引至山下溪泉，曰水自罗汉峰来，有缘者当见罗汉真相于水影中。历数旬，果见一僧，炯目虬髯，浮现水上。遂依所见而画。像既成，悬于禅堂上，题诗云：“万叠仙山里，无缘见有缘。”书毕弃寺而去，入蜀不归。数年后，有蜀中弟子云游至此，见十八罗汉像，惊愕难抑，喟叹曰：“吾师果佛国真罗汉欤！”

唐东野过此，睹蔑之宫墟，怆然而涕下。作《姑蔑城》，诗云：“劲越既成土，强吴亦为墟。皇风一已被，兹邑信平居。抚俗观旧迹，行春布新书。兴亡意何在，绵叹空踌躕。”

（南宋翁卷撰《逸昧乐书》）

昭和十七年　皐月（菖蒲月）初四

格里历1942年6月17日　雨

连日阴雨，无所事事。收割上来的麦子、油菜和大量蔬菜，已经由铁路南线去龙游的路转送前线了。

依然不见人影。我估计这几天会有变化。山中藏匿的军民应该已经吃尽携带的粮食，他们不可能支撑到一个月。当时，他们转移的时候，应该也不会想到我们在这个地区将长期驻扎。

去找夏先生谈话。说到“支那”一词。夏先生似乎对此没有什么太多不满，他说佛经里多处都称中土之地为支那。但他又说，近来支那称谓，滥觞于革命党，欲与满清分庭抗礼，所谓驱逐鞑虏，不承认自己是大清帝国的臣民。他们认为称支那，至少靠近古义，也更能显出强汉威风。我告诉他，国内自明治以来称支那，实为抵制“夷夏之辨”，汉人中国自崖山后不存，满蒙之中国，非史上强盛之中土，并不能领居世界中心，不如以西洋地理学命名，更近乎事实。再说，全世界都称中国为支那，非独日本有这个称谓。这么一说，文圭先生似乎得到启发，他认为，蒙也好，满也好，包括和族，都想以中华文明统领天下，想做中土领袖。他说这也没有什么不好，以前妹土之邦为中，因失德而亡，让给了西岐的周人，这才有武王伐纣，这是天命。他又说，如果违逆天命，巧取豪夺，霸道是不敌王道的，终究要灭亡。我说，日本乃天照大神看护的神国，正是领了天命来征讨支那的。文圭先生笑了笑说，天照是日神，不是天帝，一方淫祀而已。他又提醒我，说帝国军队所到之处，哀鸿遍野，烧杀掳掠，人性丧绝，何来亲善。

我想，他不懂啊！所谓王道，大凡起于霸道。先屠戮，后亲善，时间会洗刷掉一切的。元蒙奸杀，女真屠城，连刘邦项羽也没少杀过人。而哪个征服者不说自己奉天承运呢？不过，我个人是反对军部那些人无节制地扩大战争的，尤其近来军纪废弛，滥杀无辜，恐怕无济于在占领区立足。

因为他提到妹邦，我便想起了那几册志乘。

“长江北面都是蒙古人和通古斯人的天下了，没想到这个地方还有夏商的纯净血统。”我说。

“段玉裁知道吗？”文圭先生问，“就是那个字学大家。他说了，‘今惟有会稽大末县独存古语耳！’”

“我国《古事记》就记载有归化人渡海而来。怕夫余人中也有不少豕韦族的后裔到了日本。看你们这里的古风，实在和我老家很接近的。”

“你老家在什么地方？”

“我老家在本州中部的岐阜县。古代叫古智国，也称拘奴国，曾是大汉的属国。那里北部有森林山地，南部是平原耕田。我家门前有一条河，叫揖斐川，跟后大那条溪很像。村子背后靠着山，景色跟这边几乎一样啊。中部有座山，叫金华，就是金华县那个金华。”

“我听你的人说话，也有商音。你那个勤务兵老说Sennbei，Sennbei，是要吃煎饼的意思。汤溪人称煎饼为Jiemai。”

“这个我也发现了。汤溪人厕所叫‘东司’，日本也写作‘东司’。还有‘堂’这个字，都说Do。Watashi，日语是‘我’的意思，汤溪人说Ada。现在日本还有很多地方说Atashi。”

这样的现象，还有好多。我列举一部分：

去（字）Kyo（日）Kou（汤）

太阳（字）Taiyo（日）Tayo（汤）

捕（字）Ho（日）Kuo（汤）

夜（字）Yo（日）Ya（汤）

恐（字）Kowai（日）Gua（汤）

目（字）Me（日）Mou（汤）（看，看见）

炎（字）Honoo（日）Nawue（汤）

唱（字）Shou（日）Chiou（汤）

长（字）Tyou（日）Jyo（汤）

哑（字）Osi（日）Omali（汤）

完整（字）Totonou（日）Toutou（汤）

女（字）Onnna（日）Na（汤）

落花生（字）Rakkasei（日）Leguosa（汤）

菓子（字）Kasi（日）Gue（汤）（菓，馅饼。也写作馃）

予（字）Yo（日）Yo（汤）

茄（字）Nasu（日）Luosu（汤）

敏（字）Binnkatu（日）Mingon（汤）

……

“大汉的泗水亭长可以得天下，那么，大汉的倭奴国人、古智国人，为什么不能坐拥中原呢？在下请教文圭先生！”

“你说得有道理。天下谓鹿，逐鹿中原。凡受天命得王道的，尽可坐天下。姑妹人要是有德，也可以坐天下。”

“我看姑妹人颇有尧舜遗风，像文圭先生这样的人经天纬地、雍容善和，何以整族被驱逐至越王西鄙之地历数千余载而不得发扬光大呢？或战乱不绝，王朝更迭，风雨飘摇中又何以绵延至今荣光不衰呢？”

“不是这样的。”文圭先生感叹道，“先王逝去后，姑妹经汉魏唐宋明清，已与中土无异，只略存风土遗迹而已。”

“那日本也早就不是倭奴国了。但日本承继了汉唐精神，成为中国的正脉，尊先王，法五帝，奋而为我亚洲诸国攘夷排敌，英武不屈。按道统，这些精神长存的先王贵胄理应在国难当头的时候出来承当啊！子曰：‘邦有道，危言危行；邦无道，危行言孙。’日本就是这样一个国家，在世纪危难的境地里，危行言逊啊！”

“你的意思是，日本是来归化中原的？日中之战，日俄之战，直至今日侵华之战，都是圣人的危行吧！”

“正是这样的。成汤革命，替天行道，杀戮难免。问题是，杀戮后必以王道服人心。”

"割我麦，揠我菜，犒汝衢州杀我国军之和兵，如何服我人心？"

"先生没有去过台湾吧。你真应该去看看。"

"老了。哪里都不想去！'邦有道，则仕；邦无道，则卷而怀之。'"

"我记得前文还有，'邦有道，如矢；邦无道，如矢'。"

文圭先生停顿了一下，聚神打量了我一番，又说："你，真是一个读书人啊！"

昭和十七年　皐月（菖蒲月）初五
格里历1942年6月18日　晴

傍晚，一个女子披发跣足，怀抱一个孩子，哭泣着，急急跑进夏家。

稍后，二进院楼上传来嘈杂声。好像有几个瓷器被摔碎了，然后老太太下楼来，举着笤帚见人就打。池野喊了几声，也没有阻止得了老太太，就开枪了。子弹没有射中人，老太太被枪声吓晕过去。

我派五岛去调查，看发生了什么。五岛回来报告说，那女子是夏家的嫡长女，夏润韦的妹妹，回来走娘家。进村的路上，在溪滩边遇见濑户。濑户当时在水里洗澡，见女人，赤身就从水里起来，拦住她去路，欲调戏奸淫，并夺过女子怀中孩子，掷于水田。女子于是与其搏斗。恰值其时，中队吹哨集合，濑户于是作罢，未遂，归队。

听完五岛叙述，我立即找来藤田中佐，要他号令部队，到夏家祠堂前的晒谷场集合。

这几天联队按驻防分布，基本以小队和分队编制派赴汤溪县城、塔石、莘畈和后大几个点。前夏所余，不过三个分队和一个骑兵队，再加上联队指挥部的官兵和通讯兵、工兵，共一百零六人。夜里八点四十二分，全部集结到位。我对列队官兵说：

“别的部队怎么样，我管不到。他们的官长睁眼开眼，任其士卒奸淫、掳掠，而我们这里办不到！有我松元在一天，你们就不许在占领区胡作非为。帝国的部队是神圣的，我们来中原各地，为亲善为复兴王道乐土，不是让支那百姓仇恨我们的。如今前线战事吃紧，我师团勇士一天的配给只有一个饭团，而我们要是不能稳定汤溪的大局，不能让村民返家务农，就收不上这批稻谷，就完不成征粮的任务。像濑户这样侵犯民女的事情，要是传到山里隐蔽的百姓那里，谁还敢出山？我知道这次为应急重组的军团里，有不少仙台的流氓，宇都宫的混子。这些人不是专业行伍出身，都偷奸耍滑惯了。但陆军不是匪军！为此，必须严肃军纪，惩恶明法，绝不姑息！骑兵队伍长濑户直树，因企图奸淫民女，触犯帝国陆军军纪，按十三军法务部授予我部的战时临时处置权，我宣布，对其执行就地枪决！”

濑户死以前，要求告诉他宇都宫的儿子，他是战死的。

夏先生听说这事后，问我要去了濑户的姓名、生辰、官职和出生地。他让夏润韦在前夏的村庙里给濑户合上黄道，立了牌位。洒扫停当后，又让账房供上酒肉，给死者做了祭告安魂。

濑户的尸体，在山背用圆木火化了。他的骨灰，将来要带回宇都宫的。

昭和十七年　皋月（菖蒲月）初六

格里历1942年6月19日　晴

夏家的嫡长女，名叫夏光妹，因在义塾读过书，先生赐她表字光美。夏先生给她取这个名字，意在“光耀妹方”。夏家的三个孩子，按族谱，都应是光子辈的。但夏先生取“润”“光”“旭”三个不同的字来表示光，为的是增添光的色彩。这个不算古法，看来他至少在这方面也颇有维新之意。

夏光妹嫁在北边靠近汤溪县城的灵台村，丈夫姓程。这是她的三婚。她第一任丈夫是后大人，听说曾在帝国某大学读书。程先生在支那第八十六军服役。所谓服役，只是当警卫团炊事班的伙夫。灵台是祝姓村，程姓是外来人家。所以，战争初期，每逢征兵，祝姓保长和程姓族长在抓阄的时候，都设局舞弊，故意让程先生家人抽到。程家本是殷实人家，有良田几十亩，有豆腐店一爿，还有一些其他畜禽之类的产业。只是为了逃避兵役，买身赎放，典当了许多地产房产，如今也破败得不像样了。然而终于逃不过无休止的征兵，程先生还是不情愿地入伍了。还好，族里有个远亲在警卫团当侍卫长，就把他安排到伙房，尽量让他远离战火。这次我军进驻汤溪，他与八十六军走散，至今不知去向。

夏光妹是从山里隐蔽的据点逃出来的。因为孩子饿得不行，她决计回前夏村娘家，看看是否能弄得到点粮食。没想到，娘家人都没有走，这下居然还团圆了。

我向她打听村民的据点，她只哭，不说话。我想，她是被我问怕了。于是，作罢。反正，她的出现，就是一个好的信号，说明别的母亲也在为孩子的口粮着急了。看来不出三五天，村民们就稳不住了，都会纷纷返家。支那军在民众中是没有影响的，他们现在自身难保，又给不出民众需要的物资，最后也只好放任自流。

军部的人真是发疯了！调来细菌部队，沿铁路线用飞机播洒鼠疫杆菌、炭疽杆菌。我真不明白，这是在向谁开战！沿线一带，全是我联队驻扎的官兵在行动，支那军队都调防和撤退了，平民也都转移进山了。现在，田间、灌木丛和池塘里都散落着毒素，将士们的行动安全将如何保障！做实验做到自己人头上来了！

这片净土，几千年来都那么清澈、安宁，难道如今竟要毁于我们之手？现代科技对战争的推动力远胜过对民生的促进，人类疯狂地开动这架机器，快要走上自取灭亡的路了。

我部于14日占领广丰，逼敌退守信江南岸。16日，第十五师团接替我部阵线后，遭遇敌第七十四师猛烈抵抗，伤亡惨重。昨日，接到十三军指挥部电报，总部命令前线各部实施南昌以东浙赣线全线作战。我们已经深入江西腹地，而所谓消灭敌军有生力量的任务却远未达成。总是遭遇激烈抵抗，然后敌军突然消失。看起来他们伤亡也不少，细想一下大部分不过是蒋介石的乞丐部队。他的主力在哪里？每遇大兵团，或以为是主力，但多数乃乌合之众。我有不祥的预感：支那方面想消耗掉我们，用人海和时间吞噬掉日本。

祈愿第十五师团可以吃掉敌七十四师！这个师对蒋介石是有意义的。

如今深入到鹰潭、贵溪一方，运输线一下子被拉长了，征粮运粮的任务更加繁难紧迫了。

跟夏家的人周旋了二十天，终于获得这个机会。如果夏小姐回山里，一定会把占领区的情况带到村民那里，这样他们集体下山的可能性就很大。所以，这些天要善待他们，要尽量全面贯彻亲善的政策。

我了解到，夏旭宝不是老太太的儿子，他是文圭先生的二奶奶刘玄芝生的。因得产褥风，生下孩子不久，刘氏就死了。她嫁过来时，才十五岁，生产的时候十六岁。那年，文圭先生五十六岁。在支那，四十后纳妾是积德行善。一来娶了穷人家孩子就可以让穷人家有依靠，二来年纪小的女人据说可以用来补养身子、延年益寿。让自己活得长，让需要你的人长久有依靠，就是美德。

夏太太姓丰，黄堂村人，名奂英，明治十六年（1883年）生人，今年五十九岁。她父亲是清国官员，在绍兴任职。夏先生家门第也不矮，文圭先生的父亲曾官至道台。丰夏父辈的关系，也算是同僚。丰氏读过点书，但性情快直，文圭先生拗不过她，百事依着她。夏润韦娶祝氏，就是她做主定下来的。当时，全族的人都反对。说祝氏已经嫁过两个男人，并甚至跟数不清的人睡过，她的名声坏到可以让整个汤溪蒙羞。可是，这个女人妖冶娇淫，夏润韦在九峰禅寺见过一次，就再也忘不掉。哪怕比他长五岁，也无所谓。终于在丰氏砸坏了两块西周的玉璧后，文圭先生抵挡不住了，只好同意。族人方面，以分家度日为条件，割出村北的田土，让几个堂兄弟另立门户才罢。这就是北边后夏村的来历。

另有东夏、西夏，那是祖上在明万历年间就分出去的。

就丰氏这个脾气，纳妾也是一关。这次夏润韦夫妇帮忙了。说二弟日益强横，将来要分族产，祝氏又不会生，不如再要一个弟弟，可以从长计议。祝氏不会生，是关键。这个问题老太太要负责任的。再说，当时丰氏也已年过五十，怀孕的希望一点也没有了。结果，反倒是丰氏去说来的这门亲。她想到黄堂村娘家的一个佃户，他们家欠了很多债，儿女有七八个，生计方面一筹莫展，就要来这家十五岁的女孩，给了两根大金条，还有县城的一间门面房。这也算帮了这家佃户。

这样一来，文圭先生跟祝氏的关系也缓和了许多，好在后来生下孩子刘玄芝又死了，一家人于是竟间疏消弭，日益融洽起来。

昭和十七年　皋月（菖蒲月）十三

格里历1942年6月26日　阴雨

“松元君。”文圭先生这么喊我，这是第一次他按日本的方式称呼我，“倘午后有闲，可上楼品茗。”

吃过中午的寿司（他们弄到许多紫菜，现在可以做寿司了。有时从溪滩里抓来鲜鱼，也给我做一点河鱼刺身。），我真是很想喝点茶，便来到二进院楼上。文圭先生在楼上中厅设了茶点，丫鬟元香在一旁伺候。元香看上去顶多十六七岁，白净细腻，大眼睛，梳着长辫子，只是身子瘦弱一些，但胸臀也还饱满，将来长开后，定能出落成一个大美人。按支那人的说法，这是得贵子相。我总是有个猜想，算定文圭先生不久又会将她纳入偏房。老人和少女在一起，是好看的。一边遒劲，一边娇嗔。风骨嶙峋和血肉饱满，对抗中蕴含力量，动静间足见千幻万化。龟蛇沉郁不拔，花叶灵转放谢，寿力交缠锐力，是为生命的极限。

当然，这只是我个人的情愿，文圭先生未必赞许。

“前些天，你让几个小兵帮我洗房子，我很纳闷。在日本，房子是要这么跪着擦洗的吗？水至清则无鱼。房子干净到尘埃不染，人便拘定困蹇，形容难以舒放。敞亮整洁，也容得下一点禽畜秽粪，间或蚊蝇蜚蠊往来，也大可不必计较。凡清必浊，菁芜并存。大美隐于烂，所谓美烂；大香出于臭，所谓香臭。一所房子，梁柱直中有曲，曲直相当，斯乃雅正。象牙看裂，为笑也。美玉留疵，瑕瑜互不相掩。寺塔廊桥，任虫草河川生埋，方有活气长存。物以用为贵，用以养，乃至善之养。而用必污，污必净之。净复污，污复净，包浆始出。存于书册楼阁，囚于禁地囿苑，胶柱鼓瑟，矫揉造作，反堕为无根之物景，速朽矣。”

元香给我沏上茶，又掰开一个香丸放进香炉点上。她的手垂屈的时候，宛若明月。

文圭先生接着说：“人推中国诗文，必诗经楚辞，又倍崇汉赋唐诗。依我看，宋后之词方属上品，余皆生涩，器量不足。诗辞质而不文，赋诗志大才疏。先者春性萌动，后者猎奇立异。先醒而后长，春夏之象，凡外求不已，明性而不见心。然宋后词人，述中有情，情中有事，情事一体，圆融熟会。”

我没有太听懂，心生疑惑，便请文圭先生给我枚举几个实例。

“‘溯溪流云去，树约风来，山剪秋眉。’又有‘微吟渐怯。讶篱豆花间，雨筛时节。独自开门，满庭都是月。’这是写天地。

“‘哀弦重听，都是凄凉，未须弹彻。’‘试招仙魂，怕今夜瑶簪冻折。’这是悲悯心，仁爱的根本。

“‘鹤衣散影都是云。’‘疏风迎面，湿衣原是空翠。’这才是有生气的美！

“‘一叶江心冷，望美人不见，隔浦难招。认得旧时鸥鹭，重过月明桥。’‘高柳垂阴，老鱼吹浪，留我花间住。’这是初心。人老了，才听得懂。

“‘珠滑不成圆，却添人闲想。’极美的境地，探到细微处。

“‘巫云昨夜同骑双凤，梦梦梦。’‘眉间心上，无计相回避。’艳情相好。

“‘都缘有离恨，故画作远山长。’‘落花人独立，微雨燕双飞。’情好相思。离恨发乎情深。

"'尊中馀沥且休挥，明朝帘外迷红雨。'人到了这样的极地险境，方知时空有限，心中更有无限事啊！"

文圭先生让元香化墨，用笔一一为我写下来，又逐字精解。

我有所领悟。

我思忖，文圭先生要告诉我的是，宋以来，这个社会进入了成熟期。如果心傲骛高，一味想与人争胜负，怕是难懂个中根底的。"若得个中意，纵横处处通。"

是啊！一个老人，不要欺负他。他去过的地方比你多。在生死和苦乐的深处，那神秘的疆域比这个世上的城池田土要辽远开阔！曾经大禹以息壤填洪水，据说这种土可自生自长，掘之益多。其实中国人（原谅我不得不这么重新称呼他们为中国人）并不看重地上的领土，他们心中自有另一番天地比我们所知的要宝贵得多。这大概就是息壤吧！

夏小姐回山里好几天了，听说东夏村、后大镇、寺平村、黄堂村、王村等地，已有农民陆续回家，开始在田间整理稼事了。必须命令各营严格执行亲善策略，要克制忍耐，不管怎样，也要把稻谷收割入仓，这样，前线将士生命才有维系，战斗力才可得以加强。

……

第三章　玉碎

10：50，飞机准点到达上海浦东机场。昭平和行江坐上磁悬浮到龙阳路站，又换乘2号线到静安寺。在静安寺靠近万航渡路的一家小点心店，他们吃了锅贴和牛肉汤，然后再去闵行莘庄。

昭平认为，唯独这家点心店的锅贴、生煎馒头，“尚存原汁原味”。

大约到过上海的，都听说过这类小吃，只不过现在食材不济，又配方失传，越来越不是原先的意思。所谓生煎，即发面裹肉馅，捏成小包子，生放在大铁锅里煎；而锅贴，则用实面包肉馅，做饺子状，再生煎。煎煮中，武火猛攻，又几番启盖添生水。油水搏击，那一下，声气喧腾，颇有氛围。待略见焦黄时，变文火旋锅熏烤。锅要半沿半沿贴着炉边转，不断改换位置，以匀火势。其中关键，还不在煎煮这一道，做馅才是根本。肉馅必须拌肉冻。肉冻用肉皮和骨头熬汤炼制，凉却后凝胶，再切碎。所以，好的生煎锅贴，咬下去有一口鲜汤，而不像如今里面一包浊油，两三个下肚就口腻了。

牛肉汤要清，澈见碗底。加一点咖喱，几片酥牛肉，或几条粉丝，面上再撒几叶香菜。生煎，锅贴，就着牛肉汤，实实地填饱肚子，放开吃一顿一天不饿。这也是春秋遗风，春申国时候就有的吃法。宋以前，汉人以食牛羊肉为主，这类面点传袭至今，也足见尚武古风一斑。有人说，属淮扬系一脉。不确。乃是对江南人有偏见，标签化地认为，操吴侬软语者必为纤人。殊不知，苏沪一带，秦汉后鲜见战火，本地居户少有转徙，实为羌周古汉人的老根底。如今姑苏城的麦食和七宝镇的羊羔肉，依然至善纯良，其秘技神艺历千年不绝，实非他乡可敌。

昭平和行江，在等锅贴出锅时，谈起松元的日记。

“兴亚同文那伙人，似乎也支持过中国革命，”昭平说，“犬养毅就给孙中山筹过款，还收容他避难。日记给人的印象，仿佛同文会是保皇派。”

“同文起初是一种理想，根源于冈仓天心的思想，即所谓亚洲文明的另一条路。现在，我们不能把冈仓和战争联系起来，就像尼采不等于纳粹。但这个思想，想以日本为盟主来重建亚洲秩序，的确被军部的人利用了。我想，曾祖父从同文兴亚的理想逐步走向赞同战争，也是顺应了当时的日本现实。归根结蒂，同文会就是保皇派，忠君，也忠于中国儒家的思想精神。他们只不过想建立一个以日本为领导的中原盛世，来抵抗欧美的另一种文明。他们甚至有说法，叫‘最终战争’，意思是这个世界最高的战争，就是白种人和黄种人决战，以最终确定文明的主导。”

“我看，犬养毅本着华盛顿《九国公约》来解决‘九一八’后东北主权问题，得罪了军部的人，结果被刺杀。他的死，标志着日本国内温和派的退场。之后，所谓‘兴亚’，就是乘上战争机器，以疯狂杀人达到目的。”

“兴亚的人，不论温和还是极端，都走回归之路。而脱亚的人，是要摆脱中韩等几个‘恶友’，去贴近英美。脱亚的温和派主张小国寡民，他们的极端派也要学着欧美帝国来欺负亚洲贫弱国家的，只是他们一厢情愿地以为，自己终将会成为白种文明的一员。战后的日本，又回到脱亚派的天下。既然兴亚不成反而亡国，那么不如重新脱亚。”

“这么说来，倒也说得通。同文兴亚的人看清廷维新大势已去，便拉孙黄革命党入伙，可后来国民党跟英美走得近了，出离了他们思想的根本，便渐渐只好与军国主义合流，想要靠武力教训一下蒋介石。”

“是啊，所以，当汪兆铭从国民党里分裂出来后，日中又合作了。”

“归根结蒂，都是要反美？”

“起初是这么想的。”

“所以，日本人恨中国人不认自己的生活方式好，不跟着反美，反跟着美国走，让日本以一国之力抗世界强势，结果一亿玉碎。”

“我看战前这种认识是主流。”

“战后呢？”

“战后还有一种声音，就是左翼。我们学校现代中国学部的加加美光行教授，就是延续了这种思想的。朝鲜战争后，中国部队战胜了十六国联军，让日本一部分人看到了希望。只是这种希望并不再依托复兴儒家文明了，而是转向马克思主义。”

“马克思主义也来自西方。”

“两种西方的思想在日本打起来了。支持美国，是脱亚；反对美国，也是脱亚。兴亚的人完了。”

“亚洲的这点本钱终于被小日本折腾完了。日本人野心有余，气力不足，还不如后金政权，懂得厚积薄发。”

“中国方面，不是很了解日本宪政。当时，军部是独立于内阁之外的，受天皇直接领导。按脱亚派的看法，这叫作维新不彻底，皇权和武装都凌驾在议会之上，封建得很。满洲事变时，内阁持不同意见，军部的人居然叫嚣要放弃日本国籍，脱离本土，去另立新国。”

“脱亚的福泽谕吉不也忠君吗？他们中间的极端派要是掌权了，会更早就跟美国勾连，恐怕也难免战火。”

“所以，我认为，曾祖父是理想主义者。后来他成为坚定的反战分子。你在日记里看到了，他主张亲善占领区百姓。可是那个藤田把他告发到十三军总部，说他经常滥用临时处置权，因日军士兵犯强奸罪一共处死过十四人。总部的人说他不好好打仗，哪里是维持军纪，根本就是屠杀帝国皇军英武的战士。本来法务部要判他五年徒刑，好在他的老师，十三军参谋部的足利中将保他，才躲过一劫。1943年春，他被革除官职，到骑兵队当马夫，后来又随藤田的大队调防到七十师团。战后，美国方面又把他当战犯处置，先关押在横滨刑务所，后转到巢鸭监狱，1948年他病死在那里。美军其实有一个战犯的黑名单，他们往往放过那些认输于美国的将官，而对那些战后不与美国妥协的人都处以重刑。”

“美帝最阴狠的一招，是让天皇发布《人间宣言》，承认自己是人不是神。这样一来，美国依然是神选的，而天皇就不是神选的了。彻底放弃兴亚论，彻底去掉君命神授的合法性，这样日本就真的玉碎了，全亚洲，包括中国也玉碎了。”

“日本玉碎了，但天皇以出卖天意作为代价瓦全了。美国人是懂的，战争核心不在于掠土，也不在于争权，而在于夺魂。”

“这不会是最终战争的结局吧？”

“好了，我不跟你说了，”行江打断昭平，“我已经把后面的内容透露太多了。你还是自己慢慢看吧。”

锅贴上来了。两人开始吃。昭平吃了两口又放下，拿出手机给母亲发了一条微信，告诉她已抵上海。

第四章　闰四月和菖蒲月

昭平的爸爸沈老伯名之翰，他母亲沈阿姨名程兰玉，都是1938年生人，属虎，今年七十七岁。他妹妹沈凌微1968年生，今年四十七岁，属猴。两虎压一猴，妹妹很吃亏的。幸好昭平属蛇，蛇猴六合，但也有点相刑。寅巳申相刑，为恃势之刑。看来一级压一级，都是恩威并行啊。

目前，妹妹住在市中心香山路，即以前法租界的莫里哀路。老两口住在莘庄的华轩小区。

昭平和行江到达华轩小区，已经下午三四点钟了。沈阿姨于是忙着做晚饭，行江放下行李就去帮她，买菜，洗菜，切菜，又擦洗厨房，一丝不苟。

昭平坐在客厅，趁这会儿工夫又接着看日志。沈阿姨从厨房出来，也坐在一旁歇息，对昭平说："她什么都好。没有比她更好的了。可为什么是日本人呢？"

"她这么好，帮你做家务，你乐得去休息会儿。"昭平说道，"年纪大了，下午睡一会儿好的。我这里还有事，你去屋里睡吧。"他打发母亲走，不想跟她说日本人的事。

母亲便进屋去了。

其实，昭平并不特别热心松元正雄的战争记录，他只挑跟他外家和汤溪有关的内容看。

昭和十九年　闰四月廿七

格里历1944年6月17日　晴

激战好几天了。11日，横山武彦中将被击毙在九峰山以西的高地。他率本部第七十师团的一二一、一二二、一二三大队和师团调给的预备一〇五大队进至狮子山，遭遇中国方面第四十九军第二十六师的阻击。对方发现他后，调用多挺重机枪直对着他一个人扫射，就这样当场毙命。弹孔无数，血肉模糊，面目全非，死状相当难看。

这片姑妹人的地方，实在有点神秘。已经两个将军在这里殒命！十七年打衢州，酒井死了；这次又打衢州，横山死了。而且部队每遇开拔九峰一带便失利。看来，中国的神灵没有死光，还在保佑子孙。

藤田大佐把作战临时指挥部还是设在文圭先生家里。他可没有我那么善待人家。他把指挥部和随部警卫的一个中队，加上我们骑兵队，全部弄进夏家。马匹散放在各个天井，武器、弹药随地乱放，许多楼上的房间都设了火力，俨然一座大型岗楼。这次村民和夏家弟兄几家都没来得及逃走，不少人都被抽丁抓夫去修工事了。还好，他对文圭先生的家人算是网开一面，只把他们男女分开，赶到杂物间去了。这两处杂物间与我们改造的马棚紧挨着，所以，实际上文圭先生的家人与骑兵队的马夫住在一起。

再次见到文圭先生，感慨万千。他知道我现在处境糟糕，从大佐变成了小兵，便常常给我烟抽，还让元香给我缝补衣衫。账房昨天拿给我一些三七粉，我吃了后腿上的伤口已经不那么疼了。

本来藤田是让文圭先生一家人搬运东西、打扫卫生的，没想到祝男来居然能调动起五岛、池野等人帮忙。她现在是跟兵士佐官混得最熟络的红人。别看藤田一副凶神恶煞的样子，只要一看见她，马上就步态松软起来，面色也和缓许多。这部人基本按原班编制随藤田调到七十师团，曾经都是我的下属，多少都知道祝男来的厉害。他们怕她，又喜欢看见她。她仿佛青春之神，总能在兵戎生涯的阴郁中激发人的本能。本能中有邪欲，当然同时也生发出美好。

夏旭宝来要糖吃。他不知道，现在我没有糖了。我还有两块元气食，给他了。他也蛮高兴，坐在我边上玩。我送给他一个剑玉，这是光子寄来的，清小时候的玩具，让我想儿子的时候用来观抚。夏旭宝今年八岁了，比以前调皮，常常要去动刀枪。上午他去掀开手枪套玩，被藤田掴了一记耳光。我跟藤田吵起来了，他知道我现在无所谓也不怕死，也就不跟我纠缠，咽下了这口气。清在八岁的时候有人欺负他，我能不保护他吗？

夏太太病得严重，咳嗽不止，肺炎又犯了。祝男来从军医那里搞来一些消炎药给她，这次她终于吃西药了。

夏家还出了件大事，就是夏润韦去年死了。终年四十二岁。听说先是得了前列腺炎，后来身体大虚，吃了好些中药也补不进。怕是房事过度，油尽灯枯，一命呜呼了。这个消息，对我们打击很大，可以说震惊！那个活生生精明的汉子，突然就没有了。而他的女人，因为吸了他的精血倒越发肌润肤滑。她现在每次从我们面前走过，大家心情比以往更加复杂——一个妖精，美丽的鬼魂眈眈逐逐。她令人想起毛倡妓和雪女，不寒而栗。

下午，我拌完饲料后，跟文圭先生聊了一会儿。

他说："松元君，难得你国语说得那么好，还尽悉我天朝文献典章。日本要是多一些你这样的文人，你那个同文看来就也不坏了。"

"我现在讨厌战争。我想回家。但我不能背叛天皇，不能不尽臣子之责。"我说，"我告诉你一个秘密，我在写很长的奏文。我要把在这里看到的和想过的，都奏明陛下，告诉他真情。我希望我的老师足利将军能帮我传递书信，但现在前方又打衢州了，我见不到他，只有当面交给他才放心。"

"你们为什么老放不过衢州？三十一年来一次，今年又来！"

"以前是打衢州机场，美军飞机从那里起飞去轰炸日本本土，不端掉它，日本很多城市都有危险。这次是为配合湖南、广西那边的战事。"

"上次三个月走了，这次要待多久？"

"我现在是名马夫，什么都不知道。上面要过来我们就过来，上面要回去我们就回去。不过，我可以告诉你，仗不会打太久了。"

"我有点东西要给你，"夏先生从怀里掏出两块玉递给我，"拿去，做个念想。反正你那个新长官不是偷就是抢，我这点东西保不住了。不如送你一些，让它们有个好去处。言念君子，温其如玉。以后你再来，难说还能见到我。"

一条满红沁的汉玏，和一只纯白的宋玉麒麟。太阳底下，美玉温煦灵透，又深不见底。

文圭先生指着玉说：

"玉这个东西，很神灵，状神神在。你在军旅间行走，它们兴许保你一条命呢！不过，古人敬神用神，却不甚信神。跟神打交道，有大生意可做，生意而已。君子应该懂这个道理，惟皇天可信，本心光明；迷信神灵，是为淫祀。那个天皇，说是日神一系，我倒也不怀疑，不过是膏药旗做幌子嘛，新派人说膏药公司。做点生意，往来一下，都是为了生计，你要生，我也要生，何必大打出手？你去告诉他，人凡用尽气力，专一不废，皆可出神入化，成精成灵。人之精，为神。旧神去了，新神又来。再过几年，我去了，儿孙们摆个牌位，我也是祖宗神。利货蔽心，神灵亦蒙心。何时见性明心，大道行矣！中国之说，实非夷夏之别，乃中正刚直之人国；子曰：'夷狄之有君，不如诸夏之亡也。'中国可北，可南，可山林荆蛮，亦可水秀泥软，非独河洛伊三川居中。华夏舆服文章为表，人民心直不偏为里。倘天皇欲坐中国而南面，必先从心应天而能治。国不在外疆，具在心田。"

这些话，我是要记下来的。我知道，我真的到过中国了。中国是一种精神，而不单是文化。中国是一种方式，方式之里为精神，方式之表为文化。

一个马夫听到的，比一个大佐听到的，要精微，要深远。因为触及心，你才看到天。

昭和十九年　闰四月三十
格里历1944年6月20日　晴又雨

昨天黄昏，夏家的佃户，住在村西南角王家的媳妇急急跑来说，她看见账房戴昆被杀死了。

事情的原委是这样的。中队下属二小队一个分队，在西夏村南面遭遇了部分中国军民，发生了战斗。追击中，几十名村民与中国官兵走散，逃进一座砖窑。小队军曹中森次郎带着几名士兵堵在进口不敢进去，怕村民中有便衣武装。相持间，他们发现有个十六岁的姑娘很漂亮，便起了淫心。两个士兵端着刺刀枪进去，用刺刀逼迫姑娘出来，钢刃杵到她下巴，直刺得她满嘴流血，她死活不肯挪步。中森喊话，说把姑娘交出来，否则机枪扫射全部杀光。结果村民就把这个姑娘推出窑洞。士兵把姑娘拖到附近一棵大樟树下，企图轮奸她，被账房戴昆先生撞见。戴昆先生是替夏夫人去九峰找大夫的，恰好从樟树旁的小路经过。戴先生看见两个士兵端着刺刀枪在一旁威逼，另几个直接上去脱掉姑娘的裤子，于是上前干涉。中森走过来一拳就把他击倒在地，戴先生又站起来用身子挡在姑娘前面。这个戴昆先生，已年逾花甲，身体又矮又瘦，常常看他站直都有些吃力。我真难以相信，这时候他哪里来的勇气，准备徒手与中森这伙蛮壮的流氓拼搏。一拳倒下，站起来；又一拳，又倒下；又站起来……姑娘趁机逃跑了，有士兵追出去射击，未中。最后，这伙人用刺刀捅死了戴先生，又把他的心脏从胸腔里挖出来。

戴先生的遗体是半夜运回来的。姓王的佃户从水沟里找到他的心脏，拿回来缝进了胸腔。文圭先生把自己的一副梓木寿枋拿出来成殓。

灵柩就停放在一进院正堂。门户大开，灯火照彻前庭。夏家的人席地趺坐棺木两旁，分头折叠丧事用的冥宅、冥马。没有人说话，没有人哭泣。就这样，一直到天亮。

今天，远近各村未撤离的村民，大凡听说这事的，都纷纷来吊唁。起先是院子里挤满了人，后来宅子里也挤满了人，直至从进村的路上开始有人排队。人们都不说话，低头默默地鱼贯而入，又鱼贯而出。他们带来的送葬礼品堆满了两三个天井。

藤田发火了，说这是“抗日”，简直就是政治游行。他集合了手下人马，将枪口对准吊唁人群。他让翻译喊话，说再不散去，就要开枪了。

我脱了军帽，也走到哀悼的人群里。终于，奇迹发生了，勤务兵五岛太郎，司号员池野麻矢，军曹藤原光一，通信兵中村茂，还有不少以前我手下那些跟夏家处得不错的官兵，都加入到村民的行列，用军人的方式鞠躬致哀。

下雨了。荷枪实弹的军队和默默前行的百姓都在雨中。他们相互对峙，鸦雀无声，各行其道。从晌午到天黑，几个小时过去了，事态就这么胶着僵持，枪声始终未响。

夜里九点左右，人流稀落，村民渐渐散去。藤田撤去了火力和岗哨，中队吹起了熄灯号。

我想，战争发展到今天，人心已大不如前。再说，中国军队并未走远，一直与我军在塔石、后大一线拉锯。这些都可能成为藤田不敢开枪制造大规模杀人事件的原因。

昭和十九年　菖蒲月初七

格里历1944年6月27日　晴

办完葬礼又办婚礼。这个多事之秋，热闹也不少。

向衢州方向飞去的战机不断掠过头顶，估计那边战况不妙。听说中国军队第七十四军已经向龙游、汤溪一带迂回。我判断，我军准备弃衢州城撤退，而对方也已经做好准备欲断我归路。果然，上午藤田下令，让做好准备迅速返回金华大本营。自十七年至今，我军一直固守金华、兰溪一线，并未真正占领之外的其他区域，这次退回去恐怕连金华也待不久了。

元香给我端来一碗汤团。这种汤团鼓鼓的，头上有个小尖，里面裹着猪肉、萝卜、豆腐干切成的小丁，汤是用猪油和酱油调制的，很接近我们老家的口味。我快快地就吞咽完了。真想再吃一碗。又不好意思说，就故意放下碗没还给元香。我和她说不上话，她完全听不懂中国官话。但她慧内秀外，机灵敏达，非常人能比。看我这样，早就猜透了心思。于是，赶紧去厨房，又拿来一碗给我。这次，里面至少放了十个。正吃着，文圭先生带着祝男来过来了。

文圭先生说："松元君，劳你带着男来去见一下藤田大佐。她要去金华，你们能带她去吗？"

"先生。"祝男来给我行礼。她一靠近我，就让我害怕，眼睛不敢直视她。她说："我的新相好在金华。婆婆和公公都同意了，让我嫁过去。"

我未置可否，掉头径直就朝藤田的屋子走去。他们公媳俩尾随跟过来。

藤田也未置可否，背转身去，对着厅里的一幅五尺山水中堂凝视良久。忽然转身，用生涩的口音说了几个中国词："女人，部队，金华，统统去！"

文圭先生让我转达藤田，说家里的东西他想拿什么就拿什么，算是酬谢他送亲，另外还有两根金条给兵士们在路上打尖用。这是夏家全部可动的家当了，再也拿不出其他什么了。

祝男来又找到了新欢！我不怀疑她对公婆也颇有孝心，公婆也把她当自家女儿看待。但她性子难改，自然不愿独守空房。花里来，花里去。只要不枯，一任飘飞。等几天过门都来不及，非要在这个当口！兵荒马乱的，谁愿意抬着个女人走六十里险路？文圭先生真是诸葛再世，想得出这一招！日本军队的算盘竟由他一手拨弄，其性深阻有如城府，而又能宽绰以容纳。

午后，部队集结完毕，指挥部人马聚合在庭院里，听候出发号令。祝男来伊人红妆，头上披戴红盖头，由元香搀着走出来。她略回头，喊道："五岛，牵马来！"五岛于是为她牵来一匹战马。又说："扶我上去。"五岛和中村，还有池野几个人立刻跑过来帮忙。因为她脚不好，费了好大劲才把她弄上去。文圭先生还请来邻村的几个吹鼓手，尽管人不多，只有吹喇叭、敲铙钹和打鼓的三名乐手，精气神倒也还不坏。他们见到日本兵并不胆怯，腰板挺得直直的，看上去比军官还多些派头。

藤田挥了下手，说出发，部队就开拔了。一路上吹吹打打，俨然一副皇戚贵胄家的送亲样子。这阵仗，真不小，帝国皇军全副武装，虎虎生威，护送新娘进金华城。至少这番不伦不类的样子也掩盖了我军败北而亡的狼狈相，多少也让消沉失落的士兵感到一些快乐。

卷二

成汤溪

第一章　故人

晚上进到卧房，昭平立刻让行江拿出那个汉玏，说："原来这东西是我家的，快拿给我看看。"行江递给他。他翻过来看，转过去看，竟看得爱不释手。又说："底下露出半截白，看来底子是一块白玉。有那么大面积的红沁，看来入过土，又被发掘出来。不像是我们那边的东西，肯定是太公赶考那年从河南弄回来的。有神力啊！怪不得你运气好。"

"我一直戴着。"行江说，"十二岁生日，爷爷给我的。平时放在包里，穿牛仔裤的时候就别在腰里。不过，我也没感觉有什么神奇，就是挺漂亮的，比什么物件都可爱。"

"灵物啊！古话说：恶人手中必无美玉。所以，物归原主了。还给我！"

"什么叫'还'？这可是你太公送给我太爷爷的。君子赠玉，小人才会要回去的。"

"一个恶人，一个小人。究竟归谁呢？"

"以前我拿出来玩，也没见你有多喜欢。这下看了日记，别人说好才觉得好，这是替别人喜欢，不是真喜欢。"

"爱他所爱，低级趣味！看来我真的不如你。那么，还是由你保管吧。”昭平把玏子递还给行江。

“听说玉能助威，给人以精气神。你身体不好，戴着也许有用的。给你吧！但不许说‘还’。”

“真的给我？”

“真的。连我都是你的，我的东西自然也是你的。”

“给出去容易，要回来代价可真大呀！”

“不是的。美玉有灵，只有它还认得出故人，这才把我们连在一起。我好像懂了，它的神力原来在这里。”

“还有那只麒麟呢？”

“有一次爷爷爬到屋顶去摆菖蒲茸，从屋顶摔下来。结果人没摔坏，玉碎了。那些碎玉一直放在老家的供台上，前年回去我还看见过。”

“我们原本是一对故人啊！”

因为太累了，说着两人就睡着了。圆月的光透进来，照在他们身上。下水管的某处破了，有水滴跳出来，一直打在楼下的通风管，听起来像有人慢慢地在敲打铁皮鼓。

第二天，这两口子就到思南路来找我。思南路，以前叫马斯南路，是法租界公董局为了纪念作曲家马斯奈命名的。昭平的妹妹沈凌微住在边上的香山路，与我一墙之隔。

我们在花园里坐着，弄一点新上来的炒青喝。行江见到我，就叫我叔叔，这样她跟我儿子就同辈了。我儿子跟她很玩得来，叫她姐姐，并不以为她是日本人。两个人唧唧喳喳说上海话，一起在手机上玩游戏。我妻子去菜市场买新鲜毛豆去了，准备给他们弄黄鱼鲞炒毛豆吃。

昭平把他看过的那部分日志带过来给我。这简直是惊天发现！我们兴奋得手舞足蹈，不停地翻出童年和青少年时期在汤溪的往事。他说的最多的，就是他的外婆。他的外婆夏光妹，去年过世的，终年一百零一岁，按我们江南人的算法，虚计为一百零二岁。1949年汤溪解放前一天，他的亲外公程佳琏死了。五十年代，他外婆来到上海，嫁给了食品厂的一个老工人。后来他们搬到永嘉路，做了我们家的邻居。昭平就是那个时候寄养在外婆家的。那大概是1970年。他外婆常带他回汤溪，一住就是半载一年的。他稍大一点上学了，至少每个假期都要去。他跟父母亲在一起的时间并不多，基本上是外婆带大的。外婆就好比他的母亲，而汤溪则成为他真正意义上的故乡。

我也认识夏光妹。这个老太太与别的阿婆太不一样了。她一生嫁过四个男人，从公子书生到佃户长工，又从国民党兵到老工人。别看她经历那么多事情，可我们这个世界好像与她无关。她总是生活在自己的意愿中，那么原初，又那么久远。这不是一种时代的不同，而是方式的不同。她的方式，在热烈的时代面前，显得那么寂寞又那么辽阔；如今她走了，我们在回忆她的日子里才刚刚进入。

第二章　从陶家站往南

昭平从车门最后一级梯子迈向站台前停留了一会儿。他要体验一下这是怎么回事。迈过去，就到了，走上站台，那片不会再移动的土地；滞留在梯子上就是火车，火车会移动，把他带到更远的地方。太神奇了！从动和不动，从壮阔的远游到日常生活，原来就差一步。这一步，他不想这么简单地就跨过去。他的心情难以平复，他的想象力希望继续伸展，如列车车厢比比蜿蜒地向前伸展。

这是1970年秋。汤溪车站。因坐落在罗埠陶家村，当地人又称之陶家站。这个车站建于1933年，属张静江主持的浙赣铁路的西段工程。三十七年来，战争，革命，建设，逃亡和藏匿，贩运和谋生，昭平的母亲沈阿姨，还有他的外婆夏光妹，多少人事都是从这里进出汤溪，进出这片久远的妹方。现在，沈昭平来了。

外婆催他快下来，说这个小站火车只停几分钟，要是不赶紧下来，一会儿外婆就追不上他，只好在下面眼看他被火车带走了。这么一说，昭平又神经紧张了，赶紧要下来。那年他五岁，长得瘦矮，看上去比同龄孩子要小。外婆一把就把他抱下来了，拍拍他胸口说，好险啊，再不下来就真的看不见外婆了。

春天，昭平的父母支援三线去云南了。去的时候带走了妹妹，把他托付给外婆照顾。当时，外婆一家就住在徐汇区的永嘉路。这次带他来汤溪，是奔丧。太婆突然去世，夏旭宝拍来电报，催外婆速归。

从永嘉路396弄出来，小阿姨芳云一直送他们到襄阳路口乔家栅对面的水果店门前，然后才叫上三轮车。外婆嘱咐了小阿姨一大堆家务，又给了她十枚五分硬币。这算是给她的零花钱。昭平眼睛瞪得大大的，盯着五分硬币从外婆手里转到芳云阿姨手里。这是当时最大的硬币，银黑的，很漂亮。大人们常传言里面含银。银，在那个时候，对昭平来说，是财富想象的一个基点。

芳云阿姨瘦瘦的，皮肤白皙，嘴唇有点厚，长长的眼睛很迷人。从三轮车上看，她变得越来越小，在远处还不停地挥手。昭平有点难过，他好像懂了阿姨平时得不到这些硬币，因为分别了才有。那么，他们外出一定好于她留在家里。芳云那年十三岁，她是夏光妹在上海嫁的那个老工人梁育金带过来的小女儿。她跟昭平玩得很好，昭平把她看作姐姐。

这是昭平第一次坐三轮车。一个漆成红色的半圆型大斗，里面可以盛下三个人，前面伸脚的地方堆满了行李，都是外婆下去要送人的礼物。他不愿意老实坐着，喜欢跪在座位上，背对着车夫，脸朝车后，看后面的景物。因为东西太多，又要带着小孩，外婆才决定不坐公共汽车改坐人力脚踏的三轮车的。

一会儿下雨了，车夫撑起了篷子，前面还放下一道帘子，车里顿时黑黑的。这让昭平又欢喜，又着急。他欢喜里面成了一间真正的移动房间，刚才还是车的感觉，现在突然可以居住在里面；他着急的是，那片帘子挡住了视线，外面的街景都看不见了。过苏州河桥的时候，车夫不骑车了，下来驾驭车龙头往前推着上坡。他隐约看见外面有个巨大的穹窿状的建筑物，忍不住就去掀开帘子张望。外婆倒没有拦着他，任雨水飘进坐仓。外婆说，那个东西是煤气公司的大存气罐，每家用的煤气都从那里来。又说爆炸了可不得了，周围的人都会被炸死。车夫吃力地翻过了桥。下桥的时候车速突然加快，昭平这下真的愿意快点离开煤气包。但他转而又想，芳云阿姨在家会不会漏了煤气，别不小心炸了。

车夫把他们直接送到北火车站入站口。夏光妹又找来一个脚力，让他把行李送到车厢里。

这也是昭平第一次坐火车。火车里排满了黄木条钉的座椅，行李架高悬头顶，却安然有序，最吸引他的是那个伸出来像大舌头一样的小桌子，上面可以堆放食物、餐具、杯子。杯子盛满了水，在快速行驶中居然不倒。他正想该怎么吃饭的时候，对面一个老公公打开了一盒饼干。啊！这盒饼干太奇特了！都是小动物形状的，有鸡鸭猴马，有大象小熊，甚至还有一条蛇。他们是怎么把蛇做出来的？看着看着，他有点气愤。为什么外婆外公从来就没买过这样的饼干给他吃？他跟老公公套近乎，没想到老公公就把饼干分给他吃了。外婆在一旁嗔怪他。越嗔怪，他就越吃。老公公说，孩子喜欢玩，就都给他吧。外婆也不知说什么好，很尴尬地打开茶缸，请老公公吃里面的白切鸡。昭平很快就吃完了动物饼干，还想吃，就问老公公，说吃完了老公公没吃了怎么办。没想到这老头还挺喜欢孩子，又拿出一盒，说没关系，还有。这就又有了新的机会。昭平接着不停地评点这个动物好看，那个动物凶猛，蛇缠着人有多可怕，诸如此类，没完没了。一边说着一边又吃掉整整一盒。老公公被他逗得乐不可支，差点都忘记到站下车。

老公公下车了。真是高兴过头，他把老花眼镜忘记在桌子上了。这是一副半透明的淡黄边框的眼镜，镜片厚厚的，可以当凸镜玩。昭平来了兴趣，对着自己的手指玩放大缩小，又对着车窗外的太阳玩聚焦生火。

火车过钱塘江大桥，某种昭平从来也没体验过的气氛笼罩过来。先是火车过桥那巨大的轰鸣声让他害怕，又惊诧他们安全坐在车上竟然越过那么宽一条河。这时喇叭里断续传来高亢的女声，播送关于蔡永祥舍身护桥的故事……他似懂非懂，只强烈意识到，火车也不安全，坏人随时会扔东西到铁轨上，弄不好翻车，车毁人亡。他害怕起来，一整天感觉都不好了。

那时还不常有快车，列车一般运行速度每小时六十迈左右，大概过十公里就会有一个站，中间还要调度让车，从上海到汤溪，大概走了十几个小时。当时火车车厢的连接处还是敞开的，两节之间的过道旁有铁链子挡护。为了满足昭平的好奇心，外婆带他到连接处去过一次。站在那里，看得见下面的基石、枕木纷纷掠过，车轮撞击铁轨的声音震耳欲聋。这对听惯城市庸常声音的孩子来说，该是多么惊愕！他在之后的记忆中日益放大这最初的响动和节奏，渐渐成为一种信念的力量。

似乎这个站只有昭平和外婆下车，站台上空空荡荡的。

夏旭宝早就等在站台上了。他推来一辆独轮车，木制的轮子，两边的架子也是木头的。他光着脚，裤腿卷得老高，露出的部分皮肤暗红，有赤铜的光泽。他和外婆花了很长时间打理行李，把它们分匀放在两边，一侧的前角还留一点空处，可以让昭平坐上去。从他们下车的站台到出站口，隔着两条铁轨。那时并无天桥和地下通道。夏旭宝推着车绕到前面很远的过口。那是一个有凹槽的岔路，坡引下来又引上去，让行人可以通过。外婆不愿意多走，便抱着昭平直接下到铁道，跨越过去，再爬到对面的站台。这个过程让昭平兴奋不已。他第一次接触铁轨，硬硬的，表面浮闪着银光，无尽地来，无尽地去。他想，到头会是怎样，断了吗？还是伸到地的肚子里去了？外婆好像看透了他的心思，把他放下来，让他摸一摸铁轨。指着西面说："一直过去，再坐好几天火车，就会到云南。”“不！”昭平说，“我不要去云南。”

他们出了站，往汤溪城方向去。从陶家车站往南，要走七里才到。昭平坐在独轮车的一头，由夏旭宝推着。外婆让他叫夏旭宝舅公，他叫了。舅公这个称呼，那时对他来说还太深奥，不过，他很清楚这是他家里人。路上，姐弟俩不停说话，他完全听不懂他们在唠叨什么。他只关心这个不同的地方，路两边一片片金黄的草，高高的，上面还结着一粒粒小果子。外婆说，这是稻谷，剥开皮里面就是大米。他还看见有一只青蛙在稻田里跳跃。从田里飘过来一阵阵稻香，初次闻到这个味道心情会很愉悦，人会放心下来，变得恬静。

近晌午时分，他们进了城。外婆掏出一叠钱给舅公，舅公推脱着说不要，手却很快接过去把钱放进他褂子的口袋里。

这是城西的一条街。街上飘着饭香，家家户户都在准备午饭。那些柴草和鱼肉混杂在一起的味道，沁人心脾。那些男人都挂着褡裢光着脚在地上走，那些女人都扎着粗粗的辫子忙着手中的活计。最让昭平不可思议的是，很多阿婆年岁很大了，也扎着两条银灰的辫子。在他的印象中，辫子是小妹妹或者年轻阿姨才扎的。他不知道哪来一种理念，偷偷觉得这些女人都不大正经，有点坏。路过一爿店，红红绿绿的，有纸花，纸马，还有一个个又长又大的木头箱子。外婆说那是棺材，放死人的。这可把昭平吓坏了。棺材？人死了就放进这个东西？一头大大的，翘起来，另一头细小些盖得很严实。恐怕大的那头就是人头的位置，那为什么还露出一条长缝，让死人透气吗？他或者某时也会活过来的吧！死，究竟是什么呢？

棺材店的阿婆看见夏光妹可热情了，又拉凳子来让他们坐，又端来红红绿绿的茶水。昭平死活不肯喝那些水，颜色跟纸花一样，会不会是这些纸花浸泡的呢？外婆从独轮车上的行李中取出一盒点心给店里的阿婆。阿婆客气了一番就收了。她立刻说要留他们吃饭。昭平怕得要死，一想他们家的饭就恶心。外婆似乎懂他的意思了，便说坐坐就走，答应一会儿带他去吃小馄饨，说这里的小馄饨比上海的好吃。

舅公把车放下，就到对面的饭馆喝酒去了。远远地看见他要了两个炒菜，好像其中一盘是青蛙。昭平知道，他花的钱就是刚才外婆给的。舅公很满足的样子，他的几个脚趾一直在有节奏地不停搓动。

从棺材店出来，外婆也没直接就去馄饨店。而是这家坐坐，那家招呼寒暄几句。仿佛全城的人都认识她，都跟她是朋友。她见人就发礼物，要么是一盒点心，要么是两条肥皂，有时也给一包白砂糖。昭平想，这里的人难道平时连白砂糖都没得吃？那么难看的像黄蜡一样的肥皂也能当作礼品吗？不断地，远远地就有人会发现外婆，跑过来围着她。有一次，他竟被三五个人挤到外面，跟外婆隔开了。这太令人气愤了！

终于，在城中一处人家吃到了馄饨。为什么说是“人家”，因为这太不像店了！没有买筹码的窗口，没有玻璃隔开的厨房，也没有专业的端碗擦桌子的服务员。只是很多门板靠在一边，大敞着的厅堂里放着类似剁肉的厚木板桌，一口大锅就贴近客人支着，里面的滚汤涌起的热气直朝着人脸扑来……馄饨端上来了。薄薄的皮好像要融化在汤水里，只隐约看见鲜红的一团团东西漂浮着，这大概就是里面的肉。吃一口，还真的不错。甘鲜的口味，肉剁得细细的，没有咬不动的筋，有很熟络的气息，人内脏都愿意与它亲近。从怀疑，到审视，再到放心大吃，几分钟里，昭平已经喜欢上这爿店，继而去观察还有别的什么新鲜吃食。他发现了一种饼，贴在大炉子里烤，样子比上海的大饼要小，面上也撒着芝麻。关键是他看出里面有馅。他不喜欢没有馅的点心。外婆说这叫“酥饼”，里面有肥肉丁和霉干菜，怕他接受不了，说以后再吃吧。他还是执意要了一个，把里面的肥肉挑出来给外婆，自己尝了一下烤面和霉干菜合在一起的滋味。他想了想，认为自己还是可以接受这个味道的。于是，又要回一颗肥肉丁放回饼里，夹着吃了一口。他发现，如果有肥肉还是要好一些的。

出了汤溪城再往南，就没有大路了。人只在茫茫的稻田里穿行，一片黄盖过另一片黄，云霞富含色彩，好像是稻芒细不过而生出的烟；一些不知名的鸟从头顶飞过，落在远近错落的翠柏和橡树上。垄上，只容得下一个人的脚步；更宽一点的路，至多也就两三尺，大概是曾经留给骡马行走的古道。有时，会出现一两块青石板架在沟渠上，连接着左右分开的阡陌。他们三个人，蓝的，白的，灰的，前前后后，缓缓移动，像是山水画家抹上去的一点异色。

走到一棵老橡树前，外婆说歇歇脚。从这里进到前夏村，还有十里地。她估计当天走过去太急了，建议不如在前面王村借宿一夜再走。

这天，太阳很好，暖黄的光线被风吹得来回摇摆，三个人像在光帘里一般。风泽清旷，气顺天爽。坐在树下的草甸上，有橡实一个个落下来。昭平剥橡实上的帽子玩，舅公蹲在一旁抽烟，外婆靠在橡树上深吸气。稻谷的气味，青草的气味，还有风带来的远村的气息，融洽在一道。

夏光妹说："吹吹风吧。我都快忘记这些味道了。以前总是它们告诉我，该做什么了，不该做什么了。回来怎么那么舒服呢！坐坐都是好的，老天爷的脸都看清了。"

"哪里有老天爷啊？"昭平问，"我怎么看不见呢？"

"你听听啊，再闻闻，再抓点稻谷搓出米来看看。"夏光妹去抓来一把稻穗，去掉谷壳，玉质的新米脱颖出来。

又有一阵风吹来，扬起他们的衣服，衣服上的色彩好像都要被乱跑了，一点一点，粉末似的由浓至淡地过渡到景物里。

再往前走，有一道溪水环绕一堵女墙，墙里有一户人家。昭平看见溪边草丛里有一个青橘子，蒂上带着新鲜的绿叶，就俯身去捡，不慎橘子滚落到溪水里。他犹豫，是下水把它捞上来，还是在周围继续搜寻，看有没有别的橘子。他纳闷这么细微的草怎么结出橘子那么大的果。外婆和舅公已经走远，他也不着急。他又看见不远处有两个小孩在玩橘子，左一个右一个地装在兜里，手里还拿着更大的。这下他深信草丛里一定长了橘子，他们找得到，他也能找到。外婆回转来找他，指指头上，让他向上看。原来头上有那么多橘子都掩映在大树的密叶中。这树从墙内伸出老枝，悬在昭平的头顶。外婆说，到里面去买一点。买一点？这是水果店吗？难道他们直接从树上摘下来就卖给人的吗？

进到院里，一个女人迎过来。她搬来一架梯子，爬上去摘了几个下来。昭平不要发黄的，要青的。那个女人于是又上去摘了几个青的。她对外婆说，今年橘子太酸，水分也不足，要是往年来就好了。外婆要付钱给她，她不要，说那么老大远来，从上海来，真是稀客啊。她回屋泡了茶拿出来，又用竹筐盛了一堆花生摆在桌上。这桌是石板架的，凳子是几个石垛。这户人家几乎全是石头，墙和房子都是河里的大鹅卵石堆砌的。昭平好奇那些卵石之间长出的蔓藤，想石头和石头那么不紧密，连植物都钻进钻出，会不会漏风漏雨。

女人要下厨做点心请他们吃，说吃过点心再走不迟。外婆没有推辞。这时，舅公也凑过来坐好，摆出一副等吃的样子。两个孩子进来了，只靠在院门口，怯生生地向院里望着他们，脚步也不挪动。外婆让昭平跟他们去玩，昭平拿着两个青橘子过去了。

大一点的女孩忽然提高嗓门问：

“这个谁啊？”

妈妈从厨房里回应：“客人哩！上海来的。”

女孩又问：“上海哪里啊？”

“远么远么！说儿经么多，烦人！嬉去！”

“呣侬炂点心各达吃否？”（你做点心给他们吃吗？）

“……”

很快，他们玩到一块儿去了。各说各的，自说自话。女孩叫昭平“上海佬”，这让他心里很别扭。他知道这不是好的称呼。

点心端上来了。几大碗肉丝炒粉干，一盆蛋花汤。昭平不肯吃，他以为是酱油炒粉丝。外婆告诉他这是米做的粉丝，跟上海豆子做的粉丝不一样，是可以当粮食吃的。昭平试了试，发现味极好，便饕餮起来。他饿了。走了一天，玩了一天，被外婆带过来带过去地在汤溪城接见乡亲，真的也不省力。舅公对女人说：“沥点酒吃吃，会来否？”女人说：“不是我不拿出来，开启时间长了，怕有点酸气。”舅公一听有酒，就笑了，说：“呣事呣事，吃得来。”女人便转身去拿来一茶缸酒，沥满一碗递给他。

孩子凑过来，跟外婆搭讪两句，又走开；一会儿又过来，隔着一点距离站着，不说话。那个女孩用脚不断蹭地，眼睛直盯着粉干。外婆拿两个小碗，分出来一些，给他们。他们又不好意思地跑远了。正被女人撞见。女人说：“吃，吃，便是晓得吃！午饭吃得还不多啊？口哺馋是吗？阿拷得呣侬死！”（阿，阿侬，阿达，是“我”的意思；呣，呣侬，呣达，是“你”“你们”的意思。）“小人惹要呢，予佢吃些呢！”外婆说着，又去包中拿出一些上海的太妃糖分给他们。这下他们高兴了。那个女孩和他弟弟看见糖，眼睛就发亮。

吃完点心，外婆还想坐会儿，跟女人东拉西扯，想找到点亲戚关系。女人听说外婆要去前村找刘瑞明，热情又顿时高涨一分，显然她跟刘家认识。她还说："佢哩苦么苦么的人，娘改嫁，娄了佢（扔了他），替别人做长工。"可昭平坐不住了，他扯着外婆的衣角，一路就往院门口走去。而两个孩子又过来扯昭平的衣服。

外婆留下一包白砂糖给女人。女人真心不想要。两人推过来推过去，又盘桓了好长时间。外婆执意要给，最后女人推却不得，只好收下了。她自然是高兴的，又千恩万谢了一番。

他们走远了。昭平看见两个孩子又偷摸着出来，跟在他们后面走了一段。那个女孩几番举起橘子示意，这是那天他们之间唯一通用的情感词汇。当然，刚才院子里那些对话昭平还听不懂，都是他出来后在路上问外婆，外婆一句一句回忆并翻译给他听的。但这就是他的汤溪语第一课，"橘子树学校"的第一课。

昭平说："外婆，以后不要再把东西给人了。这样我们很吃亏。"

外婆让舅公停下车，打开一个大的行李包，将东西翻出来给昭平看，问他："哪些是你要的？"

昭平看看，认为没什么吸引他的，就说："都不要。"

"你有点想不开呢！你不要的东西，外婆拿去送人。这样，送一件少一件，我们走路不就轻快了？外婆手里拎着东西怎么抱你呢？"

"东西都在车上。"

"舅公不累吗？"

"那个太妃糖是我要的。"昭平转念想到了太妃糖。

"你不想分点给人家吃？人家对你那么好。一路上追出来那么远。这是送客哩。"

"他们对客人都这样吗？对不认得的人也那么好？"

"不认得的人，你对他好，就认得了呀！"

天擦黑时，他们来到一条大溪旁。溪水湍急，滚滚北去。舅公把行李卸下来，分几次拎着，蹚水运过去，然后再去推独轮车。水并不浅，几乎漫过整个车身。然后又抱昭平。最后，夏光妹摇晃着步入水中。她走走停停，踟蹰犹疑。夏旭宝怕她打滑，说要下水搀一把。她让夏旭宝不要动，抱好孩子。

终于过了大溪，昭平发现外婆哭过了，脸上还有泪水。他心生疑窦，却也并没有问。

重新收拾好行李后，他们就急急直往前去。前面就是王村，这夜他们要宿在这里。

王村，大舅舅刘瑞明就是这里的人。他是夏光妹第一个孩子，跟佃户刘萨瓦生的。多年以后，沈阿姨告诉昭平，说夏光妹第一次嫁的人家把她休回来了，太公夏玉书觉得没脸，为惩罚女儿就把她嫁给了王村的佃户。可没多久，这个佃户就死了。夏光妹不愿意在刘家守寡，就决意回前夏娘家。走的时候，大舅舅一路跟着，一直跟到大溪边。娘过去了，把孩子撇在对岸。那年大舅舅才四岁。他太小了，不敢涉水，只一个人站在那里哭，看母亲头也不回地走了。

沈阿姨说夏光妹心太狠，这种事都做得出来。

问了几个人，他们按人指点，东绕西弯地找到了刘瑞明的家。出来迎接的是大舅妈，说瑞明进山办事去了。

刘瑞明住的房子，是土改时分给他的地主家的一处偏院。房子很漂亮，只是小点，一间睡房，半间窄小的厅，中间围着个小天井。这个小天井，并无四周围着沟渠的石台，而只是一块方正旱地，边上三面有廊沿，高出地面，罩在伸出的屋檐下，另一面是一堵白墙，墙顶覆盖青瓦，呈蜿蜒的驼背状，墙中间开个圆拱门，可以通到别家。颇有趣味的是，旱地上植有一株老梅，虬屈婴娑，别有一番韵致。而杜甫说："方知不材者，生长漫婆娑。"而对孩子来说，这树正好用来实现攀爬的梦想。不高，叶子又落得早，枝杈很多，坐在上面亦可居危临下。

昭平一进来就发现了这个玩处，绕着梅树转着。大舅妈发现了他的心思，就抱他上去坐坐。大舅妈还提来一盏马灯，故意晃着照他。昭平拿出他的橘子，用刚学的汤溪话说“Jun”（橘），这下把大舅妈逗乐了，便不断教他一些单字。昭平学得很快，不多时就能说出一句连贯的话了。他说：“Jiu’m qei Jun.（舅母吃橘）”这是他说出的第一句汤溪话。

大舅妈很漂亮，总是笑眯眯的，穿一件淡蓝碎花的褂子，头发盘得高高的，插一根雪亮的银簪子。可能她没有街上女人那样的大辫子，昭平便尤其喜欢她。大舅妈是邻村大地主的女儿，土改的时候刘瑞明随工作组去分田认识她的。他们一见倾心，根本不顾阶级差异和当时的形势，匆匆不到一个月就结婚了。本来刘瑞明因长工出身，头脑也机敏，组织上很是赏识他，让他担任工作组长。没想到他那么不识趣，非要让“地主阶级的美女蛇缠绕不休”，怎么做工作都做不通，上级只好撤了他的职，让他去管粮站。人家问他后悔吗，他说不后悔，这么仙女般的媳妇哪里去找，心肠还善，愿意跟着过贫农家的日子，天底下还有比这更好的事吗？为此，大舅舅一生都没提干，始终做着管粮站的一个小官。不过，他并没有被“地主阶级的美女蛇”牵走，而是一直牵着“地主阶级的美女蛇”建设社会主义。

大舅妈实在是太能干了。不到半个小时，就弄出了晚饭，期间还不忘陪昭平玩，支使着两个女儿帮她洗菜、添柴火。她的两个女儿，就是昭平的表姐。一个大的十二岁了，一个小的九岁了。她们都很高兴看到有个弟弟来，也特别自豪地叫着“奶奶”。奶奶啊！她回来了，就在她们面前啊！

晚上，发生了一件大事。全汤溪第一次通电了。当电灯突然亮的时候，昭平叫了起来。因为，之前屋子里只有油灯，豆一点的光焰只能照亮桌沿那片很小的地方。他感觉他又回到了上海，把整整一个汤溪带回了上海。那些看热闹的，和那些认识夏光妹的老嬷、老伙都来了。大舅妈把昭平放在床中间，那个位置正好在电灯底下，这使得昭平看上去像一个小童星，这晚上成了村民的聚焦中心。昭平一上床就惊呆了，因为他的脚触到了凉席，被冻了一下。他很奇怪这里的人为什么这么凉了还睡凉席，在上海只有到了夏天人们才在床上铺凉席的。外婆告诉他，汤溪人整个冬天都睡凉席，而且是那种用竹篾编的光光的凉席。不过后来他习惯了。先凉后暖的感觉很特别，也很贴近家乡。现在他不论走到哪里，甚至在名古屋，大冬天他都要睡凉席的。这可能是很古老的传统，因为书上也记载过，姑妹人善于与竹子打交道。别的地方有木匠，这个地方除了有木匠，还有竹匠。在古代，凉席是很重要的。所谓蒲以安身，谷以养命。有了谷子和席子，就有了生活，到哪里都不怕。所以，传世的秦汉以前的玉器，最多见的就是蒲纹和谷纹的璧。

村民不怕生，落落大方地进来，穿得干干净净的。大家很随便也很有秩序地找到自己的位置，坐下来看上海来的稀客。那天，昭平的节目，主要就是说汤溪话。他发现只要他一说汤溪话，村民就发笑，笑得前仰后翻，眼泪都出来了。于是，人家教他什么，他就说什么，简直兴奋得不得了。很快，他就进入了汤溪话的语境，开始尽量用汤溪话与人交流。昭平后来在他研究汤溪语的论文中说："这是一种甜美的言语。也是一种柔歌慢唱的宛转焐慰。人只要在这样的音调中，就不见暴戾、怀疑和敌视。那么软，那么爽利，有时又那么悲悯。它让你相信人，愿意把心底的喜恶流露出来，所有人都像小孩子一样乖稚呢喃，即使有对立也是幼儿那样无害而迟滞的冲撞。"

第二天一早，三人往后大方向去。后大在王村以南，靠近进山的路旁。从后大再往西走一里半地，就可到达前夏村。

后大是一个古镇，建在大溪边。这条大溪发自山坑，顺峡谷而下，过后大、王村，直入瀔水。瀔水现称衢江。在古代，这条溪叫“汤溪”，意思是成汤之溪，以此纪念姑妹人的先祖。史书记载，入秦之后，姑妹地设县更名为太末、大末；唐武德七年，并定阳、须江、白石、太末四县入信安县，往后再无太末称谓；明成化年间，朝廷割金华、兰溪、龙游、遂昌四县边陲之地置汤溪。汤溪县名，即来自“成汤之溪”。另从莘畈出来的一条溪，现名莘畈溪，以前叫作姑蔑溪，清末出生的老人中间还有人记得这个名。一条汤溪，一条姑蔑溪，见证了妹方从商汤之地南迁入越的历史。

后大镇繁荣于宋，大商户、大地主和远近众多乡绅皆聚集于此。这里也是姑妹人出入乡市的一个中间站，东北外接县城，西南内达山区和九峰姑妹故国宫城腹地。镇上房屋皓壁青瓦，飞檐高举，素楹刻桷。溪流纵横，入室穿堂，间有古木参天，自庭中外探，其荫盖童童，蔽罩街路。不少人家还用溪中卵石围起矮垣，谓之外庭。庭中遍植橘、柚、梨、梅、枇杷等果树。这时，正值橘柚成熟节气，一处一处红的黄的果子跃然树梢，好似温软的丹心表露在外头；这一家的果子正要攀越到那一家去，秋风中前涌后推，并无抵牾。

昭平好奇的是，绕着围墙的溪渠旁，有一些女人用木槌子拍打浸湿的衣裳，一槌一槌的，声音此起彼伏，间杂着她们或尖或沉的谈笑。外婆依然像明星一样地走过，到处有认识她的人。她们大多抛下那些槌洗的衣衫，老远都跟过来问长问短。差不多一个时辰，三人才走到出镇的一座古桥。他们在桥头一家的庭院里歇脚，一个阿婆端来几碗水潽蛋，算是他们的早餐。每碗中还放了些酒酿，那糟气和着新鸡子的鲜味，很对昭平的胃口。客堂间挂着毛主席和林副主席的图像，两边还有东海日出和鲤鱼跳龙门的民俗画，气氛浓烈到酒醉的地步。这里，仿佛所有色彩都不甘被布局规整的黑白屋舍压着，从一切疏漏的空间钻出来欢喜雀跃。

令昭平大为吃惊的是，他们走到离前夏还有半里地时，夏光妹忽然从包里拿出早就准备好的一匹麻布和一条白带子，然后披戴上，号啕大哭起来。她顺着一个很好听的调子即唱即说，念念有词。这副架势，昭平可从来没见过，吓得哇一声便哭出来。村那边过来一群人接应他们，一个不认识的老嬷抱起昭平哄慰他。还是那个大宅子，远远看去，极高的墙和极小的木门，除了那个在雨中握着烟竿的夏玉书不在了，应该跟松元正雄第一次看见的情景一样。

尽管葬礼很隆重，名堂也颇多，但我跟昭平商量了，不准备在此节中大书特书。因为这本叫《妹方》的书，不是为了写故国的礼制风俗的，不是让人们从文明的表层出发去发现过往岁月的好处的。婚丧节祭，规矩名目，时有变迁，地不尽同，津津乐道于此不能自拔，不过是便宜的文化勾当，欲轻巧炫人耳目而已。要么图做旅游的生意，要么想倒腾骨董当道具搭一个唱旧戏的台子，反正都不是为了人心的甦醒去的，倒往往剪断了人本来的性情，堵塞了人尚存活气的七窍筋脉。读者或者要失望，说这一节跟你走了那么长的路，好不容易挨到了前夏的村口，直等着看后面情节的高潮，怎就说不写就不写了！真的，就此省去几千字吧！这葬礼绝不是叫人流连的东西，一些旧弃的裹尸布翻出来当国学，精神太贫瘠了。

没有高潮。

人们就这样焚纸燃炮、敲锣打鼓地将丰奂英埋葬了。并没有几个人真心爱她，纪念她。中堂移尸后，羹饭也吃了，哭丧队也散了，现在奠祭的祠堂又迎来了唱革命戏的文工队。死人入土了，他的灵魂就寄居在坟茔中、墓碑上和牌位里，每逢忌日和亡醮祭拜上供便可，献果品牲肉以养魂命。如果坟碑坏了，祭祀也断了，灵魂也会饿死的。所以，乡人送葬并不以苦痛为主，只重在敬肃祀奉，礼神而不哀人。从古到今，众神万灵会不会太多呢？有的名人可能还记得，大部分祖先过了几代也就没人再去扫洒了。渺茫中，渐渐神灵也并不多得拥挤不堪，即使现在有人闹复古热，重修家宅，灵魂也难以起死回生的。

爱丰奂英的夏玉书死了，丰奂英疼的夏润韦也死了，夏旭宝并不是她生的，对她自然也并不十分亲。现在只有夏光妹真正地想念母亲，还有她跟程佳琏生的儿子程兰章想他的外婆。头七第三天夜里，家里突然来了几个人。他们骑马闯入庭院，其中一个高大的青年人直奔中堂灵柩前，伫立良久，默然无语又恸哭失声。这人就是程兰章，夏光妹去上海后，就把他交给了丰奂英，他由他外婆一手带大，祖孙俩在一起相依为命，吃了不少苦。这时候他在浙江省革委会工作，带了几个随从，向军队借了马匹，星夜兼程地奔丧来了。昭平初次见他，印象深刻，觉得他严肃、硬朗，雷厉风行。但没有想到，他哭得那么过分，像软蛋一样瘫倒在地上，别人怎么扶他也扶不起来。天明，几个人骑着马又走了。这些马高到昭平要抬起头来仰视才见马首，而且蹄子大得像个汤盘，根本无法靠近它们。

七七终于过了，家里的宾客亲眷都已散去。外婆带着昭平，拎着一个食盒，还有一个小脚盆一样的器皿，往后大路上去。路上有一座两边封闭中间道路穿过的路亭，外观就是一间很工整漂亮的古舍，跟那种四面透风檐牙翘起的廊柱式宝盖亭不同；青砖砌的，顶上覆有乌瓦，里边有石凳和石桌，一边还有个高起的台子，应该是可以睡人过夜的。夏光妹将食盒打开，拿出一笼一笼菜肴，又提起那个装着鲜肉的小脚盆，将这些一起放到高台上。小脚盆边上镶有一个弯钩把手，乡人常借它将盆挂在铁钩子上。昭平很喜欢这个器物，只不解为何乡人拿洗脚的盆来盛人吃的肉。外婆告诉昭平，她要在这里纪念太婆。

“太婆就是外婆的妈妈呀，”夏光妹说，“我以前出嫁的时候，她送我到这个路亭。”

“这个房子就是路亭吗？做什么用？”昭平问。

“路亭就是让走路的人歇脚的地方。你看，有凳子，桌子，还有那个平台那么大，可以睡不少人呢。”

“那被子呢？他们没被子怎么睡呀？”

“被子都是自己带的。那时没有汽车、火车，去一个地方要走很多天的，人都会自己准备好许多吃的用的和睡的东西。”

“被子都要带着走啊！”

“你看见过电影里解放军有个大背包吗？那就是被子啊。”

“你妈妈为什么要送你到这里？”

“前面就是后大了。妈妈只能送到这里。她喜欢我，舍不得我走，就在这里跟我说了好多话。”

“说什么了？”

“说，光妹啊，你要听话，嫁出去了不比在家里。妈妈没办法照顾你了，只能到这里了，以后妈妈就跟你分开了。你伤心的时候，妈妈不会在你身边了。所以，要学会听老天爷的声音，有苦楚对他说呀，他会看护你的。所以，你要高兴啊，在人家家里一定要过得好，你懂吗？”

“人长大了，都要离开家里到人家家里去的，是吗？那么，我什么时候出嫁呀？”

“你是男孩子，不出嫁的。”

“我出嫁的时候，要外婆送，不要妈妈送。也从这个亭子里过。

这个地方很好，我要来睡一晚上的。你怎么就没想到在这里睡一晚上呢？”

“我要是晓得后来有那么苦，不如干脆一直睡在这里。外婆很苦的，亏得有老天爷一直照顾。”外婆边说着，边做完了那些烧香焚钱的事，又说，“好了，我要出去听老天爷的声音了。”

外婆走到外面，昭平跟出来看看，又返进去爬高台。他一个人在高台上喃喃自语，像是进了戏的场景。

外婆站在那里。这时候风又起来了，穿过橡树的时候唰唰有声；收完稻子的田野旷达无际，鸟飞得很低，一些落下的叶子被茅草虚夹着来回晃动，咔嚓咔嚓，很干爽的音律。

昭平探出头，向门洞外看看。他的视线从下往上划过天空，应合着这个秋天一切声响的节奏。

就这样，祖孙两人逗留在这个人生的路亭，久久不愿离去。

第三章　席间谈

我的学生李晓珞来了。她听说今天行江要过来，老早就打电话预约。她曾经在东京的歌舞学校学习，能说几句日语。她找行江是来说说日本那些事，也顺便找人讲讲日语。晓珞今年刚出版她的第二张专辑《丰饶之锅》，这会儿正在上海休假。她和行江都喜欢当代艺术，两人很谈得来。

餐厅里午饭已经摆好了。我们家三口，加上昭平夫妇和李晓珞，一共六个人，场面很玲珑，玲珑地给客人接风。

昭平吃上海菜，胃口还真的不错。他先不吭声，闷头大吃了两碗饭，填塞得差不多了才倒上酒，开始慢酌。两杯下肚，他又开始说话：

“那次去，还有一件事吸引我。就是那里大部分人都光脚。我总是担心地上有碎玻璃、铁钉，或者钢条、木刺那些杂物会划伤脚。后来才知道，满汤溪的地上可以说找不到任何尖利的东西，即使有人不慎掉落一点有锐角的碎渣，都会被捡起来的。有一次我玩一个空的酱油瓶，学着抛手榴弹的样子扔到青石板的路上，结果外婆和舅公花了一个上午的时间收拾碎玻璃。他们不断埋怨我，说让人看见了可是要骂死的。这件事倒让我对赤脚放心起来，也学着当地人那样不穿鞋了。”

“光脚还真是舒服的。适合干活的人在水田里走，也适合小孩子漫山遍野地跑。”我说。

“现在别说光脚，连汽车轮子都恨不得套上外罩，”晓珞插话道，“地上什么没有啊？你想得到的都有，你想不到的还有更多。我的胎刚炸过，扎进去一枚钢针有六厘米。”

“刚脱下鞋走路，很不习惯。那些隆起的街石、新刈的稻茬，顶在脚底下，不知道是痒还是疼。”昭平说，“不过，走在田间小路平整的面上，还是很惬意的。这才体会到诗词中‘沙暖泥融’的感觉。”

“你说起的那种路亭，我也很有印象。”我想起了那种建筑，说，“过去长江以南浙江、江西、福建和湖南几个地方，三五里路就设一个路亭。商贾行人要是天黑还找不到客栈，就在里面睡一晚。两边门洞口点起篝火，夜里野兽就不敢靠近。”

“这倒省掉不少住宿费。”我儿子说，“古人比现在人聪明。现在人为什么想不到呢？要是我生在古代，出去旅行，每天都睡路亭，才不去什么宾馆酒店呢！”

“他们怕乞丐、拾荒者聚集。”行江说，“刚才在地铁上，广播还说要‘自觉抵制乞讨、卖唱等行为’。”

“主要是面子。”我说，“如果那些路亭被乞丐和无家可归的人占据了，那么，行江这样的外国朋友看见了，该多没面子啊！”

大家都忍不住笑了。

“说到面子，我又想起一个事。”昭平说，“现在人忽然流行起回归，路亭这样的东西弄不好还又成了民俗文化的骨董。他们恨不得抹去所有革命时代的痕迹，仿佛他们从小就是在没有现代行政区划的自然村、自然镇上长大的。最好电灯也从来没有过，最好农业一直停留在刀耕火种。广天，你还记得那时寄信到乡下去，怎么写地址的？”

“浙江省金华县后大公社东夏大队。我是这么写的。”

“我外婆老是不放心金华县下直属后大公社这个表述。她总是要我写成‘浙江省金华县汤溪后大公社前夏大队’。汤溪从成化年到1958年都是独立县治，撤县之后归在金华管辖之下。她不知道怎么称新汤溪。汤溪镇？汤溪城？反正让我含糊地把‘汤溪’两字写上。她说那样邮递员在分件时，至少可以很快就分到汤溪那片。”

“对了，现在他们将后大的后，改作厚薄的厚，我看一定是受了那些抵制简体字的农民教授的影响。他们是凡民国的就好于解放后，盖繁体的总好过简体。一知半解，自以为是。”

“应该是厚薄的厚，厚土广大的意思。”昭平解释道。

“也可以是‘皇皇后帝，皇祖后稷’。后帝为大。后帝就是上帝、天帝的意思。他们总以为写这个‘后’，就会让人误以为是简化了双立人那个‘後’，总想笔画多一点，就似乎接上了文脉。而直接用双立人那个‘後’，又解释不通，才别出心裁弄了这厚薄的厚来代替。你这个语文专家要考证一下。我总有些不放心，这些人很意识形态的。他们口口声声‘去意识形态’，结果自己更意识形态。”

“你把我们这些谈话都写进书里，读者的小心肝会破的。公社，大队，简直亵渎了他们刚培养起来的田园感受。好好的姑妹国，纤尘不染的世外桃源，为什么也曾叫作人民公社？呜呼！安得净土一方，大庇天下寒士俱欢颜，风雨不动安如山！”

听到这里，李晓珞快要喷饭了。她对昭平竖起拇指，说：“太形象了！这些无价值的脆弱小心肝，就得在书里戏弄他们一番。”

“后大那些房子建得太好了！”我妻子说，“那些排水系统简直可以用‘神妙’来形容。我多年前带学院的人去考察过。进水，出水，灌溉，日用，几方面融会贯通，设计得绵密无间。下暴雨的时候，你可以看见天井里满满是水，可一会儿就下去了。四边凹下去的沟槽中并没有下水口，都是靠渗透的原理排水的。井，溪流，废水，各行其道，但穿插纵横全在地下。我们用许多仪器测试过，根本找不到水道的走向。老人说地下有好几层，像人的血脉一样密布，是活的，水涨则宽，水降则窄，只是不能断水，断水就收缩了，水道渐渐闭合，就成为癃闭。癃闭就是水道死掉了，像肌肉一样黏合起来，再也无法打通。"

我妻子是学建筑的。这方面她是专家。

"后大是建于宋代的。难道宋代人们就有这样的水系观念？"昭平问。

"我看宋代还真不行。这样的水道设施，恐怕是春秋时候就留下的。"我妻子说，"后大估计远古就有人居住。在造房子前，人们利用天然溪流的走向，结合凿井，预先布设好网络。之后，不过是在原基础上翻造、修补和延展而已。应该说，后大起于春秋，而兴于宋朝。"

饭吃完了。行江和晓珞去洗碗。妻子陪儿子去看电影。厅堂里只剩下我和昭平。我问他官司怎样，他说也没多大事，就是梁育金那个儿媳妇作祟，怂恿着梁飞云闹事。他们故意找了法律援助，做出一副哀兵动人的样子。

现在一点房产，把人弄得鸡飞狗跳，好像房子成了人生的目的，都不过了。

第四章　愚公移山

凉帽，又叫斗笠，竹枝和芦叶编织的。顶小，沿大，一条麻绳用来拴在脖子下面固定。背着比戴上好看。越大的越好看，背在身后，恨不得把整个人形遮盖了。烟雨天里，农民披着蓑衣，戴着凉帽，依次从窄小的田埂上走过，森然有序，像一支神兵神将的队伍。于是，昭平也喜欢电影里戴斗笠的工农红军，这深而发黄的颜色衬着青蓝的军装，尤为英武，既隐于城堡石碉，又出于草木山水，不知平添多少亲切与信任。

外婆带他去后大的杂货店买了一顶。他一戴上，就觉得自己融入了乡土，跟那些树木庄稼归属在一起。自然，他更喜欢背着，这样有行军的气派，另外还可以不挡太阳。他要把自己晒黑，不然乡下孩子老说他是“奶糖掉在乌梅里”。在外面疯跑了三天，奶糖好不容易晒成了乌梅，他心里为此很得意。

昭平终于换上了红短裤，脱了鞋赤脚，手里拿着竹子做的玩具，跟当地的孩子一样了。来过汤溪好几次，他已经可以流利地说汤溪话，而且还是塔石一线标准的山区口音。这年他九岁，在永嘉路第二小学刚读完三年级。暑假他随夏光妹又来到汤溪。这是1974年夏。

他尾随前夏村一群孩子，走到祠堂前的一片空地，那里有个小塘堰，孩子们在塘边撩水草玩。一俟他走近，他们便集体起哄又去到别处。他们起哄道："上海佬！上海佬！"显然人家不欢迎他，排斥他。这样的情形，从上午到现在，已经两个多小时了。他努力与他们搭讪，讨好他们，竭尽所能地融入他们。可是，他们似乎密谋好了，就是不带他玩，甚至以抛弃他，故意走开，来取笑他。他已经不能忍受了。他不明白现在他的穿戴、举止、言语、玩具的风尚都跟汤溪孩子一模一样了，为什么他们还抵触他。他忿恨不过，当所有人在起哄中跑远的时候，他抓住一个弱小走得慢的孩子，一把将他摁倒在地，并拧他的手臂反扭到背后。这个小孩哭了。哭声引来了那些在塘堰洗衣服的妇人和老嬷。她们将昭平与那个小孩分开，然后怒气冲冲地一致指责昭平，一扫之前主客间的特别情分。这下昭平发火了，他扔掉手里的玩具，径直朝舅公家走去。

妇人和老嬷也跟来了。其中一个一进屋就嚷嚷，说："光妹啊，你个外孙威么威么！个么扭小人的手，都要脱下来了。空日落雨，天雷鼓都要拷来的！"这简直就成了公堂拷问。她们你一言我一语地描述细节，又此起彼伏地控诉昭平。夏光妹似乎也没什么办法，一句话也不帮着说，只堆着笑脸向人赔不是。在众人的责难中，昭平似乎感觉出事态的严重，他渐渐知道这里的某种规矩，像这种在上海小孩中司空见惯的类似擒拿招数的玩法，在这里是万万不可的。人们似乎对什么是打闹、什么是袭击有清晰的界限，而且有强烈的共同维护范则的公民意识。昭平其实是从这个事件中才懂得什么叫"嫉恶如仇"，也懂了很多"仇"竟然来自于心底的软。后来他在跟学生讲《论语》的时候，常拿这件事出来解释"仁"这个字。

等妇人和老嬷散去，外婆很狼狈地看着他，说："虽怎么惹要，不好玩到老天爷头上去的。他一怒，天雷鼓真要打死人的。"

“他们骂我上海佬呢？”昭平问。

“凭他们骂去。他们再不对，是对你不好，不是对天不好。”

“我扭他的手，又没扭天的手！”

“这么扭法，要脱臼的。扭得人心痛了。心痛，就是老天爷痛了。”

“那别人让我心痛，老天爷痛吗？”

“也痛的。”夏光妹答。又说：“这么想来，他们骂你，你心痛吗？”

“不痛。就是生气，都快气死了。”

他跟小舅舅出去玩。小舅舅就是开慧，舅公的儿子。

夏玉书死后不久，就解放了。土改分田分屋，还留下二亩地和一进院给夏家。评他们家成分，算是开明绅士。但毕竟家里只剩夏旭宝和丰奂英了，一来夏旭宝还小，才十三四岁，二来老太太缠足，根本下不得地，只得靠夏光妹从上海寄点钱来糊口。当时，夏光妹还把她在程家生的儿子程兰章寄养在前夏娘家，而元香根据政策也独立门户了。亏得元香年轻，能做点体力活，夏光妹刚去上海还没站稳脚的时候，家里全凭她拿来粮食支撑。就这样，直到1956年，夏旭宝二十岁了，老太太不得不给他娶亲成婚。因为夏旭宝好吃懒做，家里条件也不好，村里和远近知道他底细的人家，没有愿意把姑娘嫁给他的。于是，只好进到山里很深的谷地去提亲，终于找来一个身强体壮的女人，比他大五岁。这女人种田养猪，砍柴担水，里里外外一把好手。只不会生孩子，等了七八年也没动静，便又去山里她娘家，从她兄弟手里过继来一个男孩，就是开慧。开慧1964年生，比昭平大一岁。按辈分，昭平要叫他舅舅。这让昭平很是不快，便不肯叫。倒是一起玩，玩得很投机。

在开慧的带领下，昭平很顺利地就融进了前夏村小孩子的队伍。不久，昭平就成了孩子的头领。有昭平在里面闹，这群孩子完全变了模样。上房揭瓦，刨地挖沟，爬山涉水，遐迩出没。从“土改”以来，二十多年，夏家被封隔开的十一进院，居然被这批孩子再次打通。他们从猪圈、牛棚和楼阁、回廊等处，卸砖拆板，跟游击队挖地道一般，曲里拐弯，疏辟出一条前村至后庄的秘密通道。

一次，他们爬到某进院的楼阁，看见一具半开的棺材，里边尽是稻谷和水梨。乡下人常将未熟透的果子摘下来，贮埋在谷米中，以米粮的温度慢慢催熟。他们吃光了棺材里的梨，把谷子翻撒得满地狼藉，又找来稻草，点起火玩拜祖宗的游戏。这拜祖宗的想法，全部来自昭平前些年太婆葬礼上看人摆弄香火的经验。火势渐烈，他们有些怕了，抓起稻谷盖上去灭，一把一把，一簸箕一簸箕，也灭不掉。幸好盖了稻谷，火中起了烟，浓烟涌出牖框，让楼下收工回来的人看见了。顿时，惊号一片，喊救连天。从田里下来的人们纷纷提桶携盆，直朝这边跑来。有从溪渠里担水来的，有从深井里取水来的，恨不得全村所有的水都迅速集中过来了。一时间，敲锣打鼓，瓯釜齐鸣，有人甚至还放猎枪警告，场面沸腾到了极点。

火压下去了。晚上大家聚集到夏家的庭院，生产大队长也来了。因为没有烧坏东西，只是几样农具有损，还有几块木板焦了，主人并无意要求赔偿。大家主要的兴趣是了解事情的原委，热衷于探究这场行为艺术的创造源动力。结果，原本的教育大会变成了昭平和孩子们的创意发布会。夏旭宝说，日本佬来都没点火烧房子，你个上海佬却要把祖宅烧了。一些妇女又把话题引到巫术方面，说老房子太空，阴气重，小孩子都是稚阳之体，本来就带着火，怕是烧一烧能祛除晦气，村里一些老人的病就会好。最后，大队长总结说：“有惊无险，不用恐慌。只要没有阶级敌人蓄意破坏，都不算大事，都是人民内部热闹。孩子们太厌气了，没有东西玩，自是坐不住的。我们谁没做过孩子？谁没调皮过？这样，明天我让竹匠到祠堂，专给孩子们打玩具，集体记他工分。”

接下来的日子，成了孩子们跟竹匠的狂欢节。大家聚集在那里，充分发挥了想象力，弄出好大一批五花八门的竹制玩具，悬满在祠堂的梁柱间。这看起来很像如今的一个毛竹材料的装置艺术展。他们最壮观的作品，是一个半堵墙那么大的风筝。做成后拿到九峰山顶去放，引来了远近十几个村庄的人来看。人们站在山下姑妹国的废墟上，看头顶充满玩兴的后生们放飞的风筝，仿佛久违的鲲鹏大志陡然升起。

程兰章回来了。没有高头大马，也没有随从秘书；现在他一个人回来了。没有人知道他在外面干了什么，只晓得他在革委会，可能做了很大的官。传言他见过最顶端的人物，在北京的某个秘密培训班待过。他认识的人都很神秘，朋友中甚至有古斯曼和波尔布特。这是多年后昭平跟他谈起几则新闻报道的时候，他自己说漏嘴的。

不知道他辞职了，还是被人赶下台了，反正他突然什么也不是了，只单身一人回到前夏村。没有人敢来打探他的事，连大队和公社的干部都不过问一句。村里人只见他一人坐在夏家的院子里写东西，每天写，有时或也出来到山背散步。就这样一直过了半年多，有一天他独自去后大公社找党委书记，递给他一份革委会的证明，说他程兰章从某年某月某日起将在前夏村祖地务农，终己一生不变。

他离开夏旭宝的家，在村后的泥屋人家租了一间房。所谓泥屋，都是解放前那些佃户绕着地主家砖屋造的茅房。在汤溪，大部分村庄都是这样的结构。村中央是高墙深院的大宅，村周围是当地佃户和外来长工的矮小泥屋。住进泥屋的程兰章，跟贫下中农一起劳动，一起生活。很快大家就熟悉他喜欢上他了。村民们发现他智慧、风趣、人品端正，好几次要推举他出来领导大家，都被他谢绝了。不过，他常常参加议事，给大队支部和公社党委提许多建设性意见，又给村里不识字的人代写书信，还常常给人看病。不知道他从哪里学来的医学知识，他既认得拉丁语药名，也识得草药穴位。偶尔他也会教孩子读书，帮他们补习功课；见村里读书好的，就把自己的藏书送给人家；兴致高的时候，大段大段吟咏《楚辞》《诗经》，屈原的《九歌》从头背下来竟一字不漏。

远近干部有大小疑难常来请教他，一些秘密文件还拿来给他看。但他不大喜欢干部，愿意为群众出谋划策。一直到本世纪，他还延续这种作风。前几年有化工厂要建到九峰一带，村民中反对这事的领头人来找他。他给他们出主意，结果事情妥善和平地解决了，化工厂的计划终于流产。金华市里的干部跟昭平有些来往，他警告昭平说："记住我的话，永远不要跟这些当官的走得太近！"

昭平考上大学那年，暑假等通知书时又回去过汤溪。他记得那年跟程兰章进城，路过农业中学附近军分区的驻地，有个首长还拉着他们去吃饭。席间他们叽叽咕咕谈了很久，昭平也没怎么听懂。反正他感觉出他们一肚子牢骚。那时的昭平，还不太感兴趣这些话题。所以，一些极为重要的内情被他忽视了。

事实上，有很长一段时间，程兰章是这片地方的幕后领导人。他的威信、才干和人品，方圆几十里地有口皆碑。

大队长拉着会计来找程兰章，说七月半快到了，农民们都馋酒，再说根据当地的风俗，也得给鬼设酒席，可队里的农副产品都上交了，一时间弄不出那么多酒。程兰章出计说："不如宰杀几头耕牛。杀牛要给牛喝酒，牛醉了才下得去刀。我们多要一点，借牛的给人喝。写个报告给公社，他们会批的。据我所知，我们村的牛不少，耕地用足够了。有的还老了，杀几头既可以减少放养的负担，也可以给大家打牙祭。我也想吃牛肉呢！”于是，程兰章帮大队长起草了一份左右逢源的报告，递上去没几天就批下来了。

一下子来了好多酒，壮劳力全部出动，担着酒坛子齐刷刷地从后大路上过来，大家精神头高得都快顶破了天。“喜看稻菽千重浪，遍地英雄下夕烟。”

这批酒，全部堆放在祠堂里。一坛一坛，沉厚重迟。不少外面还起了白硝，看看就已经令人酣足。青壮、老人、小孩，眼睛都直勾勾地盯着，时不时跑过去拿个东西敲敲，听听那闷在坛子里的酒声。大队长说了，七月半前一天收工后，每户派一个代表拿罐来取，均分无偏，人人都吃得到；又七月半当日，宰牛割肉，在祠堂起灶设宴，全村来吃。

七月半前一天收工后，只见祠堂门口人山人海，有本村的，也有陌生人。那些陌生人冠服奇异，举止夸张，提在手里的器皿炳蔚藻绘，模样很古怪。大队的干部看到那么多人来，有点紧张，商量着怎么办才好。最后，大队长决定分起来再说。打开第一坛，给三十罐装满了还剩一半。接着分下去，快见底了酒又满上来，好像舀不完似的。直到最后一户盛去了酒，这坛子还是满的。

很多人不由分说地端起罐子就先喝起来，也不急忙回去。反正只动了一个坛子，大家都看在眼里。三三两两地，这里一堆人，那里一群人，人们兴致勃勃地谈论着，也不甚情愿去弄清明细。很久没有这么喝了！借着夕阳和清风，看着家家户户升起的炊烟，人很快就醉了。

问一个陌生人，从哪里来的。他说他也是本地人啊，只是活得很久了，记不起年岁了。

老人听说这事，便想起龇龆归。说莫不是又撞上了龇龆归。可祖上说过，龇龆归来时，有大河横跨，有火炬冲天，而这时并不见这些异象啊？

大队长说，好了，不想这么多了，先喝酒，明天照常出工，下午早点收，还要宰牛。有个陌生的后生模样的人插话，说他们明天也出工，不能白喝酒呀，一起建设社会主义。

这下，前夏村的人真的懵了。他们是谁？怎么来的？该拿他们怎么办？

夜里，客人分散随村民回各家歇息去了。

第二天下午，在村北晒谷场，村民们牵来五头牛。大队长吩咐，先杀其中一头老牛。给它喝酒，并喝不多，大概三分之一坛的样子，它便开始跌撞摇摆。六七人用绳子套住牛头、牛腿，四向扯着，屠夫举起斧子朝牛颈一刀砍去。牛并不挣扎，只低吼一声。又砍，见颈开裂，有少许血溢出，也不倒。再砍了三四刀，泪从牛眼中流出，它哭了。村民骚动起来，传来许多不忍的声音。有女人说："作孽啊！不要砍了！我们不吃牛肉不行吗？佢也是个老嬷呢，怎么下得去手！"那些客人中走出来一位长者，名叫澹台厥盈，人称澹台公，是大祭司长老。他说："你们养牛、役牛，从来并不杀牛。这样宰杀，是罪过。让生物临死的当头，那么苦楚，于心何忍！快刀夺命，起落间就成事，神灵应允勇猛敏捷的人来做。勇猛有时也是一种仁爱。"于是叫来刀斧手况宁，跃身抱住牛颈，以利刃刺之，血出，崩云霄雨，沥沥汩汩。先牛的前足屈曲，继而失重，侧身毙地。澹台公与另五六个长老商议，说第一头牛要燔祭，献给天帝。大队长便去叫人找来柴火，堆在场中央，燃火焚烤。众人随着外来客起舞，有人击鼓弦歌，心情与火势并举，直达天穹。

远处山背有牧童纵猪羊五六百头而来。澹台公说，这是他们的觐见礼。接下来的日子，村民各户牲畜满圈，肉食丰足。

澹台公第十一妾的女儿明悦童主，十三岁，肤洁如丝，明眸云发，常常跑来找昭平玩。她骑一匹白马，到宅前庭院，伸手给昭平，接昭平跨上去，两人一起驰骋往西。到得九峰山麓，见崖上岩穴层叠，外面围着水晶门窗，里面灯火通明，金光四照。远望就像上海外滩的高楼，气势磅礴。

明悦带他进到第一层，里面供奉着谷神，谷神的样子旖旎从风，眉似卧蚕，凤眼微启。明悦说，谷神女身，青春不谢，名迷穀。

明悦带他走进第二层，这里安放着水神。水神名叫夫诸，白鹿的身形，长有四角。招大水，兴风雨。

明悦带他走到第三层，有巨大的狸猫蟠曲在坛台上，名叫朏朏，长尾色白，为人解忧排愁，是忘忧神。

……

明悦带他顺着山腰弯转的栈道拾级而上，忽穿行于山腹间，忽辗转于峭壁上。

又来到第十四层，见大鸟展翅于岩厅，赤喙绿羽，名叫民鸟，可御火。

第十五层，见祝融操琴像，有草叶坠地，仿佛琴声摇落。静立其间细听，有余音未尽。明悦说："炎帝之妻，赤水之子听沃，生炎居，炎居生节并，节并生戏器，戏器生祝融。"祝融主掌一切火事。光明神，灯神，南方神。

第十六层，一瑞兽目光如炬，白身黑尾，头有一角，利齿，爪足。祭之，则有声，发音如鼓。因其以虎豹为食，必祭之以虎豹皮骨生肉方可。名马交，可御兵。

第十七层，为花神，名英招。人面马身，有虎纹，生鸟翼，声音如榴。替天帝看管御花园，催放四季百花。

……

每一层都有祭坛，神像，牌位，四周设有大的水晶灯罩，罩里有明火不熄，灯油顺管道上下连接，直通山下地库。明悦说，长明灯万年不灭，昼夜燃灼。

直达顶层，为天帝尊位。无像无形，只设玉座。明悦说：“天帝至大，无始无终，统管层层众灵，及抵人间。人可敬奉诸神灵，可用不可信。人唯信天帝至尊，可信不可用。所谓用，即奉献供品，求得利佑；所谓信，即心通天帝，知宇宙律令而不出其左右。这里就是心的位置，心里也有这里同样的祭坛。你按着心，听一听，听到了吗？你从此出去后，要按着心的位置走，不论千里万里，总是居中不移。‘中’字，就是这个意思。忠诚的忠，即中心，触动心。凡动心，就会悲悯，就是天帝降临。所以，人的忠，是对于己心的，对于天帝的；世间万物，于我们只是交往，并无忠可言，却不可不诚。忠于心，诚于人。”

明悦告诉他，去此西五十里，在溆水北面，还有大石窟，也是神坛会堂。

他们又去到后大，在一片矩形的广场边，有一堵高墙。广场的地面铺满了弹街石，墙是青砖砌成的，外面刷了白石灰，经年累月，雨水滋生出许多微绒状的青苔布满在表面，显得古旧又饱含生意。墙角拱门里，有粗圆的古木围起的马厩，解放军一个骑兵连在那里养马。明悦把马牵过去，有个战士接过马辔，挽起拴在柱上；又一边饮马，一边跟明悦说话。这时候，夕阳从几株棕榈树间穿射过来，落到广场的石凳上。赤橙青紫的，团团氤氲之气浮在半空。

昭平带明悦去公社粮站找大舅舅刘瑞明。这年他被调到后大粮站工作。粮站建在大溪旁，一个很大的院落，粮仓有高大斜顶的，也有圆塔矗立的，都刷得白白的，鸟雀飞过的时候，像胶片的画面投在银幕上。大舅舅和大舅妈正领着工人在收谷入仓，看见他们来了，便迎上来拉他们进屋。大舅舅撇下耙子就去街市上割肉，大舅妈看见昭平高兴得合不拢嘴，又看见明悦，说哪来的那么俊的姑娘，反复打量，并拉着她的手不放。

晚饭还要等一阵子。这时候他们两人就钻进谷仓去玩。

谷仓里一半的地方堆着稻谷，用苇席圈得高高的；另一半地方空着，整洁无尘。他们光脚往谷堆上爬，直到顶处。两人站在那里，闻谷子内里的气味。这气味是上升的，展开胸中的肺叶并提携头脑中的清气。人受到鼓舞，生命底部的能量被催发出来。明悦脱掉外衣，又帮昭平脱掉短裤。两人光光地站着，什么话也不说，甚至也并不觉得彼此的身体有什么稀奇，只是体受着更多气息从身子里散发出来，渐渐融进稻谷的气味中。这让他们觉得无比愉悦，欣喜若狂地想跳跃，想飞奔。难以名状的巨大幸福感从四围包笼过来，他们似乎回到了襁褓中，那种安详和放心足以忘掉存在。

明悦侧过身子，依着斜坡往下滚。昭平学着也滚下去。皮肉沾着谷粒，又痒又痛又刺激。有一刻，他们抱到了一起，互相传递呼吸，鼻尖碰鼻尖，两具温软一触即化。这时候，不断有谷子倾泻下来，把他们埋了。等他们费力从谷子下面钻出来时，发现苇席里的稻谷比刚才高出许多。他们动一动，就有稻谷增添出来；又动一动，又增添一点。他们再次爬到顶处，从上面往下翻滚。一边滚落，一边就看见谷粒从各处外涌，直到整个谷仓满满的，没有他们立足的空隙。

月底缴公粮，后大公社计亩产八千斤。上面的领导不信，怕弄虚作假，派人下来调查，结果仓里的粮食多得调查的人都走不进去。

澹台公带着他的一行人每日与前夏村村民出工，去靠近西夏的一个洼地修水库。大家你一筐我一箩的，十几天下来也不见搬走多少土方。澹台公说：“以前听说有愚公移山，现如今你们也在做这样的事。在智者看来这是多么愚蠢啊！因为他们只相信人力，不相信天力，以为人的聪明可以战胜一切。所以，天帝命夸娥氏二子背走太行、王屋二山，以见证天道的大能。这些年，听说你们靠着精神的力量克服困难，正在远离个人的心计巧思，这件事再次感动了天帝，他派我们来帮助你们实现宏图。”

有村民害怕澹台公的手下是鬼，不敢靠近。澹台公又说：“我们选在中元前一天来，就是为了跟鬼分开。我们是你们一直供养的祖先灵，吃你们的五牲，受你们的香烛，乃阳气化精的神。人死，气伸为神，气屈为鬼。活人也可以成神。神者，聪明正直而一者也。矢志不渝，皆为神。而鬼是怕神的。我们一来，七月半那天鬼就不敢出动了。”

又有人异议，说以往龀龆归也就几个时辰，至多一夜，风起云来，大雨倾盆，便散去，何故这次持续那么久？长老说：“以往每至必逢人心淳厚时，而此番人间众生皆尧舜，天帝感佩，是故降神仙于世，意欲长此以往，人神共欢。这次来，我们已住多时，目睹体察，民情洞悉，故决意明日起助人以神力，共造大好山河。”

次日，前夏以西，两处山洼深陷数十丈，水满其间，平湖如镜。又搬去九峰以东一座石崖，高山溪水直流而下，引入四周农田水渠。

次年，自汤溪城至后大、塔石一线的公路开通，长途汽车直达深山腹地。成汤溪上架起石桥数座，东西往来顺畅无阻。至此，几千年来，靠独轮车和骡马进出汤溪山地水田的历史宣告结束。

自1974年8月23日以来，澹台公住了整整四年又四个月。直到第四年冬至前的某天，天忽降大雨，狂飙四作，澹台公大呼曰：“此去不知何日归！风雨如晦，鸡鸣不已。不见君子，云胡夷喜！”言毕，协众先人随风散尽。

第五章　印鹃　开慧　杷金

昭平第一次独自去汤溪，是1982年夏。那年他十七岁，正在等大学的录取通知书。以前每次落脚都在夏家大宅，这次他宿在亲舅舅程兰章家里。沈阿姨程兰玉和夏光妹出钱给程兰章建了一间泥屋，在北面出十一进院的西口。又为他娶了印家的大女儿印鹃。印家解放前流落到前夏村，祖籍似乎远在东北。其实，澹台公说“众生皆尧舜”的时代，也并非人间天堂。印家就是一个例外。印鹃的父母曾因投机倒把被政府多次送去青海劳改，放一次犯一次，前仆后继，屡教不改，成为前夏村的污点。但这个印鹃却和全家人都不同。父母服役时，家里弟妹、祖母都由她照顾，在生产队挣的工分比男劳力还多。她为人仗义，总是帮助那些跟她年纪相近的女队员，重活累活抢先干。她的几个弟妹都嗜财成性，爹妈也唯利是图，偏偏她嫁给了两袖清风的程兰章。后来，搞起了多种经营，印家很快成为全汤溪最发财的人家，她也不贪不图，只跟着丈夫喝粥吃咸豇豆。最让昭平感动的是，他1985年因某社会群体事件被劳教后，亲戚朋友没有一个上门的，唯独这个舅妈印鹃要去农场探监，而当时她正身怀六甲，行动不便。

她嫁给程兰章后，包揽了田里所有的农活，回家还砍柴下厨，把程兰章解放出来看书思考。为此，她身体严重虚羸，第一个孩子生下来不足百日便夭折了。医生说，是母体营养不足孩子发育不全造成的。程兰章口里说是扎根务农，此念不改了，其实内心四海翻腾，很不甘愿。倒是生孩子这件事真正刺激了他。自此他撇下书本，放弃掉各种宏图伟业的想法，开始下地劳作。他知识丰富，懂一些科技，很快就把袁隆平的成果应用到实践中，队里的产量一下子就翻番了。可是，恢复高考几年后，程兰章突发奇想，雄心不死，又准备出去试一试。结果大队书记不给开证明，原因是人家怀恨他那个舅舅夏旭宝，说夏旭宝不是好人，这便株连到他。这个书记是“土改”以来的老书记，前些年被斗争下去，阶级斗争结束后又新上任的。

所谓夏旭宝不是好人，也并非空穴来风。

夏玉书死后，丰奂英只守着夏旭宝一根独苗，多少有些溺爱。不让他下地，也不督促他读书，只娇纵他玩耍。老母亲带着儿子，加上外孙程兰章，靠着女儿夏光妹寄钱，又元香常常送粮送菜，这么就风雨飘摇地过了好些年。直到从山里为夏旭宝娶来媳妇，日子才有了转机。这个媳妇，名叫杷金，程兰章的舅妈，昭平的舅婆。杷金不识字，却识得稼穑农桑和山野医药一切生计。她进到夏家后，凡衣食住行、日用进出，顿时井井有条、面貌一新。渐渐地成为当家人，但时日久了也开始跋扈。她对婆婆和外甥不好。盛粥的时候，程兰章总是看自己碗里的米粒要比舅舅少，便自己去盛，结果自己盛来比先前人家给的还稀。村民传言，说丰奂英是被杷金害死的。夜里不给老太太房里留灯，老人起来小便，不慎绊倒在地，折了骨头，叫唤了一夜也没人去理，最后活活冻死了。夏光妹来时，左右妇人和老嬷都怂恿开棺验尸。棺开了，死人也看了，事情还是不了了之。

前面说过，杷金不会生孩子，开慧是从杷金哥哥家里过继来的。这个养子，跟养父母很不同。他从小就知道自己不是他们亲生的，却也从来不回山里，只等着生父母偶尔来看他几回。他生父是个好木匠，给他打制了一些特别的玩具，有小木凳、木椅、木桌、木床，还有昭平最喜欢的那种盛肉的盆子，也做成微型的尺寸。1974年那次去，开慧拿出来玩过，昭平想要那个盆子，开慧不给。昭平于是让外婆去买，可是走遍汤溪、金华和上海的玩具店，都不见有这么精致玲珑的小木器。这次来，两人都大了。昭平又重提旧事，想大了开慧恐怕不在意儿时的东西了。没想到，一张口，人家就把话题支吾出去了，连再给他看看的心都没有。原来是生父刚死，开慧心里难过，不愿意触碰与之有关的情事。昭平一直好奇，一个孩子不是由父母亲生的，而是领养的，心理究竟怎样。便常常拿这些话去问开慧。开慧也不回避。小时候问他，他答："我刚过来时，不愿意叫他们爸爸妈妈，时间长了，就习惯了。也没有什么不同。"大了问他，他答："他们把我养大的，我自就是他们的儿子。他们对我好过、坏过，也是父母对孩子好过、坏过。"昭平又问："你想不想亲生父母？"开慧说："想想罢了，不会去认的，他们也不会来认的。"因为说这事，便扯到夏旭宝。开慧说："你这个舅公真可以啊！村里没有人喜欢他的。你不知道吧，那年他带人斗争，在会堂里还扒了地主婆的裤子，当众拔人家阴毛。""阴毛"二字居然从开慧嘴里说出来，而且还是关于他父亲的事，这可把昭平给震住了。昭平纳闷，又问："这村里的地主婆，要说不就是我太婆丰奂英吗？还有别的什么地主婆？"开慧说："元香阿婆。他把元香阿婆揪出来斗。后来阿婆气不过，上吊死了。你舅舅回来骂你舅公，说斗争方向搞错了，当权的一个都抓不住，去斗改造好的人，还是自己家长辈，丢人，无能！这以后，你舅公算是完了。全村没有人理他，连打牌的人都找不到，只好自己一个人喝闷酒。"

昭平于此闻所未闻，接着打探：“这么说来，他还当过大队干部？”开慧说：“岂止一般干部，那是火焰冲天的头头！”

人家把自己爹都说到这份上了，昭平也无话可讲，只得沉默，再沉默。

然而，开慧真的是孝顺的。他生父死前，曾来过前夏教他做木匠活。他学得很周到，甚至超过了生父。这一年，他在贴老宅西墙的一点空地上自己建房子，为娶亲做准备。他不想靠夏旭宝，也靠不上夏旭宝，反而要开始挑起大梁做一家之主了。几年后，他结婚生子，承包下村南的一片山地种杨梅。人家都出去打工挣钱，凭他木工绝活，又碰上买房装修的疯狂时代，按说可以跟着人流进城大捞一票。可是，他宁愿守着两个领养他的老人，也不愿意走南闯北。他眼看着杨梅熟了，落满在地上烂掉，卖不出去，来年又种，又落满一地烂掉。他说，偶尔在附近村镇做点零工，赚点散碎银子，也够花的。他可能是最后一代还会用传统的方式耕种的人了。

杷金害死丰奂英，这点昭平始终也不大相信。

杷金这个人，在村里颇有微词，也是事实。可昭平一向认为，人言不如亲历。在他的记忆中，杷金不过嗓门大，说话粗鲁，有时说翻脸就翻脸，甚或遇矛盾大打出手而已。她是山里人，文盲，做事不同平原人，狷介计较，也不乏豪爽，总是在自己的节拍上悲喜，当然与诗书教化过的有板眼的人格格不入。1984年秋天，收过晚稻的时节，昭平带着他的同学赵伯伦和奕婕逃课来前夏游玩，住在老宅。那次，杷金可谓盛情款待，每日鱼肉酒馔，间或山珍异馐，亲自炊糕，炸豆腐泡，搓汤团，蒸肉圆，搞得跟过大年似的。夏旭宝正好不在，说去山里走亲戚了。所谓走亲戚，不过又是去杷金娘家混吃喝。自打儿子过来后，他多了一个借口讨便宜，总说为儿子去要点补贴，每次吃够了还拎回来一大堆山货，诸如石鸡、藤李、野蛇、兽皮之类。没有舅公在家，舅婆如何待客，最见她原本的为人。杷金收拾出两间屋子，一间给昭平住，一间给赵伯伦和奕婕住。那会儿，赵、奕正在谈恋爱，有点不管不顾，到了乡里也不收敛。好在杷金生野不羁，本就不拘礼俗；要是夏旭宝在，肯定废话不少。

大桌摆在庭院里，一只当地的红头鸭，一只新鲜的阉鸡，清蒸火腿，豆腐干烧肉，几种不同的鱼炸在一起，还有一只桂花鳖，一坛五年陈的米酒打开放在昭平脚跟。酒是沥洒在青瓷大碗里的，入口很顺，抵不住就三大碗下去了。开慧只凑过来干一碗酒，然后扒拉两口饭，就去新屋做活去了。杷金陪着喝，陪着说话。几碗下去，昭平轻飘飘起来，主要就是吹牛，说十一进院大开时的辉煌。其实他也没见过，任凭想象胡诌。杷金也没见过，听昭平眉飞色舞地描述，竟也瞠目结舌。有村里人送来鸡蛋，说光妹的外孙来了，稀客呢。那鸡蛋都被染成红色，里面藏一个红包，包着一点钱资和两片柏叶。这里的人送礼很腼腆，那些红包往往要深藏到鸡子果品的深处，不让人当时发现。柏叶深绿如蜡，气味袭人，昭平很喜欢闻这个味道。送柏叶的意思，是常青不衰，越古老的习俗越注重人的生气，认为命贵，青春大美。

黄昏没入黑前，来过不少老嬷和妇人，杷金收了七八个礼篮，也不予昭平看过，径自放进里屋。

第二天上山，三人带着两个加仑桶，盛满米酒，一路狂饮。这是大学生写现代诗、跟风嬉皮士的年代，放浪形骸，不拘形迹，唯恐行为举止不够颠倒。在山顶，昭平指给赵伯伦、奕婕看两处水库，还有贴着成汤溪蜿蜒上行的公路，说是前些年澹台公带人修的。那两人死活不信。说着说着，三人就躺下睡着了。奕婕脱去上衣，光着两个硬硬的奶子，像男人那样赤膊。她的腰还是很好看的，尖胸衬托下，更显柔婉。在跟赵伯伦好以前，她倒是明白的一个处女。昭平多少觉得盯着她的奶子看不雅，故意侧过去背对着他们。

夜里，奕婕跟赵伯伦弄到一半，突然号啕着就跑过昭平的房里来。她穿一件汗衫，光着屁股就往昭平的被窝里钻。她在悲哭的节奏中，直把气氛引到非要男人安慰的地步，似乎两腿夹着昭平也没有肌肤之亲的尴尬。昭平感到一对石球顶到他肋间，又一把毛刷刮了一下他的腿肉。他无法忍受这番场景，几近悲愤地大喊道："赵伯伦，把你的女人弄走！"赵伯伦倒没有过来，杷金被惊动了。她进到昭平的屋子，二话没说，先打亮灯，一眼就看到奕婕这副穷凶相。她说：

"哎呀！这么夜了，哭哭啼啼干什么？她要睡在这里就让她睡也无妨的。"

"她是那个人的女人，跑到我这里来像话吗！"昭平怒气未消。

"这个囡喜欢你哩，她不喜欢那个佬。你抱抱她就好。"杷金说。

昭平心烦，一时语噎，便走出去坐在石槛上抽烟。

那个作女人也并不罢休，索性对着杷金哭起来。杷金劝她好久，最后弄去自己的屋里睡才歇。

赵伯伦披着风衣靠过来，向昭平讨一支烟抽，可怜巴巴地希望聊点什么。昭平叹气，说道：

"好久了，总不出太阳！不是风，就是雨，这地方怎么了？"

回去的路上，他们钱不够，只买了两张火车票，靠再买一张站台票混上列车。果然行进中碰上查票的，三人便逃到软卧车厢，坐在过道中的折叠凳上。这车是广州至上海的，车上有不少去南方倒卖服装的小贩。那时，这些小贩挣钱不少，尽管说不上腰缠万贯，却也攥着不少活钱气冲斗牛。他们看奕婕漂亮，就过来搭讪。旅途中，遇见几个大学生，中间还有靓妞，这对小贩们来说称得上稀奇的艳遇。又请他们去餐车吃饭，叫了不少好菜，开了十几瓶啤酒。昭平也不管太多，埋头先吃起来。他心想，人家看女人好比财货，年纪小的人涉世不深，有好东西是把不住的。幸好这个女人不是他的，他现在能做的，只是冷眼旁观，由此得点经验。可怜的赵伯伦，自己还没长明白，就去弄这样一个尤物。女人不在大小，素艳才是根本。她的光焰总是向着同当量的能力去的。别看奕婕岁数比他们还小，但人家的买卖早就大到他们未知的领域。

他这么想也真没错，几年后，奕婕就跟了赵伯伦的表哥，一个在纽约混得不错的诗歌生意人。

列车过了嘉兴，快到上海了。昭平发愁，进站上车混过来了，可一会儿到了怎么出站呢？向这些商贩借钱？那赵伯伦死定了！他们可算就此找到借口，以后可以常来学校纠缠了。这时，他想到舅婆送他们出村时给过一个袋子，里面放进好些红鸡子。便打开那个袋子，来回翻弄，居然找到一个大红包，拆开来一看，有三百块钱。昭平吃惊不小，因为他知道，那些老嬷送礼，至多十块五块的，来十个人也不足一百。这是杷金给他的钱。这下好了，出站时拿站台票再补一张票，也用去不过十几元。下个月有钱了，又可以挥霍！

说杷金跋扈，她撑起夏家，也欺负夏家，可就是敌不过夏光妹。每次夏光妹一来，就放一架藤椅在庭中，还是老太爷的派头，语默间兀自生威。杷金不是拿着摇扇过来扇风，就是捧着糕点凑近侍奉，满口大姐叫着，笑脸相迎，一刻不怠。或者跟夏光妹的做派也有关系，见嘴甜的、爱奉承的，就发红包。杷金没少得好处，绸缎、布匹、鞋子、紧俏品，成叠成叠的现金，她拿得最多。又或者她心底里就是佩服这个大姐，不论遇什么事总沉着泰然，往往四两拨千斤就解决疑难，不像她动不动就与人交恶，一句不称心就抄家伙打架。山里人少规矩，却也未必不知深浅。见性者罪甚，比蒙习者或更能明心。夏旭宝就不如她，恶习深重。恶习大不同于恶性。

欺负婆婆是有的，但虐待甚或害死人也不至于。一物降一物，一物也克伐一物。丰奂英年轻时再任性，到老了也拿比她强的没办法，从光绪十一年到1970年，她活到八十七岁，历四代三朝，也算寿终正寝了。夏光妹是知道就里的，所以她依然对杷金好。

第六章　补遗

下面的零星段落，摘自昭平的手记，用来记忆他几次去汤溪经历过的物事。可以看作民俗生活的点滴，但我看起来更像是这个故事必备的神器和道场。

夜路黑

在很长的时间里，通电前通电后，夜里屋外都漆黑一片。那种黑，真的就叫“伸手不见五指”。你怎么努力睁大眼睛，都一丝看不见自己，更何况前路。除非布满星星的日子，或者明月当空的夜晚。人们在以前是提着灯笼走夜路，山里人也有举着松明的；后来就用手电筒，那装满粗壮电池的长长的铝筒。那些功率大一点的手电筒，光柱可以照出去很远，几个人各持一具，在夜空里比画，像是电剑在搏击。

你看见远处有移动的光点，就知道有人行走。但是很难计量距离。有时候明明以为要过来了，却走远了。这样的夜晚，于人生是沉重的。无论商队、军旅，还是有更宏大心愿的行者，都难以撕开这无望的黑幕。上帝分别昼夜，原是让人作息。赐人以电火，是为了过渡白黑。但当电力发达之时，人们以夜为昼，其实是颠倒黑白，走向了更黑更深的黑暗。电影在昼之黑中造出了虚梦，娱乐在夜之亮中深陷浮华。无夜将无息，无息的生命挥霍无度。电火的降临，蕴涵着自由。让人自由选择人道或者天道。按人道的法则，建一座不夜城，斯为文明的象征，仿佛人的智慧挑战得起天的限定，渐近为所欲为的“解放”。更甚者，有一天干脆造一枚太阳，与白日分庭抗礼，彻底消灭黑夜。而自由的选择包藏着灾祸，千万年来多少人愿意分辨灾祸和限定的代价呢？限定是预先的支付，而灾祸是欠下的债务。

不知何日起，汤溪的夜越来越亮，汤溪的日越来越阴。月洒大地不再凝霜，星悬天空不见点雪，人以近处的电光遮蔽旷远的天光，傲慢而卑小的心竟窃喜不已。

为了长久的光明，欣然迎接长久的夜路吧！我这样感叹，也照样以为电筒要好过马灯。以电来摆脱野蛮，而并非仗以狂妄，这大概才是文明的真实意义吧！

米粉

乡人舂米，在一个石臼里放一些水浸过的米，人俯在架子上足踩一个大木锤，锤打不止，成为米糊。

用这米糊放进绞机里碾压，出口处堵上一片有密密麻麻孔眼的竹片，米糊自孔眼挤出，即成米粉。新鲜的米粉拌一些酱油吃，就是汤溪人的早餐。（那种味道，纯然丰雍，足以填满饥馋的种种欲壑。善食不加味，加味无善食。味以遮丑，遮败。）铺排在竹匾里晒干，即成粉干。粉干煮软后，过凉水，筛干，放肉丝炒一下，叫作炒粉干。汤溪人吃炒粉干，要就一盏米酒。下午三四点钟，歇会儿工，回来吃点心，那些壮劳力常坐在门槛上一口酒一口粉，吃得津津有味。

殷商西周，遍植粟。春秋以降，始有麦食。初不知碎为粉，蒸煮以食，谓麦饭。后北人入越楚，方知碎粒为面。故米粉在前，面条在后。中国以西至英伦，皆麦食；西人学北人，北人学南人，面条于是风行。

草灰饭

晨起，乡人用大锅盛米蒸煮，待七成熟，捞起部分干饭，置于瓮瓯中。将瓮瓯又放进灶下草灰里，靠草灰余热焖饭。剩余锅中的米，与水一起再烧，做成粥。

早餐吃粥，午间收工回来后，取瓮瓯中焖透的干饭吃。草灰为稻秸、果树或野荆燃余。用不同的柴火，焖出来的饭滋味也不同。野荆炭灰焖的最好吃，有山野之气，有草木醇香。

当然，现在好的电饭锅焖煮的饭也不差，只是人道参与的总不比天道安排的。工业的东西，因效率而普及，是垂怜普通人的；传统农业，诚然辛苦，其成果当是为贵人预备的。试想，上山斫柴，就着炉台一把一把添火，从早到晚忙一坛草灰饭，什么代价？它需要整整几个世纪的生活方式来支持！其间的饥馑饱足、人上人下，洒满了斑斑血泪。不吃也罢。

火挈

到了隆冬，他们会用一种灰色的罐子装炭火。稀奇的是，这燃着的炭火罐又要装在一种竹编的篮子里，人提携着进进出出，遐迩行走，叫作“火挈”。

老嬷和孩童最爱用。提着火挈，这家走走，那家坐坐。一边玩耍，一边随身取暖。

竹篮子用竹篾编，就是那种编凉席的竹篾，是纯竹的，不像那些草秆做的篮子。用久了呈栗色，光可鉴人，爱不释手。我总担心炭火会烧坏竹篮子，可去过汤溪多次，没有一次看见有烧坏的。曾经埋过几个鞭炮在火挈里，炸飞了，篮子也破得不像样子。

老嬷身著一件青衣，端坐在隔屏前的木椅上，拿个铁钳子夹出一块炭点烟，长长的烟杆，缭绕的烟雾，阳光透过来，景象甚美，活似一幅古书中的插图。

有时她也放一两枚番薯在挈里，坐久了饿了，忘记又想起来，翻找出来当点心吃。或者故意多烤几个，分一点给孩子当零食。

埠

北边靠近陶家车站有洋埠、罗埠、游埠，都是古代的水运码头。在铁路和公路通进来以前的几千年，人们外出，总要靠这些埠头。山货田粮从这里运出去，金银玉器又从这里装回来。所以，称水路为财路。有水生财，无水贫瘠。

这水，原称谷水或瀔水，源自安徽休宁，今称衢江。从衢州、龙游那边过来，到兰溪折向北，汇入浙江，就是钱塘江，然后入海，通向世界。当地人又称此江为洋江，意思是可以通往大海大洋的。

陆路再长远，也是大地腹中的脉络，终有尽头，而水路却可以将大地连在一起，所向无阻。

从妹方埠头进出的人，有无去到耶路撒冷的？有无从摩尔曼斯克来的？

埠者，土阜是也。无石而隆起，松软而丰厚，富足的象征。“多情开此花，艳绝温柔乡。”

卷二

齐叔公师

第一章　红军

事情起于昭平的暑假作文。1974年那次他跟外婆下乡，赶作业写到“革命往事”一节，本上要求学生与家里老人沟通，采集旧社会与革命有关的回忆。于是，昭平就去问夏光妹红军的故事。没想到，夏光妹答应得爽利，真就跟他讲起来。

夏光妹说：

“红军的故事还真的有。二十五年，我刚嫁到你外公家不多时，从灵台村搬到城里。因为城里有豆腐店要经营，伙计不得力，我们只好亲自去管。又有一个缘故，便是和叔伯处不来，我跟你外公乐得自立门户。那个店面就在现在汤中（汤溪中学）斜对面角子上，作坊在城东醪醴巷顶里头。我们做豆腐在作坊里，住也住在作坊里。正月十五刚过，开春时节，你外公去金华采货，我一个人在家。那日，落雨天，有个人蓬头垢面的，生闯进门来，只说后面跟来许多山匪，要我帮帮忙把他藏起来。他递给我一根小金条，麻将牌那么大。情急中，我也只好收到衣袋里。望他面善，人矮短，眼睛里有眼泪水么的，我就心软，将他带到后屋。里头正有一口大缸，靠着墙那头底角有大窟窿，从正前头望不见窟窿。便是太重了，一直懒得去扔。就将这个人藏进去，上面压一个匾。匾大小跟缸边沿正合起，朝匾里倒一包石灰，望起就好比整个缸都是石灰。正这时，几个人翻墙进来，落地一点声息都没有，都是后生年纪，种田人打扮，手里端着短枪。问我：‘大姐，有个人进你家了，望见没？’我说：‘什么样子的人？没望见有人来。我家先生不在家，你们这么些人怎么进来的？端着枪要抢东西么？’领头的说：‘大姐，你非要怕，阿达是红军，山里落来的。有个奸细要抓。先头望见朝你家走来。一个人，短小身材么的，望见没？’我告诉他们，让他们自己跑屋里前头后头望望，我哩晓不得。他们进去走了一圈，可能望见石灰缸也想不到里头藏人，便出来了，说：‘大姐，惊动㖞侬罢！阿达这下便去。’正讲了，这点后生翻筋斗就飞出去了，跟唱戏的一样。身手都不疲（疲是病劣、低劣的意思），人还有点俊的，危险敏工（危险是非常的意思；敏工就是聪敏）！他们走远，我就去叫那个佬出来。他蹲在缸里，冻住么的，总归抖来总归抖来。我讲人去罢，无事罢。他便出来。猜他肚饥，予他个酥饼吃。”

昭平听进去了，问：“金条呢？”

“予还他了。我又不少这些东西。”外婆答。

昭平转念一想，觉得不对劲，说：“你这可不是什么革命故事，你这是帮着奸细逃避红军追杀。外婆，你太反动了！”

“人都要死在你面前了，你见死不救？那些后生威么威么的，讲杀便杀，落手你都望不见，人便死去的。”外婆说，“救人一命，胜造十级浮屠！”

昭平反复纠缠，要外婆好好想想，有没有帮助革命参加革命的事。外婆歇息会儿，说：“还真有帮过红军的事。同年第二个月，有天夜里，放鞭么的，外面有人开枪。还有炮炸起来似的，机关枪不停。响了估摸有半个时辰，又听见喊杀。第二天起来，听人说夜里山里的红军落来打汤溪了，杀了好些国民党兵，南城都是死人和伤兵。军队的人开始搜查，一户一户查，查谁人藏了红军。吃过午饭，我出去倒垃圾，正面撞见两个人进来，一男一女。他们一进来便转身将门反关起。男的对我说：‘大姐，我们是红军，后面有追兵，借你家躲一躲。’我看男的身上有伤，血总归流来总归流来，落在地上，望起好比大腿破了。事情真凑巧，你外公这日又不在。我带这个人进屋，还是藏在缸里，盖住石灰。又替那个女的换件布袄，换落来她的破军装，扔到猪草底下。没多时就听见有人敲门。我拿起把刀，抓住只鸭便杀，沥血在地上，叫女人去开门。门开启，祝营长带着他的人就走进来，望我杀鸭，说：‘佳琏媳妇啊，午饭还没吃呢？杀鸭招待客人么？’这个祝营长，后徐人，我认得他，有点亲戚关系的。我说：‘黄堂外婆家来个囡，予我做纳尼（纳尼是丫鬟的意思）。我说这么俏的囡，嫁人来不及抢呢。我不要她，杀个鸭吃吃让她便归去。’祝营长说：‘要当心，门关起拿木头顶住。山匪昨日夜里偷袭汤溪，来了几百人，好凶险的。弟兄半个营的人叫他们打死了。还有些恐怕没走，被我们围在城里了……’正说着，小兵来告状，说谁谁偷佳琏家作坊里的豆腐。祝营长光火了，叫拖来那个偷的人，上去便是一记耳光，教训他军纪军风。我说呣达弟兄都吃吃午饭再去，鸭还再杀几只，豆腐都是五更新做的。祝营长说非罢，外头紧张，没得心思吃，空日再来。走时又吩咐关门，还嘱咐过些日子再送囡归去，怕山匪还要落来。”

“怎么一有追人，人就偏躲到你家？”

“作坊在醪醴巷顶里头，再往里就没路了。生人进来都不知道这条巷子走不通。山匪又不是城里人，就更不晓得了。没得路走，只好进我家罢。”

“总是说山匪山匪的，你一点觉悟都没有！”昭平有点生气，“这是中国工农红军，革命的队伍！你嘴里说出来，我怎么听倒像国民党纪律好，人也亲切，红军在你口里都快成要饭乞丐了！”

“他们真吃了我焐的鸭子和饭哩！祝营长走后，我让那个后生出来，予他洗脚，医伤，把你太公给的田七粉喂他吃，涂他伤口。两人在后屋里躲了五六天，等兵撤去后才走的。走时我带着他们假装朝黄堂去，说外婆家派长工来接那个囡。出了西门，又送出去五六里地我才转来。那个女的说：‘大姐，我们会记着你的。空日红军要解放汤溪的。’那个女的是大学生，上海来的，家里危险有钱，也是大小姐呢。我想想，她到山坑做山匪，怎么吃得起么些苦呢！”

听到这里，昭平有些得意，不管怎么说，外婆切实帮助过红军。最让他欣喜的是，原来汤溪真有红军，远望那些群山，塔石和山坑一带，竟是红军英雄们战斗过的地方。他开始向往那片山区，盼念有一天能上去看看。他进一步打听，外婆便语焉不详，勉强支吾。但就在这天，家里来了一个客人，外婆叫他齐师，又叫他齐叔公，说红军的事齐叔公知道得多，问他便是。又说齐叔公是老红军呢，打过仗，在山坑游击好些年。

齐叔公五十来岁，比外婆小几岁。外婆叫他叔公，是跟着乡里年轻人叫法。按他们那一代，都管他叫齐师。他也不教书，不做手艺活，何故称师呢？这一点昭平当时搞不懂。

齐叔公说，红军是真的威风过的。二十四年（1935年）四月，粟师长带着一营人袭击后大，抓去乡长，就地枪决。那个乡长做人阴狠，为夺一名年轻寡妇，声称官府修路，要从人家门前过，毁人良田，夺人资财，生逼着寡妇嫁给他做小。后大有三多：地主多，金屋藏娇；坟头多，地下埋银；井多，每口井下都有冤魂。这些金银娇娃，都是老百姓家的，只要让财主看见了，就想方设法抢过去。所以，粟师长的部队一来，佃户就高兴了。枪毙恶霸，又开仓放粮，着实热闹。第二天，红军在范家大祠堂设“扩红会”，长工、童养媳去报名的有三十来个，都跟红军上山去了。

齐叔公说，穷人和富人的故事永远是不一样的。富人眼里的土匪，穷人看来就是天兵。之前还有方腊的义军，还有石达开的太平军，财主们叫他们“山贼”“长毛”。太平军灭后，同治九年十月里，天雨谷，外黑内红，剖开有仁，味甘甜可口。外婆证明，说这个它听老人也说过，从遂昌、龙游到汤溪，遍降谷雨，老天流泪，是真事。后来，昭平去翻找县志，还真有记载。

问起齐叔公当红军的事，他说他也是1935年春入伍的，跟着挺进师辗转浙西南，还打过汤溪城。那是1935年8月，外婆说的那次战役之前，红军搞“八一”示威，各纵队突袭衢州、龙游、汤溪、宣平等十九个城镇，切断电话线，炸毁铁路沿线的公路。齐叔公当时负伤了，腿上中枪。他还捋起裤子，给昭平看他的枪伤，是一块炭黑一样的焦疤。他说，红军是从来不扔伤员的，要么托付给后方的老百姓，要么担架抬着走，再艰难，哪怕影响行军速度，也不会弃之不顾。所以，大家都怕负伤，负伤就是拖革命后腿。

但是，昭平怎么看这个齐叔公都不像老红军。一头稀疏的灰发，快要掉光了；握一杆特别奇怪的烟杆，烟锅下粘着块大木头，木头上还钻了孔眼，跟这地方随处可见的烟杆极不相同；人瘦得像柴杆，层层缝满补丁的衣衫看着太沉，他甚至都顶不起来。这样一个糟老头，怎么想象他手持钢枪驰骋沙场呢？

齐叔公不下地，卖药为生。他的药倒很奇特，从山里掘来的一些块根，不煎煮，也不外用涂敷，只用一把小锄头刮开一点，让病人闻药气，闻着闻着就好了。没人能识那些草木，也无人懂这一套疗法。不知道他跟谁学的，竟身怀绝技，治好许多人。

他没有固定的居所，来前夏村借住在侄孙家。听说他在各村有很多亲戚，总是这家住几月，那家吃几天。他闲不住，常常进山采药，也常常四处云游。

第二章　四个故事

1984年昭平跟赵伯伦、奕婕来的那次，又去找齐叔公。那时他正住在前夏侄孙家。昭平给了他几包无过滤嘴的牡丹牌香烟，他很高兴，就扯开去又讲出不少事。

他讲了一个女巫的故事。

从九峰往西去，有很长一截路无村无店，那是姑蔑通往衢州的古道。大夏天，人从那里经过，渴得要死。有一个老嬷坐在路边树下，树上结着金黄的水梨。行人问她讨梨吃，她要一文一个。来了个后生给她一文铜钱，她允许后生自己去摘一个梨。又来了一个财主，带了几个跟随，说要买她一树的梨，老嬷不肯。财主便打开匣子，给她看珍珠、元宝和首饰，说这些都给她够不够。她说一文一梨，少一文不给，多一文不要。财主发狠，差人去砍树。老嬷说，神树砍不动，砍一刀穷一世。财主不信，非砍不可。结果一刀砍下去，匣子里的财物就飞出去了。珍珠变成了黄沙，元宝变成了麻雀，首饰变成了蜻蜓、蛾子和各样的飞虫。财主大惊失色。

又来了一个书生，渴得走不动路，想讨一个梨吃，可是穷得一文钱也拿不出。老嬷说，不给钱也行，有个对子对得上，就给梨吃。上联是："梨梨梨，云生露长。"书生思忖一会儿，说："人人人，命死魂藏。"老嬷大喜，跪倒在地，说五百年来没人把这个对子对到"藏"字上。言藏必有大获。便领着书生去到瀫水石窟。在第十六穴下面有个石门，门上写着上联，下联缺字只有最后那个藏字。老嬷把其他字填上去，石门霎时大开。洞中见一厅堂，摆满黄金、宝石和各类珍玩。老嬷告诉书生，这是姑蔑子的宝藏，几百世都享用不尽。老嬷说，书生可以与她共享财富，但也可以移走那株梨树。得财者得势，得树者养命。书生选择后者。

待树移栽家中庭院，书生一家无病，方圆几十里人家无病。这书生就是后大人的先祖范锷。自此，范姓一脉子孙不绝，人丁兴旺。

他讲了一个商人的故事。

范锷为宋皇佑五年进士，官至太府少卿，封府尹特进光禄大夫，上柱国，长社郡公。他祖籍兰溪香溪，得梨树后移居后大。他兄弟中有一个叫范昆的，生有三子二女。二子名范笠隗，读书不行，外出贾贸，竟获利丰盈，富可敌国。初以虎骨、熊胆、生茶、木材等山货运至杭州贩易，依成汤溪水路，放竹排至后大中转，集货清点后，又顺水至罗埠，自罗埠下瀫水，出婺州地抵钱塘。当时罗埠兴隆，商贾云集，因苏杭应奉局花石纲为朝廷转运花木，又名花园市。塔石山里有栎、樟、榈、楠，有的古树千年不坏，姿仪英秀，蔚为大观。又有佛手枸橼，状似翠袖金手，视之若生人屈指欲弹，香气令人流连。范笠隗四处搜罗奇花异木，谄献应奉局，而所得甚微。几年下来，经营不善，却也并不垂头丧气。他志在必得，心机绵密，针插不进。

宣和元年，在罗埠酒肆，他结识一个叫王大浮的人。其人为当地明教头领，仗义疏财，水陆两道上行脚苦力皆尊为龙首，纷纷聚在他手下。他看范笠隗做人乖巧，做事活络，便有意网罗，引他入门。明教又称牟尼教，从波斯传过来，信奉二宗三际说。二宗者，明与暗；三际者，曾经，现在与将来。曾经明暗独立，各处已界，现在明暗交织，上下搏斗，直至将来明胜暗，又复归明暗离析。信光明国里上帝，谓察宛，即永恒，又叫明父。明教盛行于贫苦人中间，因其戒酒食素，教律甚严，行事诡秘，备受攻讦误解。做官人污其为“魔教”，又称其为“吃菜事魔”教。但明教的人穷帮穷，互助友爱，是法平等，不分高下，无聚财剥削诸等恶事。而范笠隗加入进来，靠着王大浮的势力却暗敛资财不少，一时发达起来。

范笠隗有爱妾，善弹能舞，名骓缣，王大浮暗中喜欢她。范知王意，便与骓缣说，教主约他在罗埠月浸楼吃饭玩赌，席间免不了唱弹助兴，要她相陪。去得月浸楼，范王设局，先赌餐资，又赌银两，直赌到田宅舟筏。王说，赢了都分与教众。范说，既如此，再赌。一路玩下来，直把骓缣赌输给他。王心知肚明，又愕然不知所措。骓缣唱《出云》调，赋词“别夫”，一别夫，二别夫……唱到十别夫。大浮心中不忍，离席欲去。范竟拦劝，说：“终有人去，不妨我去。去则去矣，何惧不忍。再者输局已定，君子无悔。此番短痛，胜过百年长痛。在此听罢一别又十别，再无别意。”言罢，恩爱情义断绝，也断尽骓缣寻死念头。大浮贪恋美色，竟不察范有图谋，领了所赢而归，甚欢，不表。之后，范又对王说：“人舍所爱事小，人舍情义事大。舍情义以全忠信，望教主明鉴，不弃笠隗。”王大悦，便将教里各样生计悉数托付范打理，自去寻芳觅香，诸事不闻不问。

宣和二年，青溪人方圣公举事，王大浮率众应合，亦于罗埠竖旗起义。封治卫大将军，范也受封前卫大将军，领命攻衢州、婺州。不日，得衢州、婺州。义军所到之地，百姓箪食壶浆接迎呼和，万千青壮随入，众殆百万，数月间，陷六州五十二县，四方大震。朝廷情急，派童贯率十五万精兵南下，分两路直扑前锋。次年开春，官兵围衢州，锋指婺州，逼抵罗埠以西。范出计，以财货赂买官军将士，缓兵弃罗埠而去，溯成汤溪撤入山地，以存实力。王大浮纳计而行，率全军南下。军至后大，恰逢清明“抢头杵”。抢头杵，即蒸煮杵状面食，形同阳物，分发各户未婚后生，又招来邻村处女，各携一竹篮来会，会者排放竹篮于祠堂前空地后退下，再令后生掷杵于篮，视篮中杵多者为魁。胜出者为美，余者以投其篮者中所称心之人为意中郎，日后由父母出面媒聘订婚。范笠隗说，既来则为抢头杵壮声势，军民同欢，也去投一杵。当日，兵民万众聚于范氏广场。两宋时，此类广场居多，四周祠堂厅室环绕，一以晒谷，二以行祭礼。范氏祠堂最大，其间空地旷达，方圆纵横有二百来步。一万多人聚在中间，人头攒动，鼓声四起。鼓毕鸣金，初鸣，再鸣，至三鸣，突然矢雨飞下，万箭齐发，祠堂楼上的窗口冒出一队队官兵，他们预埋多时，专等这一时刻。王大浮身中数箭不倒，奋力带猛士突围，大喊范笠隗，才想起已不见范多时。

仅半个时辰，义军全被剪灭。血流成河，百姓也死伤无数。

范笠隗卖了情义，又卖了忠信，这下得到朝廷厚赏，真的飞黄腾达起来。他说：“卖货易物，谓生意；买进卖出，谓买卖；情义忠信，触之无形，视之无貌，而人皆知其贵，竟不知沽售。何不鬻贵求富？鬻贵者必大富，谓善贾者也。行商坐贾，专事取利，利至则大成矣。明教有二主，明主已卖，仍有暗主。今后以卖明主之富养暗主之尊，亦合忠信之理。此为中庸奥义。”

宣和三年，朝廷派人传诰于范，赐死，又追封南海郡侯。

范死，其脉裔不绝，后人恪守其规，世代尊奉暗主。谨记不吃菜只吃荤。既然吃菜事明父，那么吃荤必得暗主佑护。按范氏一族的说法，妄情割断，忠信留半，方可成全人道。留下来的忠信，要做成规矩，管住后人。不可让其信了吃菜诸魔道的蛊惑，为了虚无缥缈的天上事白白过一生；也不可让其沉湎儿女情长的缠绵，为投缘相悦而荒废家业。此所谓入世之理法。

后大地主，最讲礼矩家法，此其为表，内里根深处乃膜拜黑暗魔鬼。

他讲了一个女儿的故事。

蒙元时，现今的汤溪属龙岩乡，在婺州路兰溪州治下。乡中有青年名叫具贞，外出到处州做长工，在州中万户忽都台家放马。忽都台有千金名失林，爱骑射，擅剑枪。失林见具贞身长英秀，便与他交好。当时，具贞十九，失林十五，正值韶美年华。

忽都台外厉内慈，心底颇为玉柔，见女儿喜欢具贞，也不阻拦，并无中原门第观念。蒙人强悍率真，对待汉人，一般放任自流。断案处事，只听汉人头目，头目说杀便杀，说好便好。史上不少血腥屠戮，多半都是汉人地方官和族长挑起的。各地设有达鲁花赤，即总督，领军政大权，按惯例必由蒙人或色目人担当。然处州达鲁花赤一职，竟任命给山东人赵贲亨。赵乃军中功臣，随元军一路南下杀来，很是阴毒凶恶。忽都台在他的手下，日子也并不好过。

至元十五年，遂昌人叶丙六起事，赵贲亨受命围剿。叶是具贞的表兄，传信让具上山投奔义军。其时，军在塔石山坑一带出没。具贞来告诉失林，他要去找表兄。

出处州五十里往北，身后有马蹄声凑近。具贞回头，看见失林骑马来追。失林说要跟他进山，具贞说此去便是死，不要跟来了。失林不依，说死便死，死在一处也好到尽头。具贞说，心已死，不恋人间。失林说，君心死妾也心死，死也相好，无所谓人间地狱。说罢，便让具贞上马，两人同骑一驹进山。

赵贲亨听说此事后，便直点忽都台出兵。忽都台来到谷中山寨，见义军严阵以待。两军对峙，旬余不战。叶派具贞去议和，说失林今在营帐中，义军与蒙元已成亲家，望化干戈为玉帛，保一方百姓平安。忽都台大哭，进不得，退不得，无计可施。

失林闻此，悲从中来，对具贞说："有缘相好，无缘偕老。父爱女，雷池不越，若班师回府，必遭奸人陷灭。君恋妾，不忍以妾为质。倘按兵不动，因我而坏事，天地难容。英雄豪杰，狭路相见，必死战沙场，岂可悲陷情场！"月中十五，太阴皓洁。失林于岭上紫菱湖边，面北而歌。歌曰："与君结同心，勿忘我，勿忘我；任君天涯行，勿忘我，勿忘我。慈幼十五载，无以报，无以报；寿域比大漠，身以报，身以报。"又说："夫君日后任凭去生去娶，愿得子息如天上繁星，但凡记得失林来过啊！娟娟兮失林，可怜兮失林！"言罢，坠湖殁。

当夜，失林托梦忽都台，言告其魂归大漠，决战已无所恋。又嘱咐冲杀间放英雄一条生路，任由逃脱。

翌日，两军鏖战，元兵杀入山寨，斩首三千余级。具贞率余部三十骑突围，顺成汤溪北去出谷地。

失林遗物中，有剑一柄，金牌一枚。具贞持此金牌，可通行帝国全境。传闻他之后远至岭北省，隐居极地，入寺为僧。

他又讲了一个女儿的故事。

金华以西，兰溪以南，龙游以东，遂昌以北，大约就是春秋姑妹故国领地，后谓大末，唐武德以后并入他县。宋元至明，大部分平原归属婺州路兰溪州的龙岩乡和横山乡，大部分山地在处州遂昌治下。从后大往南，顺溪谷上去，一路经塔石、山坑至遂昌、松阳，都是深不见底的丛山峻岭，平坝山坳中，间有村落人家。秦废诸侯设郡县，姑蔑子的部分将军不服，带残部移徙山中，直到晋代还有数百家藏而不出。大明用银无度，朝廷设银官局，开办银场，收取银课。当时浙西南姑妹故地至闽赣边界一带发现大量银矿，一时间游民流氓趋之若鹜，甚或良民弃田舍业，也蜂拥前往，大片地土荒芜。而采银发财，不过是幻梦一场。矿区上有监官，下有矿头，官府与当地豪强勾结，层层盘剥，压榨矿工。又有亡命徒、山贼啸聚，夺矿占坑，时有血案发生。自正统以降，凡二十多载，起义矿乱不绝。

塔石西南有西坞，绕山路行走至南边的龙坑口有十几里地。路边有女王氏独户而居。王氏丧夫，膝下有一男一女。正统年间，一个叫陶逵的人带了十几个人到龙坑口私掘银矿，常于此路中往来出没，见王氏生计无依靠，便慷慨赈济。王氏风韵犹存，寡居日久，见好汉仗义，又魁梧迥拔，不免生出私情。这个陶逵是大名鼎鼎的强盗叶宗留的人。叶曾开发禁矿，遭官军追剿，索性聚众起义，号称大王。其时占有闽赣浙三省边地，威震一方。陶逵与王氏相好，待其子女亦犹如己出。王氏女葛云，时年七岁。母亲常对她说："陶公对你们恩重如山，胜似亲生父亲，日后有机会要记得报答。"

王氏早年辛苦，落下一身病，不久就死了。正统十三年，叶宗留兵败，被都御史张楷杀死在江西。陶逵一众也被金华府的捕快捉获，重枷缚身，暂押在后大的祠堂里。这年秋天，葛云九岁，她弟弟五岁。她带着做好的草灰饭，还有一件棉袄，背着弟弟一起朝后大路上走来。她想到自己的气力那么小，可是要报答恩人的心却那么大，不禁落泪。

到得后大镇，找到囚禁犯人的祠堂。他们不知道怎么进去，就坐在廊檐下。葛云想到饭冷了，就打开灰罐，将饭捏成团，一团一团贴在胸口，想要焐热。弟弟在一旁哭，一天没吃东西，饿得难受。从天不亮下山，四十多里山路，走走停停，十多个时辰过去，已近黄昏时分，两人早就饥弱不支。有狱卒路过，觉得稀奇，便上前问。葛云说来看父亲，母亲病故，只好姐弟俩来。狱卒说陶逵是钦犯，要杀头的，不让见。葛云说，那么让他吃顿饱饭吧，杀头也要吃顿饭的。狱卒于是拿饭进去给陶逵。陶逵听说是葛云背着弟弟来探监，悲恸难抑，肝胆俱裂。狱卒出来后，葛云又想起棉袄，拜求狱卒再送进去。陶逵见棉袄，思忖一番，说一贫如洗，唯余此袄，倘能送遗孤于兰溪娘舅家，嘱其割袄为二予子女各一，必有报。

狱卒再出来时，天色已黑，凉风骤起，见姐弟二人困乏难当，已睡着在石阶上，顿时心生恻隐，便引至镇中亲朋处暂宿。

八月底，衙役押解陶逵等重囚往金华，投入府监。通判宋约，听闻葛云事，感佩孝女，竟上奏赦免陶逵。朝廷准奏，命陶逵作归降伏罪书。陶逵说："无罪可伏。卖节求活，不如死。死则成全大义。"宋约喟叹："你女儿这份孝心，你就辜负了！"陶逵答："她报的是我的情，我全的是天下的道。天道大行，何愁无情？虽陌路亦亲胜同胞。"秋后十月，陶逵及众兄弟，于金华城中通济桥前赴死。众人面无惧色，潇洒就义。

狱卒带葛云姐弟找到兰溪陶逵娘舅，舅赠金以谢。客去，随手割开棉袄，见有黄色丝帛藏于棉絮中，乃藏宝图。陶逵及手下数年掘银所得，埋设所在，历历明细。期年，出其所藏，足有百斤之多。分诸壮士遗属，安孤养寡。金银藏于山中，官欲采，民欲发，但上帝只允予取之有道的人。

至成化年间，朝廷为绝矿乱，从金华、兰溪、龙游、遂昌四县，划出边陲之地，合为一县，名汤溪，命府官通判宋约兼首任县令，特赐正五品，领兵甲三千，恩威并济，怀柔一方。这就是汤溪这个地名的来历。

现在山里还有银岭、后坑、东坑口、里东坑、外东坑，这些地方都是古代的矿井坑口，如今废塌了，却不知埋藏着多少神奇的故事。

第三章　范耑虞和丰莲馨

昭平大学三年级那年，开始认真对待自己的专业。他发现，他有必要摆脱晚清以来一直借助西洋的观点来研究中国语文的樊笼，他极希望找到自己的方式。于是，这一年，他开始旅行，开始直接面对各种古典文化的遗存。当然，他没有忘记先回汤溪看看。他需要以一种全新的眼光首先再度审视妹方。

齐叔公那年六十六岁，身体尚健壮，只要打开话匣子，一路说来，滔滔不绝。昭平在九峰里金乌找到他，领他去汤溪城老街的一爿饭馆吃饭。席间，齐叔公跟他讲起招布袋范耑虞的事。

招布袋，是南方民间对入赘招婿的俗谓，一般人解释，意思是女婿入赘过去，像受气包，好比入了布袋，气不得出。但齐叔公有他独特的说法，既有史据，又有深切的事实。他说："布袋不是布做的袋子，而是补代的意思，替代别人。招女婿过到女方，受点气抬不起头，并不很丢人，把这情形处境也叫作布袋，是牵强的。但真的做人家补代，就跟做鬼似的，现在人一般不能理解的。什么叫补代呢？这是一个缺德的事情。富户人家，女人死了丈夫，又不肯守寡，就从穷人家招来青年，要改名更姓，换做她前夫的名字，替她前夫活过来，受她前夫的鬼魂驱使，借身还阳。这样她名正言顺，还是跟原配在过，保住了名节，又一日不缺男人。那种富户家的女人，大多岁数比较大，云雨无度，要找英俊后生，体力还要好，既可以夜里服侍她，又可以白天下地做活，兼顾照应丈人丈母。所以，不到山穷水尽的地步，没有人甘心情愿去当补代的。”

后来，昭平查到一本书，叫《猗觉寮杂记》，南宋朱翌写的。里面果然有说：“如何入舍婿谓之布袋？众无语，忽一人曰：语讹也，谓之补代。”

关于布袋，齐叔公举出一个实例。民国时，有个叫范崇虞的，人称范布袋。家住黄堂，本不姓范，招到后大做补代，才代了人家的范姓。范布袋家给人做长工，父亲替东家修坟采石时，被青石板压毁了身子，骨头断了，内脏也损坏了，躺在家里养病，也无钱医治。母亲带着三个孩子，给人家帮工做点杂活，勉强度日。他排行老二，传承父亲的手艺，会做一点石匠活。那年民国二十三年，后大范家大媳妇项氏死了丈夫，说已守寡三年，出了禁忌，可以招婿补代了，便派人四下寻觅，找到了黄堂。女的三十八岁，范布袋十五岁。父母起初不肯，后来因为家里欠债，债主逼得急，无奈就答应了。范家当家兄弟叫范崇金，大媳妇的小叔子，在后大当乡长，有权有钱，给的招赘财礼却小气得出奇，只有两亩山田和十五块鹰洋。家里卖掉山田，得十块袁洋，加上十五块鹰洋，统共二十五块。还账还掉二十块，只剩五块。五块不算多，但在那时省着点用，在农村也可以过大半年。

但范布袋心里有个喜欢的人，叫丰莲馨。当年莲馨还只有八岁，什么事都不懂，却是喜欢找范布袋玩。丰莲馨家里也很穷，父亲早死了，母亲替人裁缝点衣裳赚钱。只是她的母亲一心想把女儿嫁个富庶人家，好有依靠，便很讨厌莲馨往长工家里钻。莲馨缠足，一步三摇，皮肤白嫩，眼睛水灵。她的一双眼睛很大，会说话似的，远远地走来，形貌还未清晰，心神已到。她的皮肤是惊人的白光，随处袖襟微露，便触人魂魄，月也来了，雪也来了，眼前一亮，不禁令人恍惚起来。八岁的年纪，模样看着却不小，有十三四岁懵懂的情致。谁人跟她处一会儿，就会说话软下来，行为慢下来。范布袋每次跟她玩，都像手里捧着个生鸡蛋，怕一不小心掉在地上碎了。

村里有崇德堂，是一处喝茶的地方。里面有人弹唱说书，唱一些英烈豪义、儿女情长。歌分清曲、羞拔两种，都是落魄文人写的话本歌本，由山里不识字的唱家传诵。唱家要嗓子好，嘴伶俐，讲得眉飞色舞，唱得起伏跌宕。清曲有唱无说，都是比较雅正的侠义唱段；羞拔有说有唱，有时说得还比唱得多，听上半个多时辰才吟两句，都是卖笑弄痒的逸闻，也不乏荤段秘戏，因羞于出口，拔起精神，故称羞拔。一般是两个人唱。一个人年岁小些，在边上衬垫；另一个人多为长者，掌局面，主敷衍。范布袋带丰莲馨来听歌，自己一边打着节拍，一边摇头晃脑地轻唱，得意时喉咙一响，有时还盖过了唱家。他天生嗓子好，心眼灵巧，这些个戏文词曲，听了千百遍，早已烂熟于心，脱口而出。莲馨说："日后你也做个唱家，我替你开茶馆。"布袋说："还真不一定呢！我觉得我比他们唱得出神些。"从茶馆里出来，他们常去村后冷落的溪滩边。那里有棵大香榧，干粗叶茂，斜伸出一截贴着青石板桥，仿佛石桥边还并排着一段木桥。主干背面有个树洞，容得下三五个人。布袋和莲馨就坐在里面，看溪滩远处的烟霞。布袋会拿一把小锄头，刨两下树根，让树肉的气味透出来。他说这可以治风湿痛。他的脚踝着过风湿，常常会痛。莲馨说："你只好看看我，跟我说说话，不好想我做你新妇的。我娘说的，我要养起来嫁大户的，不能跟你玩坏的。"布袋说："嫁人不好玩呢！嫁去做什么？替人生小囡，肚子好痛的。说话唱歌才好玩呢！一直有人说话，一直说得来；一直有人唱歌，一直听得来。这多味啊！（味，即有滋味，引申为舒服，高兴，幸福的意思。）种田辛苦，做活也辛苦，那么些苦痛换来钱有什么用，吃进去又撒出去了。大户就是一个大的东司（厕所），你这么俏的囡，勿怕臭掉吗？你跟前头那烟么的，住这头田里才快活。”莲馨问：“你总归让我听你说，听你唱，你怎么对我好？”布袋答不上来。

乡里人缠足，六岁缠起，七岁八岁裹尖、裹瘦、裹弯，有时还要用竹片夹，一日都不可歇，晚上睡觉脚烫得要死，只好伸在被子外面。缠足所成，分铁莲，银莲，金莲。金莲最小，所谓三寸。那么小的脚，要做到柔、润、尖、曲，上品要像一只糯米粽子，做到形、质、姿、神俱全。这样的脚，是用来给男人玩的。下身、胸乳、尾臀和小脚，一共四个玩处。有闻、吸、舔、咬、搔、脱、捏、推等多种玩法。民国以来，政府几番下令劝禁缠足，二十一年还通令各地查填汇报劝禁缠足有关情况。但乡风旧俗难改，缙绅豪门嗜莲成癖，生女儿的人家便不得不袭此遗风，以投人所好。莲馨娘也是旧观念的人，在这件事上要求苛刻，绝不手软，常常弄得莲馨痛不欲生。做娘的这番心思，直为的造一个玩物，岂容得布袋染指垂涎把她生拿去做一个劳力。可是，莲馨还小，不明此间就里，逃出来找布袋玩，多半为松懈裹脚布，晾一晾腿脚，伸展一下脚趾。

有回，莲馨拿着个小包袱，里面装着几件她的换洗衣服，还有几样玩具，一根银簪，来告诉布袋，说她要逃走了，问布袋要不要一起走。布袋就牵来东家一头牛，跟她一起朝龙游路上去。从黄堂到龙游，要走三十多里路。他们早饭后出村，驾着牛，下坡跑一段，上坡慢慢走，大概三点钟光景到得县城。在县城买了几块饼吃，又出城过洋江（衢江）。这么宽的江莲馨第一次看见，高兴得不得了。把牛拖到渡船上，牛和人一起坐船，牛也不惊，静静地等到靠岸才动，像是它早就来过，也早就知道渡河的规矩。上得岸来，两人往北又走了几里地，约莫日头落山前到达一个僻静地方。水是绿的，一条石板路从水边伸到林子里，密密的竹林将它掩盖。竹枝那么柔曼，举不动重重的竹叶，都弯起要掉下来的样子。水的尽头有个大穴，水不知道从里面出来还是被它吞下去。他们顺水往洞里去，抱着很多柴火，又点起松明，一步一步贴着岩壁小心往下走。走着走着，水顺着一个沟渠流去，渐渐就没有了。下面深不见底，拿火照一下，可见有长长的台阶通到洞底。那是一片空旷的平地，方正的石柱从四周托着洞顶。洞壁上有许多闪电的图案，还有鸟、兽和鱼的印记，都刻画得很古朴，很冥默。中间有方形的水池，像天井，像浴池。边上有祭台，高起地面，可以容几十个人在上面。布袋说，他们就睡在这里。莲馨以为到了仙界，愣愣地说不出话。布袋又说，上年他跟东家的大公子来过，公子说这是姑蔑子的会堂，祭各方神灵的。这一坛也不知何方神灵。

他们又去洞外弄来一些稻草，铺好在祭坛上，生火烤一下从城里买来的饼吃。

布袋说："既走出来，就不回去了。这里房子多大，又没人来，尽可以一直住下去。"

莲馨说："这么一直住下去，再不回家么？那我就真的成你新妇了。我娘不肯的。"

"现在还管你娘作甚？我们乐得自由，想嬉就嬉，想吃就吃。"

"你还有多少钱买饼？没钱了怎么办？"

"我好去做工呀！做工有了工钱就再去买饼。"

"你去做工，将我一个人放在这洞里。我会要怕死的。"

"我带你一起去。一起做工，又一起回来。"

"我的脚小，做不得工的。"莲馨想到她的脚，觉得一天下来疼得不行，便放开裹脚布，光着脚凉快。

布袋帮她揉脚，说："这么缠弄脚，作孽的。"

"其实，我也不想出来。只我娘太烦人，一直缠弄，一刻也不得歇息。我求她放过我，松快两天，她竟打我，我气不过才出来，想让她着急一下，回头说不定她回心转意，就不会那么凶了。"莲馨伸展着腿，惬意地躺下，又想起什么，抽回脚，说："你不好碰我的脚的。这样就被你弄坏了，以后嫁不出去的。"

"缠才缠坏呢！我帮你揉揉倒好了。"

"不要，不要！你过去，不要在我这边！"莲馨赶他。

布袋只好坐到一边，垂头丧气地说："走一天了，吃力罢，快点困罢（困：睡觉。）。"

"困不得，困不得。我娘吩咐过，囡不能在外面过夜的。"莲馨忽然想起什么，急躁起来，"归去呢，快点归去罢，我不能跟你在外头过夜的。你带我归去呢！"

这下，怎么说也没用了，她非要回去。布袋于是收拾东西，牵着牛，又带她出洞往回走。

夜里没有渡船，幸好牵来的是水牛，牛浮水载他们渡过洋江。出得龙游城，天太黑，看不清道，两人迷路了。直往南边走，到社坞快要进山了，才知道走错。再返回来，找到铁路，沿着铁路往东走。走到童家仓，天快放亮，莲馨急了，说这下完了，已经过夜，回家定要被娘打死的。布袋说，那么不如还是不回去罢。莲馨不知如何是好，就一直哭来，一直哭来。东边有人提着灯笼过来，是来找他们的黄堂人。一见这两人，好几个人冲上来，揪着布袋便打，说他偷东家牛，偷人家囡，要捆起来吊在祠堂里剥皮。

这件事，彻底改变了他们两人的命运。黄堂人是不会有人娶丰莲馨了，都说她被布袋污秽掉，不是童女了。好在莲馨父亲家的姑婆人善，把她买去做丫鬟，给了莲馨娘一大笔钱，才算有了着落。布袋被拖去东家的祠堂吊起来打，打得皮开肉绽，往身上浇盐水，痛得晕死过去。这就有了招布袋的事情。尽管家里穷债主逼债急是一方面，另外这么偷牛偷囡做出私奔的事，着实让父母抬不起头，也不得不把他尽快送出去。

范家大媳妇项氏，山里上阳村人。她父亲在杭州警察局做官，势力很大，范家二少爷范耑金依着这势力才当上乡长。项氏为人刁钻，挑剔，公婆都让她三分，小叔子看见她低头哈腰，总是陪笑说话，不敢怠慢。她嫁过来后，几乎成天躺在床上弄男人，外出坐一顶轿子要四个人抬，轿里也摆设得跟床一样，丈夫形影不离。没几年，男人血衰精坏，形容枯槁，病卧不起。请了西医中医的大夫来看，吃过各种名堂的药，都不管用，渐渐萎顿不振，一命呜呼。范耑金拍马屁，给嫂子出主意，想出招布袋这个办法，既保住了她面子，又让她称心如意。

人过到范家，不能拜天地，只能说接夫，意思是丈夫外出多年，这下终于回来了。就摆两桌酒席，亲朋都不请，只宅里至亲和几个管家丫鬟一起吃。这天开始，男人就要叫前夫的名字，项氏说夫君回来了，爹娘说儿子回来了，只有一个便宜，范耑金三十好几的人要称十五岁的后生为兄长。突然一群人叫你陌生人，一个死人的名字，这情景真的非常可怖。现在，他就是范耑虞了。到底是死人还是活人呢？吃了几杯酒，他有些糊涂了，好像魂灵已经换掉，真的做了这家人的儿子。酒席还未散去，在饭桌上，项氏就不老实，伸手就往后生裤根里抓来，吓得他大气不敢喘，一声不吭，只浑身哆嗦。

还好，这女人是风月老手，进房后倒放慢手脚，开始慢慢调教，步步带着后生深入。年轻人火力旺，这个年纪受蛊惑，没有几个吃得消的。一夜下来，皮肉上自是有些痛，腿间骨头被女人坐得也酸楚难耐，整个人居然感到轻松，几番快活下来，尝到不少甜头。他想，做范岀虞也不错，吃香喝辣的，还跟女人一起惹耍，真是换了一个人！原来结婚要这样弄的，怪不得结婚是一个大事啊！这么想着，他的心便安下来。

范岀金问项氏，人是否称心。项氏说，十五岁端的跟三十五岁不一样。范岀虞于是知道叔嫂有奸情。项氏这么说说无心，小叔子听着便记恨在心，从此，处处刁难布袋。

项氏不会生，范家的小孩子都是小叔子一门的，年纪跟布袋差不多，小的十一二岁，大的也十五六了。这些孩子合起伙来欺负岀虞，骂他穷鬼，推他到水潭里，摁住他头闷水。可是，他们在宅院里生长的，毕竟敌不过石匠的孩子气力大。岀虞发起火来，将他们打得个个号啕呼救。这就让范岀金抓住了把柄，说要开始调教，要做富户人家的规矩。按理说，岀虞现在是府上的红人，得宠，爱干什么就干什么，但他性格执拗，不低头，从来不去项氏面前告状，自己的事自己担待。结果，免不得被人摆布、捉弄。

项氏的手段颇多，除去露洒莲花，还要玉树后庭。从杭州买来一套西洋器具，要岀虞帮她灌肠。每日吃吃夜饭，便躲进房里，前后伺弄，四处开花，也不歇。一阵大战过后，男人已经瘫软，她还生龙活虎。岀虞常常在梦里惊醒，被她咬着下身不放，直含吐到烫肿，半挺着还要支撑她坐一番。或差一些不顶事，便遭恶咒。甚或妇人气不过，一脚将他踹到床底下，不让睡。来回折腾，难得一夜好眠。天明范岀金还要来拉他去当差，递信送货，每日走一二十里不等。哪天事奉好了，女人便护他，不满意则任小叔子折磨。毕竟十五岁，只能算半个男人，筋骨未牢，肾精不固，怎受得起这般不知餍足的贪欲，加上山地野路颠簸奔走，半年下来已经面黄肌瘦。项氏弄些补品给他吃，他也吃不进。小叔子在一旁说，不如弄去跟长工种田，做活多了，体格反倒健壮。于是就让他住到工舍，跟贫苦人一起下地。

在工舍日子也不好过。那些长工常年做下来，大凡矫健峭拔，手脚麻利。他起先学石匠，田里的活生疏，苗稗不分，端的不入门道。人家便笑话他，称他少爷，说范家的大少爷被婆娘吃狠了，布衫下面是空的，有形无肉，活见鬼呢！有不正经的还问他，大户婆娘的肉白净些么，那么些细粮吃下去屎尿都不臭吧。

凿虞无路可走，想死的心都有。看着明月当空，忽又想起莲馨。现在他还有什么脸去见莲馨？即便莲馨答应跟他私奔，怕是连逃跑的气力都没有啊！他魂飞魄散的样子，从工舍里走出来，也不知能干什么，也不知要去向哪里，昏沉沉，跌跌撞撞地，就往进山的路走去。他晕倒在草丛里，醒来时看见几盏灯笼在他面前晃。范凿金派民团的人来寻他，把他捉回去。项氏看他人不人鬼不鬼的样子，心生厌弃，别过头去不看。范凿金便让人把他绑了，挂在祠堂的廊柱上，说要剥皮祭祖。这次，是真的要剥皮了，请来刀斧手与和尚，等天亮就下手，边剥皮边念经超度。剥皮要先裸身，剃光毛发，从脑后割一道长长的口子，用尖刀劈出一层，让这处局部的皮骨分开，再往里面灌水银，靠水银性沉往下坠，直渗到下面，皮肉自然分离。

夜里，祠堂空荡荡的，只有凿虞和两个看守他的民团兵丁。兵丁在一旁喝酒，其中一个喝到高兴处便起身朝他走去，拿匕首在他身子上刮，刮到他下身，说割来下酒，说在母老虎牝里已经焐熟，最补身子的……正说着，外边有响动，似成群的人过去，脚步沉着不散乱，如雷声传来。又有单匹的马蹄声过去，一匹，二匹，至多四五匹。然后就是枪声，稀稀落落的，近一记，远一记，某处集中响了一阵，不多时又停了。人都上了街市，两个兵丁也出去了。传来叫喊声，哭丧似的，必是死了人。

这是四月廿三，民国二十四年，1935年。粟师长的红军挺进师夜袭后大，消灭民团，枪决范凿金，并开仓放粮，给长工和雇农分发许多财物。

范崇虞被红军救下来。第二天，他跟另外三十几个长工、童养媳一起，参加到红军挺进师，中午就随部队出发了。

中央红军撤离苏区后，粟师长带领一部分人在浙西南打游击。开始，因为语言不通，地理不熟，物资缺乏还有内部斗争，工作很困难，几乎难以立足。后来在松阳认识了青帮头子卢子敬，卢率门下五千余徒入红军，遂成大势。当时他们在松阳斗潭村开会，会上提出“青红一家”，联合革命。卢这个人很不一般，早年读私塾，后又去东京早稻田大学留学，归来后跟孙中山干，领导过农民暴动，一直对穷人有感情。他以做木材生意为名，暗下四处联络，组织农军。二十四年四月加入红军，五月就入党，成为共产主义者。同年入秋，国军及当地民团保安团围剿山区根据地，卢为保护其他战士撤退，引开追兵，与大队人马周旋，不敌，被俘。当时被抓的还有他的妻儿。国民党的人百般劝说，希望卢投诚，卢不依。九月廿五，行刑队把他拖到玉岩村桥头的稻田里，让百姓和他的妻儿看着，给他最后自新机会，问他降不降，他不回答。又逼他下跪，他高喊中国共产党万岁。便开枪，人一头倒在田里。在场的百姓无不动容，皆失声悲泣。

革命队伍，不是从天而降的圣洁兵，而是受压迫人的集合。什么是受压迫人呢？范崇虞这样的补代，活装鬼被人吸干血汗的人；被凌辱的童养媳和丫鬟；没有出路只好投靠青帮的穷鬼；被打的，被骂的，被强奸的，被玩弄的，都是活着只能做鬼连脸面都没有的蒙羞人。所以，布袋知道，革命的道理，不止打土豪分田地，更重要的是，让那些蒙羞人解放，成为自由做主的新人。他参加斗争，是为了让更多的他和更多的莲馨可以想好就好，不受旧世道中那些范乡长、丰东家的摆布。谁会无事放下石匠的斧锤、农夫的犁耙，拿杆枪在手上玩呢？谁不想娶回丰莲馨这样的妹子，一辈子安安静静地过活呢？一定是有人不循天道，坏掉良心了。逼人太甚，只好绝处求生。

布袋那一代参加革命的人，跟后来人很不一样。他们深知革命队伍都是自己同样来路的人，也深知同心合力的重要意义。他们感恩部队，形同感恩自己，感恩那颗穷人同心的心。此心分在各人身体中，又同在一处，是没有坏掉的良心。

连日行军、作战，在山区根据地的老百姓家中吃最好的饭菜，布袋的身体渐渐复原，变得强壮起来。粟师长为人和善，做事机灵，对战士像对兄弟一样，对布袋尤其照顾，还抽空教他读书识字，发挥他会唱会说的特长，甚至让他组织文艺小分队，用说唱的形式向老百姓宣传革命，讲述反压迫故事。布袋于是就把自己的事情编成唱词，用汤溪话到处演唱，很受各村各户的人欢迎。他们转战到塔石上阳村时，红军处决了村里的豪强，就是项氏的兄长。项家的房子，原木青砖的，很气派，也很宽敞，估摸着清初就造起来了，古雅周正。粟师长很愿意住在这里，后来这里成了红军的大本营，每遇休整就要来上阳村。粟师长说，革命的目的，就是要让大家都住项家大院。有回休整，有半个多月的时间，又不在农忙上，大家很闲。布袋向部队请假，想去看莲馨，连长不同意，说国民党民团保安团看得很紧，到处保甲连坐，一个不明身份来历的人，去到山下不安全。没想到，粟师长同意了。他说，去去也好，布袋能唱歌，作为掩护，下去还可以搜集情报，探明布防虚实，便于休整后再搞几次偷袭。

这样，布袋就从西坑一道北出莘畈乡，避开后大的民团，绕九峰出山。那年，布袋十六岁，丰莲馨九岁。

布袋找到莲馨姑婆家。莲馨姑婆对他很好，吩咐厨子给他做了点心，有麦馃、馄饨，还有几样糕点。姑婆说，同是黄堂人，稀客呢。吃过点心后，姑婆下去睡午觉，堂里只剩下布袋和莲馨。

莲馨过来也一年了，过得很舒心。这家的老爷，就是姑婆的男人，莲馨的姑爷爷，是读书人，教她一些书画。莲馨聪敏，入门很快，已经能读几章四书，团扇也画得极好。莲馨平日里在姑婆身边当贴身丫鬟，服侍老太太起居。姑婆和姑爷爷待她如亲孙女，便让她直呼嬷和爷。

莲馨见布袋穿得干干净净的，身上还背把琴，觉得稀奇，便问："我听人说你到山坑里做山匪了，怎么倒操弄琴弦做唱家了？"

"谁告诉你我做山匪呢？"

"过年时我回黄堂，我娘跟我说的。她说后大你亲家的长工去你家报信的，还说范家的兄弟被山匪杀了，开膛剖肚，掏出心肝炒菜吃呢！"

"真会编！哪里有么个事！我们不是山匪，是红军，替天行道的兵。那个乡长恶事做绝，红军执掌公义，把他枪毙了。就开一枪，嘭，他就完了。那么脏的东西，谁会去开膛剖肚拿他的心肝吃呀！"

"我懂的。造反的盗贼都穿红披绿的，嬷说长毛也这样，裹个红头巾，专吃小孩。你莫不是来吃我的吧。"莲馨笑起来。

"你嬷也知道我是红军？"

"嬷刚才偷偷跟我说，爷嘱咐，叫你不要回家。黄堂的人都认识你，不定会有人去报官的。"

"你爷不怕红军？"

"他又不做坏事，成天读书，对村里人好，他怕什么！"

"这么说来，你们也是知道红军杀坏人的。那做什么还叫我们山匪？"

"山匪不定都是坏人，有许多绿林好汉的。红军是刚听你说的，以前不知道。”莲馨好奇，又问，“红军到底是什么人啊？都像你这样的人？打死我都不相信你能做强盗呢。”

“红军真的都是我这样的人。做人补代的，做长工还不起债的，当奴婢给人惹耍的，反正，都是没路走的苦命人。对了，好些女红军也是缠脚的呢，行军打仗一点不输给男人。你想，我这样的人，还有小脚的妇人，看着杀鸡都要落泪的，打打不过人家，骂骂不赢别人，不到山穷水尽，谁人会去造反呢？都是最无用的人啊！世道上说起来是些不要的垃圾。你空日长大点，也随我去吧。”

“我不会随你去的。我在姑婆家很好，没有人逼我，还予我吃好的，穿绸缎，抹胭脂，你听说过少爷千金去造反的么？”

“真的有大户人家千金在红军里的。说给你听，你都不信。上海做洋火生意的大亨，他家的大小姐施曼丽，在我们营当教导员呢。”

“她作甚参加红军？也没人逼迫她。”

“红军要解放全人类，受苦的要解放，读书的和大户人家的也要解放。”

“什么是解放？”

“就好比你娘裹你的脚，你那么痛，那么不情愿，你不想解放么？”

莲馨想了想，说：“缠久了，就好了。我现在习惯了。不过，我懂，人要做情愿的事才味，不甘心是活不来的。我甘心在这里，你逼我去，我也不味的。”

“那范岿金横行霸道，他甘心吃人呢！”

“把人吃了，让别人不情愿，自是不好的。红军杀掉他，是对的。”

“解放，就是让所有的人都心甘情愿啊！”

“听起来很好。那么，你现在找到喜欢做的事了。那还背着琴做唱家为什么？”

“为掩护，不让人晓得我是红军。又为来看你，看看你好么。看见你好，我就放心了。”

“那就给我唱个歌来听。”

“唱什么？”

“唱《出云》调。”

布袋于是调调琴，唱起来：

出云，出云，云不乱，
风吹不散，雷打不断，
云也有情有笑么？
总归落下雨来才心宽……

二十五年春，就是1936年，粟师长指挥挺进师再袭汤溪，撤兵的时候遭到国民党主力部队包围。战斗打得很凶，红军牺牲了许多战士。突围出来，只剩八九十人，多半是伤员。一个伤员两个人抬，结果全军都在抬伤员，整个行进速度滞缓，一小时都走不到一公里。进山后朝松阳方向迂回，敌人在后面追得很紧，前面又有民团布防拦截，情势非常危险。布袋也负伤不轻，腿部和脖子两处中枪，躺在担架上奄奄一息。过俞源往桃溪走的路上，遇到小股地方武装，前面抬布袋的战士中弹倒下，粟师长过来换他，亲自抬着布袋走。红军是不扔伤员的，同生共死，一起进退。许多伤员看着这般情景，都不忍拖部队后腿，一路上喊着“扔下我吧，扔下我吧”。布袋好几次想坐起来，竟一点也支使不动身子。到达桃溪镇前，下山有个岔口，粟师长下令停止前进，让战士暂时休息等待命令，便跑去前沿观察地形。布袋趁后面抬担架的那个战士去方便的间隙，顺势从山上滚下去，藏在山下一个沟渠边的矮树林里不吭声。他想，红军待他恩深似海，如今全营都受到伤员拖累，减少一个就可加快一分前进速度，不如牺牲自己，保全战斗力。冲锋陷阵是支持革命，减轻负担也是支持革命。这么想着，布袋心里充满幸福。他终于不是无用的人，他对于革命也起到了一点作用。对旧世界一星半点的打击，朝着光明就靠近一步。哪怕革命不成功，这一点点对黑暗的动摇也让他满足。他心甘情愿要这样！

布袋在草丛里躺了一夜。第二天早上，有伐木工路过，将他背回家。伐木工懂草药，懂接骨，帮他取出腿中的子弹，又接好脖子处的颈骨。调养近三个月，人基本复原。布袋告别伐木工去找部队。此时，国民党正全面发动围剿，各路兵马集中到遂、龙、汤的深山，许多根据地乡寨被烧成一片焦土。红军已经转移，地下联络点也大部分被破坏，布袋与组织失去了联系。后来听说挺进师再次回浙西南重建根据地，因行动隐蔽，转移迅速，又多次错失。直到当年九月，挺进师离开山坑一带，转入闽北边境，布袋才放弃继续寻找的想法，暂时隐蔽下来。

这一隐蔽，从二十五年直到三十八年，布袋再没见过红军。

在参加红军前，布袋经常做一个梦。在梦里，他是一个无皮的血肉模糊的人，一团一团肉翻在外面，遭蚊蝇叮咬。他每挪一步都痛得钻心，整个身体像在烈火中烧灼一般煎熬。草灰，树叶，沙砾，雨水，都来侵蚀他，锥刺和刀割的感觉交织在一起。他哭一下，泪水出来碰到肉更痛；止住不哭，内里撞突的悲伤却停不下，不断涌来，竟要把心都撞破。他就这样在世间活着，在世间做一具没皮没脸的肉糊。人们看见他，就远远地避开，咒他立即死掉下地狱。他恨身上的血怎就不快些流空，好干掉麻木掉再不受虐害。有个老嬷过来抱他，手好比丝绸一般柔软，眼泪像泉水一样清冽，说："睡吧，睡吧，不要难过，睡在我怀里就好了。"布袋躺倒，笑了，可眼泪又出来了，流进了耳孔。他在睡中又睡去。

后来他想，红军就是这个世上最软的老嬷，多少无皮的血肉都被她包裹。她从天而来，带着雷霆和火炬，遇硬更硬，遇软更软。

那些根据地的百姓中，有人抱怨，说红军来才味几日，来了又走，走了国民党就追来烧掉农舍绑走人，倒霉账都算在百姓头上，不如不要来，来倒是灾祸。布袋说："一个恶霸天天逼你，惦念你的囡，计算你的田，想拉你儿去做民夫，你走投无路，一日都过不下去了，心里恨不得恶霸在家里坐着被天雷鼓劈死，走在路上踩空到坑里摔死。后来，红军来了，一枪就毙掉这个恶霸，你松快了，心放落来，过不去的关转眼就不在了。要晓得，这样的恶霸养一个出来，也不便宜。如今拔掉一个，哪怕国军又来，岁月依旧乌黑，你又回过头来做牛做马，实在是再也没有那个过不去的关，不比从前了。这就叫'沉重地打击封建统治，削弱地主阶级的力量'。"

布袋就是这样，又说又唱，用他独有的方式，走街串巷，翻山越岭，向群众宣讲革命道理。

这一唱，就唱到民国三十三年。

三十三年冬，他在龙游茶馆里遇见一个远房亲戚，这人告诉他，说你死心吧，莲馨嫁给她姑爷爷做小了。是年，莲馨十八岁，她姑爷爷六十四岁，她姑婆六十一岁。说是姑婆年岁大了，照顾不动男人，又想再生一个儿子承继家业，便允了纳妾。那人还说，刚入秋那月他给东家运山货到莲馨夫家，在天井里过秤时，转头瞥见厢房里老头坐在罗汉椅上看书，莲馨光身子跪在地上，头埋在男人腿间，估计帮他吹箫呢。这么伺候着，有一个下半天不停呢。说姑爷爷恐怕不灵了，做不成颠鸾倒凤的事情，只好变出花样玩。他骂道："老鳖不是东西！枉费嫩囡的青春。么俏的身子，凭他来回摧折。比他小四十六岁，真真是他孙女哩！他自图快活也罢，莲馨也乐意，欢喜得像只猫似的，黏着她爷不放。冬至我还看见老鳖领着她去黄堂，是给她娘家上坟，老头子要称自己的侄子爹爹呢！在路亭歇轿的时候，老头子无羞无臊地抱着囡，哄孙女一般地娇惯，莲馨还咬他鼻子，啧啧，真看不下去呢！”

说布袋心碎，太简单了。说布袋恨姑爷爷，他也恨不起来。说布袋厌弃莲馨了，他做不到。谁也猜不出，布袋倒是高兴了，他替丰莲馨高兴，高兴她终于遂愿，嫁给大户人家过她想过的日子。她母亲和她的努力，这么些年究竟也没有白费。人家心甘情愿，再硬的道理也不好去阻拦。倘有天理，天允有情人合欢。

自此，布袋不唱歌了。唱歌讲故事，归根结蒂为抒情。而今心中那份情爱无地着落，唱出来反倒搅扰，不如不唱。布袋去看丰莲馨，带去一点礼物，也算祝贺。这以后便常去，看看老熟人，一起说说话。姑婆和姑爷爷也不反对，待布袋很和善，还给他收拾出一间屋子，盼他常来。人啊，投趣是一回事，相好是一回事。莲馨跟他说得来，玩得来，却无关乎相好。

莲馨说：“爷对我好着呢。我哪里疼哪里痒，他都想得到；我们家哪里少哪里多，不说他都晓得。他没有我会死的，我没有他活不得。他能跟我像小孩子一样处，没有烦恼，不用担忧。两个人的命连在一起，伤一头，那头便痛了。你看他六十多岁，慢慢比我还小呢！他对他娘闹的哭的，在我怀里都想起来了，都藏不住么地再作一遍。他的心在我手里呢，活蹦乱跳的，鲜嫩鲜嫩。我思忖着，我们怎么那么好那么亲呢？像是一个身体，一棵树，他是树干，我是花，从他里头长出来。”

布袋听着也乐，为她高兴，分享着她的欢喜。一碗酒，别人喝，自己醉。

1949年5月，解放军来到汤溪，布袋知道这就是原先的红军，直接解放上海、杭州和江南各地的部队仍是由粟师长率领的。现在他已经不是粟师长，而是第三野战军的司令员，指挥着千军万马。布袋为此感到自豪，他自豪他自己曾经就是这位英武将军手下的战士。这就足够了！布袋没有去找新政府恢复组织关系。他想，如今豪强恶霸已经铲除，农民分到了土地，家家户户开始在和平的气氛下安静生活，这一切不都是革命的目的吗？他为实现这个目的出过力，无数布袋在战场上牺牲，他这个布袋选择了战场外的牺牲。既已牺牲，难不成又去讨点功劳？

齐叔公讲到这里，停住了。已近黄昏，夕阳被窗棂分离，有几线洒到酒碗里，酒的颜色看起来像血。齐叔公吟了几句诗文：

春天的宴会啊，
花香和酒香令人醉。
云霞和女人相伴，
松风阵阵，送夕阳归！

如今这宴会散了，
秋临大地，霜凝满天。
刀光剑影，鲜花余香，
还留在墙壁上久久不散……

齐叔公说：“昭平啊，这个故事里的人你都认得啊！莲馨就是元香，嫁给你太公夏玉书了。夏玉书给她起的这个号，叫元香，意思是最初最元魁的香。她也算你的太婆哩！而范嵩虞就是我，旧社会做人家补代，被人叫作范布袋。现在已经没有人知道我做布袋的事了，老一点的人叫我齐师，你这辈的人叫我叔公。我跟救我的那个伐木工学来草药知识，不唱歌以后就靠给人挖草药过活。我这是绝技呢，已经没有人会了，只闻药气就治病，大家乐得让我治。这里的人称医生为医师，所以叫齐师。”

齐叔公神情肃穆，起身缓缓走到西窗边，像是望着远处，又像是望着心里的一个地方。他说：“我，齐东升，民国八年1919年生人，中国工农红军浙西南挺进师一团二营三连一排长，革命战士，共产党员，战斗过，生活过，爱过，甘愿为社会主义共产主义来到人间而牺牲，此生无憾！”

第四章　田野录音

齐叔公当年答应沈昭平，说往后再找他，或者他能想起一些调子，会唱一些的。昭平知道我研究音乐，就把这事跟我讲了。我估计齐叔公这些调子是有相当价值的，至少它们没有受过这些年许多片面狭隘的音乐观念污染，还保有说唱艺术本来的面目。更重要的是，从那些故事里，可以看出齐叔公的吟咏，师承唱馆和山地传唱的正统，应留有一些上古音乐的端倪。于是，我做了计划，准备去汤溪做一次周全的田野录音。只是从2000年开始，我被戏剧创作的诸多事务缠绕，一时无法脱身。这样一搁一拖，居然就到了2009年。我算算齐叔公是1919年生人，这时该九十岁了，如果再不去，恐怕我们再也见不到他了。正好那时，我逐渐从戏剧中摆脱出来，转向教学，正在重点培养武玮和李晓珞这批年轻人。她们的课程起于音乐，在音乐学习中非常需要在乐队实践和史论研读外也换换口味。那年夏天，昭平带着行江回来，武玮和李晓珞也从欧洲来到上海，我便倡议立即行动，不宜迟缓。下去前，昭平编写了一本《汤溪语基础手册》，用两个星期时间突击开课，教三个女孩子一点姑妹方言。这本手册编得精简出神，凸显昭平在语文研究方面独特的见地。我这里摘录几段如下：

方言，本质上是古方国的语言，发展中可以看作为地方语言。中文记录与其他国家的书写记录有本质区别，因为使用义符而几乎脱离语音。自商以降，文字逐步成熟并统一，开始渗入各地方言系统。这种渗入，并不干涉语音的生态，而是从文字思维上规范着各地的人们。从汤溪语这个具体现象来说，即语音可能是商汤的，但表达逻辑是全国的。

汤溪语经历了三个阶段：上古夏商期，汉唐期，通古斯化期。上古夏商期是语音的基础，汉唐期被文字化字词化，而宋元以来，受商埠开发和外族入侵的影响，部分北方通古斯族的词汇和官话词汇融入进来。学习中，要注意分辨哪些是本音，哪些是衍音。衍音与外界容易对应，本音几乎无法对应。区分出衍音以后，三分之一就可以听懂；然后以掌握衍音作为基础，去与当地人多打交道，以衍音注本音来建立临时应用词典。切不可生记本音词意，靠翻译思维去学习。即互语见义，从语言交流、语境发生和行为情态中去步步深入。意会言传，而不分析结构。

从某种方面来说，汤溪语是外国语；但又不是外国语。因为它基本的核心语言逻辑，是遵从统一文字的。只要牢牢依靠《马氏文通》以前的语法规律，很快就能探底这个语言的秘密。汉语受中文影响，各地方言都以语助为肯綮，不是是非语法，而是会意语法。会意即可，语序、词序、时序和主客，都是相对的，互为转换的。如“刘军死了父亲”，“我来了两个客人”，或者“高头大马骑郎君”，“小时候我妈带我去庙会”等，都不是主役客或情状专属的，只会意明白而已，意语而不意于语。

三个人学起来很用心，按昭平这套，很快就打开了心能。由这趟语言教学，我也受到很大启发。即具体科目不仅以掌握技术，而重以开发思维，唤醒心底的前知识，靠先验本在的完整认知去对应外界。所以，学什么都是一样的。武玮，李晓珞，现在从音乐入，将来必从百科出。好的老师，教一样就行。不是以前说的教透弄通一门，而是泛泛然教，七零八碎地搞点具体来依托，着意在还原出这门功课的动能和思维。因为，一切知识的动能和思维，根本上是一样的。人在学习中，不为添加，却为减除，用新的知识去破除旧的知识，直到极少的知识，这样知识才成为手段，必要有限的极少手段，用来开启原本就有的天赋。而天赋，蕴藏着一切的认知能力。因此，先记忆，再忘却。忘却或为最重要的学习。

如今，云化的知识正在互联网上爆炸，如果我们依旧穷己一生去了解未知，那么实在太愚蠢了。信息时代，学习的目的和方式已经根本改变，旧式的学校和教育方式正在灭亡，新一代的人正获得一个反知识的智慧解放机缘，往后的事情会令人瞠目结舌的。

“猛犸工作室”有一台手提的阿莱摄影机，还剩十卷柯达16毫米的胶片，另外还有一台纳格拉的安培录音机，1/4吋的模拟开盘带还很充足。现在想起来，恐怕那是最后一次使用模拟技术的设备工作了，之后时代迅速数码化了。李晓珞说，用16毫米胶片摄影，只有去上影厂和香港才能洗印，成本太大，是否改电视台常用的数字设备。我想，目前有几个齐叔公可拍呢？钱是用来干什么的？如果用来买消费品，那叫花钱；而如果用来买珍贵物资，那就叫转移价值，钱买钱，甚至还增值。当然应该胶片摄影，此事无商量！我坚持这么做，我们的大股东也只好不说话，任我开支。

七月底，经过适当培训，我、昭平、行江、武玮、李晓珞，一行五人，带上设备和各种必备品，开着一辆越野路虎出发了。估计汤溪各处，已经割完早稻，我们可以到那里吃新米。武玮开车，我坐在副驾驶引路。我们俩在这方面搭配得完美。她是天生好司机，别看那时才二十一岁，却早已走过千山万岭、大江大河，出入欧亚大陆的城镇村庄，各种复杂道路情况，都应付自如。我是天生的导航仪，很少借助地图，闻一闻就认路，穿越巴黎的大街小巷，跟玩似的。这可不是吹嘘，而是烦恼。因为，当你发现自己在某一方面有未染的纯粹时，你会焦虑现在正从事的行当是否适合你。认路，识地形，了解河川转折，深知岳脉走向，这样的人该干什么？至少应该当陆军参谋长吧！在这里弄什么琴曲，写什么诗，演什么戏啊！

我们五个人，各司其职。根据出发前会议决定，昭平行江做记录，整理谈话、唱词等，李晓珞摄影，武玮录音，我当总指挥兼助理。麻雀虽小，五脏俱全。这个班子，应该说，很强大，很精干，完全可以胜任这次田野录音。

上午十点钟，从沈阿姨家莘庄华轩小区出发，走沪昆高速，从松江出，过枫泾、嘉兴、杭州，转南路，跨钱塘江，经萧山、诸暨、义乌达金华。路上在杭州楼外楼吃了一餐饭。杭州热得要死，也无心看湖看桥，倒是细细品了一下醋鱼。行江说好吃得不得了，我们几个直摇头，李晓珞说现在鸡都吃出鱼味了，鱼都吃出猪味了。当然，小鬼子可能口味糙点，晓珞、武玮嘴刁点，不过，我和昭平是楼外楼的老主顾了，醋鱼不知道吃了多少回，我们的口感当是公道的。不想这番吃过，竟也哑口无言。如今真的是鱼也失其本性了，弄不好没多久连游水都不会了。这就更让我们清醒地意识到，这次工作意义重大，不是古文化旧民俗的保护，而是人心人性的当代见证。

到金华，已下午四点。天下起雨来，城里的汽车行驶缓慢，我们被堵了好一阵。昭平和我已经认不出原来的金华，斗牛场、老通济桥，都已面目全非。高楼林立，足浴桑拿遍地，什么什么拿铁咖啡，什么什么巴西烤肉，仙棕榈，维也纳风情浴场……一大堆廉价消费服务，欢腾地对着各地弃农寻梦的热烈农民笑脸相迎。我敲着座椅扶手，不停地叫："逃跑，逃跑，迅速逃离此地！"武玮做出逃跑的姿态，左钻右并，不断变换车道，似乎要突围的样子。我知道，她小子忽悠我。因为前面堵塞，车根本跑不起来。

就这样蹒跚踟蹰，终于将近六点到达宾虹西路。自此往西，通途坦道，竟一路无阻。过了白龙桥，两边的香樟树越来越茂密，地表露出红土的颜色，水泥并不能尽裹大山的身躯，萎缩在公路上盘曲。远处路口，一个阿婆端着碗，在乌瓦白墙的农舍门口吃晚饭。她好像是汤溪的一个标记，或者入境口的哨卫，她提示我们，过此界即为妹方。依然是妹方吗？那个由稻香引人入胜的仙境吗？

当晚，我们宿在前夏村昭平舅舅程兰章家。来前，我们通过程兰章从齐叔公的侄孙那里了解到，齐叔公已多年不在平原一带生活，1995年他七十六岁时就搬到山口殿去住了。按照我们获得的地址，第二天一行人早早就来到山口殿。这个村子去后大以南一里半地，贴着成汤溪，是进入山区谷地的隘口。村里人一望便知我们从大城市来，只是稀奇我们能说汤溪话，还是塔石一线的纯正口音，就纷纷聚拢来问长问短。这倒省却我们费力四处找人打听。一个老嬷说，齐叔公离开多年了，早不住山口殿，去前面溪步塔替人看茶山去了。溪步塔离山口殿才一里多远。于是，武玮一脚油门就把我们踩到溪步塔。所谓溪步塔，并没有聚落村户，道路两边散布着几家人，好像都是种茶看山林的。我们将汽车停靠在一个路旁的斜下坡，那里有块巨大的凹缺地，是开石料的人剥了山皮露出的山肚子。然后，五人下车，顺着山路往上爬到一个转弯处，那里有户人家圈出几分地在养鸭。屋里一对中年夫妻，还有一个十岁左右的男孩。孩子在做功课，女人在厨灶上准备午饭。

男人对我们说，齐叔公本就住在他们家。原先九七年的时候，他的腰摔伤了，齐叔公来帮他治，挖来山里的几种块根让他闻了二十多天，还用厕所的尿垢磨成粉给他敷，将近一个月光景就好了。为了感谢他，夫妻俩收留他住过一阵。大概不到半年，他就走了，说去上面陶寺村亲戚家。

主人留我们吃饭，说杀两只鸭，电蒸锅一会儿就焐熟的。我们也不客气，便留下来吃饭。席间，女人又说："你们是他上海亲戚吗？那么远道来看他！他一个人孤伶伶的，哈农苦痛的（哈农：非常），他儿子对他不好，赶他走。现在人，心都望外头，要我说都是儿媳妇不好哩。他老婆死得早，给红卫兵斗死的，怎么个情况也说不清。倒是又听说他在陶寺村有个相好，民国时候就认识的。这般年纪再做夫妻，予不起人家罢（做不成一家人）。"我们都有些听糊涂了。她口中的齐叔公，是昭平说的那个齐叔公吗？反正没有别的线索，吃罢午饭，我们只得按夫妻俩提供的信息往陶寺村方向去。

这个陶寺村被人描说得很有些来历，村里大凡陶姓人家多，据传为陶渊明后裔。《浔阳陶氏宗谱》记载："游浙之西湖，雅爱山水之秀，自新安而睦而金而九峰。叹曰：吾安得至此而居，旷人心目，以足养老。后归携眷属而居于九峰之麓，地隶浙之东阳，又号东阳隐上。"又汤溪曾有知县作诗《别九峰山》，曰："溪汤胜览九峰山，山上爱余曾一攀。层峦截崇白云出，短杖逍遥青草闲。两岸薄书多负约，几樽酒重开开颜。山灵莫讶归来晚，陶令于今且闭关。"还有人煞有介事地考证，说《桃花源记》写的就是九峰一带的事。这些捕风捉影的消息，因无严肃史证，我始终不大相信。有的是姓陶的人家，拿着几本半残漏缺的宗谱，又从野史笔记中寻摸点蛛丝马迹，然后有鼻子有眼地穿凿引证，说家乡那片桃树林就是桃花源，而陶公第几个儿子那一脉曲里拐弯，最后就伸到了他们这里。这种鬼名堂，我见多了。

到得陶寺村，只见一洼大深坑，车来人往，运石铺路，好一派大干快上的热乎劲头。问工地上的搬运工，陶寺村何在，他指指深坑说："就在那里。"原来这里修水库，拦截河流，整个陶寺村的人都搬迁了。这下好，难道我们要去拆迁办查资料，再折返下山去找散落各地的移民吗？幸好在路旁的饭馆里，我们遇见塔石乡的一位宣传干事。他说："你们真找对了人。他的事我最清楚！这几年我们搞金西文化，挖掘出不少文化历史资料。寻祖归根，都为附会贴金，拉上海杭州的人来旅游，繁荣经济。别看这位齐叔公，名不经传，还地道是真货呢！他叫齐东升，老红军，还会唱山歌。十多年前，领导就很重视他，要求我们几个乡的宣传干部一定要找到他。把他挖出来可了不得！据说他能唱史诗，从姑蔑子唱到粟裕挺进师，三天三夜唱不完。不说吉尼斯纪录，至少可以申请非遗。他是我们金华的宝啊！可是十多年过去了，我们下到各村各寨找，音讯不少，传闻也不少，就是见不到真人。眼下估计他都九十岁高龄了，是不是活在人间还是问题呢。"昭平给宣传干事拆了一包软中华，暧昧地整包推给他，问道："一点线索也没有吗？活要见人，死要见尸嘛。"宣传干事深深地吸一口烟，非常满足地闭上眼，说："人，恐怕是见不到了。不过，你们从日本上海跑来，都是大艺术家大教授，要做我们汤溪的文化，功德无量啊！总不能让你们空手而归。老百姓还有两个说法：一是说他五年前死了，埋在西坞；还有说他去遂昌那边的白马山了，与毂甫人住在一起。后一种说法要是成立的话，就有大文章可做了。"昭平问："此话怎讲？"干事拿张纸，又向饭店服务员讨来笔，写"毂甫"两个字给我们看，说："毂，就是良善的意思。甫，就是美男子、父亲的意思。毂甫人，就是良善的人。当地人传说，有一些长得很俊的人住在深山，从不出来，身材高大，疾步如飞，以猎为生。这事传得玄乎，有见过的人说，简直就跟电影里的印第安部落人一样。史书上倒也有记载，说直到晋代，姑蔑子部落遗民还在这边山里活动，有兵有马有村寨。如果你们真的有心研究，应该找政府合作。你们该是认识金华市里的领导的吧，要不明天我约一下婺城区的程部长，你们跟我一起去见，策划一个项目，搞点资金下来。有你们加盟，这事十有八九能成。”昭平无言。众人亦无言。

我们几个人垂头丧气，只好回到车里，蜷缩在一起商量。

晓珞问：“白马山离这里多远？”

“四十公里左右，在遂昌西边。”我说，“到塔石就没有顺路去遂昌了。要么把车停在那里，步行过去，要走三十多公里，进白马山估计还要再走十公里，统共四十公里山路。诸位怕是不行吧。还有一个方案，就是折回下山，去龙游，走S33，可直通遂昌，然后再步行。”

“这样还要走多远？”晓珞又问。

“十公里。理论上是这个距离。可是一进山，不熟悉地形，迷路绕远是常有的事，弄不好一百里地都会走出来的。这座白马山，密林无边，方圆几十里的原始森林，人迹罕至。我们进得去，很有可能出不来。”

“有野兽吗？虎啊，豹啊，毒蛇，老鹰？”行江问。

“真不好说。一句话，到那里，就脱离现代文明了。出了人间世道，懂不懂？诸位有这种经验吗？”

“鲁滨孙漂流记啊，有什么可怕的。走！”武玮说。

“你们准备做国家地理探险啊？”昭平说，“你听他胡诌吧！那个宣传干事有几句真话？就是想忽悠我们给他弄点资金。别上当！还真以为有原始人部落呢！动漫看多了吧。《毛主席走遍祖国大地》，听过吗？毛主席来了，就没有他不到的地方。别说原始森林，地底下都革过命了。幼稚，幼稚！你们都太幼稚。”

“我看，还是有点线索的。”我说，“应该去西坞。齐叔公过去在这一带转战，他的故事中也提到过西坞，我觉得他去西坞的可能性最大。如果真死在那里了，也只好作罢。我们尽心尽力了，没有中途而废。”

“我有一种预感，他还活着，并且肯定不在西坞。”晓珞说。

“不在西坞，在白马山？跟子虚乌有的彀甫人在一起狩猎？美国大片吧！”昭平嘲讽道。

“去西坞是对的，”行江说，“至少这是一条理性的路。西坞找不到再说，没准那边还有人提供更多信息呢。”

我同意行江的意见，去西坞，白马山的浪漫主义先放一放。

武玮发动汽车，从水库工地拐出来，回到原路。她问我讨去一支烟，一手握方向盘，一手用打火机点烟，说：“这条路，就是葛云探监走过的路。下山，走向死；上山，必定走向生。齐东升同志一定活着。组织上千里迢迢来找他，他要向组织交代完才能去。”

“我觉得他在等我们。”晓珞说，“他答应过昭平老师，要唱歌给他听。他不会爽约的。我们都是唱歌的人，唱歌人的心我们懂的，歌没唱完，不能死的。”

“反正，不要离开人间。”昭平说，“拜托诸位了，不要离开人间。只要不离开人间，去哪里我都奉陪。”

说着，汽车顺着这人间并不好走的路继续上山。

汽车过了塔石，顺着汤苏线的窄路，居然踉踉跄跄能直达西坞。西坞一共没有几户人家，前后打听下来，都说没有齐叔公这个人，没听说过。昭平建议，说趁天色未暗，不如返回汤溪，免得在山里转过来转过去，把汽油都耗尽。我想，事已至此，也只好回去从长计议，便同意下山。武玮刚才下了公路，将车转弯停在一处红瓦房前。这会儿启动，没想竟走错道往一条泥路上开去。好在越野车经得起颠，大家也没觉得有什么不适。就这么绕着，上坡下坡，完全开到另一个路途上。行江有点担心，提醒武玮说，路肯定走错了，返回去吧。武玮坚持往前开，侥幸希望盘一段后会找到一个出口，接上公路。结果，大概颠了一公里半将近两公里路程，汽车撞进一片野地，前面再也无路可走。路断了，前方左右被几座小丘挡着，身后西南方向有一片大森林，树木葱茏，野花匝地。我们下车，望着森林，大家心里竟都生出好奇，想进去走一走。

进得森林，见有蕨叶连连，似一片碧海环绕；槿枫栎榈，交错在一起；有些古乔木，自然成行，笔直地将树冠顶到极高处。一路上都有蜘蛛网，可见少有人经过。走过二三里地，几乎没路，脚在落叶的腐殖层里拖拽，鞋和衣裤全部弄脏了。昭平说，回转吧，人间路到头了，再往前走，怕要遇见彀甫人了。突然，李晓珞发现一棵老橡树下有火堆。我们便往那里去，凑近才发现火堆旁是一座茅草盖顶的木楼。有回廊高出地面，廊下堆满着圆粗的柴木。有个青年，上身赤裸，皮肤黝黑，用一根铁钎在拨弄柴火。行江问他，这么热天为什么生火。他答，屋里有老人，森林里湿寒，生火做炭添到炉盆里取暖。我们进到屋里，看见一个老人闭目靠在躺椅上，身边架着一个贮满木炭的大铁盆。昭平惊得眼镜都要跌下来了，这老人正是齐叔公啊！现实的地图把我们带到虚无，心灵的地图让我们绝处逢生！

原来齐叔公在这里已经住了十年。他真的去过白马山森林，在那里结交了彀甫人，为他们治病，带给他们灯油、布匹和食用盐，成为彀甫人唯一愿意接待的外界人。这个青年就是彀甫人派来照顾他的，曾经出天花被齐叔公治好的。齐叔公说，彀甫人，不知有汉，无论魏晋，更何况民国、共和国，未必就是桃源中人，却延绵姑蔑子血脉无疑。

“这个世上，不是所有人都愿意在我们的文明中生活的，”齐叔公说，“别人的过法也很好，很有秩序，秉承天道。”

“他们有多少人？”行江边问边开始记录。

“一共六个村寨，两个造在石窟里，四个散落在河谷地。”齐叔公答，“各村有阴井和阳井。吃了阴井的水生女孩，吃了阳井的水生男孩。他们也有自己的计划生育呢。”

幸好出发前，晓珞已经装填好五个胶片盒，这下去汽车里拿来，马上便开始拍摄。

那个青年叫鲁祝，也讲汤溪话，口音更拙朴一些，只有本音，没有衍音，正印证了昭平的研究。我看行江记录谈话很快，起先以为是速记，走近一看才发现她在写假名拼音。她用假名拼写汤溪话，的确证明了书写起于象形而止于拼音字母的论点是错误并狭隘的。象形是具体，拼音是抽象，而汉字是高于具体和抽象的意象文字。唯汉字为真正的文字。各民族各地方都可以有一套自己的记音书写系统，但记音需要翻译，文字却可以共通。

昭平告诉齐叔公，我、武玮和晓珞是研究音乐的，很想听他唱歌。齐叔公让鲁祝去烤上麂肉，再从地窖里搬一坛酒来，他要尽兴唱一夜。

他说：“人家年轻时候唱，我偏要老来唱。是时候了，这些歌唱唱我便归去罢。这两个囡敏工，人也生得俏，仙女么的，我把歌传给你们，你们要记得传歌人拜红军做老师，也拜天地做老师。我一生都在想，红军的道理哪里来的，杀富济贫是天理么，还是有比杀富济贫更深的道理。縠甫人说：‘初为本，来为末。’离开本，后来的都是末。但末法对末法，究竟可以归正。本是什么？无所谓初，无所谓终。本里头有光，也有血。你们切要记得！”

说罢，从衣袋里掏出两个小木轴，装在长烟杆的烟锅下粘着的木头上，那木头原本就钻有两个洞；又拿来一个碗大的小鼓，将烟杆朝鼓边插进去；按上两道蜡绳弦索，用筷子当琴马卡紧，便弹将起来。昭平在一边惊叹，说小时候他见过齐叔公这烟杆，那时纳闷烟锅下那块木头用来做什么，没想到奥妙竟在这里。

齐叔公说，这不是他的发明，这是唱馆里的老师傅教的秘技。他说现在人求音准、节奏、音色都不对，按以前这叫“不得其法”，操琴的秘密在觅音和律，即琴音找唱音，都是找到的，不是规定的，又和律在于应合心律，心跳怎样板眼就怎样；所谓荒腔走板，不是你们说的走调跟不上节拍，而是嗓音不合琴音，板眼不合心眼。

这真是大道啊！原来民乐的秘密在这里。死节奏是世间法，固定音高是音的外壳。所以，改进音律和确立节奏观念，只是为了与外在的乐队融合，这样的民乐现代化努力恰是舍本弃末的。民乐也不是玩独立音色，追求所谓色彩，民乐正是首先承认相对的不准确才得以在各样的相对中呼应天道人心的。这样想来，我就不认为民乐的制琴工艺落后了，也再不想乐器在应用中的优劣了。齐叔公的演奏，彻底颠覆了我们从现代学院和书本上学来的音乐观。武玮说，她这才第一次看到乐器，原来传说中的天琴竟是这样的。

齐叔公像拨弄耳屎般地拨弄他的烟琴，把我们耳朵里的脏东西一一掏尽。

李晓珞对他的大烟锅有了想法，日后的《丰饶之锅》也受此启发。

一边是这个文明的沈昭平、松元行江、李晓珞、武玮和我，另一边是那个文明的觳甫人鲁祝，而中间是齐叔公，旧社会的范耑虞，新社会的一排长，此时此刻的歌神唱师。

这一夜，齐叔公唱了一百六十首歌，都是我们闻所未闻的。

酒喝尽了，天光亮了，森林里的鸟开始鸣叫，我们起身告别齐叔公，回到各自的命运定所，并无懊憾。

第五章　布袋唱师的歌

我从那夜的一百六十首歌中，摘录几首于此：

失林的歌

哥哥来了，
杜鹃花开了，
女孩儿身上的花也开了。

春天来了，
冰山上的雪融化了，
妹妹也融化了。

十五到了，
失林死了，
人心为何分明了？

出云调·十别夫

一别夫，泪涟涟，
想起梳妆对镜照面，
问夫君，画眉深浅。

三别夫，泪潮涌，
曾记否当年桃树红，
如今月照落花楼空。

五别夫，泪滚滚，
从此天涯独行一人，
谁人来，暖夫衾枕？

出云，出云，云不乱，
风吹不散，雷打不断，
云也有情有笑么？
落下雨来无回还。

七别夫，泪汪汪，
但见一夜梅花放，
花是奴，来敲窗。

九别夫，泪零零，
风飒飒摧叶最无情，
追落叶，妾心飘零！

十别夫，泪哭干，
日月无光星黯淡，
悲叹止，琴歌绝断！

出云，出云，云不乱，
风吹不散，雷打不断，
云也有情有笑么？
落下雨来无回还。

西坞王氏歌

莫动，莫动，
冤家你手太重！
莫说这房里空，
小孩儿在梦中。

无用，无用，
要你有何用！
夜长炉火红，
谁人扫炭笼？

心痛，心痛，
心里有个洞。
盗银挖山的龙，
盗人掏心的虫！

西风，西风，
从秋吹到冬。
魂散吾命终，
勿弃膝下童。

葛云探监

葛云孩，女儿身，
年方九岁母命殒。
母既死，葬西坞，
坟以瓦，覆草薪。
父陷大牢获死罪，
去探监，路迢迢兮艰辛！

劈柴门，烹乳鸡，
草灰焐饭罐盛醴，
送予断头人，
断头人，呜呼在旦夕！
抱弟负篮走后大，
出西坞，下塔石，
过塘头，云头，文头，
下埠，百善，米糠口，
高塘，竹坞，小埠回，
树坞，东会，岭上，真香寺，
溪西，上潦，安门岭，
黄岩孔，乌炭坞，

陶寺村，溪步塔，
山口殿前是后大。

爷啊爷，女儿来探望。
儿啊儿，爹爹欲断肠。

祠堂前，石阶凉，
小弟哭，绞饥肠。
酒浆饭食动不得，
送予爹爹尝，
爹爹身陷在牢房！
狱卒言，钦犯重，
爷儿断难有一望。

爷啊爷，女儿来探望。
儿啊儿，爹爹欲断肠。

祠堂前，石阶凉，
姐弟饥困难抵挡。
秋风起苍黄，
冻不醒睡中儿女郎。
睡梦人，断头人，
中间隔着一堵墙。

爷啊爷，女儿来探望。
儿啊儿，爹爹欲断肠。

插话

瀔甫人

我注意到一个细节，说齐叔公给瀔甫人带去灯油、布匹和食用盐。我想，假如瀔甫人点上电灯，对他们来说，也应该不坏。他们大概也不会抵触的。要是齐叔公还能帮他们建造电影院，带给他们手机教他们用微信和移动互联网，可能会受到更大的欢迎。不过，按照我们的一贯思维，下面的情节应该是，代表新生力量的某些人准备离开森林，同时将展开与老一代守旧人的斗争，为引进科技和美国生活方式成为勇士。只是我们从不曾想，万一瀔甫人全盘接受我们的方便却不改他们历来的文明方式，该怎么办？这是一件什么事呢？当然，现代文明的坚定信徒一定会踌躇满志地说："不可能！不信试试！"

我们没有机会进行这样的尝试，甚至有没有瀔甫文明还尚需验证。只是我们可以从姝方的历史中看到，有一条隐约的线索一直指向某种生活方式；只是我们又可以从自身看到，从今天当下的当下开始，人们充满拒绝这个文明而选择无数其他种类文明的可能性。从夏代御龙家族到商代农猎弦歌，又西周拒绝归化迁徙江南，东周驭犀象之师参战吴越争霸，秦末受命废邦置县而姑妹宫毁于兵燹，自汉以降经魏晋隋唐隐没大山不出，直至宋元开商埠平地人渐渐融入大中国家族，在中原的方式中又抗议造反，历方腊、矿工叛乱、太平义军直至民国，姑妹人于万年跌宕的史海中特立独行，妹方既为方国又似方舟，一方面不拒中原和西洋的诸学，另一方面也完好地守护着自己的生活不弃。这个见证不是为了给人看姑妹人的意义，而是由姑妹的特别显现天道的绝对。从巴别塔到万方万国，众性众族的相异并出不了众心唯一的真理，人却渐离同心追逐同性，以同性为大同，铸众生相为一相，那何必有日月星三光？何必有草木鸟兽、山川丘野？何必分过去现在将来？何必析春夏秋冬、寒热炎凉？何必造智愚淫贞、美丑良莠之躯？狮虎熊罴，鹰鸮雁雉，车马舟筏，少女，老妪，寿翁，顽童，大炮，轮船，电报，高楼……长长短短，殊途同归。无异则无同。差异是为了见证至高处的同道。而我们以一种文明方式妄自尊大，沾沾自喜，狂傲到消灭异己一统天下的地步。这又是一座新的巴别塔！在必遭摧毁前何不驻足沉思：我要去哪里？我的脚明明是自己的，为什么走向别人的路？

胡塞尔重组人心先验的本质探讨，被海德格尔曲解为价值的具体和分裂，即人们再度坠落到多神教的崇拜境地不能自拔。只是奥林匹斯山老死的众神，换作了汽车、明星、科技等新神，他们以自我存在的面目出现，许以自我选择的随心所欲，零成本地自封为神，廉价地获得所谓的解放。这才是地道的阿Q精神，存在主义的阿Q自慰。

觳觫人或者不在过去，而在当前与将来。良善美丽的人，也可以是粗鄙丑陋的人，不温不火的人，尴尬局促的人，总不是流行趋势的人。人在逆境中，顺境中；人在逆势中，顺势中。人不可以自揣“趋利避害”是人唯一的本性，既“唯一”了还有什么性？于此世道走一遭，都是满满的悲苦和失意，逆境逆势才是真实，相反则为梦境的现实。面对真实的逆苦，人性的缺过长短才获得作为，互补互依中丰饶腴沃。全部的人生都是悲剧，却生不得死不得，无奈中究竟深藏什么样的天机？或有人说，梦着总比醒着直面真的苦痛强。那么，作为梦，我们又承担得起多少呢？究竟为什么一直要抱怨、谴责、忿恨周围呢？为什么不满足梦的泡影而幸福呢？为什么转过身去就沮丧，就垂挂下脸来，就抑制不住地落下泪来呢？你终于比谁都清楚这是一场梦而为什么还不死心呢？自然，圆起一个梦也是好的，但你要毅然买下，心甘情愿。“不！我想情愿就情愿，想不情愿就不情愿。”这个回答也没问题，只是这就无关乎悲苦了，而是糟糕。糟糕又怎样？糟糕来自何方？你并不知道，也不想知道。因此，就请不要妄断这个文明将主宰一切，将不可一世吧。

人生是用来虚度的

说这话的人，想看到听这话人的惊讶。而听这话的人，不论在个人意义中，还是在集体意义中，真的远不及这样一种认识。亚里士多德指示人们，从具体的琐碎和无聊中摆脱出来，去接近普遍的本质意义。这个结论被无数集体主义者利用，从神学到民族主义，到球队、乐队、芭蕾舞剧团，无处不以形而上学放之四海而皆准的面貌蒙蔽人，小团体，大团体，团体与团体，个人依附着团体去实现各自的价值。而尼采以来，经海德格尔至萨特，又一落千丈地从形而上学跌落到具体的低谷，个人作为分散存在的意义被重提，仿佛人类在千年的黑夜中又白过了，死去的活该，未死的从此获得了真实人生。什么是个人价值呢？这一路的人认为，除非科技还须保留在形而上学的樊笼中，人则应该走到外面来，“诗意地栖居大地”，鸡零狗碎地放心存在。存在着，就足够了。那么，这有何依据呢？依据就是存在。活着，所谓活着多好啊！

我们还可以从另外一条线索，来探索意义的转移。起初，从天道而出的人们，不久就私铸金牛犊，遍设众多偶像崇拜的祭坛，进入一个多神时代；之后，多神大战，终被唯一神战胜，确立一神主宰世界的地位，宗教时代来临；据说宗教的黑暗经历一千年，人们无法忍受，干脆杀死上帝，自己做自己的神，所谓“人道主义”。简言之，从天道以来，大凡经神道，宗教，逐渐走向人道。在人道的日子里，于是探讨人生的价值成为核心。之前神道的初衷，或在于发现高于常态生存的某些力量，人们想借用这些并不通常的力量来改变处境，但久而久之，这样的借用上升到信仰寄托，即以用为信，换句话说，人生的意义被寄予众神。基督教传到外邦后，众神的黄昏降临，一神被寄予唯一的价值，不过人们又不甘于信仰生活，又想借用神力来解释信仰，即以信为用，声称“万能的上帝”，而上帝既万能又被人们万用，只不过被指向了无用则无能的悖论。结果，人神的宗教联盟无限世俗化，以前借助万神功用的订单全部扔给了上帝，要上帝支付。这个局面更像是人们投靠教会，是要上帝信人，上帝佑人，而倘若他不答应，那就杀死他。显然，上帝不受人的摆布，上帝既造万物，万物由上帝摆布。“我立大地根基的时候，你在哪里呢？你若有聪明，只管说吧！你若晓得就说，是谁定地的尺度，是谁把准绳拉在其上；地的根基安置在何处，地的角石是谁安放的。”《约伯记》中上帝如是说。这就是预选论的依据。新教改革后，有人终于知道，人的一切善恶作为并不能推动、暗示、启发上帝作出人期盼的决定。但大部分人决意单干，宣称以神为中心终将被以人为中心取代。而人生的意义究竟何在？人生真的有意义吗？

在东方，佛陀早就告诉人们，一切如梦如幻，如电如泡影，一切皆为幻相。有人追问，诸法皆空，何为不空，何为真如？佛陀不答。言真如亦空。因为佛陀来到这个世上，只告诉人什么不是真理，却并不肩负宣明什么是真理的使命。由释学的启示，我们可以知道，人生是用来虚度的，人生是无意义的。那么，人生既无意义，我们何以要处在这世上？

我要写这书，我认为其他无意义，其他也无能为力，这书将帮我实现我的价值；

我要恋爱，我要奉献全身心给我的爱人，矢志不渝，这爱将证明情的超越生死；

我要建功立业，救万民于苦海之中，即使后人忘记我的作用也甘心情愿，这让我自足自豪，牺牲本身就构成生命的意义；

我要做一名普通人，爱我所爱，恨我所恨，受阳光雨露，披朝夕云霞，生活静好，此生足矣；

我要顺从自己的性情，听一点愿意听的音乐，唱唱歌，吃一点爱吃的东西，跟几个谈得来的人说说话，我要的多吗？

我一直做一个好人，从不觊觎他人，也不想他人来干涉我，想怎样就怎样，好人不能一生平安吗？

我敬佛，或者我信上帝，我那么虔诚，受惩罚也不抱怨，可是为什么遗弃我，为什么遗弃我？

我什么都可以任你们占有，任你们恣取，只这一点点才情，一点点玲珑剔透的光亮个性，如果参加教会就要放弃这点，我宁愿与上帝结仇！

……

这就是人生的意义吗？所以，那人又说："人生是用来虚度的。"上帝差遣一个混蛋来告诉活得辛苦、活得认真、活得精致、活得坚定不移的所有正人君子，人生是用来虚度的。在人道主义如日中天的正午，这个恶事做绝、寡廉鲜耻的混蛋，闯进你的生活，玩世不恭地又说了一遍："人生是用来虚度的。"

你没有听懂吗？你说，我舍了功名，舍了主义，舍了家庭，舍了事业，舍了爱国热情，舍了民主自由公义，我舍得掉我与生俱来的性情吗？或者天塌地陷就在眼前，让我吃完最后一顿饱饭不行吗？

性是什么呢？松有松性，柏有柏性，蜗牛还有蜗牛性。长长短短，亮的下面有黑的，硬的里面有脆的，不是过头了，就是缺失不到。性，就是过失，过失就是罪孽。人在这样的罪孽中，毫无意义吗？应该说还有意义的，但这意义是残缺的，过头而又尴尬荒唐的，并不值得你认定为信念的永恒价值。所以，不可能是恶趣空，也不可能是真如。契阔间，虚度也。谁没有点个性？谁不是依个性活命？没有个性也就没有性命，拿鸡零狗碎的性命言意义，何来意义？虚则虚矣，度却是真度。也就是说，还得过！

“强辩的岂可与全能者争论吗？”上帝说。

“你岂可废弃我所拟定的？岂可定我有罪，好显自己为义吗？”上帝说。

“雨有父吗？露水珠是谁生的呢？冰出于谁的胎？天上的霜是谁生的呢？诸水坚硬如石头，深渊之面凝结成冰。你能系住昴星的结吗？能解开参星的带吗？你能按时领出十二宫吗？能引导北斗和随它的众星吗？你知道天的定例吗？能使地归在天的权下吗？”上帝说。

人生若在人道中，确实是用来虚度的。因为残性之人并无全能，完全者主宰这个世界也主宰人生。人生归根结蒂也并非虚度，虚度与不虚度，并不由人说了算。造人的决断一切，安排一切。你以为有造物，你以为没有造物，皆不出自你，而出自上帝。

也许你们真的有道理，只想关心你们自己。但非常不幸的是，上帝住在你们每个人心里，一直不让你们得逞。这就说到了心！上帝造人，入驻人心，他以人心的方式规定并驱使你，使你并没有强于心的意志。于是，他也应允你自由，在同心的引领下依性而活命，色彩斑斓，如繁星布满天宇。因此，亿万存在的独立并非具体的鸡零狗碎，而是完整宇宙的个体虚象。存在断无道理先于本质，存在只为见证本质而存在。万川归海。川为象，海亦为象。不是川象海本，而是川海众象有本。现象和本质是不能分裂开来看的。

你可以顺性而为，可以多神为用，可以在人道中“诗意地栖居”，可以断离宗教的联盟，但你断离不开与心的联结，那圣灵可以充满的地方。这才是个体解放、自由进出的依据。而这个依据哲学家并没有给出，却是一个叫王阳明的读书人给出的。他的名字的意思是光明，此心光明。他的到来，见证上帝应允人道，而人道不是旁道，并不能出离天道。在天道中，人生并不虚度，否则全部人生尽皆悲剧，毫无意义。

称心如意

说我想找一个称心如意的郎君。我留英归国，弄个巴斯大学的硕士，年轻端庄，有科学素养，目前在摩根银行刚谋到一个职位，下午逃班出来开车去买一副心仪好久的“蹄腐泥”耳环，在地下停车场忽然遭一名大汉套头绑架，被扔进旅行车的后备厢黑洞洞地不见阳光，捆绑着不得屈伸一路颠簸十几个小时，最后交割给人贩子，被卖到大别山区给一个养猪的莽汉做媳妇。

这简直是光天化日之下，昌明世界绝不能容忍的犯罪！

你呼天天不应，喊地地不灵。所有人都对你和善亲热，吃的用的，一应俱全；起居行坐，照顾安排得体贴周到。只是你没有手机，无法接触电话，山重水复的深山老林根本走不出去，全村的人都串通好了盯紧你在视线可及的区域活动，不让越雷池一步……日复一日，年复一年，软磨硬泡，直到你为养猪汉生下孩子。

要是城里一破妞，也就认了！可我是留洋回来带着进步世界良知梦着替这落后国家与国际接轨的急先锋呀！你们竟这样待我！你们要遭报应的！

她说她要找一个称心如意的郎君。什么是她称心如意的呢？一起在春风中扑蝶？一起在晚霞中的江边你鸳我鸯？一起为一个球队的胜败沉浮在电视机前狂欢又涕零？好像这个她想都没有想过。她想对方长什么样可以将就一点，但必须是成功人士，至少是成功人士的期货；做官的老派人士不行，金融方面的有开拓精神的最好；有钱的化肥厂厂长想都不要想，哪怕上升期的一个代理商倒不见得嫌弃；艺术家？得一线明星或者国际级导演可以考虑；做学问的，经济管理学院新提拔的业务副院长或者写万历多少年那样的烫手名家也不排斥。好吧，她的称心如意显然是被格式化过的社会标准，集中呈现风热感冒活跃期的诸多症候，而她的身后按这个标准排长队的人不计其数，她们以学历、青春、体貌、背景、潜力将女人资源化，进而直接资本化。这样，恐怕对于风口浪尖的成功人士，已然形成供大于求的局面。六万个适龄女青年准备嫁给某个刚上市的互联网产业的CEO，丑到神憎鬼厌从来不是问题，有无性能力也基本可以忽略，那么结论当然已经很明显，称心如意不过是称富如贵，这个世界定例中的阶级属性的富贵。那么，谁嫁给养猪汉呢？养猪汉居住的那个村落全部男性都得打光棍吗？天既生男必配女，有人可以有二十个老婆，有地方二十户人家娶不进一个媳妇。这不是一个公平与否的问题，这是出离天理的事情。于是，上面那一幕发生了。这个被抢劫拐卖的女子遭到了阶级报复。她偶尔碰到一个进村的生人，会偷偷递给对方一张条子，上面写着“救命啊”，而这个进村的生人企图将村里人告发到外面世界的法庭上时，村里人却面无惧色地告诉他“无所谓”。村里人认为，娶妻生子，天经地义，何罪之有？而全社会的公知简直愤怒到不行不行了，说国人愚昧到漆黑的地步。

你要按照你一厢情愿心中早就谋好的方式去进步，想扔下一群人的死活不管，那么这群人会怎么想？他们要拖着你，不让你走，要提醒你，所有的人都只是一个人，一荣俱荣，一毁俱毁。你不愿意？那好，暴行就没商量地上演了。这样的暴行，根本上是人类自虐的悲剧，既然遭遗弃是割裂人，那么抢夺强迫也是割裂人。前者以进步为天理，后者以根性需求为天理。究竟谁执掌着天理？这时，革命便登场了。它以血与火的洗礼，对人类做出审判。

女人说，我有错吗？我嫁给我想嫁的，我有错吗？

养猪汉说，你既不嫁给青春，也不嫁给俊俏，性爱也不能吸引你，情趣更不在话下，生子繁衍的天命早就遭你唾弃，你是嫁给人吗？

女人说，反正，我不喜欢你。

养猪汉说，或者我并不恨你，也许你们这些女人遭此劫难也并非报复那么简单，你们甚至可能得到恩典，因为拐卖起初让你不情愿，而生下孩子却唤醒你的母性，日出而作日落而息的生活竟让你尝到甜头，日子久了，你从争取三好生到获得洋学位那套便淡却了，初心中男欢女爱的根性复苏了。没准，最后我真给了你爱情。

其中有一个女人真的说："我觉得，我慢慢有点喜欢你了。"

听到这样的话，有人震怒啊！这个女人，不以为耻，反以为荣，还用她所学的知识在村里开办学校，教养猪汉们的孩子读书！更为这个社会着急的是，有人居然写出报道，歌颂这个女人的行为，这报道居然一字不提她被拐卖的黑暗！

说到这里，有人可能会认为，天道在养猪汉那里。他并没有错，他只是想恋爱，结婚，生孩子，过日子。那么，究竟为什么要抢劫，要拐卖？（"拐卖妇女"，将巴斯大学的硕士生称为"妇女"，巴斯大学的硕士生遭到"拐卖"，这两个词汇的表达，比女人真的在山区经历嫁给养猪汉的生活让某些人更受不了。）谁应许了这件事情？为什么这么强大、公正、科技发达到快要主宰宇宙的国际社会竟杜绝不了这罪恶？或者我们大力宣传反暴力吧！倘若人们从生下来就忘却暴力，天下不就太平了吗？可是？可是万一昌明社会一方想要杀人，想要动一动枪械，想要教训那些不听话的垃圾，也被反暴力反到无所作为吗？不妥。应当宣传正义的暴力。然而，不幸的是，养猪汉马上学去这一套，也说正义的暴力。那么，究竟什么是正义呢？靠能力竞争达到成功人士地位是正义，还是人人吃饱住好娶妻生子是正义？后者要说前者的竞争没有公平机制，前者要说后者的公平催生懒惰。因此，上帝并没有绝然站在你们哪一边，你们也不要以一己之窥替上帝做决断。但是，有一点是肯定的，你们既有了智慧，既按自己的标准分出贵贱，那么，你们只好在阶级的冲突中去寻求答案。身处世俗的不同阶层，又想无视这阶级的差别去“超越”到有利于自己的境地，这无疑是梦，于女人和养猪汉都是梦。

在阶级的盘算中，有人是绝顶聪明的，甚至做过许多好事，上帝彰显这个人给大家看，结果遗弃了他。

我的妹方

我常常想，我的妹方是否和昭平的不一样？

我站在东夏的高地，往西南方向看，就能看到前夏。好像只有一里地的距离，却需要不同的背景和心力并行一万年。一万年不相往来，还是一万年近相呼应？

我看见一个女孩在井边汲水，她的水桶在夜里盛着水中的月亮被提上来，她的四周散落着从天上洒下的月光，她小心翼翼不让桶中的月亮碎掉。我跟着她走进东夏的巷道，有戴笠的牧童牵着水牛横穿过去，阻隔了我们。孩童问我：“你在找谁？”我说：“我在跟随前面那个挑水的姐姐。”他说：“啊，她是前面烟纸店那家的人。”

我来到烟纸店的门口，门已经关上，水桶静立在门前。桶中的月亮沉陷下去，浮现上来的是木槿花和浮萍。萍之末风起，风吹打窗户和我的面庞，有手从门里伸出来接我进屋。女孩给我油灯、水和麦馃，麦馃的馅是豆腐、鸡子和肉丁。她说："在这里可以避风。风过去了你就走。"可是，风吹了整整一夜。

我来到空旷地。溶岩的波纹如海水的涟漪被时间凝固，从上到下顺着倾斜的坡面一一推进。我的眼泪滚滚如潮，从四周推涌下去，如盐的瀑布在坡面上结晶。你是不是对我不好了？你为什么对我不好，让我如此心痛。你真的对我不好，我竟不知道，与你长久地在一起生活。我晓得我原是东夏的孩子，我不该领你来这里，你这个外乡的风流人，你不是姑妹的女神，你的心漂流在世界各地。

她的声音留在学校里，在那里领着孩童们诵读。她的身子随我到繁星满布的夜空下，在稻田里穿梭。新禾的秸秆上已经开始凝霜，霜白不过她坚硬的胸乳。秋凉的肃杀挡不住她柔嘉的温存，我依着这温存深入，掩她降临污浊的世道。我的身上有机油的气味，有电车的声响，有夜店烈酒的狂妄，生命貌似被这样的能量激发，团在一起要升华到爱的顶峰。然而是什么抹去了我们的踪迹？田野上干的湿的地方都没有留下印记。就这样，一个季节终结了，现实成为泡影。

那些愤怒的群山，每一脉都像山神的手指，伸出来抓牢地面；在人们还来不及给它们命名之前，依然按照远古的法则行事。我顺着河谷崎岖的路上行。我可以进到山的腹地吗？那些红军的标语在旧墙上褪色，日军铁蹄敲碎的青石板已经弥合。山神如今抱着一个孩子，背着她的夫君在外面偷情。她与我幽会在山坑一个角楼的梁檐下，在那里有稻草铺好的床可以容身。她的孩子预感到要发生的事，在一旁哭。有一刻，我产生念头，要把他扔掉。而山神并不顾这些，只放纵她纯澈的溪泉，任饥渴的人饮下。我憎恶这山神，憎恶她并不想抓牢土地，而想着由我带她去大海漂移。

我又来到火中。火吞噬掉带叶的荆棘，让它们顿时形销骨立。人由纤细的笔锋画在泥的器皿上，人也由树杈被支撑着塞进炉中。火的掌管者将我领到窑中，告诉我釉浆和佐料同样重要，决定出炉后盛器的质量和肉的滋味。火熄灭后的窑洞闷热不堪，令人窒息的气氛竟然催发情欲。所有糟粕的气味将人从智性中解脱出来，那是冰的形象和属性，与司火者对视。她说："只要点火，你就会融化。"我情愿融化在这里，成为水，再干掉，蒸发掉。

其实，姑妹的神或者既不在东夏，也不在前夏。她外出多年，寄居在某个城市的里巷。她从电子社会的娱乐场中脱颖而出，从世界的另一端正出发回家。一种从外而归的姿态引领我重归妹方。她的头发如云。发为血之余。血气上升，似云蒸霞蔚而为发。她的发埋在地下，千年不朽；她的发在火中，仍会有汁液渗出。她的发有神化之功，吃到肚里化为虫子；挂在树上，飞鸟不敢前来啄食果子；也有变成鳝鱼的。鳝鱼，人发，都是通血的东西。相同的灵性，可以互相转化。我珍藏她的一缕青丝，可以通灵。她的足趾如玉，融化在白昼的阳光里似乎不存在，又如灵泉触之入心；在我身体凹陷和突出的地方，足趾竖立并旋动飞舞；她的足趾有神化之功，在地上寻到出路，在田里催生稻谷，在灵魂深处点醒梦魇；她的足趾戴着赤环，有至阴之气通向地的深处。她最高处的头发和她最低处的足趾间，充斥着非人间的沸腾力量——那是一支歌，永唱不绝的歌，从开口的第一天起就应合了人心。没有歌词可以记住，也没有音符可以书写，痛啊，又不痛了，裂开了，又愈合了，就这样，我被她一路吟唱，又带回到妹方。

智慧的裂痕

人自从获得智慧，情志就被分裂开来。智慧如刀刃，从人体划出一道裂痕。世道的尘灰便从这裂痕侵入机体。人的智慧企图了解万事，并认知可以了解万事。智慧背离心的位置，一味朝外探究未知，在突破一个个未知领域的过程中窃喜不已，激扬难抑。

情志本是合在一起的。人却要将情与志冲突对立起来。从情的那方面，人觉、受、经验外界，以身体与各类具体相处，直觉地反映情之所及；从志的那方面，人不满足于具体的直觉，欲分析概括所得的直觉，“上升”为普遍一般的知识。然后，人们苦痛于这样的分裂，又转而寻求情志的弥合——究竟情是志的基础，还是志是情背后的根本？多少世纪以来，情志被分离为方面的方面，区域的区域；一个知识接着另一个知识，一个知识也排斥着另一个知识。而所谓弥合的努力，皆出自分裂的前提，在分裂中寻找对应的齿痕，契合与错位被强调出来，甚至超过本体。辩证法就是这样一种智慧，它毫不理会本体起初的合一，津津乐道于契合的齿痕，指给人们看这道缝隙有多么精致。意识决定物质，还是物质决定意识，或者它们相互作用，矛盾统一，运动发展，可是它们为什么用左手打右手呢？为什么左手和右手不都是手呢？

在中国的道学里，人们聪明到向人借钱既不欠债又不欠情的地步。既要你的钱，又不欠你的人情，这怎么做得到呢？甚至欠债不还，仍耿耿于怀债主的指责，非要寻出债主的不义。他们自立一种公道，互相审判对方的出离公道。你借给我钱了，我会还你的，所以我有一种体面是不可挑战的；至于我因为缺钱的窘迫是不能被视为短人一截的，也即我必须抬着头向你借贷，这心里的潜台词即我不会感谢你的，你不能再提第二次，不能向我或向他人说你有恩于我。当然，我这个说法并不涉及商业经营中正常的借贷往来，不是评述这类业务本身在专业层面的利益关系。借钱不意味着窘迫，不意味着失败。在现代经营中，往往借钱的人有效地掌握着资本。我说的是，在人际交往中，处在困境的一方的态度。其实，道学阴影下的人们不曾想，他不仅可以借钱，还可以借钱不还，甚至可以直接将别人的钱拿去用，只消他承认这个罪过，甘愿因直接取了别人的钱去用而受罚。可是他绝不这么想这本账，他想我借一点总比借两点好些，早还总比晚还好些，不借总比去借要好，能不能处在不借的关系中又借到呢？他把利和情分裂开来了，又把利和情混淆起来了。看起来他想利中有情，情中有利，实际上他既做不到一生不借，也做不到一生不还一生受罚。把一个东西分开了，又想摆平，成为道学家最精致最焦虑的学问。这一切，都在于不相信有高于我们智慧的法则存在，庸俗地将刚正理解为一种利益平衡的巧术，而又摆出一副自作聪明的嘴脸，说“中庸”。中庸原本发乎天道，是指不离元始的中正，不偏不倚，不要出离，也就是不可分离。分离者，才需要平衡；合一者，只须把守。

在西方的学问里，将阶级分得很明细。富人否定阶级，穷人欲强调阶级，有朝一日穷人成富人又否定阶级。社会既把人分成阶级，又希望以超阶级的梦幻来逃避阶级的冲突。而阶级本来是没有的，根本上是不存在的。人凭借着自己的聪明，以为按阶级的方式可以促进文明，欲以阶级的冲突作为前进的发动机。但起点就是终点，本来在伊甸园中已经解放，何必自缚又自解呢？你既如此聪明绝顶，还怕阶级存在的现实和阶级冲突的血腥吗？因此，我们不得不承认，马克思主义是在天道外世道中最清醒最勇敢的哲学。“从来就没有什么救世主，也不靠神仙皇帝。要创造人类的幸福，全靠我们自己。”唱这歌的人，决意不要耶稣的担保，一切准备自己来承担，弄好弄坏算自己的；他们认命，认智慧的裂痕带来的后果，彻底不打算信靠上帝了。一方面有人彻底不靠上帝，而另一方面有人靠得上自己的时候靠自己、靠不上自己的时候靠上帝，上帝究竟选择谁？

如果智慧真的能认知智慧本身，我想，不可能有比马克思主义更直接、更诚实、更智慧的了！

如果你说，智慧的高处是马克思主义，那么我绝不再信智慧了。你不信智慧信什么？信鸡零狗碎地“诗意地栖居大地”吗？所谓这样的诗意，不过是多神教的科技翻版，一种当代的极不彻底又极端虚伪的偶像崇拜。准确地讲，人们从背离马克思主义中背叛了自己，又从迎来低劣的多神教中背叛了上帝。现在，你既不是上帝的子民，也不是人类了，你成为撒旦都厌弃的孤魂野鬼，飘荡在诸多科技神的淫祀里，不可终日。

而科技是什么呢？科技是一种巫术，起源于巫术也终将归属于巫术。它根本上是一种支付，从煤中支付万古森林的春天和秋天，从石油中支付一代又一代飞禽走兽的尸体，从地球有限的资源中支付逃避极限边界惩罚的互联网，一张形似庞大无际的互联网，在将来的路途中不是天罗地网，而是步步紧缩、愈用愈补的破渔网。在背叛上帝又背叛自身的日子里，科技作为最后的历史储备将入不敷出，日益枯竭，直至消耗殆尽。没有进账，只有支出，这就是全部科技的秘密。

当然，人们在一切背离之后，又有重拾智慧者在那里“镜像”“客观”“处境”“元物质”地语焉不详，抑或“结构”“解构”“多元”“语言和事实”地修修补补，忧心忡忡，如履薄冰，却不愿背负自己出离人道的无耻，也不愿直接回到本有永恒的内心。内心，作为耶稣之外最终的上帝序令担保，一直没有遗弃我们，却被几万年以来外部世界的万里飞沙裹蔽，相距天涯，又近在咫尺。从开启智慧裂痕的第一天起，我们离开己心外出，已经走得太远太远，仿佛再也没有任何希望回头了。“山重水复疑无路，柳暗花明又一村。”此村不在遥远的别处，此村正在途中休止。休止，也是音乐。休止，其实是音乐本身。没有比休止更美妙的音乐了。人的内心包含一切，心外并无一物。弃心而依傍智慧，则物尽人亡。上帝说，只要还有一个义人，便不让这城毁灭。一个义人的心，等同千万个义人的心，等同至高的神明。上帝说：“人既属乎血气，我的灵就不永远住在他里面，然而他的日子还可到一百二十年。”如果我们显现这个灵，并让这灵充满，那么上帝就降临我们中间，血气的污浊就得到赦免，人在代代相承中就获得永恒，永不缺失。而这个道理，智慧断不能懂。

法国公园

从思南路出来，走几步就到皋兰路，皋兰路有门通到复兴公园。这复兴公园，原本叫法国公园，是法国人买下顾家私宅改建的。

我和昭平步行到公园，找到我们高中时期常坐的那条长椅，在那里坐坐。仿佛这椅子安在车站，过往的火车载着往来的岁月从我们面前通过。我们记得在对面的长椅上，每天下午四点钟左右，有个德国老太太会来。她讲一口流利的上海话，神情跟上海的阿婆一模一样；下午两点的时候，有一个俄罗斯老太太也坐在这条椅子上，但这只有在下午我们没课的时候来，才可以看到。这个俄罗斯老太太不会讲中国话，需要她女儿翻译。她的表情始终很沉重，烦恼忧愁一直围绕着她。那个德国老太太是犹太人，二战时来避难的；这个俄罗斯老太太是贵族，随父母在十月革命时期逃来上海的，人们称呼这样的人为“白俄”。

在我们中学和大学时期，公园并不是简单的娱乐休闲场所，更多的是社会隐秘的暗种子汇聚、交融、滋长的地方。有外国移民，有武林高手，有持不同政见者，有民间艺人，有同性恋、恋童癖、恋物癖等各种性倾向者……他们以隐蔽暧昧的方式形成小团体、俱乐部或者沙龙。我们当时最讨厌的是一些曾在洋行里做过事的老头，他们一般英语水平不差，口音纯正，常在早晨出动，以教英语为名骗无知少女。我和昭平的恶作剧，就是故意参加到这样的英语班，不识相地在里面搅和，以冲散他们的聚会。不过，我们也从这些老头那里学到不少课本上没有的英语知识。还有就是去听越剧。昭平的外婆夏光妹最爱听越剧，昭平很小的时候就被她带到那些越剧爱好者中，先听，然后跟着唱，直到参加到演出中去扮演角色。所有各色人等中，最让人放心，也最有长久的滋味的，就是唱越剧的阿婆们。她们大多来自底层社会，上午买了菜，趁回家洗菜做饭前那点空隙，在公园里碰头，见面几乎没有寒暄，上来就唱，大大方方，字正腔圆，表演雍容而神崖，绝非现在戏剧学院的师生堪比。我跟着昭平进入到越剧阿婆中，只听只看，不去凑热闹，暗中倒也学会了不少戏。我后来从事戏剧工作，便广泛研究世界各地的表演方法，阿婆们的表演路数给了我很大的启发。她们的表演既不是形式主义的，也不是心理体验的，更不是生理激发的，她们完全靠巫术的传统，直接让人物灵魂附体，可以算是一种移魂大法，借着亡人的灵性抒发情怀，所以才出神入化。这个，我以后在某本书里会专门写的，我称这路表演为“灵性主义”表演体系，或者叫“降灵派”“灵至派”，以往的书中都没将中国表演讲清楚，目前最多只说到“程式化”。

中国的文化方式，从远古通灵走来，经汉唐宋明被汉化，程式化，规矩化，实际就是固化了。性灵与规矩的冲突，长久地困扰着人们，天道被人道的文化排泄团团包围。受教育越多，排泄物也越多；未受教育的，可以呼应到天道的法则，但在进入社会后遭受污染，却因为没有受教育的机会，也难以靠上教育的力量去清污。于是，垃圾随着岁月荏苒越积越多，生活变得困难。法国公园中，那点葡萄藤下唱越剧的方寸之地，对我和昭平来说，仿如顽石上透露的一点玉性。

提到房子的事情，昭平很有感慨地说："梁育金尽管不是亲外公，我却很喜欢他。他和他三个孩子，飞云舅舅，见云阿姨，芳云阿姨，与我处得极好。他们是我童年中不可或缺的亲人。那年外公得了肝腹水，劳保所属的中山医院的大专家都治不好，后来青浦的一个民间草医推荐一种植物，开小黄花长小绿叶的那种，说吃得好，见云阿姨和飞云阿姨就背着我去各处野地挖，常常从正午挖到太阳落山，天冷下来她们就把自己的外套脱来将我裹住，让我在一旁躺着瞌睡，带出来的晚饭她们不吃都省给我吃。生活中我们都不去想谁是梁家的人，谁是程家的人。在我的概念中，我是梁家外公的外孙，这是一个不可分割的大家庭。但邻居和外人总不放过我们，总要提醒舅舅阿姨外婆是后娘，有事没事都要来干涉。记得有一次见云阿姨将满满一碗新熬的猪油打翻了，外婆便哭，唱着山歌调子哭，我都听得入迷了。外婆哭完就骂，她骂起人来也是很凶的。结果楼上楼下的阿姨大叔就冲进来主持公道，说后娘虐待孩子，要拖到居委会去评理。这次房子事件其实同出一辙，舅妈非要从中作梗，挑拨飞云舅舅跟我妈的关系，又搬出亲生、过继儿女分财产这一套。可是，外公死的时候，舅妈管着舅舅，一分钱丧葬费都不出，不肯买墓地，最后是我出钱把丧事办了。房子也是我掏钱买的，是我孝敬外公外婆的，让他们老有安养，不要居无定所。两年前在日本，清明节前一夜，外公托梦来找我，他流着泪要我对外婆好一点，要我去看外婆，说舅舅阿姨他们不会管的。我不知道为什么，真的很难过很难过。我晓得外公爱我，他也晓得我爱他。昨天，律师跟我通话，他说我也算社会名人了，不要因为这点事闹得身败名裂。这倒一下点醒我了，原来所谓律师，钻到法律援助的名义下，再戴个维权的帽子，其实质是用来掩盖业务水准低劣的。他倒想借我这点可怜的名声火一把！我跟外公、舅舅、阿姨，没有血缘关系，但我们的生活以比血缘关系更紧密的纽带连接在一起。为什么总有一种势力要渗入进来干预呢？惯例，法律，道德，人言，为什么那么热衷亲娘后娘那一套呢？是人不愿意按情义组织家庭，还是世道不愿意让人按情义组织家庭呢？宗法血脉这套东西能比人心更重要吗？我实实在在告诉你，要是论到罪过，外婆和外公在这起婚姻中承担的，远远超过那些人的想象。他们婚姻后面的事，才是真正困扰我冲突我的伤痛。”

听昭平这话，我知道后面有故事。但显然不在这个话题里，也便没有急着去问他。我想，一个不以血缘关系来组织的家庭，恐怕单靠纯真的情义难以抵挡社会的理知。这点在绪言中曾论及，所谓心知和理知的对立。人一方面觉得自己靠着智慧可以解决一切问题，又懒得以智慧去面对许多复杂情况，专想按一套一般化的理解去摆平所有的事情。在互联网信息时代，甚至更加廉价地想靠着快餐标签去把握整个世界，不想这边的成本小了，那边的代价已经不堪重负。天理澄澈，本来很简单，但假如你根本不想知道，那么即使一加一等于几，你都回答不上来。

卷四

夏光妹

第一章　春泽秋霜

丰奂英对夏光妹说："你爷让你去后大，做管彤家的新妇，娘是不大愿意的。娘不是嫌弃他家门第矮，而是管彤这个人促狭，他教出的儿子我也不大看好。再说我们娇纵你久了，你过于任性，言行多有唐突，娘对你也不放心。就说你这双脚，缠了又放，放了又缠，如今不大不小的，算个什么！说你不懂事，你比谁都机敏；说你能干，你紧要时总会出纰漏。他们是苦读书人家，日用生计都精打细算的，不比你在娘家随性大手大脚的。上年你在义塾带着叔伯家的子弟将先生捉奸在床，弄得人家很没面子，人家便记恨于你。少年意气，玩一下不打紧，总不好过头。你爷宠你灵透，我呢，疼你是个心软的孩子。又灵又心慈的人会怎样？能做大事，却也少不了经风浪。是个后生倒也罢了，是个女儿身，便麻烦多了。你且苦痛着吧，大凡忍下来，也做得起观音的功德，忍不住就自己收拾残局吧。我看你没有忍心，毛躁得很，百事图个痛快，我和你爷既不忍管教你，便不妨送你进小笼子里去收骨头，我们眼不见为净。嫁出去的女儿，倒出去的水，覆水难收，我是不想收你回来的，你好自为之吧！管彤的女人，胡氏，上境人，就是你婆婆。她人倒贤淑，别看她大字不识，女工做得不疲呢，通天通地的，善解人意，你倘跟她学点手艺，日后总归有用。人家嫁女儿，最操心婆媳间龃龉，你去得这家，我反倒不烦恼这事。有事多跟婆婆商量，不要跟大姑子走得太近。你男人那个姐姐，都快二十岁了，还没嫁人，坊间名声也不太好，你要小心留神她。你爷这个人有韬略，但也幼稚，总觉得管彤这个人有才学，又跟他同窗数载，便信他不疑。我看他满肚子不是诗书，是一包谄上傲下的媚世坏水。他一味教儿子攀附权势，你爷却说他教子有方，自小立儿鲲鹏大志。好了，我不说了，说多了变成说你男人坏话了。只是要记牢，将来相夫教子要尽心，男人好坏一半在女人，所谓‘润物细无声’。出嫁了，离开娘了，百事都不比从前。光妹啊，你要学会高兴呢！一直高兴，一直高兴，便是了。”

这是民国十八年春，丰奂英送夏光妹出嫁，送至后大路上，在路亭里歇脚时说的话。夏光妹那年一十六岁，看起来还像个孩子，个头不小了，亭亭玉立却又单薄见骨，要不是一脸聪慧相，总没人相信她也有些分量也有些女人的心思了。她对母亲说：“归去吧，归去吧。谁晓得怎么做新妇呢，谁又先做过新妇才又来做人新妇的！我去了自会知道的，不知道你也替不了我去做。你嫁给爷不是挺好的么？哪个新妇不是囡做过来的？我心中有数的。难不成他们家还吃了我？说不定我将他们吃了。”

“你不要给我弄出不好收拾的事来。我不碍的，你爷面子薄，你倘若翻江倒海的，第一个气死的便是他。”

“我先气死自己吧。我死掉了，他便不死了。”

“大喜的日子，你怎么这样说话呢！”

夏光妹笑出了声，进到轿子里，吩咐轿夫快走，将丰奂英扔在了路亭里。

那年，她以为出嫁就是赶集、逛庙会，去认识一个新朋友，结交一个约定的后生，然后就是一起玩，看谁比谁聪明，谁能带着谁玩。此刻她真的一点都不想听母亲唠叨了，也一点没有留恋的心，直盼望着快点到夫家，最好夫家多一些机关名堂，好让她孤胆闯入一番，才有探不尽的妙趣横生。

到得夫家，拜过天地、公婆、夫君，来到后院楼上新房，夏光妹戴着红盖头，只坐在床沿不动。泷莹姐姐推门进来，一把就掀掉她的盖头，直愣愣盯着看，突然发笑，说："道是什么狐狸精来了，却端的也是个小顽童呢！我看你哪儿都长得标致，只是耳朵小点。耳朵小，爷娘福浅呢。不是爷娘待你薄，就是你生克爷娘死。倒是有个破解的办法，戴个玉坠就好了。这可是貂蝉的秘法，她耳朵又小又薄，比你差多了。我这副翠环予你吧。"说着，就解下自己耳朵上一副玻璃种的阳绿耳环，给光妹戴上。又说："你的这副金的换给我，顶多八九块大洋，你不吃亏的。我这是洋埠王夫人送我娘的，她老爷以前在海盐做道台的，家里有真存货呢。"

光妹戴上翠环，泷莹拿来镜子给她照。真是好看得不得了，人顿时亮拔出来，耳朵确实显得大了。光妹忍不住笑了。

这个泷莹，是夫君范文彦的姐姐，人长得秀静娴雅，却气浮轻率，心思跃动，见了俊俏后生路都走不动，在后大是出了名的风骚小娘，人都不敢来提亲，就这么一直蹉跎到十九岁，还没嫁出去。爷给她取这个名字，意思是雨泷泷莹洁，透灵活络。倒是应了这象，雨水一般，湿漉漉独自缠绵着。街坊四邻和家里亲眷，都直呼她泷姐，或者泷姐姐。

泷姐说："前年订亲后，我就跑去前夏找你玩，想看看弟新妇长得什么俊模样。不想去过两次都没碰见你，不是你野出去玩了，就是你去黄堂外婆家了。这下见着了，比我想的要文静得多。不过我知道你都是装出来的，人家说你危险顽皮的，你眼睛里转着呢，藏不起来的。这下我有伴了，空日唱戏的来，我带你去听戏。就在祠堂后那个小亭榭那边。”又说，“哎呀！你们大户跟我们平头百姓就是不一样，出嫁穿袍子，裹得那么严实，一会儿新郎来宽衣，解开都费时的。再说我那弟弟笨手笨脚的，说不定还把你弄痛弄伤呢！我这里有套短衫长裙，绣莲藕云团的，借给你穿。”说着就喊丫鬟来。

光妹听着，觉得稀奇，又心生害怕，就问：“真的要脱掉衣服？”

“要脱得光光的。”泷姐说。

“那便不好玩了，我要回转家去。”

“你看着聪明，怎么说傻话呢？哪有嫁过来还回转去的！不脱光还怎么做鸳鸯呢？这事你娘没教过你吗？”

“你娘教过你了？”

“我娘不教我都会。”说着，丫鬟把短衫裙子拿来，站在一旁。泷姐抖开一件，让光透照过来看。光照在杜鹃红的裙子上，晕染着几分醉意。泷姐说：“做鸳鸯多好玩呢，我巴不得赶紧嫁人，让欢喜的后生抱抱呢。”

“我有些怕的。要弄痛我吗？我最怕痛的，一点痛都不要，一点都不要。”

“痛才好呢！痛说明你是新芽儿，没人采过。”

“你被人采过？”

“都以为我被人采了。我实在是一具干净身子，男人都没碰过呢。”

“你弟弟凶吗？”

“他笨笨的，聪明面孔笨肚肠，自以为是，我看不是你的对手。只是他很犟的，心眼太窄。”

“那么，我就有办法不让他弄。”

“弄什么呀？”

“不是说做鸳鸯吗？”

泷姐不说话，眼睛直勾勾盯着夏光妹看，看她疑虑重重，看她心慌忐忑，转而放声大笑，笑得夏光妹更莫名其妙。

“去厨房吩咐厨子做一盘炒猪肝来，再做一碗粉丝肥豆腐汤来。”泷姐告诉丫鬟。

“不要，不要！有炒肚片吗？我爱吃炒肚片。”

“不行的。要吃炒猪肝！男人补肾，女人补肝。帐中翻起红浪，最耗气血的。女人耗散的都是血气，要补血，猪肝最补血。我也不爱吃猪肝的，闷喉咙，血糊糊的，这才又吩咐他们弄粉丝汤来解腻。”

“这么说来，非要杀牲宰畜的，拔刀见血？”

“被翻红浪，帐摆流苏。懂吗？亏你还读过书！这里面的快活，怕是你尝过甜头了，空日姐姐拦你都拦不住。”

“你去跟弟弟说，让他轻一点。”

“我说不出口的。他是呆鹅。我只能帮你到这里了。聪明妹妹，穿上这小褂子，扣子松松的，你就顺水推舟，囫囵吞枣地，装着什么都不懂，过家家似的就依了他，然后便哭，哭得像泪人似的。他便觉得欠你的，以后会加倍对你好。”

“我现在就想哭了。”光妹真的哭了。

泷姐看她哭，也哭起来。两人抱头一起哭了好一阵，直到丫鬟端来饭菜，觉得肚子饿了，又忘干净刚才的话，狼吞虎咽一番。

泷姐说：“快吃快吃！这些爷们吃酒席有得吃了，醉酒划拳，不到子时不会散的。我们姐妹吃歇，找副纸牌来玩玩，我尽气陪你到头。”

就这样，她们说说话，玩几局纸牌，泷姐教导许多她自己尚且半懂不懂的做女人的事给光妹知道。

这家的老爷名范聿珍，表字管彤，号秋毫烟，一色跟笔有关，看似好舞文弄墨的样子，心里却想借着读书考官。做官也分人，夏玉书那样的，胸有韬略，想着执掌权柄，经世济国；也有只谋地位，图慕虚荣，梦想有朝一日仗势威风、不可一世的，范聿珍就是这样的人。但他才疏学浅，心眼局促，一副谄媚的样子反倒不讨人喜欢，加上时运交移，世事变幻，不想一次考举人不中，便再无第二次。他是光绪十三年1887年丁亥年生人，光绪三十年1904年朝廷举行最后一次科举，那年他十七岁。夏玉书是考中了不做官，他是没考中还想买官做。家里为此典房卖地，筹得一千五百两银子，捐来一个丽水县的长随。所谓长随，类似现在县政府办公室干部的职位，这是一个闲曹，毫无实际权力。正因为是闲曹，便有大量时间去钻营官场，网织人脉，到处作揖磕头，结交了不少有头有脸的污吏，这使得他多少有点门面和背景，在汤溪一带也算吃得开的人物。他做人往往前面一脸笑，后面一把刀，夏玉书是看不出来的，还当他至交，这才把女儿许配他的公子。

为了买官做，家里大伤元气，又民国革命衙门换血，连个长随的闲曹也被革命革掉了，到头来人财两空，只剩得后大镇边的三进旧院和山里的一点木材生意。为此，范聿珍将腾达的希望寄托在儿子身上。夫人胡氏有个表叔，表叔的女儿王夫人是洋埠人前清海盐道台的五姨太，这么远的关系他也去攀，只为道台的大儿子在杭州的大学里做教务长，管着从各乡选拔人才入学的事。听说杭州的这个大学与日本东京大学有关联，每年有一些官费留日的名额，范聿珍闻出这是一笔薄本厚利的买卖，便钻头觅缝地靠过去。

范聿珍有一子一女，女泷莹生于辛亥年1911年，子范文彦生于壬子年1912年。范文彦，字子俊，娶夏光妹时，十七岁，刚从义塾出来，正准备继续深造。当时老派人家升学是个麻烦，科举已经废止，新学前途未卜，想要做官、从军或做实业，究竟从哪扇门进从哪扇门出更好，未必人人心中有数。范聿珍给范文彦倒是盘算好了，你民国跟着洋人屁股后头走，我无论如何投洋总是不会错的。西洋东洋都是洋，既然家道中落，出不起雄资走西洋，那么少花点钱走东洋也罢。只是到了目前，怕是留东洋的钱也拿不出，这便想到了夏玉书，将他女儿娶进门，妆奁陪嫁赚一笔，多少也够敷衍几年的。于是便有了这门婚姻。这一点，范聿珍以为除了他别人看不出来，没想到丰奂英心里明镜似的。所以，她才对此不放心，在路亭里对女儿千叮咛万嘱咐。

按旧时的规矩，新娘子过门第二天要早起，向公婆行礼并听教训。只是昨夜子时过后新郎才进洞房，两个孩子过家家似的折腾一宿，五更才歇；女孩儿初经房事，心中忐忑，又是流泪，又是怅惘，天放亮才恍恍然半睡去，这会儿硬是要起床见公婆的事，自然早就忘到脑后枕头下去了。子俊也不叫醒她，偏是一个人先到厅堂，坐在下座。管彤让丫鬟去叫，丫鬟叫过回来禀报说少夫人要梳妆洗漱，还得等一会儿。管彤心中不快，又差儿子去催。儿子一去半个时辰不见人影，索性不回来了。无奈又让夫人去。夫人不去，说小孩子刚过来，里外上下都不熟，生分着呢，心里头还怯，不要勉强。话说儿子进到后院楼上，光妹将醒又倒头睡去，推她醒来又坐起木然发呆半晌，两人有话没话地扯了多时，不知羞怯，还是嗔怪，倒是尴尬万分；又手忙脚乱收拾形容，这也不会用，那也不会使，直到泷姐来了，才帮二人解围，这就差不多弄到吃午饭时分。前面公婆两人端坐半天，自是新妇未见，儿子也不到跟前来了，大煞风景。管彤自觉颜面扫地，也不好对胡氏发作，便又更狭隘起来，盘摩着怎么布陈点文章，好收缩一下新妇的性情。

清明刚过，洋埠道台的大儿子回乡招生，办起一个十天的培训班，面试收徒，再集中讲学。管彤便打发子俊去，大包小包准备礼品，还要新妇陪着同往，说可以有个照应，有个帮手。光妹倒也不怯，本就很想见世面，这会儿能跟夫君外出，避开公公阴郁的眼光一阵，说不定还能野逸一番，正中她下怀。

光妹骑马，子俊走路，一个脚夫挑书和行装，三人就这么朝北，往洋埠方向去。

光妹说："你爷倒是大方，不怕女眷抛头露面，舍得我跟你出来，一路上让外人看。"

子俊回话："都民国了，外头大户人家女人出来做事的也不少了，怕什么抛头露面。"

"他不是做官的人吗？连个轿子都不派，不怕丢人现眼呀！"

"我倒愿意看你骑马，你骑马有后生的英俊呢！"

"我这是坐马，横着靠在马背上颠，你看得我跨着骑，奔跑到前头，把你甩在后面吗？"说着，光妹就骑正了，缰绳一勒，策马飞奔出去。急得子俊在后面一路猛追，一个趔趄一头就栽倒在水田里。光妹回头看见，笑到直不起腰，又旋风似的跑出去一里地，直到看不见人影。

再相见时，已经到上境，光妹在村口店铺买个麦馃吃得高兴，见子俊来了分半个给他吃。

子俊说："你个野人，看到得我手里不弄死你！"

"我在马上，你在马下，怎么到你手里？"

"夜里你总是我的马……"

"没羞！找个地洞钻走吧！亏你读书，半点斯文都没有。"

"读书为哪般斯文，现如今读书都不要斯文。斯文做个脸面，也去换吃喝，反正都为稻粱谋。"

"人穷一点，卖苦力换饭吃。哪有你不愁吃喝的，连脸面都要当出去。"

"你们家不愁吃喝，大人不知小人苦，饿你三天你就都明白了。你是大人家闺女嫁给我小人做新妇，你也要吃小人饭呢。"

光妹若有所思，吃完半个馃，又问店家要一个，说："我娘说了，嫁鸡随鸡，嫁狗随狗。如今我嫁你读书人，富贵是你的人，潦倒也是你的人。"

"所以你要收敛点大户人家的脾性，帮衬我勤读苦学，日后挣得一星半点功名也好让你风光。"

"要风光你去，我铁定心跟你，吃苦也情愿的。你用不着那么拼命，我又不逼你，随你怎样都好。这么好的春光，该是一起去九峰玩玩，或者干脆我们一起去杭州看西湖，人家说那是人间天堂呢。"

"就想玩啊玩，性子那么野。坐不下来读书也罢，文房里笔墨总要帮我打理吧。"

"好的，好的，都听你的。你情愿读书，我就陪你。只是不要辜负春光，外面是春天，你我也是春天啊。书里有春光，等我玩歇这边也会去的；只是风光那是假春光，被风光骗去了风情，倒真正没情趣白活了。"

"春光里再风光，有什么不好？"

"我倒是看你如何春光里添风光！你真要是偏爱风光，借得来风光亮春光，我也乐意陪你到头的。只我总觉得那是你爷的算计，把你心违拗了。"

"我比他更懂那是怎么回事。他老了，迂腐得很，不晓得外面的世界有多大。"

"你懂就好。我骑马跑不出百里地，你心里有马凭我一辈子追都追不上。还是你在前，我在后。"

吃完馃，夫妻俩又接着赶路。这回光妹在后，子俊在前，脚夫在一旁，直走到洋埠。

教务长三姨太的女儿四宝跟着一起来乡下。子俊为巴结教务长，就差光妹去凑近四宝。光妹起初不愿意，说跟着夫君来，本是与夫君形影相随的，为夫君解厌气，为夫君察冷暖，为夫君料理膳食床铺，怎就跟着这没来由的城里妮子消磨光阴呢。子俊便又搬出那套相夫帮夫的说法，说陪四宝玩高兴了，教务长定然器重他，就大有可能选中他去杭州读书，到时夫妻双双泛舟西湖畅游人间天堂。

教务长真的就很吃子俊这套，看四宝找到玩伴，立即便将子俊留在培训班，还派他做秘书，打理学生日常事务。

光妹带四宝去汤溪城吃点心，逛城隍庙，又去汤塘的中市、下市买土特产，两人看着也蛮投缘。只是这四宝跋扈惯了，玩着玩着就露出蹩脚相。她爱支使人，一会儿叫光妹给她递水，一会儿又差人跑腿，还过分地要别人替她试穿衣服，买东西的时候让人给她大包小包提这拎那，光妹大度，大凡遇着这样的情况便顺着她，几次下来，她吃惯便宜甜头，全当客气是福气了。像光妹这样的年轻姑娘，平日里任性，见着生人反倒比一般拘谨的孩子更重礼貌，四宝便利用这君子心，顺竿爬，一处比一处不像话。

夜里打麻将，拖着一个丫鬟，又叔婶的女儿，加上光妹，正好一桌。席间玩着还输不起，定要人家做局都让她一个人赢钱，稍有不如意便甩手扔牌，搞得所有人都要围着她哄她劝她。有一次她把别人的钱赢光了，又想出主意要赢首饰，赢穿戴，结果赢到光妹那对耳环上，光妹不干了，气呼呼扔下牌就跑回房里。子俊见光妹恼哭，也无计可施，又说一番忍耐做人的话来规劝，只马虎敷衍过去了事。

这一来，得罪了四宝。她生出坏心思要报复光妹。一日，又玩麻将。四宝撺掇玩脱衣裳，输一局脱一件，先是丫鬟输到脱得只剩肚兜，又堂姐输得只穿内衫，最后轮到光妹。光妹这次偏就不让她，跟她顶上了。坏就坏在赌气，一赌气，输赢便不好发作，只得任罚无怨。话说人家早预谋好的要害你，你再赌气也难以胜出。光妹想，输就脱，你们脱得我脱不得？非要玩到让四宝脱个精光。就这么玩到子夜，光妹也输得只剩肚兜。这倒也罢了，没想四宝搬来照相机，光妹从不曾见过这样稀奇东西，也并不在意，不知道四宝竟摆弄着将三人稀挂着薄衫玩麻将的情景拍下来，说要发表到杭州时尚生活的杂志给众人看。这下光妹惊呆了，眼泪扑簌簌直往下掉，罔然不知所措地枯坐着，任由她们讪笑。四宝说："你寻死去吧！谁叫我不痛快一时，我便让他不痛快一世。"

子俊也不吭声，不愿去跟教务长说，又想蒙混过关。这次光妹不打算原谅他了！她想过寻死，又想这便让四宝称心得手不值。她开始内省，人生第一次驻足沉思，儿时以来一切的欢愉明快顿消无影。她痛恨自己一肚子聪明用不到点子上，只晓得在欢喜她的人面前卖乖，一个大户人家的千金偏就输给城里混风月场的瘪三，输得精光光。她对子俊心寒，她对自己更心寒。她分得清自己心软并不是为人软弱，相反正是为人心高气傲才遭受挫折。想要宽待人家，觉得自己有的是本钱礼让他人，没想到这个世界上还真有人盯着你的礼让来，吃的就是你的礼让，用的就是你的礼让。子俊比四宝也好不到哪里去，他用光了夫妻间的情义！光妹这么想着，便决意回到她原初的起点，她想要重新做人。

第二天早上，天刚蒙蒙亮，光妹就去马厩牵出马，骑马直往娘家走。走到上境，不巧正碰到管彤的轿子。管彤出来雇长工，正在上境村口的点心店吃早饭，便拦住她，问原委。光妹说要回娘家，范家住不下去了。管彤猜出事大，不像跟儿子闹别扭，便死说活劝，命随行的人把她弄进轿子，一路就抬回后大。

到得后大，光妹把事情跟婆婆和泷姐说了，婆婆又把事情告诉管彤。这下管彤气炸了。他原本不派丫鬟，不出长工，专雇一个脚夫挑行李，去去人便走，就是为了让光妹吃点苦，好给夫妻造出点困蹇，收拢一下媳妇的娇饶。不想这竖子，放着自己老婆不用，反拱手端去给别人当丫鬟使。这下倒好，生出丑事来！他不怕别的，只怕万一张扬出去，那不堪的相片真的放到杂志上，他管彤一生的名节和一家的颜面尽皆毁光，还谈什么儿子的前程、家族的兴旺。但他怪不到光妹头上，他恨儿子图利不要大节，毫不顾惜身败名裂。他原本担心这个儿子犹疑迟误不比他精明，现在他知道这个儿子偏执极端，为达目的不择手段。他余话不多说，坐上轿子直往洋埠奔去。去洋埠找教务长求情，让四宝放过光妹。

教务长听说这事，并不吃惊，只笑笑说，小女倜傥不羁，弄着玩呢，不会有下文，他也万不答应得意门生的老婆赤条条上了杭州的杂志，这个颜面管彤先生丢不起，他也丢不起。这话一出，管彤的心，不仅左边摆平了，右边还放稳了。明显的，教务长喜欢子俊，上杭州大学的事看来十有八九有指望了。

光妹坚持要回娘家。

泷姐对她说："你回去了，谁陪我玩呢？爷娘家里，跟几个叔伯兄妹又不能说心事，还不是要回转来！你跟他们都不投机，难得有我这般知交，怎就舍得弃我而去呢？我这个弟弟看似有些呆的，果真也做出呆头的事。你向来是宽谅别人的人，也就饶过他这一次吧。他想功名想过头了，但凡得到了，又觉不稀奇，总要回心转意的。这件事要怪他，你何苦怪自己，回到娘家闷出病来可怎么好。你有想不通的，跟我说说也就好了。"

婆婆说："光妹啊，子俊太不懂事，实在比你还稚些呢。男人总是这样的，心长得比年岁慢。婆婆不是帮儿子说话，这件事他断没有道理的，让新娘子去给人家做垫脚，好生糊涂啊！我们小户人家能娶来你这样的千金，欢喜还来不及，按说他含在嘴里怕化了、捏在手里怕碎了才对，怎就笨得这么不开窍！都怪我们做爷娘的没有管教好，平日里不细心开导他，只以为他一意专心读书便好，何曾想到他连根本的情理都不晓得。你要是想不开，回去跟你爷娘说说也好，反正里外是子俊有错，让亲家来骂我们一场也无妨。要是这样能帮你出气，倒也干脆。只是婆婆又想，你性子刚，硬过头会折的，不好硬碰硬的，不如咽下去，将来生出韧性来才好软硬不怕。我们做女人的，对男人痴情，男人心里只想着做事便辜负这痴情，到头来渐渐地他知道你的好，也会有恩还报的。你想得太好了，不免错落，事情总不能自己长手脚来合上你的心，还要靠你慢慢去调拨，才会顺当。再说，情这个东西，麻烦大着呢，你以为专为它生死，结果它转身就骗了你。以后慢慢你会懂的。活一世不能没有情，也不能只为情。情是罪孽，无情便以为干净，实在是更大的罪孽。”

公公说：“子不教，父之过。好在教务长答应了，不会弄出丑闻。这事就这样过去了。子俊我不会放过他的，你放心，要罚他在祖宗面前跪三天，悔过思新，从今方能好好做人。我本想修你性子的，现在修到他头上，不修将来必要吞吃恶果的。你们年岁小，性子上都有欠缺的，你不要像他，闷头走到底，要栽跟斗的。一味朝东，有个泥潭；一味向西，还有个粪坑呢！”

子俊对她说：“好了，我欠你的，将来你再欠我一次吧。”

光妹于是不回娘家了，又安心住下来，只是与子俊分床，搬到泷姐屋里去住。她要重新认识这个男人，也要重新认识婚姻大事，想想怎么从头再来。第一步，她开始向婆婆学习裁缝，每日跟着婆婆挑选布匹，认料辨色，又针线尺牍，剪刀粉笔，样样钻研。她的心，渐渐静下来，嬉戏和梦幻的童年已然褪色，她的少女时代结束了。

管彤与儿子，一个是田卖得，房卖得，关起门来低头哈腰，走出门去便风光无限；另一个是，不是这样，便是那样，既你卖得，索性卖绝，光天化日之下也卖，卖出大价钱，不达目的不罢休。老子想，这样如何是好，没有颜面，买来的东西便不值钱，成了廉价货。但其实儿子真实不欺，掉过头来没准还重情，为情生，为情死，在所不惜。

刚过端午节，杭州方面就来通知，要子俊入学。家里给他收拾出两个箱子，一个装书，一个装衣裳器物，又封了三十块大洋，一起交付予他。那时公路依着官道刚刚修通，客车还少，价钱又贵，于是打算走水路，从龙游码头坐船，顺洋江过桐庐下钱塘。在铁路修通以前，恐怕光妹这一代人，是最后按照远古方式生活的人。这是万年妹方最后的一天，他们仍须靠着人力、畜力与外界交通，不是日子过得很慢，而是日子过得很深很细，每一天都够现在的人回味一年。所谓今天的一日千里，并没有值得夸耀的壮丽，那实在只抵当初的一分一毫，苗叶尖的露水，晨炊间的烟火星子，连一餐粥都没喝上，一个杏果的滋味都没尝到，就简略飘逝了。

公婆思忖这是一个修好的机会，便让光妹去送子俊。这次牵出三匹马，光妹、子俊、丫鬟，各骑一匹，又派出两个长工挑箱子，长工前天先走，到埠头上安排托运行李。

路上，光妹策马飞奔，子俊也不示弱，紧追不舍，直把丫鬟甩在后面。

子俊追上来，说："不要生气了，行吗？我会好生待你的。这次能去上洋学堂，也要归功于你。"

"我都被你打碎了，还期望你风光？你自去快活好了。"光妹回头，勒缰放慢了速度。

"我不在，你在家里要吃苦的。"

"吃什么苦？我倒快活！泷姐跟我嬉得来，婆婆比你好，公公现在也向着我呢。”

“倘要是再往后，我去了东洋，三年五载可是回不来的。”

“你死在外头最好，我改嫁。”

子俊突然停下，号啕哭起来，说：“你怎么这么狠心，说出这般狠心的话……”

光妹见不得眼泪，看他这副样子，也停下马，说：“一个大丈夫哭成这样，我怎么相信你会有出息呢！过来……过来！”

子俊下马，牵马慢慢走过来。光妹也从马上下来，两人将马拴好在路边的石柱上，坐到一棵老橡树下。

光妹说：“吹一会儿风，闻闻草叶的味道。我好久没有出门了，跟你娘成天学做衣裳。”

风吹来，将子俊的眼泪吹干了。光妹看着，不免心疼。又说：“空日我给你做一套棉袄，寄到杭州的学堂。”

“等我在学校弄得停当点，我便来接你去游西湖。”子俊撑开泪痕笑起来。

“不要去东洋了，好吗？读完杭州的大学堂就归来，你带我去杭州，再带我去上海。我听说上海才好玩呢，夜里电灯都不熄的。”

“东京更好玩呢，我去东洋读书可以接你去东京玩。”

“东京大，还是上海大？”

“这个我不知道。但凡那么多人要去那里，怕是一定比上海要好。”

“你还是不死心，总要风光，风光那么好，比我好得多，你去讨风光做老婆吧！”

“哎呀，我去去就回来的。你耐着点性子，等等我不行吗？等我回头来找你，总要回来的。”

“就怕等不到那天，我就走了。”

听这话，子俊又哭起来。他凄惶惶独自走去解缰绳，牵着马就往路上去。光妹也跟过去，并不说话，只跟在后面。那时子俊真的还小，不懂得哄女人；那时光妹也真的还小，不知道一生的时间很长，甚至太长。他们就这样走过一段，连龙游城还没走到，光妹就又掉过马头回转去了。

七月半刚刚过，某天黄昏时分，兰圃巷的孙婆急急走来管彤家，进院便大呼小叫，说："管彤夫人，不得了了，子俊娘子在霁青亭里跟'玉林班'的小生吃花酒呢！从未时一直吃到现在，还抱在一处做戏，热络亲昵得难舍难分。我吃过点心，正从山口殿弟媳家往回赶，想走苇子则巷那条近路，不巧让我远远看见。"

管彤本在里屋，听见院子里生人在说话，便踱步出来。

孙婆见管彤，又说："管彤老爷，你去管管新妇吧。这样下去门风全被她败光，乡风也要被带歪的。我掂量着不声张好，这才先过来告诉你们知道。"

"你看分明了吗？"胡氏问，"我家新妇和泷莹可是说好了去前夏看夏老爷的，怎就在霁青亭里呢？你远远看见，不会看错人吧。"

"眉分发立地，看得一清二楚！从山口殿走苇子则巷要过橘子园，园侧不就是霁青亭吗？我又走近去端详，走近了还听见唱戏文呢！一个承头在那里张罗，小武旦操琴，你家新妇跟小生一唱一和，戏做到兴致处两人还倚靠推搡呢。泷姐在一旁咯咯笑不停，一杯接一杯喝酒，石桌上摆着香果花生，鸡鸭鱼鳖，还开了两坛绍兴酒，估摸着是花炮巷酒肆送来的。我在亭外木牌坊的断柱后躲着看，看了足足有一袋烟工夫。哎呀呀，太臊人了！"

"你喉咙比叫板的还响，不去声张，就这么说来，街坊邻居都也已经听见了。"管彤说，"莫不是来讨点碎银子堵口吧。"

"管彤老爷，你这是好心当作驴肝肺，我这么急急跑来，一刻也不歇，为的是报给你听，好叫你快去把人领回来，免得往下生出不堪。”孙婆说道，“这便好，还得罪你了。也罢，也罢，你不操心里子烂掉，就看你怎样本事大，让面子不坏吧。”说罢悻悻然走出院子。

胡氏说：“你何必得罪她，她要点银子给她就是了，免得真去碎嘴嚼舌的。”

“真的有这样事，你还堵得住这恶婆娘的嘴？里子既坏掉，哪里保全得住面子？没有面子的里子不值钱，没有里子的面子没价钱。我看，事情闹到这个地步，干脆休掉她算了！”

管彤果然要休掉夏光妹。夏光妹说，休便休，事情是她弄出来的，一人做事一人当。泷姐便不乐意了，不得已将实情一一俱告爹娘。

泷姐说：“昨天在祠堂亭榭那边看《肉龙头》，我见‘玉林班’的小生涟秋长得俊，就差丫鬟递帖子到后台，约好今天午后在霁青亭相会。只图找个后生说说话，嬉一阵，并没有非分之想，便扯着光妹一起去。涟秋也害羞，带着承头和武旦一起来。大家喝几盏酒，做个朋友，也算饯行。席间喝到高兴处，拿出一折段子玩一玩，光妹机敏，看过戏就会唱，也学得来做，便上去配个搭档，哪里有什么搂搂抱抱，只是敷衍戏中故事，摆对假夫妻的扮相罢了。都是我闲不住，招来的这事，怪不得光妹。”

“不是说去光妹娘家的吗？”婆婆问。

“那是编的谎，想着瞒过你们。吃吃午饭，我们两人牵马就出去了，先往前夏路上走，又绕道折回到霁青亭。那个亭子平日少有人去，定好在那里，原想避人耳目。”

管彤说休便休，当晚写下一本休书。胡氏阻拦，说这般事情弄大了，不好向亲家交代，再说光妹对泷莹好，成全泷莹那点轻率欢喜的劲头，也没有大错。

管彤说："我们晓得原委，邻里街坊谁道是还会与你辨析长短是非！这等丑事出来，倘要是女儿休得，我连女儿也休了。你当我是要面子吗？我是面子里子都想要。现如今，你儿子进了洋学堂，下个月就要去东洋留学，按以前的说法，这也便是中举了。我管彤家出了洋举人，还怕日后不能光宗耀祖？文圭家那点用处，我们用到了，也用尽了，趁着这事把他女儿休回去，他断无话说。我看光妹和子俊也终究合不到一处来，将来日子过久了必要生出大是非，不如长痛换作短痛，先此一刀斩绝。这囡贪玩性野，娘家疏于管束，娇纵惯了，予到我手里，想让我调教，我不出这费力本钱。空日子俊从东洋学成归来，全县全乡，什么样的门第不赶着来提亲？还怕娶不进好新妇？这桩买卖到头了。我丢不起人，但我丢已丢人，反倒柳暗花明。旧的不去，新的不来。这是老天给我管彤的良机，我把牢了，后面自会腾达。反正外面作予光妹不贞，女儿便作予懵懂无知。"

胡氏说："你这便毁了人家，没良心的举措，要遭报应。我万不能答应！"

"你不答应，逼迫我再写一封休书吗？"管彤发狠地说。

第二天早起，光妹也不见人，收拾几样东西，便径自往前夏方向去。路上，只见塘堰里莲蓬生出锈色，几张大的荷叶已经焦黄干萎，想来时桃红夭夭，百鸟啾哗，眼下换了蛙鸣蝉噪，老气横秋，不免悲从中来。路亭里空空荡荡，像有回声四起，娘的话从门洞里飘过来，再也飘转不回去。"你要学会高兴呢！一直高兴，一直高兴，便是了。"事到如今，怎么高兴得起来。人想高兴，就高兴得起来吗？这硬要高兴，比不高兴还要苦痛几倍。爷晓得了，真会气死罢！光妹想，现在只有娘会帮她。她还是回去吧，认输无悔，大不了回到娘胎里，再生出一次。万事不怨别人，只要娘愿意让她再生一次，她一定要学会高兴的道理，像娘一样，像娘的娘一样，一直千万年高兴下来；倘每个囡都走到她这个地步，天下还会有夫妻吗？天下还会有圆满吗？一定是自己错了，错在哪里还不晓得。老天爷啊，老天爷在哪里呢？不是说老天爷会保佑她的吗？这时光妹长大一点了，但她还不知道，这样的事也是老天爷安排好的，只是她渐渐感觉到，有一种力量在引领她回家。

她前脚跨进家门，后脚就来人把休书送到。丰奂英只说了一句话："我知道你要回来的。"文圭先生倒没有气死，听完事情的来龙去脉后说："女儿被休回来，做老子的蒙羞。只是你仗义救人的名节，不惜毁掉自己的脸面，做爷的倒要赞赏你。你的的确确是我的女儿！孟夫子说舍生取义，大家只以为生便是性命，殊不知世道将名节置于性命之上，按世道的义理，牺牲名节比牺牲性命要难得多。你既要这份情义，便只好去尝尝名节的厉害。倘真的不要名节，再来说生和义的取舍。生和义才是真文章呢！你不读书，就去读人世吧！"

子俊回到汤溪，来前夏村见丈人，欲讨回休书。文圭先生对他说："这个，你是讨不回去的。下便下，讨便讨，形同儿戏么？即便你老子来讨，我也是不会给他的。按世理，光妹在你们家闹出这等事体，休她并不为过。但头上三尺有神明，按天道，谁之过就不好说了。娶是天意，休也是天意。我难道要随着人意的摆布，跟你们父子去理论是非么？你要迎回去，你爷要休回来，我还有我的一个意思，光妹更有她自己的主张，究竟哪个是对的？怕是最后总以势力说事，各自挂在嘴上的理究竟不过是粉饰。我不打算进入这个圈套，既不为成全你爷的买卖，也不想遂了你的心愿。倒是你们夫妻一场，无情也有恩义，你们自行了断吧！"

于是叫出光妹，让她见见子俊。

爷娘退下，厅堂里只剩子俊和光妹。

子俊说："我说过，我欠你的，你也欠我一次。这下我们扯平了。爷要休你，自让他休去。你跟我去东京，我们脱离这个家庭，现在许多夫妻都是这么做的。这样的旧家庭要它做甚，我们也结自由婚姻，远走高飞。我知道我错待你，将来会对你好的。如果你答应，我们今天就走。"

风从外边吹进来，凌乱地左右流窜。初秋的风，是没有方向的，不知从何而来，仿佛只为播送凉意。门外农夫从田埂上走过，远处寒山生出冷云，渐渐包裹起人事的惆怅。两个年轻人在秋霜来袭之前，就这么端坐着，中间隔开的千重山水，比外面妹方的土地还要远阔。

光妹说："我是不会跟你去的。我将路走到这一步，还要自己走下去的。你本是欠我的，我并没有欠你，也没有欠你家，我只做了我想做也应该做的事情。你若是觉得我这么做反倒亏欠了，你心里头自然没有情分。说什么自由婚姻，我权当荒唐话听听。你一时兴头上，摆不稳轻重，将来走出去，功名啊，生计啊，都还会牵着你回头。跟着你犹犹豫豫，进退两难，还不如干脆绝了。我不是藕断丝连的人，也不会再吃回头草，今天跟你说罢，日后便再不会见你。我做出这事，既为泷姐，也为你家，直只为你，本想见着你指望你懂我，你竟也以为我欠了你。爷给我找到新的人家，八月半就要过门，你来告诉我你的心思也好，这便索性断掉我的挂念，好轻轻松松从头来过。我们夫妻缘尽，各奔前程吧。"

第二章　冷溪长似万丈剑

秋天，橡树的叶子和枫树的叶子带着太阳光的颜色离开树枝，点点散落在水面上，成汤溪从幽深的峡谷一路流淌下来，浅处赤黄，深处碧绿，起浪处泛白，在瑰玮的颜色中传送两岸村落的气息。然而，这番明丽的底部却是冰寒彻骨的犀利。溪水冷得直钻骨髓，赤足从此岸过到彼岸，竟要经历整整一个季节。

母亲已经蹚水过去了，儿子还站在对岸，几次探足试水，都又惊吓地缩回来。他才四岁，哭声嫩得比鸟声还细。他悲恐交加地立在那里，叫娘不要走，又说水太急了，要淹死人的；不小心滑到水里，差点被水带走，好不容易爬上来，母亲已经走远。他急得不知所措，又吓得心惊肉跳，可是急和吓都抵不过伤心不断涌来。他分不清到底是水在流还是眼泪在流，他想他下水要被水淹死，上岸也要被眼泪淹死，他或者已经死掉了。

可是，娘走了，头也不回地走了。

这是民国二十三年1934年阴历九月，王村东口。夏光妹抛下儿子刘瑞明，涉水过到成汤溪东，走汤溪向后大的路回娘家去了。她决绝地离开刘家，发毒誓此生再不回来。儿子在身后喊，又落水了，又哭干眼泪哭哑嗓子，她将这一切作为自己的心留在滩头，扑通通地在砾石上滚，任风吹日晒，干掉，死掉。即便心死了，也不回头，走定这条伤透心的路，伤透自己的心，以后再也不会伤心了，这样还不行吗？哀莫大于心死！

五年前八月半，她快到十七岁的时候嫁到王村。丈夫叫刘举平，是庄上王姓大户家的佃户，光绪二十八年1902年生人，属虎，成婚那年二十八岁。刘举平有个外号，叫萨瓦。萨瓦，在汤溪话里的意思，是“寻魂”，即找死。刘萨瓦家没有房子，租村中铁匠铺的一间破作坊住。父亲早就死了，母亲驼背，眼睛半瞎。这样的佃户人家，一般讨不起老婆，大凡长工佃户家的女儿更不愿意嫁过去，做做吃吃还交不满租，娶妻生子简直就是奢望。正好光妹出了那等事，媒婆来说，萨瓦娘想都不想就应承了。光妹长得聪慧秀气，照说即便摊上乡里人认为伤风败俗的事，续嫁有钱人家做妾也不成问题。只是夏玉书了解女儿的性情，想贱嫁到大户人家又要闹出事情，不如下嫁穷户还留得几分贵气，凭她折腾翻覆，估计也捅不破天。嫁过去的时候，夏家给了五百块大洋，六头壮牛，还有三车嫁妆。夏玉书对光妹说：“这等资财嫁过去，你跟丈夫也不潦倒。五十元置一亩良田，五百块可以买到十亩。他也不必租佃卖苦力给东家了，如此往后你们自耕自种，亦可自给自足。你自己做出来的好事，自己担当。爷不觉得你有什么错，爷也没有多少力气买得下更多的义举。你且去掂量里外轻重吧，人活着不是自己能主张的，偏不这样，非要那样，事体没有那么简单的。”

事体果真没有那么简单的。按说萨瓦得了丰厚的嫁妆，置办些好的水田，一味勤耕勤种，不算地主，也不亚于富农了。可他佃户做惯了，便自有他一套经济。晚清以来，江南盛行永佃制，即地主将田地永久地租给佃户，这样地权便分为两处。地主拥有所有权，所谓田骨；佃户拥有使用权，叫作田皮。有田皮的，倘好吃懒做，拖欠田租，地主往往也没有办法，既收不回田皮，也收不满租子，告到官那里，官只看你交不交，并管不得你欠不欠。当时江南地租平均每亩一石，折合大洋十块左右。一亩地产粮约四五石，交出一石，留下三石，够一人吃一年。租三亩地，可得十二三石，交出零头，还剩小十石有余。这些所得，一家人够吃。懒做少耕，三亩亦有十石余，半欠半予，多留少交，给出一石半租子，自己尚余八九石吃。于是，刁蛮的佃户便有隙可钻，做点吃吃，又多少匀出点敷衍一下了事。刘萨瓦就是这样的人，打牌，赌博，喝酒，看斗牛，一身力气分到田里的还不到一半。好在东家并无后台，政府里没有做官的亲戚朋友，又拉不起家丁团勇，着实毫无主张去治理这些耍无赖的佃农，萨瓦便乐得穷逍遥一生。又田皮可以再租出去，做二东家，盘算灵活的话，常好过一东家。于是，萨瓦便不打算置地，一来自己懒得做，二来置地做东家田皮让给人家赚钱不划算，再说官府派税，直派到有田骨的一方，有省税、县税、附加税、浚淞费、筑路费、公安费、普教亩捐、地方辅助亩捐、保安团经费和农业改良亩捐，名目繁多，大致每亩须交四块大洋还多一点，假使五百块钱买十亩地，空地不种，一年白白的就要交四十多块银洋，这等麻烦，何苦自找！可见，有时这般做佃户的，倒比地主更知道做地主的苦。这么来回合计，萨瓦决定先退掉原先的田皮，再租几间干净的砖房，将现钱花起来再说。日后用光钱也不愁缺，有这么个大户丈人垫底，向他再讨要，反正女儿在手里，还怕老子不给！这就叫作，既获厚利，复作非为。

萨瓦收拾好新房子，便带着叔伯和一行兄弟到前夏村接新娘子。光妹坐一顶暖轿，由两人抬着，萨瓦骑着从东家那里借来的马，走在前头，尾随一班锣鼓笙笛，吹吹打打，好不热闹。来到王村东口，要过大溪，萨瓦下马，拉开轿帘，说："新娘子，过得大溪，前面就到家了。你坐稳当了，不要跌下来。”说罢便去揭盖头看新娘子。一道白光扫过萨瓦那张黑脸，女人鲜白的肤色吓愣了男人。一头煤黑挡住外面的太阳光，光妹瞥见一张四五十岁的老脸，脸上布满刀刻的皱纹，铁一样硬戗，还没凑近就磕撞人。光妹心想，这便是她的男人了，看她一眼就弄疼了她，心里顿时生出十分不满意。顷刻时隙，闪电一般，上帝轻掀帘角，让人间和地狱在此匆忙一会。

拜完天地，又拜婆婆。婆婆打断行礼，叫光妹到跟前，一把扯开光妹的衣襟，伸手就往胸上捏，剪子一样地铦利，又凑近从头闻到少腹，说：“奶还肥硬，没有奶水味，该是没有生过仔子，牝里没有狐骚臭，倒有酒气，身子也酒水么的，舀一碗出来喝得么的。”说着真的伸出舌头舔自己的手，“儿子休要吃吃酒醉罢，忘记娘。”

接下来众人吃酒席，大油锅炸皮肉似的，噼里啪啦，喧声不歇。光妹坐在里屋床沿，再没有泷姐来，也没有丫鬟端来炒猪肝，她竟一直饿着，直端坐到筵席散去。她想起自己说过的话，“谁又先做过新妇才又来做人新妇的”，这下真是做过新妇又来做人新妇。外面客人纵情饕餮，杯盘供着笑语，灯火燃灼着闲话。

“萨瓦艳福不浅，女人二八刚过，嫩囡身子，看怎样紧坏你！”

“萨瓦萨瓦，这下寻魂寻到死，做过新妇的女人要得急，铁夹子夹断你的根。”

“二手货看来也不坏，大户女人多，玩不过来，蜻蜓点水么的，每个只摸一遍就闲放在一边，弄不好还是雏，你准备条白巾子夜里见红吧。”

“你望她月兔般的，着实一点肥肉呢！母豹子肉鲜，屎尿端的比公的臊！”

“这等好事怎摊到你头上？那媒婆兴许进我家门也说不定，偏就懒走几步停在你门口。这一来倒好，每日有吃不尽的酒，供窑姐的钱省下了吧。”

“萨瓦个铁杵头！上年在金华，那窑姐直由他弄得都满床撒尿，味得都哭出来。这下看你怎么养花护草呢，空日新娘子被你弄死也不定。你个二十几的后生，望着像她爷，爷嬉囡，她在帐子里不停叫你爷叔，‘爷叔，爷叔，轻点弄，床塌了压死你娘。’”

“二手的就是二手的，人家男人精血还留在里头，碰上你的精血，非要打起来不可。郎中说过的，要生妒精疮的。”

“会不会她肚里带着别人的种过来的？来年生下的崽不是你的。”

“歇罢，歇罢，你们这些人不要胡说了。我们这等人，锄头柄再长，也没人握没人捏，萨瓦眼前只愁捏断了可怎么好，人家现在是饱汉已经不知兄弟饿汉肚饥了！”

“……”

“……”

这些话是光妹从未曾听见过的，她不解，同样是男人，穷户家的穷得少吃穿，竟也穷得没有门面和斯文吗？听到窑姐那一段，她真想把耳朵捂住，在村东口第一眼见着男人的时候，已经十分不满意，这下简直就讨厌透顶了。怎么嫁到这样一户人家来！爷莫非不知道这些恶鬼的嘴脸？或者爷偏要让她尝点苦头？可这还叫作苦头吗？这简直就是人间地狱啊！难道这就是她舍名节求情义要承担的吗？老天爷是不要她这么做，还是告诉她情义贵得在这个世界上根本买不起？光妹全然陷入空茫，已然不知所措，只下定决心不让这个男人碰她。

快到三更时分，萨瓦醉醺醺踉跄地进屋，看见光妹还坐着，便说：“我盛点菜来给你吃，有肉有鱼的，烧酒席的师傅做几样菜正式不疲呢。”光妹说不吃。萨瓦又说：“不吃不行的。女人不吃饱，没有气力，一会儿在床上不会丢的。”

“你不要碰我！我不会跟你睡的。”光妹冷冷地说。

“我晓得你看不起我的。看不起也不要紧，心不情愿，到时候肉痒了心是管不住的。回头慢慢生米会做成熟饭的，我不急。你借我一只脚便好，我腿中间夹一夹，就把事做了。”

“你不要过来，你碰我，我就撞头，撞死算数。”光妹说话声音很轻，但萨瓦感觉到杀气，心头一震，便当时打消了念头。

他吹灭灯，从床边抓起一件女人的外衫，急急跑到墙根，用外衫裹着下体，背对着光妹开始自慰。到得高处，从喉底发出猪被捆绑时的叫声，呼噜地喘息，又尖利地啸鸣，也不顾他娘听见。

完事后，萨瓦用几条板凳搭一个铺位，倒头睡去。

次日，婆婆早早起来，生火做完粥，端几样旧菜放在堂屋桌上，夹出一碗酸豇豆，草草吃了，就摸索着往里金乌去。从王村往西，过上境，再往西南，大约晌午时分才到。里金乌有神婆，是萨瓦娘的表亲，能画符祝咒。婆婆讨来朱墨黄纸，又一张方子：龙骨、远志、官桂、紫稍花、母丁香、石榴皮、淫羊藿各一两，研末为散，每用二三分，吹药入鼻，即可受情欢美，四肢困懈。并一首祝咒，曰：“炜炜煌煌，天有九柱，地有九梁。北斗七星，为我除殃。青龙在上，白虎在下。青龙生精，白虎泣血。神交梦合，云雨不绝，生子不择日。急急如律令。”吩咐男子唱咒于日中，每月丙寅面东念三十遍。另求生男有一法，置薄刀于枕下，斩公鸡头一枚悬于床底，沥鸡血于庭中不可扫洒，此法每试必验。

天将近黑，婆婆回到王村家中，将诸法一一俱告萨瓦。萨瓦择日午时念咒，又焚化黄纸符箓，取灰融于酒中，对光妹说，先便吃碗酒，吃吃送她回娘家探亲。光妹便仰头一饮而尽，不想灰酒奏效甚速，不多时人顿觉头晕目眩，臊渴之意从丹田直冲咽喉，下体奇痒难忍。萨瓦顺势抱女人进屋，于床帷间大战不歇，直弄到黄昏掌灯。此后，每日如法炮制，女人丢魂似的，不知身处何方，半知半觉地与萨瓦厮磨，竟不十分清楚男人是谁。如此半月下来，女人胡吃胡睡，阴精大丢，几未下得床来，被弄得半死。

初冬，光妹有了身孕，次年仲秋刚过，便产下一子，文圭先生给取名唤瑞明。这就是夏光妹的头生子。当年民国十九年1930年。

光妹对萨瓦说："儿子生下来了，是你刘家的。你这样逼迫着做夫妻，强扭的瓜，断是不甜。我如今早已心死，就睡在这床上不下来，死活任由你摆布。"

萨瓦说："你不劳不作，家务女工也无须搭手，每日里自有娘生火造饭，你乐得张口闲吃，莫非不快活？女人便做男人的一团肉，养得肥肥嫩嫩的，我用得，儿子也用得，天长地久的，怎就不圆满？瑞明刚过满月，丈人又差人送来一百块大洋，我们衣食不愁，总有来源不断，日子过得胜似神仙。"

"你称心如意，未知我心如死灰。"

"生米毕竟做成熟饭，还回得去水田里当稻谷？儿子是你身上掉下的肉，痒了痛了都牵扯你的心。"

"你好狠毒的人！这下我欢喜也不是，发狠也不是，生不得生，死不能死，跟圈棚里的牲畜有什么两样！"

"虎毒不食子。猪娘你动它的崽也要与你拼命。看在小囡的份上，你也多少可怜我一点。"

"身子也依了你，汉子也不偷，娘家的钱也凭你使到现在，你也不种不收，游手好闲，坐享其成，我从你手里硬是什么也得不到。"

"房中枕席上我也没有亏待你，娘看不惯你我也没有少帮衬你，你这个女人怎就不知餍足呢！"

"你索性死掉好！"

"我死掉，你拖着小囡也不好改嫁，二婚头还盼望做三婚头吗？"

"小囡给你娘，我拍拍屁股走人，还不能回去做老姑娘？"

"你这么狠心，逼我将耐心用尽，空日没有好结果的。"

孩子大一点，二三岁的时候，出落得精致伶俐，牙牙学语间讨喜洽意，与父母亲投契有缘，光妹和萨瓦便十分疼爱他。

光妹领着瑞明回娘家住，外公外婆也喜欢这个小孩，在一起倒也有天伦之乐。文圭先生说："萨瓦光绪二十八年生，壬寅虎，光妹民国二年生，癸丑牛。寅虎属木，丑牛属土，木克土，他自是压着你。不过你的性子让男人压一压也不妨，修一修或有所得。只是小囡属马，并不十分好。他爷和他，马逢虎借势，你和他，做牛做马，合在一起命苦。"

光妹在娘家住三天，萨瓦便熬不住，急急追来。文圭先生对他说："你们夫妻，如今也有了小囡，一直吃现成饭，不务正业，终究不能长久。我再借贷你些钱，去谋个营生，大小生意随便做点，空日积得点家底，也好子承父业。"萨瓦一听又有钱得，便满口应承，一脸堆笑。

萨瓦袋里装着银圆，带着母子回转王村。如今有个孩子依人不离，两人倒也渐渐融洽，真实做起了夫妻。路旁田里耕种的农夫，放眼望去但只见一头猛虎领着母牛和马驹在路上走。赤虎，褐牛与白马。虎在前，牛马在后。虎走走停停，盘桓张望，牛护着马驹，舐犊缱绻。萨瓦这次真心盘算着想做点什么，只苦于没有手艺，也不懂经营，正没有头绪。忽见前方两头公牛奔来，一弱一强，强的穷追不舍，直逼得弱的靠在一处断墙边嚎叫。萨瓦顿生一计，说："瑞明娘，我看牛相操是个不错的生计。"

牛相操，即斗牛。妹人自古以斗牛娱神。农闲时间，设旌门于旷地，令公牛自两相旌门出，牛披红挂彩以相斗，胜者为王，价值千金，败者宰杀，做牺牲供于祭台。所用斗牛，须选颈短、峰高、臀短小，生性凶悍的黄牯牛。牛主教以斗法，训练有素，使之善斗；又饲以肥草豆麦诸等精粮，角斗前喂以鸡子、甘醪、参汤壮其体力；热天有牧童打扇驱暑，或挂设蚊帐以避蚊蝇。训成者，谓

"黄双牙""乌龙挂""英雄挂""铁榔头"。每年稻秧插竣开角，至次年春耕前封角，岁中每隔十天半月一次。相斗时，有护牛士领牛入场，场中有人先鸣号炮，牛对视而怒，牴牾冲突，随之锣鼓唢呐喧天，观者起哄唏嘘，助威壮势，令两牛撞、挂、顶、抽、落头，待交织难解时，有拆手上前分开，此为一局。几局下来，分出胜负。有诗云："败者奔逃胜者追，千家哗笑一家哭。"胜者身价百倍，牛主大宴亲朋，席间可讨价还价，转让售出。待交易时，仪式隆重，颇似结亲，买卖双方互称"牛亲家"，称卖方牛主为"牛大舅"。

萨瓦合计，买进一头有底子的黄牯牛，大概三十块大洋，一年调养训练，雇用牧童训师，再用去两百块，其间又一些里里外外的支出算五十块，统共二百八十至三百块左右，若胜出至少可卖五百块至一千块。塘雅乡曾有常胜牛名"壁山"，屡斗屡胜，名震各县，身价一万块。倘他的牛也成为名牛，那一辈子就不愁吃穿了。

这么想去，他决意做斗牛的生意。

他买来一头牛，取名格力，意思是格杀有力。格力头大如磐，角犀利，身子短粗，性情暴躁，其尾如链，扑甩似剑，曾抽倒一棵香樟树。只是这牛嗜酒无度，不给吃便怒号不止，有时还撞坏牛栏。吃足了，便起牛性，两眼发红，猛奔不已。奔出去几圈，一看到白色的东西便掉头，性子猛地温顺下来，似生怯意。萨瓦满打满算，也没算到格力嗜酒这一本账。它每喝必须一大坛，这样一年下来，酒都给它喝掉七八十块大洋。这就统共花掉三百八十块有余。丈人借贷给他五百块整，买牛训牛，加上家里日常开销，到年终居然多支出一百。为此，他发狠要博一记，开春要赚回来。

插完秧又过半旬，农人看见金华道上走来一只猛虎，尾随一头母牛和一匹小马驹，又有一头凶神恶煞的公牛走在最后，公牛披红戴绿，一副踌躇满志的样子。

到得金华斗牛场，号炮一响，格力杀入旷地，满场狂奔，十二三局下来，四头壮牛被它撞得血肉模糊。最后一场，兰溪人牵来一头红牛，浑身赤光，不见一丝杂色。格力冲上去，红牛并不还击，只站在原地不动。格力冲杀数次，难撼红牛半点，常只牴牾难分，四角交缠，拆手便去解开。萨瓦嫌拆手拆解得太频繁，两牛角力尚未试出强弱便分开，不利比出高低。于是，自行下去做拆手。果不其然，稍微慢一些拆开，格力便占了优势，红牛顶不过，便撒腿逃跑。格力在后面紧追，直追到场边一个豁口，没想到豁口处堆着一座石灰小山，白晃晃的，格力一见便腿软，低头温顺下来。红牛趁势反转头过来攻击格力，格力败退。又起一局，格力再次用角顶住红牛，萨瓦不上去拆解，走到豁口处用身子遮住石灰，想阻挡格力的视线。红牛吃不住格力顶撞，又撒腿逃跑。场中观者有人惊呼："看！老虎！有只老虎站在那边。"顿时，百千人的目光向豁口看去，只见一只猛虎躬曲身子，怒目圆睁，威立一侧。不想，格力追至豁口，见到虎身通体火赤，牛性又起百倍，忽然改变路线，一头就往老虎身上冲去。利角刺入老虎的脖颈，虎的整个身子被格力顶起，又被旋转甩出去，倒在场中，立时毙命。有母牛和马驹从人群中下来，围在死虎身边。马驹四腿下跪，用舌头为死虎舔舐伤口。母牛立在一边，有人看见它眼睛里流出了泪水。

刘家无地，东家拿出祖宗坟地的西侧外围给他们用。萨瓦的爷也葬在那里。

落葬那天，风水先生说，原先萨瓦的爷那座坟，乾位有洼地，常有积水，所以当家男子必早死，留下孤儿寡母，如今事已至此，不填也罢；新造这座坟，应朝向东南，东南有大山，必主家中儿孙出文武贵人。萨瓦娘担心儿子死后，媳妇要强出头，便要求风水先生想点办法，用阴土压住媳妇。先生讲，坤位主女子，在那里挖一条沟，埋媳妇的贴身衣服或头发在地下，可有震慑的威力。婆婆暗记在心，做头七的第三天夜里偷来光妹的衣服，并趁光妹熟睡之际剪几绺头发，一并拿来埋葬。

做五七头一天夜里，要在庭中搭台子，台子上要放死者衣物，上面罩一把雨伞。此夜死者在阴间登上望乡台，瞭望阳间家室，睹见自己熟悉的东西，就会回来一次，做最后的告别。萨瓦娘当夜叫来叔伯，做几样菜放在台子边，又设酒点烛，嘴里喊着："萨瓦，萨瓦，回来吧！你女人抛下我们要走了，还要带走你的囡。你回家管束管束她吧！"光妹听着憋气，也不好说什么，任由婆婆一路念叨，把祭告做完。

家人早就谋划好了，借着五七要整治光妹。

婆婆对光妹说："往后有两条路走。叔伯无妻，你或者改嫁叔伯，替我儿再生一男半女。不情愿，也不打紧，你回转去娘家向你爷讨点钱财来，帮衬我这两个儿子讨转新妇进门，你好安心守寡，与瑞明在一处过活，我也不再打搅你。"

光妹说："改嫁叔伯，断无道理；回娘家讨钱给叔伯娶亲，这便是敲诈。"

婆婆发狠说："两条活路摆在你面前，你都不走，休怪我今天给你一条死路走走！"言罢，伸手用力，一把扯开光妹的衣襟，光出大半个上身，又唤叔伯动手，将其捆绑在条凳上，四肢缠紧，嘴里塞进一块布，喊叫不得。婆婆取来一把荆条，剥尽衣衫，裸出女人的身条，一边抽打一边说："这番你尝尝滋味，也让叔伯看看你的屁股。没羞臊的女人，没日没夜在床上不起来，让男人翻覆着戏弄，哪个还睡不得你！你们兄弟都过来，不要缩手缩脚的，这里那里都摸一遍，捏一通，都是我的崽子，萨瓦嬉得，叔伯怎就耍不得？今夜过了，便再无半点傲气，空日想困她便困她，一女侍二夫！她这样子，油汪汪的，好猪娘呢，会生囡呢！"

叔伯并不敢太放肆，听娘说出这等话语，心里也打寒噤，怕弄出人命不好收拾。

“今夜叫你过不去，你明朝逃回去，也不妨。你想要改嫁别家，我也拦不住你，脚长在你身体上，你总是休想把瑞明带走！”婆婆交出底，说完便罢手不再抽打。

光妹被疼醒了，见天光放亮，儿子已不在身边。她强撑着起来，走到堂屋，听见柴房传来人声，是儿子与婆婆在那里讲话。

婆婆说：“我晓得你不喜欢嬷，喜欢你娘。嬷那么老，眼睛还瞎了，人站不直走路，嬷吓坏你了吧。这么丑怪的嬷，人都弃呢，扔在东司里都没有人要。嬷凶吗？嬷对你娘凶，对你不凶，你要吃嬷的肉嬷都割给你吃。嬷的肉太老了，你不会要吃的。空日嬷死了，你会把我忘记吧？你还是忘记我好！嬷不是人，是个妖怪。嬷烧火做一餐饭，放四个鸡子在粥里，一间（一会儿）你吃两个，你娘吃两个，吃吃她便要走的。她今日走了，便再不回来。你娘对你也好，哪个娘会不要自己的囡。她也是无路走，嬷也是无路走。嬷也是一个娘啊，嬷是你叔伯的娘，空日也是你的娘。空日只好嬷做你的娘，你不要嫌弃我啊！”

光妹吃过两个鸡子，把壳剥得很碎，恨不得将碎壳也吃了。她进里屋收拾两件衣服，提着包袱出来，头也不回地走了。婆婆操起一根柴火棍，在桌子上猛敲，突然大喊：“死罢，死罢，通统死罢！”瑞明急急追出去，看娘已经走出很远。婆婆也跟出来，叫上小叔子，让他赶去盯紧瑞明。

光妹连奔带跑地往前，晓得儿子已经在后面跟来。儿子追得越急，她跑得越快，直走到大溪旁，才停下脚步。瑞明追上来，哭着喊着，说：“娘啊，你带我走，我要跟你一起去外公家，我不要嬷，我怕嬷。”光妹挽起裤腿，一脚跨进溪里，回头只说一句话：“归去，你非跟来，你恨死你娘便好！”

春天，老嬷带着小马驹到湖边的沼泽地。候鸟纷纷北去，从他们的头顶飞过。老嬷捡拾野鸭蛋，放在她兜起的围裙里。木制的码头上，木板和桩子干缩了又胀大，随着季节水分的多少而变形。远处捕鱼的渔翁看似墨点，船身也是黑的，鸬鹚从水里叼来的鱼却发白，尤为显眼。云有时降得很低，与马驹混在一起难以分辨。老嬷看不清，一把摸过去，抓了一个空，马驹从她的身后探出头，发出喘气声。草的颜色还太嫩，在草尖与水珠融合，生出烟雾，老嬷和马驹走过又折回来，仿佛腾空穿梭在天上。

夏天，老嬷坐在丘陵高处的红岩上，马驹立在一旁。他们看茶树一片一片，在凉风推送中向低处倾斜，远远地，直到洼底。彩虹从他们头顶生出，一直跨越到龙游那边。彤红的光渐次掠过，将时间的流逝显现在景色里。茂盛狂野的草木从古墙的砖缝里穿出来，带着潮气和野果的芬芳蔓延到路上，世界像一枚破了的巨大果子泄露着元气。老嬷带着一团云从这气息中走过，云和人的滋味越来越甜。

秋天，阴雨阻挡住他们的行程，他们在古道旁的旧亭子里歇息。雨帘重重，滴水穿石，也穿透人心。老嬷说：“这间雨落罢落罢，阿侬虽假西（随便什么东西）都望不见罢，眼睛么不清，耳朵也不好，嘎便是呣侬带阿背路罢（那只能靠你带我走路了）。呣壮起比阿死叩早些便好（你长大比我死去早些就好了）！”马驹跪下，让老嬷坐到它身子上，一头扎进雨里，飞奔出去。

冬天，雪将树枝、房屋和田地裹起来，悲伤的事情被埋得更深。老嬷滑倒在田埂边，脑壳撞在石板上碎了，脑浆和血将冰雪染红。她最后睁开眼睛，将一切都看清了：马驹长成骏马，它美丽的鬃毛卷曲着垂挂下来，长长的，轻抚着不知痛楚的老脸，它的眼睛比冰还明澈，直通到尘埃未染的心底。老嬷的凶悍、慈软和苦痛瞬间冻结，只剩眼睛里一点活气不肯熄灭，白马闻到一丝焦味，竟是它垂下的一绺鬃毛被燃灼了。

铁路修进汤溪，已经有些时日了。夜里，汽笛划破沉寂，常常惊醒白马。它跑到铁路桥下，面对着一间间行走的铁屋嘶鸣。

光妹买一张火车票，登上列车去远行。车票的目的地写着杭州，尽管她从来没见过西湖美景，却已然晓得那个地方不会是人间天堂。她并不确定她要去哪里，只是想看车路怎样将人带到别处。婆婆何以要放她一条生路呢？死路向来是确定的，而生路总是迷茫，又间带着无数死路。人间的路，并非由官道、马路和铁轨划分，她和这些穿长衫的、着西装的、打短褂的人坐在一起，由定时定向的一条线带向终点，却各自行走在完全不相干的路途。这等奇妙、深奥和崎岖，构成此世间万重悲苦！万径殊途，同归悲苦。究竟生一场，酿得满杯苦水，饮下去反倒尝出甜头吗？

走得远一点，再远一点，或有不同。火车站是不同的，车厢是不同的，隧道也不同，路边经过的村舍和城镇也不同。那些陌生的人怎么熟悉起来的？怎么相逢又分离了？爷和娘并不认识，现在却成为一家。她和瑞明本是母子，现在却生生地分成两家……她这么一路想着，不觉血气蒸腾上来将头脑包围，暖烘烘睡去。

本世纪第十年后，刘瑞明住在汤溪镇汽车站边上的小区，他的妻子和他都已经很老。妻子佝偻着身体，双目浑浊，两耳听力微弱，这个被定为靠剥削生活的地主阶级的女儿，因为常年超负荷的劳动，已经比劳动阶级更善于劳动，习惯劳动。她照料着有严重心疾的丈夫，为他做一日三餐，伺候他吃各类中药西药。昭平来到她跟前，叫她舅妈，她竟然已经想不起眼前的人是谁。昭平说：“你教会我说汤溪话，你不记得吗？”等说起许多往事，终于将记忆的线索一一连上时，舅妈失声恸哭。

刘瑞明躺在床上，见昭平来，艰难支撑起身子，伸出两条干柴一样的腿，悬在床边。他要妻子包一个红包给昭平，里面放八百块钱。昭平不肯拿，舅舅说，外甥总归还是外甥，舅舅见面定要给的。他面色黧黑，肌肤大片坏死，身体就像一片大沙漠，只剩下一点绿洲还有生意。他说：“一觉醒来，这次是一只鸟，下次是一株草，再也不是一匹马了。这间还死勿得，娘没死呢。我要死在她后头，勿好叫白发人送黑发人。先便死，大不孝。”

2014年4月，夏光妹逝世。同年7月，刘瑞明才死。他真的一直等到他娘走了，又派女儿去参加丧事，自己在家里守灵多时，才撒手人寰。

他终于醒来，既不是一匹马，也不是一株草一只鸟，甚至连一根羽毛和一片叶子都不是了。但他还是醒来的，在人世以外，灵魂是醒来的。

1949年汤溪解放，刘瑞明参加土地改革，加入中国共产党，做汤溪粮站的站长，一直到退休。这匹旧社会的马，在新社会还出人形。他希望人们记住，他是一名真的共产党员。

第三章　瑚琏

民国二十四年1935年，夏光妹嫁给程佳琏。这年光妹二十二岁，佳琏二十四岁。

这门亲事，是丰奂英的堂妹说来的。起初，夏光妹不愿意，娘说："你看一眼，未准便喜欢上。"正巧赶上夏玉书纳刘氏玄芝做偏房，家里大办喜事，便请来好些亲朋，这就将程佳琏也请来吃酒。光妹见佳琏面相方阔，身材峻拔，大眼睛，高鼻梁，心中顿时生出几分爱慕。佳琏见光妹白皙如玉，手如柔荑，穿一件珊瑚红小褂，领如蝤蛴，龙额凤颈，乌云挽起一个高髻，插一针黄玉簪子，月耳下垂挂一对艳翠的环坠，站在庭中，飒朗如一株挺俊的玉兰树，便十分称心。族人说女人已经二婚，过门则成三婚，弄不好克夫不祥，佳琏当面见过后，哪里还听得进。旧时订亲，男女不可谋面，全凭父母之命，媒妁之言，这般先见过遂愿，再由高堂提亲的，也属破例。

程佳琏排行老三，父亲已老死，母亲也年近耄耋。他是老来得子，家中自是喜欢得不得了，任由他随着性子来，私塾读三年便辍学，营生也不钻研，只是浪游各处，听戏看西洋景。上面有两个兄弟，下面有一个妹妹，还有一个大姐，本是童养媳，招来给二哥做新妇的，但姑娘不肯，家里便作罢，当作闺女养。程家是灵台村人，灵台村北去前夏三里半地，邻近上境村。灵台多为祝姓，程姓为外来户，根底不深。佳琏家在灵台是程姓人家中最富的一家，因父兄与邻里相处谨慎，做事克勤克俭，家道便渐渐兴旺，有良田五十余亩，砖房十几间，另在汤溪城里有豆腐坊一爿，杂货铺、酒肆若干。父亲死后，佳琏依旧秉性不改，兄妹对他颇有微词，嫌他白吃白喝，不劳而获，要求分家度日。母亲年迈，靠长兄赡养，不得不由着儿女们主张。于是分田分地，分掉房屋和生意。佳琏分得水田十五亩，瓦屋三间又草房两间，还有城里那爿豆腐坊。这下便只好收起点玩心，自行谋生，成家立业。

佳琏多情纯稚，又挑剔苛细，只欢喜俊俏靓丽的囡，并不在意门第名利，见光妹骨骼清奇，脱俗雅洁，还有些男童的顽皮，估摸着定然情趣相投。这两人天造契合，仿佛一方等着另一方，算好了日子，就为一朝做成美满夫妻。女人过得门来，婆婆随着儿子欢喜，也欢喜，兄妹几个计较光妹嫁过两次，被休回，还生过孩子，满腹的不快意，左右看不顺眼。好在已经分家，佳琏索性带着光妹去城里住，村中的事务拜托两个老实雇农，眼耳不见不闻为净。

佳琏这样的人，但凡用心做事，往往比一般人强。其心所在，其意所专，皆出于性情不苟。如今得了心仪的女人，又有自己的家业，自然持事振敬，肃括有度。一年做下来，稻田收租十五石，折合法币一百五十元（二十四年1935年底开始通用法币，此时法币尚与银圆价值相当），又豆腐店收利二百多，总计年收入三百五六十块，加上文圭先生常常给三十五十补贴，竟也有四五百元收成。当时小镇上两口之家，三四十块钱已经富足，这下挣得那么多钱，真不知怎么花才好。佳琏和光妹都对置办产业毫无兴趣，钱财一多，直接生出的念头，便是买吃买穿，游山玩水。如是便想到坐火车去上海杭州看看。

杭州玩了三天，满眼落叶飘零，湖光散乱，光妹说，端的不如汤溪山里几处湖好看呢。于是二人乘坐沪杭线火车，去到上海。上海着实让两人吃惊不小。楼原来可以砌到那么高，楼也居然可以在黄浦江中行走；电灯拉一下绳子就亮了，不用燃油点芯，电灯也可以有红的绿的，像彩虹一般在街头随处闪烁；黄包车三轮车可以把你带到城市的任何角落，电车当当当呼啸而过，比马车轿子不知要快多少；商店一处接着一处，街市一片连着一片，没有尽头；又有一种影子，在大白布上跳动，叫作电影，也有比后大亭榭阔得多的大戏台子唱绍兴戏；吃洋餐的、吃各地酒席的、吃五花八门点心的，应有尽有，吃过还可以去泡澡堂子，有人揉捏按摩，躺椅旁另设瓜果酸甜；理发馆里师傅专门为女人设计各式发型，用烧烫的铁钳子将头发卷得一圈一圈高耸起来；大百货楼从下到上，一整天都逛不完，旗装西服，糕点南货，香水珠宝，绫罗绸缎，甚至还有给小囡惹耍的奇巧玩具；走累了，随处都有街心花园，长凳铁椅比比皆是，更大的叫作公园，里边把山水从野地搬运来，调整得玲珑精致；水无须到井里去提取，直接打开龙头便汩汩不绝；女人穿一种跟很高的皮鞋，手里提一只花样百出的包，在马路边的上街沿款款而行；夜里还有舞场，黄毛灰眼的西国人拉着大小不一的胡琴、敲打着铁皮桶鼓在一旁助兴，不相识的男男女女搂抱在一起扭动屁股……他们在十六铺码头找到一家客栈，见进出的人怪异，又门前堆着垃圾，很脏，便不愿意住。前厅的服务生写一串数字给他们，93260，让他们打电话，说可以预订到气派的住所。佳琏便按指示拿起听筒又拨号，果然听筒里传来人说话的声音。光妹稀奇这个玩意，抢过来说话，对方很耐心，跟这个带着古老口音的女子讲了大半天，将地址路线和坐车办法一一俱告。放下电话，光妹说："哎呀，电还能说话，听着也是一个女人。我们会不会到了桃花源，空日归不去汤溪了？"他们坐车来到先施公司的东亚旅馆，看着石墙钢窗的洋楼真的很气派，便落脚在那里。房铀每夜两块至八块不等，两块是单间三铺，五块是双人大床，八块是套间。光妹说："我以为洋楼有多贵！只五块八块的，我们就住五块的，住它十天，也就五十块。"于是，就订下楼上五块的双人单间十天。

房里有铺设白床单的软床，有躺椅沙发，还挂着一幅法式田园油画。卫生间里有冷热水的黄铜龙头、抽水马桶、白瓷洗浴缸。茶几上有个按钮，按一下就发出叮咚声，一会儿侍应生就会来，问什么都能回答，去哪里、坐什么车、花销多少，他都晓得；还能帮你订戏票、火车票、船票，甚至还送餐上门，用一辆小车把几样菜、茶水酒水推到床前；只是要再给点零钱，叫作小费，大致三五角钱。

屋里有热水汀，粗大的一排排管子，安置在靠窗的墙内，散发一丝丝柔和的暖气，春天般的，可以脱去外袍，穿一件薄衫也不冷。他们来时，是民国二十五年1936年深秋，天气有些冷了，没想到进得旅店来，竟暖洋洋惬意，直叫人顿生困意，懒床不起。新婚燕尔的人，再适合不过处在这样的屋里，叮咚一下就有人送吃来，吃了睡，睡了吃，缱绻依偎，不去想世间雨打风吹。

光妹说："有钱正式好！么味个，虽什么都有，我与你便这样分不开，像戏里唱的，白头到老。"

佳琏说："空日年年来上海，挣的钱花在这边不冤枉。"

"来多了，说不定你会变心。门口那么多新鲜女人，你看进眼里拔不出来。"

"我哪里看了？"

"在十六铺码头，你就看那个厅里的服务生了。眼睛直勾勾的，魂都丢罢。"

"我看你还来不及呢！她油头粉面的，哪比得上你清活！"

"肚里有小囝了，这间一年都要挺着肚子，路都走不动，哪里清活得起来！你个冤家，一夜都空不得的，这下便好！"

"你作予我是猪公么？猪公都要歇歇的，吃不住猪娘不消停。

我这样搂着你便好，一直亲热着，摸摸你，丝绸么滑腻的，心便稳当放落来。”

“苦总归吃尽罢，甜头要慢慢尝，一口吞下去也要甜死的。”

“或汤水里兑点水？淡一些才放心？”

“非么讲，还是再甜些好，一直甜，一直甜。我一点苦痛都不要，想想苦痛就要死了。你讲句话我听听，一点苦痛都不给我吃。”

“一点苦痛都不予你。我不生病，不死，便不予你苦痛吃。”

上海的夜，明处未见得亮，暗处未见得黑。夜色贴着江面，归到大海，大海连着杭州湾的钱塘江，钱塘江的上游是万年妹方。这亮里暗藏杀机，总说要刺破万古长夜，而长夜里有万千柔肠，光妹和佳琏正是其中一段，从时间的深处、魂魄的底部而来，一往无返，正迎着天神预备的曙光按时到来。

在上海，两人买了长衫、皮袄，还在老凤祥银楼买了一副赤金手镯，另外大包小包，给七大姑八大姨也没少置备礼品。坐着人力车和电车，今天豫园，明天大世界，西洋景着实看过不少。一天，走到华格臬路，看锦江川菜馆热闹，想人多必口味好，就进去吃饭。佳琏看到一道菜，名叫“赑贝治水”，觉得稀奇，便点来吃。原是乌龟炖蛇。店里跑堂的说，赑贝为龙子，禹皇收服以治水，亦有长寿富贵之意。菜做得很可口，辣椒放得也适量，两人吃得嗝进嗝出，心满意足。不想回到旅店，光妹少腹转筋，疼得浑身直流汗，下体见红，小产了。

本是满满的一杯佳酿，这下蜂蜜中掺进一只苍蝇。只好草草收拾行装，买了火车票，匆匆往回赶。

光妹回到娘家调养，佳琏也诚惶诚恐地跟来。

丰奂英说：“玩啊，闹啊，小夫妻没轻没重。这便好，乐极生悲。蛇性通利，专走血府冲任，才三月身孕，小囡还未长牢，怎吃得这般生猛东西！你做丈夫的只贪馋，即便不想女人，也不顾子息么？女人小产，大伤元阳，日后胎宫疏滑，住不下精血，可如何是好！”

文圭先生说：“佳琏啊，你这个名字，意思是瑚琏，宗庙里盛黍稷的祭器。昔子贡问曰：‘赐也何如？’子曰：‘女器也。’曰：‘何器也？’曰：‘瑚琏也。’话说君子不器。你不爱读书，跟光妹倒玩到一处。倘器而为用，亦为大材。国家大事，戎祀为重。倘器而不用，观之阅之洵美，精神见于碗豆，亦足矣。终不可荒废闲弃，置于芜杂间，日渐黯淡。这间民国二十五年入冬，你已过二十五，光妹也二十三了，爷不指望你们立业发达，总也盼着你们子嗣有继，圆满和合，享天伦之乐。”

佳琏说：“岳丈教诲，愚婿铭记。这番只可怜光妹太苦痛，便想讨她欢喜，寻点快活，不想玩乐过头，又平添新的苦痛。日后定当谨肃持重起来，让二老放心。”

夏玉书和丰奂英，见程佳琏生性柔谦，一意疼惜光妹，虽说发生了这样倒霉的事，心中倒开始喜欢起这个女婿了。

账房戴昆先生从城里药房抓来七服药，地芍归芎，红花益母草一类，让光妹养血去污，不日她身子便爽利起来。

第二年，光妹又怀上孩子，十月孕胎，足时而生。这胎就是程兰玉，昭平的母亲。沈阿姨出生在民国二十七年，1938年。这时，日本军队已经进到江南，汤溪虽处战线以外，气氛也开始紧张。首先第一件影响妹方居民的事，就是征兵。国民军征兵，先设置兵役科，再由兵役科摊派到乡里、村里。乡、村按照抽签的办法抽丁，表面上很公平，但私底下早就内定了人头。程家在灵台是客姓人家，灵台是祝氏村庄，保长、族长为维护祝氏利益，便把兵签排在前面，让程家的人先抽。二十七年第一次抽签，佳琏就抽到头签。每签入每家，每家派一个男丁即可。程家三个兄弟，两个哥哥都不愿意去，说拖儿带女，还要赡养老母，佳琏青壮，家里负担少，非要去的话，也只好佳琏去。老母亲说话，保长跛扈，族长吃里扒外，心思岂在报国，无非借此刮取农户脂膏，专做赎身买放的生意，不如典房卖地，花点钱留住人。于是，让小妹的男人去疏通，族长说要三两黄金打点各方（这时法币开始波动，交易倾向于黄金核算。一两黄金民国初值三十块银圆，三十年代比较稳定，值一百块大洋。这个一比百的概念，可以作为基准，直到20世纪80年代以前，中国人民银行金价仍为一两九十五元）。母亲做主，长兄、二哥、佳琏各出一两。长兄当掉一间砖房，二哥当年还有点余钱，百十来块全部拿出来交给妹夫，佳琏不肯找岳丈帮忙，决定卖掉两亩地，这样左拼右凑，凑足了三两。毕竟逃掉一劫，损点家产，人不去卖命也算好，只是兄姊妯娌间，对佳琏越发不满。

二十八年排签，程家又抽中。这次族长要五两黄金，说前线战事吃紧，保家卫国，人人有责，你不去别人家要去，三两打点官长，二两要给替代的人家补贴。佳琏发狠，决意不拖累兄姊和丈人，便自行卖掉十亩地，将族长打发了。这下只剩三亩地，还有一爿豆腐坊。佳琏对光妹说："过得苦一点也不妨，总好过去送命。我战死在外边，你们母女要苦死的。如今靠豆腐店和三亩地，一年二两黄金不愁，总不缺吃穿，怕什么！"光妹说："去年抽到，今年抽到，空日怕是还要抽到。"佳琏说："晚一年去送死，便晚一年去。拖得一年是一年。再拖拖未准仗就打歇了。"

二十九年抽签，又抽到程家。这次族长躲起来，不见人，也不放话出来说要多少钱。靠近年关，佳琏抱着兰玉去前夏探望岳丈，正有唱酬神戏的，在祖宗祠堂里演。看到一半，有兵丁持枪冲进来，抓走七八个人，其中就有佳琏。似乎有人做局，线人也报密提供消息，这才准打不误。光妹闻悉，便跑去临时兵站。兵站的祝营长说，不打紧，明天派保人来领人便是。次日，佳琏长兄去兵站取保，祝营长说，不行了，人已经押送汤溪征兵处了。光妹这才知道，祝营长与保长、族长勾结，骗了她。光妹气急，就独自跑去后徐祝营长家。这家说起来还是夏家的远亲，关键时候不但不通风报信，还落井下石。为此，她将那个长官和他一家一顿痛骂。这是光妹头一次做出不符合她门第的事情，生活将她带到某个境地，出于性情而欢喜的人，即便倾举国之力血战的大事都夺不走，她准备舍掉一切去保护她的孩子，男人，这个家庭。

文圭先生听说这些年逃兵不少，中间有些人专事替补兵役转而又脱身的营生，人称“兵佃”，即靠顶额赚钱，从不打仗。他托人在后大找到一个外乡来的兵佃，出价一根小黄鱼厂条（国民政府造币厂发行的一市两金条。民国二十九年1940年，法币开始跌价，与银本位时比，黄金涨了八倍），还价到一百四十块法币，又请他吃一顿酒席，做一套新袄、新鞋帽送他。先交一部分订金，兵佃答应听候调用，什么时候要人，什么时候动身，事成之后再收余款。幸好此时又有一人靠得上，上年佳琏娘将童养媳姐姐嫁给了汤溪守城部队的侍卫长，光妹想到这层关系，便去找侍卫长。侍卫长答应出面担保，给征兵处的人捎话，说程佳琏一家有老有小，不在征兵条件里，但有个堂弟没有牵挂，可以顶替，征兵处的人就同意了。

当时，为解救佳琏，便于一家人常在一起商议计策，光妹就带着兰玉住在灵台。一天清晨，侍卫长的勤务兵来报信，说上面下了命令，早晨八点要把程佳琏等几个壮丁押往国民军某部，让光妹快想办法。这时候已近七点，冬天的早晨，太阳刚刚爬上来，天才微微透亮。可是，从灵台去后大找兵佃要四里，从后大到汤溪要十里，十四里路一个小时是赶不到的，万一没赶上，从汤溪再去营地还要再走十五里，一共是二十九里。好在侍卫长已经打过招呼，可以在汤溪替换，也可以在路上替换，随到随换，反正在编入部队之前就行。光妹合计了一下，决定不去汤溪，直奔某部营地。从灵台到营地有二十里，加上从后大找兵佃来，往返八里，加起来二十八里，但可以赶在八点以前动身，比程佳琏他们早走，这样兴许还来得及。于是，长兄去前夏通知文圭先生，文圭先生又去后大领兵佃，一行人集中到灵台，从灵台赶往营地。

在押解的路上，一个长官问佳琏，是不是有堂弟来替换，怎么这会儿还不见人影。佳琏不语。其实，那个长官是向他打招呼。到了营地，替换的人还没到，部队要验明正身。押解的长官告诉部队里的人，说程佳琏有堂弟来替换，先别验，还说了情。这是帮忙的人最后能做的事情了。

一切看来都无望了，而恰此时，光妹一行人赶到了。佳琏被替换了下来。但给那个兵佃验明正身时，却被部队的两名排长认出来了，说这人是逃兵，扬言要枪毙。光妹听了，一阵腿软，要是毙了人家，一辈子都不会安心。好在部队的连长发话了，他说，事关抗日大局，这样的兵一个都不能要，统统赶回去，听候汤溪征兵处发落。送回征兵处后，侍卫长又帮忙，通过军医证明程佳琏有眼疾，这才放了回去。那个兵佃后来也没事，文圭先生又给了他几十块钞票，打发走了。

这下倒还好，程家的家当都没有动，只花掉文圭先生些许钞票，族长机关算尽，结果竹篮打水一场空。

三十年又抽到程佳琏，这下全家人陷入茫然。

光妹竟然说："别人都去得，如何你就偏去不得？去去无事也未准。"

佳琏说："别人去得，偏就我去不得。我晓得我去了，肯定会死在外面的。人，也有早就知道命的。"

文圭先生说："俗话说，好男不当兵，好铁不打钉。我看这话不对。当兵的有出豪杰的，过平常日子的也有韫椟珠玉。木兰是个女儿身，也当得巾帼英雄，别说好男应当兵，好女更有奇才。只是人之性各有短长，有的人是瑚琏，有的人是刀剑，怎可以瓷瓶去抵挡金戈？佳琏说得对，他不能去。”文圭先生抓起几案上从金华买来的报纸，接着说，“上面说日本是帝国主义，谁不是帝国主义呢？大清是帝国，民国就不想做帝国吗？他们不是跟着英帝国主义和美帝国主义屁股后面跑吗？帝国征战，一寸河山一寸血，寸寸都是平头百姓的血。保家卫国，他程家族长的儿子怎不去？他祝家保长的儿子怎不去？摊到我们头上去保他的家，卫他的国？民国这么些年来，我没看出这是民的国，倒是那些窃国大贼和他蒋中正的国。日本人还没有来，我们的田地都快要卖光了；战火还没有烧到汤溪，汤溪人就活不下去了。这个国，还是不要的好。曾经，大家各行其是，相安勿扰，皇帝作为上天之子代百姓与天神打交道，洋鬼子来，先割地赔款，借东洋的赔西洋，拆西洋的堵东洋，不到万不得已，朝廷总不想大动干戈，荼毒百姓。这乃是小家和大户的关系，大户能照应的先照应着，实在不行了才想到靠小家来帮衬。那个国，实在就是皇上的家。他家最大，担待的事便也最多。皇家为国，民家为家，国家国家，本是这个意思。如今怎就又生出这么一个国家的意思！既不是皇上的，又偏要塞给小民，这样的国，岂不是‘民不知有国，国也不知有民’了吗！你领头的说，这国不是你的，是民众的，可我们也拿不走搬不动，出了事又说，既是你们的，人人有责，终又轮不到由那些官长总裁负责。大清之国，乃秉承天道之国；中华民国，无中生有，空空一个囊壳，吸民血以中饱，断无天理！天允之国才是国，在地上各以私家之命为本。王道下惜子民，领子民富足方可上敬天帝，是为有国有家。此国非彼国也！我未尝听说以民众做牺牲来强健一个无人领受的空国的道理，剥削民利，还要强奸民意，说废掉天道遵从民道，哪个民人肯将自己白白给你呢！所以，民无道，民唯利，利益纷争，强人争弱民，弱民诈强人。唯天有道，布山川河海、四季风雨以成规矩，教民师法自然，顺性情差异互补而安和。”

“日本人来了，烧房子，抢钱财，毁我庄田，总需要有人去抵抗的。”光妹说。

“我倒要看看日本人怎么吞吃了中国人！我倒也要看看中正先生如何抵抗得中正！”文圭先生说道，“倘来日日本人打到汤溪，我便不走，做日本人的臣民，看他哪般奈何我！”

“大家好生在家里种田养囡，何苦跑出来丢掉性命。”佳琏说，“日本人也是人，那边的佳琏舍得下那边的光妹来作死么？”

“仗有两种打法。一种窃国之名骗取民意，一种民不聊生为生而战。前者为的是牟利，后者为的是活法。为活法之战，乃正义之战。如今民国政府跟着英美先换了我的活法，并没有人来问我是否情愿，还说这是我的国，万民情愿的国，我看要作战，先就跟民国作战。”文圭先生说。

“这样打仗，或者我也去得。”佳琏说，“反正里外都要打碎瓶子，先就扔过去，自己碎掉算了。”

“改你性情，逼你生不如死，这便是他们说的革命？革命是回归天道，顺从人的天性，哪会是天道之外的什么鬼名堂！”文圭先生说，“我没看错佳琏，你们都说他无用，但他深知贵贱呢！”

光妹又去找侍卫长，侍卫长说这下他也没办法，只好先应征入伍，再花钱疏通上下，弄到他身边做事恐怕还能留在守城部队，不去前线。于是，佳琏服了兵役，又托人几番周旋，调到警备团炊事班当伙夫。这么一来，豆腐坊便做不下去了，只好将醪醴巷作坊和丁字街店铺的房子收拾空荡开旅店，因为这时上海、杭州有不少难民逃过来，汤溪战火未殃，还算最近的后方，学生老师，报馆戏园子的文化人，纷纷寻处栖身。佳琏在部队里听差，家里只好由光妹张罗生意。光妹带着孩子，又不善经营，旅店常常欠账收不上来房费，总入不敷出，生计越来越艰难。又只好靠文圭先生接济，熬着撑着等战争结束。

三十一年开春的一天，光妹早早起来，把店铺的门板卸下，又做粥伺候兰玉吃，里里外外和两个伙计一起擦拭、整理。客栈的大通铺基本已经住满，还剩得几间单间空着。乡下的客栈，最麻烦的是下水，客人方便都要靠马桶，每天将这些马桶运到便池倒掉，然后清洗刷净，是很辛苦的一件事。有时伙计忙不过来，光妹也上手帮忙。店门口有小溪绕过，取溪水洗涤倒也方便，饮用的水从老街的井里汲，一大早伙计就要挑来盛满五大缸。店对面是县政府，民国衙门的门面还是做得挺漂亮的，一个中等大院里砌一座清肃的砖楼，朴素周正，除了遮风挡雨的砖瓦门窗，并无任何装饰点缀，看上去比现在的乡村小学还要简陋。政府，治安，守城部队团部指挥所，都在一处办公。政府院子的西侧是城隍庙，这座庙建于明代，里面有亭榭小桥，回廊大殿，遍植栗柏，气度非凡。一条小街从店铺林立的老街向北延伸过来，与县政府门口的街相汇，形成一个丁字口。光妹家的客栈就在丁字口的西南角。因为开客栈的缘故，平时三口人就住在阁楼上，腾出所有的空间做客房。原先下面豆腐坊的铺面改成一个客堂，专供客人吃饭、喝茶、歇脚。一个小木柜台设置在客堂一角，用来做登记、结账和咨询。这天，光妹忙完早饭和卫生，正在柜台上清账，看见有一个穿灰布长衫的男人在县政府门口徘徊，似乎一直盯着店里看，却也并不走过来。晌午时分，他朝店铺走来，在门口踟蹰几圈，又走回到街上。光妹诧异，思忖他要找人呢，还是住店。吃午饭时间，佳琏从团部伙房带几样菜回来，几步路就走到店里。光妹指给他看那个人，佳琏说看是教师模样，逃难下来找约定的学生也未准。吃罢饭，佳琏喝口茶，就又回伙房去了。等佳琏走后，这个男人便走进店里。开口说的竟是汤溪话，要订一个房间，登记时写名字“范文彦”。光妹大吃一惊，抬头细看，这不是子俊吗？果然是子俊。

两人来到内院，找个地方坐下。子俊说：“我只是来看看你，看你怎样。我自东洋回来多时罢，这间便在北京大学教书。我是从日本人那里偷偷跑来的，北平现在改回叫北京，是日本人的天下。”

“你回去后大看高堂没有？”光妹问。

“我回不得后大的。有人认出我，要杀头的，至少也要抓起来关牢房。”

“那么，你是替日本人做事的？”

“我只是教书，教学生，管他日本人中国人呢。”

“你也成家有小囡了吧。”

“我还是一个人，没有再讨老婆。父亲快要被我气死了，我也不管他，气便气好了。我是心里有愧，愧对你啊！”

“你没有什么好愧的，当年是你爷下的休书。反正，我们也合不来，各奔前程蛮好的。”

“我听人说你再嫁的夫君过世了，如今……”

“我又嫁人了。你该是刚才看见了，那个当兵的人，灵台村的，叫程佳琏。我和他处得投缘，小囡也有罢。”

“这便好，过得顺心便好。那我便走罢，看看你还好，便放心了。”

“住几天再走，不碍的，佳琏那边不会不情愿的。”

“住几天怕是不行，城里来往人多，被人认出来麻烦很大，还会连累你们。或者住一夜吧，明天五更走。”

于是，子俊住一夜。晚间，佳琏，光妹，子俊，兰玉，四人坐一桌吃饭。也无话说，只子俊一直逗兰玉玩。子俊的单衫像是路上打湿了，佳琏拿出一件干净袍子给他，穿着略微长一点，臃肿一点。饭后开一间房给他住，佳琏搬来一个大木桶，烧几桶水让他洗澡。尔夜风恬月朗，除去街路上有几次马队跑过，并无战争的迹象。妹方人过自己的生活，穿上军装也好，替日本人做事也好，总不愿意去多想锅碗床帷以外的事。有人举着灯火说，这是光明，汝等速速靠近，不要继续在黑暗里。妹方人不大理会，依然按照昼夜的交替和心里的光亮梦醒。倘里头还亮着，外边有什么所谓的黑白？街石和沙泥在春风中暖起来，这力量是别样的事情挡不住的；虫蛰被雷声惊动，草木被溪泉推涌，桃李红白将往事和古墙埋没，哪里还有城乡，哪里还有疆界！

天明吃过早饭，佳琏把孩子托给伙计，让光妹去送子俊，自己走去团部当差。

光妹送子俊去陶家车站，一路上也并无话说。一个在前，一个在后。两人穿行在桃花下面，远近鸟鸣不断。陶工或者看到这幅景象，把它画到瓶上、碗上、笔筒上，男人拨开树枝，女人比粉红的桃花还淡些，似有似无；做不成夫妻的人，中间隔着万千世界，而在瓷片上，不过是一处留白。

火车将开的时候，子俊从车窗探出头，对站台上的光妹说："我丢落的，比我得到的好。你不要再丢落，替我看好罢。空日我还会回来看看的。"

火车开走了，站台上两个当兵的搀扶一名伤员。光妹站在另一边，跟他们不在同一天时间里。

三十三年入秋，夏玉书娶丰莲馨做偏房，他几个兄弟以此为由头闹得不可开交，二弟挑头，力主分家，结果十一进院分作六家，房少的田多，田多的房少，一千亩水田也悉数分光，夏玉书分得三进院、一百二十亩地。又第二年丰奂英的弟弟做木材亏空，夏玉书不得不卖光田地去接济。文圭先生说，年年抽壮丁，雇工都去前线当兵，外乡来的人又信不过，佃租一年收不到三成，不如卖掉，卖便卖光，省得打理农桑，到老也乐得图个清闲。于是，家用便靠出售转让骨董玉器换点收入。三十三年上半年日本人来，掠走不少文圭先生的精品，这下所剩无几，又遇上战事连连，文玩行业不景气，命都保不住，还有几人有心藏玩，这便出手也不易，成交也低廉。

一路走来，到三十四年年底，文圭先生的日子也困滞难堪起来，常常捉襟见肘，纳履踵决。

这年又出一件事。下半年入秋，虽说日本人退出中国，可程佳琏并未轮到退役，继续留在部队伙房当差。一日，与伙头班长外出，行到汤塘，见一个山民挑一担草药来卖，班长上去选了几样拿走，也不付钱，还与山民争执，用枪托打了人家。佳琏趁两人纠缠时机，也去翻看草药，见有青葙子，便拿两包，他常有目痛目赤的毛病，一吃青葙子煎服的汤水便好。走时，佳琏往山民的竹筐里放下五个铜板，并嘱咐说他给过钱了。傍晚，这个山民随长官来到伙房，指认出班长和佳琏，说就是这两人抢了他的药。长官下令，逮捕两人，军法从事。

三十三年日本人第二次打衢州，原八十六军守城部队一部分人编入二十六师，侍卫长和佳琏一伙正在其中。这年三十四年汤溪换防，原二十六师改编为二十六旅，侍卫长随部队开拔江苏武进，佳琏等一些当地的老兵不走，被收入新来的驻防部队。这么一来，新部队里就没有做官的熟人了。光妹左托右请，直找不到半点关系。倒是祝营长的家属出来指点，说祝营长随部队走后，有个他栽培的勤务兵现在新团长身边走动，不妨去问问。找到这个勤务兵，他已经当了团副，说话还有些分量。他说，佳琏这事触碰到红线，新团长上任，正要拿这事烧三把火，必送军事法庭惩办，他也不好插手，他唯一能做的，便是引见团长。光妹便先回家找爷娘，文圭先生东拼西凑搞来两条小黄鱼，外加一副翠镯，说就这点家当了，拿去救佳琏吧。光妹通过团副的小姨子，进了团长的麻将圈，将一只翠镯送给小姨子，自己戴另一只，一起陪团长打麻将。桌上强颜欢笑，又附和讨好，见团长夫人夸赞翠镯，便故意将镯子输给夫人。这么一来一去地玩了两天，团长夫人自是非常中意光妹灵巧。光妹便将佳琏的事对夫人讲，说佳琏并未抢劫，他给过药钱的，说着适时又递上两根金条。夫人见金条，眉开眼笑，一口应承下来，说她帮忙解决。于是团长当面告诉光妹，说卷宗他也看过，口供里山民也承认佳琏给过钱，这般便无大事，只是场面要过，军事法庭要上，按条例从轻发落便是。

光妹去蒋畈牢房探监。长长的走廊进去，她远远看见佳琏在廊尽头的班房里，扶着铁栏哭泣。

“光妹啊，这间我便要死了，”佳琏说，“死去你便有苦痛吃罢。”

“你又没有抢，按规定不会判死的。”光妹挺着肚子说，这时她又有了身孕，已近四五个月。

“到得庭上，这些当官的心黑，杀人如麻，朱笔一点，人头落地，他们不过以为剖一个瓜。”

“这间还归不去，牢里住半个月二十天的，等案子明晰，才上法庭。我找过人了，说按规矩会从轻发落的。”

“他们会不会说话不算数，到时候杀鸡给猴看，拿我做文章，严肃军法，让我做替死鬼！”

“无事的，你安心住着吧。我日日来看你，做菜给你吃。”

“你肚子里又有囡了，不要走走又落掉。这次怕是一个后生呢！”佳琏生出无限担忧，又说，“光妹，我怕啊！怕我死掉，你和小囡可怎么好！苦么苦么的，屋里什么我也没留下，你又做不来田里的事体，叔伯姑子一个都不会来帮衬你，你爷娘也老了，你的兄弟还小，他们讲不定还要你照应呢。”

“有些话在这里讲不得。你非要（不要）哭来哭来，总归哭来，无事都让你哭得有事了。”光妹从食笼里拿出包子递给佳琏，说，

"看守不让久处，你快快吃了包子我便走。"

佳琏掰开包子，将肉馅吃掉，把皮递给光妹，说："你总归欢喜吃皮，你吃吧。空日没人替你吃肉了，空日包子也做不起了，皮和肉都没得吃。"

光妹吃掉皮，又递一个给佳琏。佳琏吃肉，光妹又吃皮。这么吃着吃着，吃掉五六个，佳琏勾起肚饥，一时也就忘记掉哭。吃饱后，心情好多了，又说："军饷那点钱，拿回来吃不饱，要想点别的营生，上有老下有小，也该轮到我们照顾罢。我这个瑚琏，摆摆好看，现如今人心越来越穷，谁有心思看好看！"

"我看看好看，便足了，管别人愿看不愿看！你便是好看，我才欢喜，还自己动气敲碎了不成？你不要想那么多，当兵总会有个头。空日回来我们开一个裁缝店，我跟子俊娘学过做衣裳，女工危险不疲的呢。你帮我买布匹绸缎，做好的衣衫鞋裤去卖掉，或许会挣得不少钱呢。"

"落得靠你去挣饭，我咽不下去的。"

"这话听来像书呆头。你个伶俐活络人怎么也迂腐！女主内，男主外。我乐得家里做做，你到外头去跑跑，兴趣里的事体，也不费神劳力气，嬉戏惹要么个。"

佳琏又喝一碗鸡蛋汤，人暖洋洋的，悲情全消，不觉困顿起来。光妹见机，收拾箱笼碗筷，又哄劝两句，便回转家去。

一个月后，军事法庭判下来，佳琏无罪释放，退回属部发落。部队处严重违反军纪，革除军籍。这下服尽兵役，回家当百姓，倒真正成了好事。

佳琏入狱时，文圭先生心急火攻，又着了风寒，一头栽倒，卧床不起。郎中诊断为中风痹阻。延请不少大夫医治，亦无甚起色，终究半身不遂，舌蹇难语。好在元香尽心，一直伺候在床榻之侧，焐身擦洗，端汤递水，又带他去杭州找西医治疗，着实费尽神思，心心念念盼他好起来。这便又耗去一大笔钱资，欠下夏家二爷不少债务。佳琏回家后，想光妹开裁缝铺倒是一条路，便打算卖掉作坊和多余的房屋筹集本钱，反正战争结束后，外来人都已返乡，旅店的生意做不下去了，索性改行。这时，经济萧条，民生凋敝，房屋也卖不出好价钱，统共卖出不到二两黄金。拿出大部分还二爷债，所剩无几，不够裁缝铺做本钱，这便只好将新营生的念头暂且打消。第二年三十五年，光妹生产，又得一个女婴，并非他们想要的男孩。按程家家谱兰字辈取名，叫兰芳。兰芳出生后第二个月，文圭先生不治而故，终年六十六岁。梁木倾倒，全家顿时陷入困境。佳琏主张大礼厚葬，结果丧事费去重金，又欠二爷一屁股债。

这年，佳琏三十五岁，光妹三十三岁，兰玉八岁。多事多难，典空吃光，竟已拿不出钱送兰玉读书。

佳琏合计，说不如去做长工。日本退兵后，国内战火又起，壮丁抽得比往年更凶，汤溪城里劳力匮缺，雇农长工反倒吃香起来。租一亩地种，一年可收成四五石，租息减到只消交出八斗，这样便还剩四石有余，家里吃吃足够了。先有饭吃，再张罗裁缝铺的事，即便弄不成，也不至于无路可走。这会儿，家里唯剩丁字路口一间客堂，值点钱的东西早已卖光，只光妹身边还有几样首饰，也舍不得拿出去典当，便只好按佳琏的想法做。

邻居家胡庸卢，是个新兴地主，刚买来几十亩地，租给佳琏两亩种。一年种下来，收成还不坏，得稻谷九石，扣去佃租两石不到，剩下近七石多。佳琏卖掉两石，换得八十万法币（折合30年代二十块大洋），用这钱给光妹进得一批棉布、绸缎，又针线剪刀木尺粉笔熨斗纸样不等，在客堂一角围出一圈设铺，算是开业。这就到了三十六年年底。

入冬，婺剧戏班转到灵台上境一带，佳琏又去看戏吃酒。这回有点余钱，也没有躲避兵役的愁苦，心绪安泰下来，头脑便有点发热。戏后叫上伙房里几个老兵，豁拳博戏，一直吃到黎明才回。不想归路上淋了雨，遭受寒冻，竟牵发肚痛病。佳琏生来肠胃不好，加上当兵服役吃苦，这年首租勤耕过于卖力，常不避淋晒，饿一顿暴餐一顿，这下便通统翻腾出来，一发不可收拾。中药吃了几旬，好一会儿又痛作一阵，不见好转。又去找城里浸礼会耶稣堂的金牧师看。金牧师留洋美国，医术高明，边行医边传福音，在远近城乡居民中口碑甚佳。金牧师说，这是肚里有个大瘤子，要到杭州上海去开刀才医得好。佳琏一打听，开刀花费昂贵，实在拿不出钱。光妹说，典了她的翡翠耳环和金手镯，凑凑差不多够医疗费。佳琏死活不肯，说开膛剖肚，即便瘤子摘了，可钱花光了，人也废掉了，来日靠什么吃饭！不如挨一年再说，等发作过去，病情稳定，还可以再做活；或者做两年，等光妹的裁缝活计也兴旺了，到时赚得点钱，再去开刀也不迟。

幸好这年做下来收成好，省吃俭用够撑两年，还养得住人，就做做歇歇，敷衍度日。光妹开始给人做衣裳，生意冷淡，偶有进账。兰玉大了，能做一点事了，也去给胡地主家割猪草。小妹妹生性急躁，常常啼哭不停，闹得光妹心生怨气，倒是姐姐有空抱抱她，会安静下来。三十七年过了端午，天气晴暖，佳琏回过神来，肚里不痛也不难受，就又盘算着下地。只是错过了种稻，只好播一些豆种，栽一些蔬菜。

佳琏对兰玉说：“你今年十岁了，按说应该在学堂里读书。那年日本人退了，你正好到读书的年纪，不想爸爸被抓进牢里。家里为救爸爸出来，花光了钱。上年做做，有吃有穿，本想可以送你去读书了，爸爸又生出这倒霉的病，吃药把余钱吃空罢。今年爸爸终于好些，秋里庄稼收下来，卖掉一些，非要送你去学堂才好。”

兰玉背着兰芳，跟在父亲身后，从稻田间走过。左邻右舍跟她差不多大的孩子，都去上学了，现在只有下午等他们放学了，才有几个与她结伴割猪草。佳琏下地，光妹在家做裁缝、生火做饭，兰玉照顾妹妹，给地主家做点零活，偶尔也帮爸爸打理田间农事，渐渐也顶得起半个劳力了。

爸爸教她辨识刺萼龙葵和菟丝子草，告诉她菟丝子收集起来可以卖到药房换钱，又教她采集还魂稻，就是田里收割稻子时掉落的谷子又抽出来的新穗，拿这些不够饱满的谷粒可以去城里米行换新鲜米粉；梅雨天她穿戴上大人的蓑衣和斗笠，给爸爸送饭，远远看去像一座移动的小草垛；他们父女俩坐在草棚里吃饭，爸爸吃得很快，几下就扒拉到碗底，常常吃到最后一口菜才想起她，又夹到她碗里；茶壶包在棉兜里，还烫烫的，她给爸爸倒上茶，又帮他点上烟锅，阴雨中，缕缕烟草香透出人心的柔软。那些淋过他们的雨滴，沾过他们的泥浆，还有稻秧的明绿，昆虫的斑斓，多年以后并未成为过去，而是跑到人生的前面，让回忆渐成期待，停留在未来的不可企及的时刻。溪滩里的鱼啊，还是三十七年那一条吗？那是爸爸指给她看的，鱼脊掩映在水草中，静悬在那里让清波安息。如果有米粒掉下去，鱼马上会摆动身子，在米粒沉到水底之前就吞吃掉。流年如水，那些米粒曾经打断过它。如果再放一些进去，时间会随着人心来回转移吗？

从端午到中秋，佳琏的身体好好坏坏，肚痛做不动就歇，好一点就又心系稼穑。这么做下来，收成微薄，卖掉换钱，折合地租交出去后，所剩无几，算算不够来年吃的。光妹又有身孕，到三十八年，阴历四月十日生下一名男胎。是夜，伙房里的老兵筹集了一大叠金圆券拿来慰问，折合价值不到曾经的一圆。佳琏躺在床上奄奄一息，说日子到头罢，苦痛也到头罢。他给新生的孩子取名程兰章，写完这三个字就咽气了。第二天，1949年5月8日，共产党第二野战军三兵团十一军三十三师开进汤溪，汤溪城解放。

第四章　玉兰人家

共产党进城后，立即成立工作组，着手土改。光妹家被划为贫雇农，分得两亩地，即原先租种胡庸卢的那两亩。开仓放粮，领回两石陈米，一家人终于吃上饱饭。又委派她担任妇女主任，让她管城乡间妇女的一切事务。这年她三十六岁，尚年轻气盛，做事也积极勤快。当时的工作重点，主要是斗争地主，分田房浮财给佃户长工，甄别善恶，团结中间。常常开会到深夜，第二天又随农会和政府的人突击行动，忙得不可开交。为此，光妹将程兰章送回前夏娘家，托付给丰奂英，自己带着兰玉和兰芳，稍微轻松点。兰玉十一岁，兰芳三岁，姐姐看护妹妹，又挑起家务，做饭洗衣裳打扫卫生，替母亲担掉不少杂事，光妹才得以脱身从政。

光妹刚参加工作的时候，立场坚定，爱憎分明，深得领导赞赏、群众支持。斗争胡庸卢她很合节拍，因有切肤之痛，揭发、深挖、堵住转移钱财的逃路，她事无巨细，一一都踩准在点上。斗争灵台村那些保长、族长，更是义愤填膺，与村中贫雇农同仇敌忾。族长的小老婆每夜都偷偷扛一袋米放在光妹家门口，光妹晨起便将米倒入门前溪中，大声告知街坊邻里，说坏人收买她，破坏革命。因保长、族长在国民党统治时期罪大恶极，民愤极大，群众诉苦大会后便就地枪决。这确实给很多人报了仇，解了心头之恨。但随着革命的深入和扩大，广泛牵涉到各村各乡的豪绅，甚至连亲戚朋友也连带进去，光妹的脑筋便开始跟不上。她不大理解阶级斗争的道理，只按照自己的标准区分义人、恶人。开会整到后徐祝营长家，她念人家曾经指点她救佳琏，便将工作组何时分他们家山林的消息透露给人家，结果祝家组织人在分山之前就把山林的树木砍光，偷运出去。又整到西夏财主夏明魁，远房亲戚这一层她倒不顾，只是夏家的太太正是泷莹姐，这下她便不干了，直接去找县委主持工作的副书记张景祥。

她说："张书记，共产党的政策不对头了。"

书记说："怎么不对头？"

"斗争总不能抓好人！泷姐是什么人，我最清楚。我头婚嫁到后大范聿珍家，她是我姑子，也算一起长大过来的。她为人热心仗义，怎么好算她作地主婆？"

"地主，贫农，不是按人情义气分别的，这是阶级区别。占房占地，拥有生产资料剥削他人，便是革命斗争的对象；一无所有的贫雇农，靠出卖劳动力糊口的人家，就是革命斗争依靠的基础。他夏明魁霸地三百余亩，拥有山林十多万平方米，家里长工丫鬟管家多达三十余人，还勾结反共自卫总队的土匪，这样的人不斗争，难道还让他继续对抗人民政府，阴谋复辟把我们的胜利果实都夺回去吗？"

"泷姐嫁的人，不会错。要是你们把泷姐也定为斗争对象，那把我也抓起来好了。她是地主，我也是地主。"

"光妹啊，夜课上革命道理我跟你们都讲得不少了。你看，抗战前你娘家拥有一千亩地，这可算远近最大的地主了。可是后来破落了，沦为无产者，党是讲政策的，给你娘家评一个破落开明绅士的成分。我们重成分，也看表现，但决不能意气用事，讲姐妹情谊，这是资产阶级人性论。”

“反正我不同意你们专政泷姐！”光妹说完，扭头就走。

她又跑去西夏通风报信，说县里已经查明夏明魁与反共自卫总队有联络，让家里藏着的两个把兄弟土匪快逃走，否则拿枪的人马上就要到。这下可闯下大祸了，县委大多数干部决定把光妹抓起来。好在张书记不同意，说光妹本质好，人也聪明能干，一时糊涂，等醒过来兴许能为革命出更大的力。这便监督继续任用。

汤溪刚解放时，新政权日子并不好过。三十三师完成占领任务后，继续南下前线，走时须筹集每人十天的口粮。但共产党依靠的雇农长工还比较贫困，拿不出多余的粮食，只好向地主借。按政策，借便是借，不好搞摊派，必须人家情愿。正好城东头有个地主逃跑了，家里囤着数千斤大米，县里的人就去取，并给看家的人留下欠条，等地主回来照单奉还。

部队开拔后，城防空虚，只剩下地方干部和个别南下的领导。国民党的残余势力与地头蛇、土匪便勾结起来，趁机反扑。他们组织起反共自卫总队，偷袭乡镇公所、村寨办公点，有不少干部和公安的战士被杀。为此，县里向上级政府请示，调来一支游击队来加强治安。不想，这支游击队抵达后不到三天，便叛变到土匪武装方面去了。

这样的情况，直到三十五军进驻后，才有缓解。

是年年底，出了一件更大的事。

11月30日早晨，张景祥带人下乡检查工作，刚走到城东门，遇见五千多人进城请愿，这些人阻挡着张书记一行干部，裹挟着他们一起涌到县政府大门口。领头的人带群众高呼口号，要求释放反共自卫总队副司令李作志和国民代表章汝铨。这两个人都是与新政府作对的死硬分子，前者几天前因鼓动农民抗粮被逮捕。请愿的人情绪越来越激动，直至冲击政府大门，想暴力劫持关押分子。于是，院内的解放军架起了机枪。张景祥面对人群，临危不惧，开始喊话，向群众交代政策。可是，他是山东人，讲一口带山东口音的官话没人听得懂。光妹在客堂刚收拾完餐桌，目睹了这番场景。有不少古方、罗埠和山里来的农会的人也挤进光妹家，光妹灵机一动，从裁缝台子上找到一大块红布，扯成许多条，分发给农会的人，对他们说："你们都是土改干部，是张书记一手培养起来的，现在怎么跟着坏人来闹事？热天开农会时，大家都戴过红布条，我们现在把布条绕在左边手臂上，群众一看就认出来，政府也晓得我们和坏人不是一起的。"然后，光妹又穿过人群，挤到张书记身边。因她读过书，能听懂官话，便替张景祥做翻译。张喊一句，她译成汤溪话又说一遍。就这样，张书记把政策给大家讲明，区分出农民要求减税和坏人企图颠覆政权的不同。渐渐地，戴红布条的人靠拢到张书记一方，主动保护政府干部。这时，一个警卫员挎着枪过来，人群中又有人喊，说解放军拿枪要镇压人民，一个戴红布条的青年将张书记拉到一旁说："让警卫员归去，他带着枪反而不好。我们来保护你。我们知道哪些是坏分子。"劝说工作做得很艰难，不断有人冲上来要抓张景祥，多亏光妹组织的那些戴红布条的农会分子紧紧团在他身旁。直到中午，终于请愿的人选出了代表，与政府坐下来谈判。事情发端于秋季征公粮，因存在畸轻畸重的问题，山中的土匪和部分地主便利用农民情绪煽动闹事。谈判结果，政府答应检讨工作错误，并退还多收的公粮，另外希望农会的人团结普通群众，站稳立场，与敌人分道扬镳。

事态终于平息下来，请愿者渐渐散去。之后，反共自卫总队的人又纠结部分地主豪绅在白龙桥开会，索性发起暴动。靠着农会积极分子的揭发、指认，政府很快抓获了组织者和首恶分子。农民们说，他们害怕坏人报复，要求把坏人杀掉，他们才敢说话。于是县里请示上级后，迅速枪毙了那些带头煽动闹事的人。最后，农民们恢复了交粮的积极性。汤溪县当年的征粮任务是九百万斤，这下实际完成了一千万斤。

这次光妹立了大功，县委的人又对她刮目相看。

第二年，1950年4月，公安的人将泷莹抓来，关押在政府大院一角的砖棚里。群众揭发，泷莹因丈夫被镇压，对人民政府心怀不满，竟将毛主席像垫在马桶下面。

光妹拿砂锅炖熟一只母鸡，又盛一些草灰饭，一起提着去探泷姐。

光妹说："你也真糊涂，怎么可以做出这样的事呢！"

泷姐说："他们说杀便杀，好端端的男人就死了，心里能不恨吗？"

"这便好，死一个莫非还要死两个？你这般事体，不枪毙，也要判劳改几年。你个娇滴滴的女人，怎么受得起监牢里那般苦楚！"

"枪毙掉倒干净！他死掉，我也随着去。"

"三十多岁，路还长着呢，怎就想死！要不，我放你逃走，你去北京找子俊，或者到上海你娘家的亲戚那里避一避。"

"你怎么放得我走？外边公安的人看得老紧，门口还有解放军站岗。"

"一间（一会儿）你吃歇，换上我这套小衫，拎着碗碟大大方方出去。我便直坐在这里，等他们来。"

"你昏罢！你替我吃官司，这便如何受得起！你家里还有三个小囡，空日谁养？"

"干部相信我，我也早就对他们说过我们姐妹的事，不碍的，大不了撤我的职。我是犯错误，你是犯罪。再说，种田我也种不好，解放了人家过好日子，我的日子反倒比从前疲些。你出去找个人家嫁了，也帮我看好一个人，我也想再嫁呢。反正，汤溪我是不想住了。"

泷莹饱饱吃足一顿，换上光妹那件珊瑚红小褂，挽起发髻，插上一根黄玉发簪，又戴上曾经她送光妹的那副翠环，装扮得地地道道，完全没有两样。光妹又给她一叠钱，嘱咐她出门先去对面客堂，从家里后门出去，直奔西门，然后去陶家火车站。

就这样，掉个包，光妹放走了泷莹。张景祥怒得气不打一处来，这下怎么保她都说不过去，只好开除党籍，撤掉她职务，发配她去粮站缝麻袋，监督劳动。

当初土改光妹分到田，是1949年7月份，佳琏这年开春生病已经退租，胡庸卢又将田租给李继，李继跟佳琏在守城警备队一起当兵，三十七年也退役下来，回家没有营生也只好做长工，两亩地里他春天播下的稻种已经快熟，光妹白白得了这些稻子开镰收一下便满仓。又胡乱撒些豆种，任其疯长，一年下来，也不种别样稼禾，也基本不下地，就稀里糊涂混过来了。第二年仍无心种地，靠着李继帮忙，李继曾经与佳琏处得好，可怜她孤儿寡母，又看上她，想娶她做妻，便热络着忙上忙下地帮衬收种，她却嫌李继个子矮，人长得粗，并不中意，李继到头来落得个白帮忙，这便第二年也混过来了。到得第三年，真的不好再混，一方面再难开口让人家帮忙，一方面这双半缠半放的脚着实也难为她下地干活，正好碰上泷姐这一出，不如自断后路，干脆逼自己另谋前途。干部尽管不当了，到粮站工作，反倒吃上公家，终于摆脱了种田。这对光妹来说，不能不算一件好事。

泷姐说话也算数，果然，到1951年底，她寄来一封信，说已经嫁人，在上海成家落户，日子渐渐安稳起来，叫光妹上来，先住在她家，再从长计议。光妹于是将兰玉托付给小姑子，又将兰芳送到罗埠一户人家。这户人家不会生，愿意领养一个小囡，光妹本就不喜欢二女儿，想这下有人家喜欢，也不枉对这个孩子，便做了几套新衣服，又摘下一个金镯子，择日一并随着女儿送过去。诸事停当，已经到了1952年1月。光妹去兰溪找张景祥，他当时已经调到兰溪当县委书记。光妹向他告别，说她真正很感谢共产党器重她，但她不是这路上的人，一起走终将坏大事。她又说，不管走到天涯海角，她夏光妹绝不做对不起共产党的事。她深深鞠一躬，像当年离开义塾一样，也离开了这家学校。

到得上海，住在泷莹家，在上海长乐路华懋公寓边上一个弄堂里。泷姐初到上海，栖居在范聿珍侄女家，后来经人介绍认识了食品厂一个军管干部，谈了几个月恋爱，就嫁给了他，婚后搬到长乐路男人单位分配的房子里住。军管干部叫郭紫阳，三野下面的一个连长，随部队进城后被派到厂里做领导。人很和善，文化不高，认得几百个字，只够囫囵吞枣地读报看文件。当时，很多南下干部都愿意娶富家小姐、资本家小老婆、青年学生或者逃难地主的家眷。光妹到上海后知道，原来汤溪因逃避土改斗争出来的女人很多，已经形成一个圈子。她们大部分是地主家的女儿或偏房，年纪轻，相貌姣好，面临一时不能理解的社会革命，不知所措。既然旧世界已经破碎，男人毙的毙，关的关，衣食无依，生计无靠，出于求生，也不得不另谋出路。到上海嫁人，嫁干部，嫁工人，嫁二婚，先落下脚来再说。城里的情况，跟乡村很不一样。因为共产党准备走现代工业化的路，采取了苏联的办法，即进到单位就吃上公家，月月有稳定薪水，住房公租，教育免费，医疗劳保，生老病死有依靠，这些女人大凡嫁得一个公家的人，便一世无忧。户口入籍也简单，只消从原籍转来身份，城里有人接收，便可以报进上海户口。泷姐的户口报得慢些，直到汤溪地方上土改的老干部纷纷调走后，新上任的几乎没人记得她的事时，才调出来。

光妹的情况，与这些女人不大一样。她既是大地主家的小姐，也是小业主的媳妇，男人死后还当过赤贫的无产阶级；她懂一些旧文化，知情知趣，不在意名利地位，只喜欢情投意合的人。她并不为逃避革命来到这座城市，也不单纯出于养儿育女的目的来寻工作，她一心一意想要延续妹方故国的童真，想按自己认得的生活方式存在。这一点，除了泷姐，几乎没有人懂她。甚至她的女儿兰玉也不理解，跟她吵了一辈子，直到她撒手人寰前还不相和。

上海是个什么地方呢？这个问题几本书都讲不完。不过有个秘密读者可能会忽视，我在此不妨讲一讲。人们或者以为，上海如今的繁华得益于开埠经商，所谓殖民主义带来的现代文明。其实，这只是很小一部分。上海的财富，可以说是全国的历史性财富，是真正的老钱。自西周以来的皇家宝藏，到唐宋，经“安史之乱”和赵宋南迁，几乎都集中到江南一带，后来的蒙古—通古斯主政的国泰中国（Cathay）没有一朝不靠从江南敛财过日子的，而开埠以来，先不说盛宣怀、李鸿章、赫德这些声名显赫的大家族，即便四川地方上一个小军阀都把巨资转移到上海，让姨太陪房开出纱厂饭店。晚清国体崩坏，几千年积累的历史财富被大小官吏、皇亲贵胄相继拆移，纷纷集中到上海。这些曾经不可一世的家族，通过亲信、庶出和五花八门的宗亲关系，以掩人耳目的手段暗暗吞噬掉财宝，深埋在上海大街小巷的花园洋楼中。全国汇拢江南，江南汇拢上海。这个数目，不是金融和数学可以计量的，不是均分和抄家可以翻腾出来的，虽历经日侵、解放、“文革”和改革，亦只见浮出水面的冰山一角。“文革”时期，红卫兵抄沪上名医张聋硫的家，里外兜底翻，竟找不出多少值钱的东西，走的时候，有人不慎撞翻一把硬木椅子，磕掉地上一点灰漆，露出金闪闪一点，刮开看居然是金砖，整整一间屋子铺满金砖！这只是被找到的一星半点，在整个财富的汪洋中，不过沧海一粟。如果我们仅仅想，近代工业较早登陆上海，上海才得以发达，那么我们大错特错了。是西周以来，集权集富的牢固根底造就了近代工业以及后工业，而不是工业造就了上海！上海的财富，这是一个永不可测的无底深渊，你有多大的想象力，尽管去想。

这些妹方来的可怜女人们，只想在上海的指甲盖里觅得一点点的一点点，她们便得以从血雨腥风的追杀中避息，而上海，竟连眼睛都未眨便接纳了她们。神也应许这样的庇护，因为，从夏商以来，她们的祖先曾披肝沥胆地争得的财富，也有一些寄存在这里。

泷姐给了光妹三百万元（解放初期一万元相当老银圆一块，此三百万元即三百块的价值），算是还她钱，也算是给她刚到上海的贴补，又把翡翠耳环和黄玉簪子还给她。光妹给丰奂英寄回去一百万元，又给灵台小姑子寄去八十万元，自己留下一百二十万元。她拿这钱在上海吃吃喝喝玩玩，去民国二十五年那趟来去过的老地方，也重新认识了一些新地方，渐渐成为上海通。凡吃穿用玩，享受花销一类，不用教她就心领神会，比一般人强许多。几个月下来，上海有点名气的场所她都跑遍了。光妹每到一处，最关心四种店子，药铺、金店、布店和饭馆，时装店咖啡馆舞场之类的西洋景她不感兴趣，她只钟情于老式的各类名堂。她买回来不少南货，黄鱼鲞、火腿、腌鸭肫、虾干、墨鱼干等，又扯回来各样布匹毛料，在泷莹家日日炖煮煎炸，空闲时也做出几身得体的衣服。这些日子与其说是她的狂欢，不如说是泷莹夫妇的节日。两口子跟着光妹学吃学穿，吃得满面红光，穿得有头有脸。郭紫阳说，真正的大户人家，原来有那么多享福的办法，建设社会主义要拜她做老师。

郭紫阳热心为光妹寻夫家，把他的营长、政委，把厂里的工程师、技术员都说给光妹，光妹竟没有一个看得上的。光妹想，她嫁过三个男人了，吃了不少苦，这下既然还准备嫁，便定要嫁一个十分称心的。于是，这事便只好放一放，等有机缘再说。

泷姐也带她去认识上海的汤溪同乡，这些死爹死夫的地主小姐和姨太太，对新政权总有发不完的牢骚，一见面就嘀咕咒骂，光妹自是很听不来，至多一起玩几圈麻将了事。倒是她自己在法国公园认识西夏出来的妣姨，坐在一起谈得来。妣姨比光妹大八九岁，缠一双金莲，挽一头乌云髻，看着端庄娴淑，容貌酷似宋庆龄。她家是中农，有几分薄田，男人得病无钱医治早死了，留下三个女儿，无路可走想卖田典屋，族长不许，想逼她嫁给民团的团副做小，她不从，跪着求族长放过她，把头都磕破了也无济于事，于是便迈着小脚拖儿带女到上海谋生，好在纱厂招工把大女儿招去了，一家人才有了生路。妣姨是解放前来上海的，族长就是泷莹的前夫夏明魁。所以，当妣姨知道光妹住在泷莹家，与泷莹甚好，便生气了。说什么人都可原谅，偏泷莹一家她恨透了，绝不往来。光妹两下为难，一时不知如何是好。

次年1953年6月，妣姨大女儿原先的老板生病，家里要找娘姨（女佣），妣姨便将光妹介绍过去。光妹想，自己出来那么久了，一直住在泷姐家，吃他们夫妇的，也不是长久之计，终究须找个事情做，慢慢自立谋生，便一口应承下来，搬出长乐路住到老板家。老板姓施，住在华山路，上海本地人，老式人家，规矩颇多，但再多的规矩也敌不过光妹做事细致悉心，她从小被人伺候惯了，反过来真要愿意伺候别人，谁比得过她晓得其中的门道肯綮。三七要隔水蒸，虫草要填鸭肚，参须走关节四肢，莲心和莲子不是一个用途，熊胆要研末团在糯米里吞……一套一套，方圆不乱，施老板和施夫人自是很满意，深知捡到了大便宜。正宗老上海人做事，是很有账目的，细到一个眼神、一丝笑容，都要记账还你的。因此，他们对光妹也非常体贴，住的，用的，总不会断了关节，里外诸事皆有交待。

光妹做做，心绪渐渐稳定下来，便想到女儿兰玉。上年年底，小姑子来信说，兰玉也抵不上劳动力，家里分下田地甚多，种不过来，孩子吃饭胃口倒一天大过一天，她养不起，送兰玉去罗埠一家人帮佣，还可换点钱回来。光妹知道小姑子对佳琏有成见，也看不起自己，没想到如今对侄女也不好，亲骨肉的情分也不念，做得太过分。这么想来，便打算接女儿上来。光妹把兰玉的事告诉施太太，说接来多一个帮手，也无须付工钱，娘有吃分她一口便是。施太太很通情达理，说多雇一个人也无妨，孩子在外面受苦太可怜，接来是应该的。光妹便寄回去一点钱，托元香去把女儿赎出来，买一张火车票让兰玉自己坐火车来上海，她到时去北火车站接应。

中秋节，郭紫阳从兄弟单位找来一些妇女，也带上泷莹和光妹，一起去食品厂参加联谊会，像是专门为厂里的单身汉搞一场搭线活动。郭紫阳现在是厂党支部的副书记，专管生活和福利这一块。食品厂从温州进来一大批蜜橘做罐头，匀出一部分送给来宾。光妹挑了一大袋，想带回去给兰玉尝尝。橘子装在粗绳线编织的网袋里，孔眼不齐，掉出来一个。身后跑过来一个工人，喊着："同志，同志，你的橘子掉了。"光妹接过橘子，装进袋里，谢过他，又继续跟着泷姐往前走。一会儿，这个工人又跑过来说："同志，你的橘子又掉了。"光妹于是发现网袋有个孔眼太大，便寻出线头重新扎一下。又走一段，走到办公楼，见郭副书记在那里等她们。那个工人又跑过来，递给光妹一个橘子，说："同志，你的橘子掉了，已经掉了三次。"郭副书记见状，对工人说："梁育金，你也不去参加歌咏会，专门跟在妇女屁股后面拾橘子，看上人家了吧！"梁育金被这么一说，尴尬得不行，慌忙说不不不，扭头就钻进了树林。光妹回头看着他走远，不禁笑出声来。

郭紫阳说："橘子好啊！大吉大利。我怎么就没想到他呢？"

泷姐说："人高高大大的，眼睛明俊，挺有神气的。"

“他叫梁育金，做冲床的，人称老实人，也叫他老宁波，”郭紫阳说，“其实才三十出头，去年的市先进工作者。”

“有家室没有啊？”泷姐问。

“单身老青年。”郭紫阳看光妹不时偷偷回头看树林方向，已经猜出几分，“说实话，今天我第一次看见他跟女人说话呢。”

这次邂逅，光妹认识了梁育金。之后，泷姐又撺掇着郭紫阳把梁育金请到家里吃过两次饭，让光妹下厨，露几手精致的大菜，逐渐使两人熟络起来。

郭紫阳私下找梁育金说：“大户人家出来的小姐，人长得标致，手艺也好，条件没的说，只是先头嫁过三趟了，还有孩子要带过来，岁数也比你大出八岁，她民国二年生，你民国十年生。你看好想好，乐意就说是，不乐意就说不，书记不勉强你，不是平时下命令。”

梁育金只说是。

郭紫阳又说：“老实人做事老实到底。你的为人底细我们作保承担。她那边父亲死了，还有老娘在乡下，回头要写信禀告。你还有什么要交代的吗？家里父母什么情况？”

“父母都不在了。”

“那么，我们就算你娘家，也做你媒人。婚姻大事，不可敷衍，按老规矩办，敲锣打鼓，热热闹闹，花轿不抬，汽车要派一辆来接，就用我的那辆。另外，宿舍不要住了，我跟房管处说一声，分一套新房给你，你先住进去，家具锅碗置备起来，里里外外收拾干净，再去迎亲。你立即写一份申请，厂领导和工会都很重视你的婚姻，已经决定拨一笔款补助你成家。另外，定好吃酒席的日子，车间工友都请来，餐金单位报销。”

梁育金没想到有这等好事，千恩万谢，难以言表，高高兴兴地预备喜事去了。厂里的工人和干部，都实在万分喜欢他。他老实，勤快，做活从来比别人多，节假日也主动加班，几乎不停歇，任何困难的事情和不好的条件摊派下来，层层避让，最后接球的总是他，毫无怨言。人若一路甘受欺负甘受劳苦到这般境地，别人自是无话说，那么反过来有好事摆不平，也必然非你莫属。当然，从政治的需求出发，厂里也要做一个典范。新中国工人翻身，当家做主，怎么具体体现？旧社会讨不起老婆，新社会党给做主，不仅要讨老婆，而且要扬眉吐气、趾高气扬地讨回家。这便一切好处都给了老宁波，老实人，先进工作者。

郭紫阳觉得这事办得浑然天成，政治，人情，工作，没有一处不占的。又想，光妹真是不一般，大户人家出来的，名利地位看惯了，自是不会想俗人要的东西，自己曾经思路不对，什么大官大知识分子，人家根本看不上，人家要的是称心。什么是称心呢？“这大概就是上层建筑领域吧！”郭副书记若有所悟。

施太太对兰玉很好，教她说上海话，教她城里生活的所有细节。兰玉手脚快，办事机敏，几个月做下来，不仅厨卫家务搞精通了，还帮着做起一点大管家的事。光妹看女儿立牢了脚跟，同时又不想给施家增添负担，便辞职另去找一家做。第二年，施太太突发心疾病故，施先生将原本住在青浦的二姨太接过来住，二姨太做人苛刻，对兰玉不好，兰玉便也辞去这家，寻到嘉善路一家工人家帮佣。这么一路下来，到1954年云南的兵工厂来招工，兰玉报名参加了工作，成为吃公家饭的人。同年秋天，光妹跟梁育金好上了，也想将兰玉找个人家嫁出去，兰玉不肯，跟母亲间生出矛盾，这便索性跟第一批新工人趁早离开上海，反倒没有牵挂。

1955年，夏光妹嫁给了梁育金，光妹四十二岁，育金三十四岁。

他们住在肇嘉浜路的棚户区。这个地方，解放前是臭水沟，两岸遍布滚地龙（茅草和竹竿搭起的低矮窝棚），解放后政府帮着翻修改造，造起一些泥草墙的瓦房，每户外面围起竹篱笆，看着还算整洁。梁育金得一处三十平米的小房，用芦席隔开，分作两间，小的睡觉，大的做客堂。两人将屋子收拾得干干净净，生活用品虽简朴，却一应俱全。光妹终于有了新家，也在新社会找到了自己满意的位置。她去街道服装厂做裁缝师傅，下面带三十几个徒弟，每日忙得不亦乐乎。

郭紫阳跟党支部的几个同志商量，决定发展梁育金入党。而正此时，发生了两件事，恨不得让全厂全党厥倒。第一件事，叫作老实人太老实；第二件事，叫作老实人真不老实。

党组开会培训预备党员，会上进行新旧社会对比，大家你一言我一语，说得声泪俱下，老宁波坐在一旁默不作声，有人说，轮到你了，老宁波，你也说说。老宁波躲不过去，只好说说。梁育金说："按说，旧社会生活要好过新社会，那时资本家给我工资相当于一百大洋。解放后厂里定我工资，才相当于过去的八十几块，少掉十几块。但我还是感谢共产党，愿意为共产党卖命，因为共产党给足了我们工人面子，让我们翻身做主人，昂起头做人，不再像以前要看老板和拿摩温脸色做事。"这话一出，惊倒四座，郭紫阳脸色都变了。你梁育金，竟敢说旧社会比新社会好，说得铁板钉钉，有根有据，还拖着共产党一起为过去做见证，这还了得！

1955年冬，梁育金回宁波老家过年，对光妹说家里有个老姐姐中风卧床不起，要去看看，为她料理安排一下。结果，过了十五，他带回一男一女两个孩子。男孩六岁，女孩三岁。梁育金说："光妹啊，我对不起你。这两个孩子是我的，结婚前我瞒着你没有说，我解放前结过婚，他们的姆妈还活着，并没有跟我离婚。今年我回去，是接到电报，说女人产后风严重贫血，躺在医院里快要死了。她10月份，才又刚生下一个囡儿。"光妹愣了，只丢了一句："那上年我们好了，冬天你回去，还又和她同房？”

梁育金父亲死得早，母亲带着他度日辛苦，欠下地主家很多债。地主叫朱继发，在乡下有大片土地，在上海还开着食品厂。朱继发有个哑巴女儿，到了婚龄嫁不出去，便对育金娘说，把儿子入赘到他家做女婿，他免掉梁家多年的债，并带育金到上海食品厂做工。育金娘便允了这门婚事。当年民国二十七年，梁育金十七岁。梁育金入赘过去后，一直躲着哑女，能赖在上海一天就赖一天，很少回乡下。他一直拼命工作，想用不停的劳作来忘掉这事。可后来，朱继发逼迫他，老娘也一直哭闹不停，便不得不与哑女同房。这时已经到了三十七年。第二年三十八年1949年，生下第一胎，是个男孩，取名梁飞云。朱继发一家坏事干得不少，土改时，几个兄弟被新政府枪决了，朱继发也因为之后故意滞运抗美援朝物资被劳改，这就家道破落，树倒猢狲散，哑女孤伶伶一人无有照应。育金可怜哑女，便又回去安置她生活。为避开村中阶级报复，他将哑女从乡下接到镇里，租下一间房，请来一个阿婆照顾女人和男孩。哑女1952年又生下女儿梁见云。育金将这门婚事藏得很深，除了朱继发和乡里邻居，再没有其他人知道。1955年跟光妹好，他迈出了第一步，可当年冬天同情哑女回去又跟她同房，他又退回了半步。他就这样进三步回两步，终于把事情搞到眼前这般地步。

郭紫阳指着他鼻子骂道：“梁育金，你知道吗？你这是重婚罪！你欺骗人民欺骗党，陷全厂领导和职工于不义！这下如何收拾，如何收拾！你吃不了兜着走！”

光妹说：“书记发脾气也没有用。事到如今，只好先不张扬。党怎么可以办错事呢？判他重婚罪，就是判人民政府重婚啊！我看，人命攸关，保住性命最重要。我去把妹妹接来，住在家里养病。等身体好了，再说以后的事。”

于是，光妹亲自下乡，把哑女和新生的女儿接到上海。光妹、哑女和女婴住里屋，育金和飞云、见云住客堂。因为每天要给病人输血并用去很多进口的药，家里一时开销不起，光妹便当掉她的翡翠耳环。为了照顾哑女和婴儿，光妹又辞掉街道服装厂的工作，成天在家里忙前忙后。现在，新婚燕尔的人，要替病倒的母亲照顾三个孩子。谁也不清楚这家到底发生了什么，只知道梁育金妹妹病重，家里人都来投奔哥哥。

1956年春，哑女死了。死前，她拉着光妹的手，不停哭，不停发出呃呃呃的声音。她让三个孩子用手摸摸她的耳朵，又摸摸光妹的耳朵，然后点头指指自己，再指指光妹。

光妹说："妹妹放心去吧，光妹作予他们是自己的小囡，不管怎么样，都不会丢弃他们。光妹有一口吃，小囡便有一口吃。光妹做不得亲娘，也绝不做后娘。他们长大了，我会带他们去你坟上烧香的，告诉他们谁是他们亲娘。"可是哑女听不见，她又聋又哑。

哑女只抱住光妹，紧紧不放，死在她怀里。

直到1966年，"文化大革命"重新给梁育金分房，他们住到没人知道根底的新地方永嘉路396弄之前，光妹从未让三个孩子叫她一声娘。

永嘉路以前属法租界，叫西爱咸斯路，太平洋战争后，日本人改为永嘉路。396弄有几排西洋联体别墅，拉丁风格的，每排两户，每户三层，楼顶为晒台，底楼有花园，二楼有小阳台，每层两间朝南的房间，并有厕所浴缸，朝北顺着楼梯盘旋，各层另有一间亭子间，正门设在花园，后门一扇入厨房，供用人行走，另一扇直接可入底层居室。光妹一家被分在4号，边上隔墙3号住着科学院研究生物的几个专家。4号底层住着一家苏北人，老党员；二层两间，一间分给原新华电影院老板，姓朱，另一间分给师范大学的胡老师；三层两间就是梁育金的家。听说3号4号原本是资本家兄弟，哥哥有些政治背景，“文革”一开始就拉出去枪毙了，弟弟被送到某个农场服役。恨不得早晨将人赶走，下午就分房给新人家住。从3号4号的住家，可以看出1966年之后十几年里中国社会的公民结构。知识分子、基本党员、工人和民族资本家，是大都市的主体。这个成分组合，并不十分无产化，倒更接近国家社会主义的状态。

整条永嘉路，别墅林立，街道幽静，民国时期曾住着孔祥熙、张澜、田汉、宋子文，还有比利时商人鲁义士等；“文化大革命”时期，王洪文、江青也常来住。不得不承认，当时的常委敢与最基础的工人住在同一条街道，一起分享从资产阶级手中夺来的胜利成果，的确有一股非凡的自信。396弄隔壁是中国中学，斜对面是上海电影译制厂，译制厂搬来以前是街道幼儿园，昭平和我都曾在那里度过学前岁月。

厂里考虑到梁育金工作积极，为人正派，又照顾到他家人口多，原先的泥草屋不够住，便将最好的一套洋房分给他。当然，每次摆不平，只要给梁育金，大家自然没话说。可以说，一夜之间，又经历了一场革命，梁育金从社会底层一跃到最顶层。他这下不仅住得最好，生活各方面也达到富裕水平。每月工资、补贴、奖金和加班费统共加起来可收入一百元，光妹在家偶尔接点活帮人裁几套衣服，也可收入三十元，里弄里又照顾他们给点拆纱头的活（即将服装厂裁剪剩余的纯棉纱布拆成纱线，用以机械部门擦机器或其他行业做抹布），孩子们课余拆一点，又有十五元进账，兰玉每月定时还会寄十块、二十块补贴家用，这么算下来，一个月有一百六七十元钱。当时，小馄饨一碗一角一分钱，三两米饭五分钱，一块大排一角至一角二分，市内电车票最贵一角二分，汽车票最高二角，一包高级的无过滤嘴牡丹牌香烟四角九分，电影票八分、一角、二角不等，奢侈品如茅台酒一瓶八块，一张如今值八百万元的老檀木双人床售价三百元……总之，一元的购买力相当现在一百元，甚至还多些，那么一百六十元的收入应值当今天两万元。两万元，不用买房还贷款，医疗教育免费，几乎纯粹只用来吃穿玩乐，应该绰绰有余了。

光妹每月要寄三十元给丰奂英，拿出五十元存银行，家用只花销八十元。八十元，五口人过什么样的生活呢？

早餐，有粢饭、豆浆、小馄饨和肉馒头，外加腐乳、小酱瓜和煎咸鱼；中饭必有大排、酱肉、带鱼、黄鱼或者虾蟹；晚饭偶尔吃一只鸡，时令菜蔬从不缺，又常常光妹做些汤溪风味的肉圆、麦馃，鱼类、豆制品根据口味要求不断换花样。如果孩子们下午放学早，光妹还会增加点心，食品店买来的花样繁多的糕点，或者下碗大馄饨，或者到襄阳路口买乔家栅的小笼包，有时也有纯肉馅的生煎馒头或锅贴。

梁育金吸烟，牡丹牌一星期抽一包，平日抽两角多的光荣牌，一月抽掉八九块钱。这类烟的质量，达到现在钻石芙蓉王或者大重九的水平。

光妹当年为照顾哑女，辞掉服装厂的工作后，再也没有正式上班。一般在家自己设一个小板台，给人做老式旗袍、棉袄、鞋袜或者中山装、大衣等。她手艺精绝，那些大教授、大干部、演员明星都来找她做形制牢靠的传统衣裳。当然，剩下的布料，东拼西凑，剪裁得当，就够孩子们穿的了。于是，穿着这一项，基本不花钱。

小孩子零花钱用得不多，玩具也很便宜。梁育金的娱乐就是打牌，一角钱买一副扑克，到肇嘉浜街心花园找工友凑局，可以玩好几年。她自己倒有不少娱乐和额外开销，看场电影，看场绍兴戏，间或也去博物馆、动物园，主要用得多的是买名贵药材，三七、人参、杜仲、银耳、鹿茸之类，莲枣豆藕简直就是家常便饭，汤羹粥膏日日不断。光妹八十七岁那年，从公交车上摔下来，折断了脊梁骨，居然躺在床上，吃吃中药就痊愈了，所有人都觉得不可思议，公交公司专为她请来的青浦老中医说，这个阿婆年轻时注重进补，关键时候起到大作用，主要是吃三七，三七强筋骨，磨出一副铁骨架子任打不散。

每年年终，积蓄可有六百多元，光妹拿这钱接济汤溪老乡，有时下去走亲戚，送钱送礼，对那些原先夏家的佃户长工念念不忘，也有时干脆把乡下人接来大上海，带他们见见世面，管吃管住管火车票，往往过年那十几天，396弄4号就成了永嘉路旅社，弄得上下邻居怨声载道。这点，梁育金看不惯她，常常嘀嘀咕咕，说她还要大小姐派头，旧社会作风不改。

洋房的地板是橡木的，里弄里派专门的人来教住家如何养护，每月免费提供打蜡油；房内和厕所浴室设有热水汀，四季冷热水供应不断；也有壁炉取暖系统，因烧木炭不安全，废弃不用了；窗台宽大，铺设木板，可以当小写字桌用，窗框和门窗把手全是黄铜制造的，开启便当，卡紧后不透一丝风；厕所里安置纯瓷质的抽水马桶、盥洗盆和大浴缸，地面和墙壁都安有进口的细瓷砖，另有细木工制作的内阁，用作衣帽间；亭子间改作厨房，烧饭用餐都在里头，煤气管道通到每一层，厨具和燃器都相当现代化。这一套厨卫，水电煤加上房租，政府象征性地才收几元钱。最让人感叹的是，这样的洋楼，水泥、砖头、金属、木材和大理石，其用料之精致，如今七八万元一平米的高级分层别墅都难跟它比。

这样的经济待遇，如果不弃传统的方式，除了要不断劳动做家务以外，简直称得上是贵族生活。

楼下花园的宽叶玉兰树，粗壮参天，高到晒台以上，每年夏天花枝直伸进窗里来，光妹会剪下几朵，插在茶缸里，灌满水养着，让香气环绕所有屋子。有时她也剪下几个未开的花骨朵，送给泷姐和妩姨，告诉她们上海的玉兰花开了，老家的稻子要收了。自然，妩姨拿到花骨朵，高兴得不得了，并不知道泷姐也拿到一份。

搬过来永嘉路后，光妹对孩子说：“不用再叫舅舅舅妈了，可以叫爹爹姆妈。”

1966年中秋节，光妹烧了一桌酒席，摆到晒台上面，他们终于钻出地面，在月亮底下圆满。光妹每次抬头看月，总以为光是从妹方照过来的。这便又想家。兰玉现在还好，从云南调回上海后，嫁给一个读书人，上年刚生下一个男孩，就是沈昭平。兰芳嫁到萧山去了，来信说她男人对她不好。兰章跟飞云年纪一样大，都是1949年生的，这年十七岁了，高中刚毕业。按说女孩子出嫁，是别家的人了，可儿子还是自家的人，要是这会儿兰章在跟前就好了。1959年，光妹与育金商量过，接兰章到上海住，四个孩子，加他们两口，经济上绝无问题。但兰章性格强烈，玩闹无度，在乡下并搞不出多少名堂，可在大上海就不一样了，才住半个月，左邻右舍来告状来索赔的，就已经排成长队。最危险的是，飞云兄妹也愿意跟着他野，处久了，怕被他带得无章无法。兰章是丰奂英宠大的，光妹那套完全压不住他，再说育金老实，身为继父也狠不下心做威严，这便作罢，还是送回去，想着等他大一些懂事了再接上来。可是，过了1960年，上海户口就不那么好报了，再上来的机会越来越渺茫。如今一家人日子谧美，飞云和兰章都到了要工作的年纪，光妹不得不想孩子的前途。

兰玉为兰章的事，总是埋怨母亲，说她只想自己的新家，抛下弟弟不管，心肠太狠。又翻出瑞明大哥的事，说四岁的孩子都忍心不要，狠心肠便是一贯的。光妹性子也倔犟，女儿这么说她，自是不服，便见面就吵，越吵越凶，一发不可收拾。可吵归吵，兰玉结婚，她又去做衣裳烧酒席；兰玉生孩子，她又去端汤递水，照料坐月子。兰玉也不少帮衬母亲，寄钱送补贴，过年过节大包小包送礼品，给弟弟妹妹买吃买喝从不抠缩，三年困难时期把粮票烟票省下来，不少送给梁家。所以，梁家兄妹很喜欢这个姐姐，梁育金也对兰玉特别好。这使得兰玉在梁家很有威信，算得上半个家长，大小事情没主张，都指着她来定夺。

酒席吃到一半，育金对光妹说："要不你去找找泷姐，让郭书记想点办法，把兰章弄到厂里先做临时工。"

"小囡大了，怕自己主意大呢，"光妹说，"到处闹造反，他也拉了队伍去杭州革命去了。兴头上，估计一时拉不回来。自己的小囡自己知道，他属牛的，跟我同一个生肖，犟起来几部大卡车也拖不动。"

"你日日照顾我的小囡，自己的小囡顾不上，我心里过意不去，生活也过不好的。"

"你这话差劲了！飞云姊妹，怎么只算你的小囡？你先就心思里将我分出去，不作予我姆妈，还指望人家不把我看作后娘？"

"我不是这层意思。我是觉得亏欠你，也亏欠兰玉、兰芳和兰章。"

"要说亏欠，也是我亏欠，万般轮不到你。兰玉来责怪我，你又不是没看见！她自责怪她的，我有什么不是，自己担着，心里反倒好受。"

"你待不亲生的都那么好，怎会亏待亲生的？兰玉现在想不通，日后定当明白的。"

"以前那么苦，都熬过来了。现在还有什么可以烦恼？只一件一件事体认真做着，样样都会好起来的。我倒是想，把兰玉的小囡接过来，我们来照顾，让她放手去工作，不失为一件实在事情。她以为我做娘的不称职，我还有机会做外婆吧！"

"这个好，这个好！帮她带小囡，我也心底里情愿呢。"

这样，昭平便来到这户玉兰花盛开的人家，在这个心中天地大过外部世界的外婆身边成长，赶上了一段流淌着万年妹方余泽的日子。

芳云爱静处，自小不愿跟人打交道，常一个人独坐在角落里。她有一些很特别的玩具，几个缝着沙子的微型布袋，一块旧的象牙麻将牌，自己用塑料玻璃丝扎的小人，光妹裁衣服剩下的碎布拼起来的小毯子、小被子。她很晚开口说话，九岁以前大家都当她跟生母一样，又聋又哑。父母亲喊她，她也不应，逗她玩跟她讲话，她也不搭理。直到有一次，风把门带上，发出很重的一记声响，她猛回头，惊异地发愣，光妹才知道她不聋。既不聋，恐怕也不哑。便细心教她说话，带她去热闹的场合，每天去看一场电影。她长得娇羞，皮肤白皙，身子骨单薄，光妹那些汤溪同乡都很喜欢她。世面见多了，人灵活起来，就渐渐开始说话。不说便罢，一说起来，尖刀嘴巴，伶俐过人。这下光妹和育金的心放下了，九岁下半年就送她去上学。因为她看上去小样，尽管上学晚，倒没有人在意她老大不小了，在学校里很快跟其他孩子融洽起来。

见云大眼睛，高鼻梁，但有点木，人看着傻美傻美的。她做事笨手笨脚，不帮忙还好，一帮忙就添乱。一次让她收拾碗柜，她竟把柜里的所有碗碟筷勺全部搬到地上，还将刚熬好的一大盆子猪油弄翻，差点把自己烫伤。光妹又恼又后怕，火气一股脑儿就往她身上泻，将她吓得逃出去不敢回来。她躲到二楼浴室的衣帽间，被胡老师发现，领回家问话。这个胡老师，当时正是评法批儒的红人，市委组织的写作班子出一本孔老二身世的连环画，她负责写文字。也许风头太足，也许自我感觉过分良好，便什么事都想插一脚，什么地方都以为缺不了她。这番听见云说光妹是继母，忽然来了劲，认为大有文章可做，便上下串联，把4号的住户全部鼓动到三楼，给光妹开批斗会。

“新社会了，做后娘的不能虐待孩子，这么凶得像母老虎一样的，我们看不惯！”

“难怪总觉得你跟孩子生呢！霉娘（后娘）不会好的。”

“你家里的事藏得深，不要以为你可以随心所欲，拿出来见见光，让大家管一管。”

“你再敢欺负小囡，我们打死你！”

“偏要杀杀你的威风，用社会公德约束约束你！”

光妹坐在靠西窗的一把藤椅上，闭目听这些人你一言我一语地声讨，说：“说完了吗？你们！告诉你们，那个社会公德再大，大不过天理。你们那么一大群人不请不邀地，闯到我家里寻相骂（找人吵架），天理难容。谁让你坐在我床上的？谁请你走进这道屋门的？拍我的桌子做什么？那么脏的鞋踩我的地板得到允许了吗？我赶你出去没商量！叫你们猪狗畜生活该讨骂！”说着拿起笤帚就朝人扫去，人群躲避，退到楼梯口，只胡老师岿然不动，想做泰山顶上的青松。光妹又从裁缝桌上拿把剪刀在手上，点着她鼻子说：“我乡下来的，没点本事，不敢在上海滩撑那么多年。你好自为之，快快滚出去，休叫我下手让你难堪！”胡老师不听，做出一副大义凛然决绝赴死的样子。光妹二话不说，剪子一闪，电光一般地从她的脚跟划到屁股，只上手一扯，一条裤腿完完整整地掉下来，胡老师肥胖的大腿立时光出来，惹得人群一阵哄笑。刚才还是青松，顿时落地成了王八，胡老师羞面难遮，不知如何是好，落荒而逃。光妹追上一句：“再站一会儿，另一只蹄膀也叫你露出来晒晒！”

里弄里的苏北阿姨高大姐来调解，说：“大家靠拢来，靠拢来，公德问题么，要在公共场所解决。大家都到楼梯口，我声音大，说话你们都听得见。”于是，各家都到楼梯口，众人顺着楼梯，从上到下伸出脖子听高大姐评理。她接着说：“跑到人家家里去寻相骂，老不好的。你胡老师是知识分子，带头激化人民内部矛盾，评法批儒怎么学的？是不是孔老二温良恭俭让，韩非子赤膊上阵、大打出手？光妹多少年了，做娘做下来，没有人在后面叫她霉娘，事实证明人家不是霉娘。做继母怎么了？没得继母，小囡谁带谁养？掼到孤儿院给国家增添负担？《红灯记》阿看过？一家三姓，好得不得了，革命情义胜过血亲。你们思想太老了，拿后娘亲娘的名目看问题，远离实质，要犯错误的！我看光妹对小囡老好，小囡犯错误，亲娘能骂，后娘骂不得？叽叽咕咕，轧啥闹忙（凑啥热闹）！在后面说闲话，图嘴巴快活，不尊重事实，一点社会公德都勿有！文化大革命，就是要革掉旧文化，旧名目，要讲真情真理，不再虚伪装门面。阿懂？”

众人被她的大嗓门震住了，完全在她的节奏和气氛里，齐刷刷地回答：“懂。”

“这就对了！”高大姐释然，“那么，光妹也太麻利，一刀下去，裤腿就下来了，身手不凡，以前倒没有看出来。招你参加工纠队，去抓阶级敌人，眼明手快，肯定不错！胡老师侵犯领土，毛主席教导，人不犯我，我不犯人；人若犯我，我必犯人。房子是你的，赶她出去不错，但大腿和裤子是她的，你也不能侵犯。赔她一条裤子吧！”

光妹说：“毛料裙子倒有一条，裤子没有。”

高大姐说：“女的不要穿裤子（众人笑），还是穿裙子好看。再讲，你一条卡其布的，她还你纯羊毛的，格算了！”

众人咯咯笑出声来，散去。

胡老师在“文革”的时候评法批儒，在改革的时候尊孔复古，到电视台胡解《论语》，在“国学热”中炙手可热，成为学术明星。中间似乎省却一个场景，即如何痛哭流涕，悔恨曾经无知挖祖坟鞭尸。

高大姐说，光妹是贫雇农出身，育金是老工人，“文化大革命”靠的就是这样的基本群众，可是为什么每次行动反倒靠不上，文件不读，报纸不看，分发传单、参加会议拖三落四，倒是胡老师这样的知识分子和朱老板这样的民族资本家特别起劲，批斗态度尤其凶狠，揭发手段出乎意料。她说从个人感情上相信光妹一家，从政策原则上不得不支持胡、朱他们。“工作难做啊！工人阶级闹不起来，动摇分子热情高涨，心里七上八下，不踏实！”高大姐感叹。

光妹回忆说：“那些年，好比过年过节赶庙会。大凡没有被运动到的大多数，基本就是轧闹忙，这里看看，那里转转。一会儿文艺小分队在地段医院门口搭个台子唱戏，一会儿组织游行挥挥彩色小旗帜，从永嘉路走到文化广场，绕三圈，发点冷饮面包吃吃，下午又发小板凳，坐在广场看批斗，像听说书一般地听故事，激愤处跟着喊几句口号。不同庙会和社戏的，是也要看的人加进去帮腔。要么大合唱，要么一起跳忠字舞。其实，在我看来，这些调子和动作，跟乡里请神驱鬼那套一模一样。说这是革文化的命也没错，读书人靠边站，民间活动登台唱主角。要是佳琏活到现在就好了，他那么喜欢看戏，天天演，让他看个够！”

光妹的女婿沈之翰，兰玉的丈夫，昭平的爸爸，家里成分是城市流氓，因沈先生的父亲在旧社会做白粉生意，就是在公平路码头拉着沧州帮搞黑社会，黑吃黑，专门抢劫国民党大员的走私船，趁船入港尚未卸货，几只小舢舨就上去偷抢，凶险时，也不得不刀枪直面。窃盗来毒品，倒手转卖或自设烟馆赌场经营。所以，昭平的爷爷很有钱，家里的桌几床凳里都有暗层，藏着大量钞票和金条。解放后遭到专政，家财被大部没收后，还剩得一套石库门独门独院的房子。这样的出身，新政权的人说，资本家都算不上，这叫作“旧社会渣滓”。这样的渣滓出身，埋一埋，藏一藏，未见得过不去，可历次运动都蒙混过关了，偏到了“文化大革命”，沈之翰也跳出来造反，结果弄不过人家高干子弟的造反队，反被揪斗抄家，沉渣浮现，一败涂地。

沈之翰东躲西藏，三日两头往永嘉路跑，夜里听见中国中学学生打老师，惨叫不停，他心惊肉跳，几番从床上爬起来去拉窗帘。

光妹说：“怕什么！我这里是红色保险箱，谁敢来！窗帘关起来，关得掉这声音？你自安心睡去吧，无事的。”沈之翰怯生生地说：“这些打老师的学生，都是有背景的，都是市委和区委领导的儿女，毛主席都敢反……我就是被他们追打，才逃来避难的。”

说沈之翰怕得要死，自身难保，却还又拖来一个人一起避难。这个人外号老山东，沈先生师范大学的同班同学，1958年入学就被打成右派，每次运动首选批斗对象，老运动员了。这次真是避不过去，被学生踩断三根肋骨，痛得奄奄一息。光妹二话没说，照单全收，将他安排在晒台上搭起的窝棚，每日给他做吃送餐，鱼虾鸡鸭不断。之翰有时候风声不那么紧，还敢出去张望几下，老山东怕得屎尿都不敢多拉一次，门窗紧闭，足不户出。

高大姐偶尔来串门，说：“光妹啊，你家来来往往的人最多，七大姑八大姨，乡下一个村庄都搬来了吧。做人有同情心好，我也是心软的人，看不得乡下农民苦。好在你相处的都是好人，我了解你，派出所马同志每次来问，我都拍胸脯，拍得隆东东响，我可以担保！这两天女婿上门，还带来一个陌生人。不要低估人民群众的警惕性，早就有人来汇报了。我跟他们说，女婿来看丈母娘，有什么好怀疑，带个一两个朋友来吃喝，不要太正常哦！不过，我还是要提醒你，运动嘛，泥沙俱下，毛主席教导我们，大乱大治。今天斗倒的，明天又爬起来去斗别人；今天看上去乖乖隆里格东像是好人，明天说不定就被揪出来，是最坏的阶级敌人。我相信你，大方向不会错。关键不是成分，关键是为人，重在表现。”

昭平说，这个老山东，大一就被开除，送回原籍监督劳动，在当地花五角钱手续费盖了结婚证，娶一个目不识丁的农村丫头做媳妇。婚后，他干活倒是卖力，博得农民好印象。后来全村的人都保他，说农民出一个大学生不容易，希望政府再给他一次机会。这样，便又恢复学籍，学到毕业。分在虹口区一个中学教语文，教着教着又给中央写信，为农民诉苦，说政策偏向工业化是剥夺农民，结果再次被下放，弄到南汇一所小学做校工。昭平记得有一次他被运动，腿被打折了，还正患重症肝炎，人躺在黄浦江上游岸边的一个医院里，夏光妹烧好一箱笼菜，带着昭平换了好几趟车去看他。他一见夏光妹，眼泪都流出来了，勉强支撑起身子说："姆妈，谢谢侬来看我。"

运动搞到后面，高潮退去，日子宁静了许多。老山东也基本被解放，恢复了教职。他有时也会从郊区上来，看看光妹。昭平记得，老山东条件不好，每次至多带一包五分钱的薄荷糖或者粽子糖来。有时他一住两三天，光妹总是像迎贵客一样，烧酒席款待他。有一次他来，家里只有芳云在。他坐一会儿，喝几口茶，突然对芳云说，把裤子脱下来。芳云怔住了，不知所措，哭起来。光妹回来看见这场景，什么都明白了，拿起笤帚就把老山东赶跑了。

改革后，老山东平反了，退补给他不少工钱，又分他到徐汇区打浦桥一带的一个中学任教。任教期间，他因猥亵、诱奸、强奸女学生多名，被判十五年劳改。之后，就再也没听到他的消息。

光妹说："平心而论，老山东这个人，除了有这个毛病，其他方面还是不错的。"

飞云是1968年底去江西林场插队的，到1980年，随着知青返城，他也回到上海。为了解决儿子工作问题，育金办理退休，让飞云顶替。飞云在林场十几年做下来，每年分红九十元至两百元不等，存不下什么钱，只带回来几块原木板，准备为结婚打家具用。飞云上班不久，便与同车间的女工杨敏谈恋爱。小杨是团支部的干部，一张嘴很甜，颇会讨领导和长辈的欢喜。她一上门便姆妈长姆妈短的，把光妹哄得心里乐陶陶的。光妹想，两个女儿都已工作，住在单位宿舍，日后反正嫁人，并无须过多操心，这便可以腾出一间屋子给儿子成家用。住宿条件是一流的，两个青年人都有工作，双薪收入也不低，将来生活应该相当充裕，只是办喜事的钱还无着落，于是想到还有一只金手镯，便摘下来卖给二楼朱老板家。朱老板解放后一直与三姨太生活在一起，这个女人很是知道金银珠宝的一些门道。当时，黄金统购统配，还不能在市场上自由买卖，交易须冒着风险在私底下进行。光妹的一对镯子是民国二十五年在老凤祥买的，一只送走兰芳时已经给出去了，唯这只一直舍不得出手。镯子重一两，按民国市两计有31.25克重（清代老库平两为37.3克，现在香港金行还按旧制算。这都是十六两制的算法，不同于现今50克一两的新制换算法），老砂金提纯的，色泽纯赤如火，与现在市面上闪暖昧草绿色的金饰很不同，三姨太一见着，眼睛就发亮，出价一百元。解放初期，黄金九十五元一两，因政府严格控制黄金，黄金几乎退出百姓生活，一般人的心理价位便始终停留在这个基数上，而实际上人民银行一直在回收黄金，只进不出，价格也随年有所增长。这点光妹不知，三姨太时常翻腾点旧藏去卖，自是心知肚明。仿佛多给五块凑个整，已经善待卖家了，却暗地里依着浮动价先就捞了一票。不想之后不多时，城隍庙开始出售黄金，官家卖到四百元一两，光妹后悔了。三姨太说：“愿买愿卖，哪里有后悔药吃！当时，我已经多给了，我哪里晓得黄金会增值！再说，那时候买金子，我还冒着坐牢的危险呢。我帮你，你还不记好。”按说，光妹不是不大度的人，泼出去的水收不回来，这个道理她懂。只是她念念难忘佳琏的情义，不想人家从这份情义上还赚着她的便宜。三姨太是什么人呀！看她戴着金子多么难看，多么俗气！黄金这样东西，只让尊贵的人拥有。贵人戴着，是情分、智慧、文明的延伸，而在俗人手里，只是钱财。凡宝物，都是有灵性的。它在相中的人身上涨势，在看不上的人手里埋汰你、惩罚你，甚至给你带来厄运。

光妹又想，这个镯子出去，结了一个旧时代，倘为孩子开辟一番新生活，即便亏欠一点，也算一种牺牲，佳琏该是也情愿的吧！

又过了一年，政府要把从前征用的资本家的财产还回去，396弄4号的住户便又被悉数请走，他们纷纷被安置到市里远近不同的地点。光妹一家分到两处房子，在浦东上钢新村附近。光妹将一处大的两居室给了飞云，自己和育金住在一间带厨卫的单间。离开的时候，光妹剪下了几个玉兰花的蓓蕾，又将曾经收藏的玉兰树种子带走。春天，她将种子埋到新居楼下的花园里，不久，新芽破土而出。

1995年，梁育金肝腹水不治去世。

死前，他要吃橘子。光妹给他买来橘子。他拿着橘子，说："同志，你的橘子不要再丢了。要看牢看好！"

他长久地不肯闭眼，等着兰玉来。一星期后，兰玉赶到他病床前，他对兰玉说："要对姆妈好！"

第五章　盛满月光的篮子

现在，屋里只剩下她一个人。她常常一个人面对着墙，盖着铁罩子的灯昏黄地照下来，外面的霓虹一天比一天亮，大桥从头顶飞过，高楼像钢树参天投下阴影。上海的夜，明处亮着，暗处也不黑。夜色贴不到江面，归不到大海，大海与万年妹方断然隔绝。这亮里曾经暗藏的杀机，终于刺破万古长夜，而长夜里的万千柔肠，节节断碎。光妹也是其中一段，从时间的深处、魂魄的底部而来，一往无返，只好一往无返地继续迎着天神预备的曙光按时到来。

这曙光到来的时刻，她或者已经睡去，睡在成汤溪的底部，睡在瀫水洋江的河面上，涛声巨大，充斥双耳；光下的油菜花、金麦、碧茶和连天的稻海，前推后翻地滚滚而来，涌入眼帘。妹方的声色，此刻已经垂暮；妹方的女儿，随着众神的退场，用很长的时间老去。

她将可以找到的绳子全部在楼下的空地拉扯起来，把箱柜里的衣裳一件一件翻出来悬挂在上面，青灰色的小褂，墨绿的棉裤，白衬衫，蓝衬衫，斜纹布的工装裤，黑呢子大衣，栗黄色的披风，棉毛衫，棉毛裤，砖红色的粗羊毛衣，皱巴巴的长衫，破洞的中装棉袄……穿它们的人都已化作尘埃，灵魂竟在上面跳跃飞扬。她用力摁下一条绳子，然后突然放开，绳子带着衣服弹跳起来，借着光线可以看到尘粒也在弹跳。这是那些消失的肉体残留的部分，也就是肉体本身。她能认出，这是佳琏，那是育金。每一年，每一月，甚至每一天，都被她纷纷展开，被她自由弹拨，奏出那首千古的《出云调》。“出云，出云，云不乱，风吹不散，雷打不断，云也有情有笑么？落下雨来无回还。”

她也去附近的长青公园，听老嬷老伙唱绍兴戏。从《梁山伯与祝英台》听到《碧玉簪》，从《盘夫索夫》听到《红楼梦》《追鱼》，心里跟着唱，眼睛跟着走，耳朵里自己添上锣鼓弦索，仿佛霁青亭里玉林班的小生又活了，佳琏打着拍子哼着戏文就落坐在身边。时间不是按钟表的顺序前进的，时间可以任意设定，从民国二十五年到1976年，从1949年又到民国二年。

小杨嫁过来后，就换了面目。眼里没有公婆，对飞云也跋扈嚣张。食品厂要梁育金把分配的房子买下来，她拦着飞云，一分钱不肯出，只好兰玉去找昭平，昭平出钱把房子买下来，厂里的人说，房产证要写昭平的名字。昭平说，这房子是买给外公外婆住的，谁都不好插手，等他们走了，只归给照顾他们的人。梁育金死的时候，小杨不但不肯拿钱出来办丧事，甚至连厂里给的丧葬费都想吞掉。结果，还是昭平出钱办大礼，又给外公买墓地，边上多买一个空穴给外婆留着。

光妹搬到浦东之后，情势大不如前，物价一天一天上涨，退休工人生活日益艰难。如今育金去了，连退休工资都没有了，只拿一点家属补贴，生活全靠兰玉接济。飞云想把光妹接过去，小杨作祟，说：“来可以，她吃得消我吗？她那么老了，一点用也没有，光吃白饭！”便只好作罢，顶多偷偷过去张望一眼，看老人还安全不。兰玉郑重其事地来接母亲，光妹跟她三句谈不拢就争吵，僵在那里没有下文。光妹说："我健着呢！不要你们管！烧吃洗衣服，打扫卫生，你们一个都不如我。我跟你去，你日日与我要争，气都被你气死！"兰玉只好三天两头跑浦东，今天送吃，明天帮办各种手续，过年过节接回家吃一餐又送回来。昭平不在上海，顾不上外婆的细节，便靠凌微忙前忙后，有时还要开车送她去见同乡，一会儿泷姐那里，一会儿妩姨家。

光妹除了去公园听越剧，也常在家看电视戏曲频道，间或楼上育金那些工友的老婆会下来陪她打牌，偶尔也一个人坐车去城里她熟悉的地方转一圈。光妹说："熟悉的路都是老朋友，熟悉的气味闻一闻也热闹呢！进出走惯的线路带我去一个地方，别人不知道的。人只要还去得那个地方，便即活着不死。"

从大豪绅的女儿，到小业主的女人，现在她是退休工人的遗孀。当人们用几百块钱买一只阳澄湖大闸蟹吃的时候，她还在想用一块钱吃一顿饭。曾经梁育金的一百元工资给这家带来贵族一般的生活，而如今即便兰玉每月补贴给她三千元生活费，都捉襟见肘，入不敷出。她跟昭平说，她常常从菜场这头走到菜场那头，看看什么都好，可什么都买不起，篮子空空的提去，又空空的提回来。昭平在他的手记里写道："外婆，我多想变成胖头鱼和毛栗子，偷偷装满你的篮子。"

她的篮子是空的吗？在夜里，她盛着满满一篮子月光，从后大的青石板路上走过，月光盛进来，又漏出去，洒了一地。从后大，到上镜，到汤溪城，再到上海，月光一路铺过来，照彻她活过的每一处场景。她的心是光亮的，并没有辜负光妹这个名字。

有天早上，光妹从长青公园回来，看见楼道口有一个老头站着，人脸在阴影中很模糊，但姿态和身体的线条望去像是熟人。他看见光妹走来，不敢相认，又略显唐突地凑近端详，嗫嚅着问：

"光妹否？"

光妹又问："呣哩哪人？"

"阿哩子俊喂。"那人说。

果然是子俊来看她。子俊八十四岁，光妹八十三岁。六十七年了，从民国十八年花轿抬进范家到1996年，光阴似水，从清澈到浑浊，一直映照着他们。

光妹掏出锁匙，急急打开门，将子俊迎进屋。倒一杯大茉莉花茶端给他，又在茶里放一块冰糖，还是老汤溪的泡法。

子俊说："这间你一个人罢。儿女都大了，心也放落来罢。"

"便是一个人罢，"光妹拖来一把藤椅，靠近子俊，说，"老头子上年刚走，葬在海边的公墓里。外孙给我也买了墓地，靠在边上，空日我也去那里。"

"我八六年结婚的，自己没有小囡，老太婆带过来两个儿子，现在他们照顾我。"

"哈么找到这里？真正敏工呢！"

"阿个姐报阿呢，讲呣搬出老地方，到浦东住罢。儿子陪我来上海，住在泷莹那里，我自拿着地址，乘摆渡船过江，又坐公共汽车寻来。"

"真是有缘还能见到，都这么老了，见一面不简单啊！我�U厨饭呣侬吃（汤溪人说一厨饭，就是一顿饭的意思）。嫁到呣侬家，还未炊过饭呢！"

光妹从冰箱里翻出一条鲈鱼，又半只鸭子，一点蔬菜，都是凌微前天刚送来的。她做出五六个菜，摆放在木桌上，筷子，骨碟，酒盏，碗盘，一应俱全，看着周正素净。两人坐在正午的阳光下，闻着青年时期熟悉的饭菜香味，外面流窜着发廊里放送的俗歌，像是他们冷淡了这个世界，而不是世界遗忘了他们。

子俊说："我是过来看看，我丢掉的东西，你替我看好没。人啊，望他忙这忙那的，都是空忙。他晓得的，都是人家逼他晓得的，他自己并不晓得，也根底上不情愿晓得。我七十四岁再结婚，当然比不了年轻时候结婚，年轻时本可有的，现在都没有了。不过，我还是高兴的，年纪大了不要想年纪轻时的东西，那时丢了就丢了，现在不丢就行。就比方唱一支歌，前面唱得不好不要懊恼，只管一路唱下去，怕是只剩下最后一个音，还会唱好的。”

“你这么想，我高兴呢！你想通了，书便不白读，老来还找得到点事体做，便是比我味些。”

“我七六年从北京大学退休，一直在家里写书。”

“你做些什么事情？写什么书？”

“语言学方面的。主要研究我们汤溪话。”

“汤溪话也要研究吗？”

“汤溪话学问大呢。祖宗的口音都在里面。外头人已经说不来古话了，我们竟说的是古话。”

“上海住了那么多年，我的汤溪话也说不利落罢。”

“说什么话都一样的。只是古话让人贴近古心，古心丢掉了，说的都是空话。古心在，便什么都找得回来。以往我不懂这个道理，学问便也做不好。”

“上年老头子走了，我也想过回汤溪养老，回去看看人也不是从前的样子了，找不到人说话。现在住在哪里都一样的，我思忖，这便是你说的古心不在了罢。”

“古心并不是古时候的心，古心是人原初的心。生就带来，人人都有的。失去初心，好比盐失去了味道。”

“不说古音也罢，人不死在汤溪也不紧要，我也是这么想的。我不妨还住在这里，跟我自己在一道。”

“光妹啊，你端的比我敏工些。当初，我们两个处在一幅画里，我硬是要走出去，结果找不回来了。”

“这间，你不是又回来了嘛！”

“你这个屋子好亮堂啊！坐在这里说话，比坐在后大老屋里好多了。”

“你快吃啊，菜都凉掉了。”光妹给子俊夹菜，又给他倒上一盏酒。光妹说：“屋子很旧了，比不上以前住永嘉路的洋房，永嘉路的洋房又比不过前夏的十一进院，但房子都是人住的，身子都是心住的。从前骑马，一间我前你后，一间你前我后，少不得要争，总也走不到一处来。这间你住北京，我住上海，倒走到一道嬉呢，酒吃起来也比之前香亮许多，人不是老了，倒是小了。”

他们就这样你一言我一语地说着，不觉已近黄昏。那只陶工画的瓶子转到了另一面：两个南腔北调人，一间东倒西歪屋，金辉入釉，却是正直不偏。生活越过越歪，人心倒是渐渐摆正了。

2001年，广播电台播送了一条消息：“我国著名的语言学家，北京大学中国语言文学系教授范文彦先生，因病医治无效，于昨日凌晨在京逝世。范文彦先生是浙江省金华市汤溪镇后大乡人，生于1912年，终年八十九岁。他在语言学方面卓有成就，所撰《姑蔑乡音考》和《古越方言语法探微》等，是我国古代语言研究方面的杰出著作。”

这条消息，光妹没有听见。

2009年，昭平带着行江从日本回来。那年，他们两人刚好上，昭平四十四岁，行江十八岁。光妹已经住到苏州河边上的一家养老院，她自己坚持要去，像是跟兰玉置气，又像是故意避开她看不惯的外界。昭平回来的第三天，养老院来电话，说光妹急性胰腺炎发作，被送到瑞金医院治疗。昭平与行江急急赶到医院，医生说，老太九十六岁了，患胰腺炎实属罕见，问过病人，说先头吃了一只鸭子，还喝了鸭汤，估计鸭汤太油，才导致胰液外溢。昭平想，外婆身体真是好，这么大岁数一餐还吃下一只鸭子，胃口真不小。

医院通知家属，病人尚处休克，安置在病危单间，须二十四小时派人监护。昭平与行江便支一张行军床在病房，昼夜交替，轮流照顾光妹。

兰章的媳妇印鹃前一阵刚来过上海，送来几只新杀的红头鸭，交付在兰玉手里。光妹坚持要兰玉炖一只给她，本以为她想在养老院设宴请客，不想她自己有板有眼地一口口全吃光，连汤都喝得不剩。吃完后，她对兰玉说："这鸭子正式好，骨头雪白雪白，一块一块刀戟一般，只有野兽才有这样的凶气。嗯侬焐鸭功夫还疲点，我做得动自己焐，危险好吃几倍。"兰玉走后不久，她肚腹就绞痛起来，在床上翻滚，一直痛到晕厥过去。

光妹从年轻到老，除了一些外伤，以及上次从公交车摔下来折断脊梁骨，从来没生过内脏的病。一方面底子好，另一方面家里开药房，熟知进补养身的奥妙，吃了不少好东西。妹方人知天道，借物性长短以互补，慎用先天，补养后天，多长寿少疾。可人总有弱处，光妹的弱处就是胰脏。吃好靠它，吃坏也因着它。这就是肉身的过失，过失就是罪。

夜里，昭平打了一个盹，迷糊间瞥见一团赤火环绕病床游走，又蹿上床铺，逐渐大起来，直至盘踞枕边不动。定睛细看，乃是一只猛虎，双目如灯，双肩如峰。昭平不敢出声，眯眼佯睡，怀疑是幻觉，又历历楚楚，分明看得丝毫不差。虎踞如磐，并不侵犯光妹，倒像守夜看护的样子，容不得他人靠近半步。半晌，虎低头探及光妹腹部，伸出舌头舔了一下，一大块棉被被他吞吃掉。旋即下床，又绕行江的行军床走一圈，再走到昭平身边嗅一下。昭平感觉到虎的呼吸，像炭火一般直冲他的脸颊。虎须刺到他的皮肤，他差点惊叫起来。之后，虎用一只前足拨开门，离去。昭平屏息，大气不敢喘，怕自己魂散了，好一阵子才回过神来，发现自己大汗淋漓，衣裤都已经湿了。此时，光妹呻吟，从被窝里伸出手来，想要抓牢什么东西。昭平过去看，见被子上一个大窟窿，肚腹露在外面，上面有一片红，像烫伤了一样。光妹说：“予我点水喝，我口燥。”昭平端水给她喝，她咕咚咕咚喝下一茶缸，人便清爽了。这时，天光放亮，行江也醒了。昭平说起夜里的事，光妹一点也不吃惊，说：“是瑞明爷来了！他看我病痛，来救我一命。”

光妹喜欢行江，招呼她坐过来，说：“么俏的囡，哪里来的？”

“她是日本人，我的女朋友。”昭平说。

“日本佬？”光妹有点诧异，“日本佬威么威么的！那年你娘才四岁，一个日本佬一把从我怀里夺过去你娘，扔到水田里，就逼近我。好在突然他们吹哨了，要集合，他才作罢。他裤子也不穿，光屁股从溪滩里蹿出来，恶心死人！不过，你舅公喜欢日本人，说日本人抱他坐在怀里，还给他糖吃。他总归这么说，人家想打他呢！你太公最有办法，一队日本佬被他摆布得老老实实，住我家，好些规矩。”

“叫外婆，快叫外婆。”昭平对行江说。

“外婆。”行江用上海话喊道。

“么敏工的囡，还会讲上海话？”光妹有点不信。

“她跟我学中国话，是我日本大学里的学生。上海话这几天刚学得一点点。”昭平说。

“外婆真是福气，这么老了还有人从日本来看我。”光妹从枕头底下翻出她的黄玉簪子，递给行江，“外婆什么都不剩下了，想想还有这个东西。送给你。”

这是光妹最后一点私藏了，她送给了她称呼的日本佬，他外孙将来的妻子。

光妹说：“外婆这间像小囡么的，吃的用的都指望着别人。一天高兴就捡到一天，盼着下一天再高兴。想起自己小的时候也是这样的，命抓在别人手里。其实不是别人手里，是抓在老天爷手里。小囡把自己托付出去，由上天管着，顶顶快活的呢！也有些小囡，半懂不懂的，藏着一点点，又交出去一点点，自作聪明，这样不行的，天都知道的。这些小囡不讨人喜欢。外婆不做这样的小囡，小时候不做，现在也不做。我把自己通统交给你们，你们要对我好些呢！时间没有新的旧的，只有得势失势，得势的他们都以为是新的。外婆现在老了，你们不会像人家那样，看我旧了吧？他们不会把小囡也作予新的，他们只说身强力壮的是新的。”

“人总以为自己厉害，不相信小囡和老人由天看顾最厉害。”昭平说。

“阿达昭平是敏工呢！怪不得外婆喜欢你多些！”光妹说，“人不信天，偏自己乱来，以为了不得，结果一辈子苦痛。外婆不相信这套，便一直没有苦痛。只是身子烦恼，它总归把我拖过来拖过去，造出些荒唐事体，这是罪孽呢，没有办法的。人生下来，心里愿意，身体却拖累；有的人拖死了，有的人终究熬出头了。”

行江挽起一个髻，将黄玉簪子插到头上。光妹看看，甚是欢喜，又说：“你太公顶喜欢这些东西。这支簪子是他赶考时弄回来的，先送给你太婆，太婆又送给我，按说应该送给你娘或者你阿姨，我没有给她们。想想我对你娘和阿姨都不好呢！你阿姨命还苦些，我年轻时为了改嫁，把她送给人家了，后来那家人把她卖到萧山嫁给一个老伙，经常被打被骂，哭得泪涟涟的，想到这些就难过。你空日得闲，要替我去看看阿姨。她也是你的骨肉。”

光妹一百岁生日，兰玉让沈凌微在新雅饭店楼上包下一个房间，设了两桌，来人有兰章、兰芳，妩姨的三女儿和两个外孙女，泷莹的儿子、女儿，兰玉在云南的几个朋友，昭平和行江，另外还有我、武玮和李晓珞。兰玉跟大家说好了，只来吃饭，不收礼，不收红包，这样就没有表面文章，欢喜才能满满的。兰玉给光妹做了一套绸缎的中式衣裳，织了一顶羊毛的帽子，还给她佩上金耳环和金戒指。夏光妹坐在那里，一副宁静、乖顺、满足的样子，人家上前去祝寿问好，她一一应谢，口齿清晰；人家要她做什么，拍照，碰杯，摆个姿势，她都一一配合，举止雍容得当。光妹一眼望去，看都是她的儿孙和重孙辈分的人，说："跟我一辈年纪的人都走光了，只剩我一个人了。一百年时间，转个身么的，真的有一百年了吗？（"有了。"众人回答。）看对面先施公司的东亚旅馆，二十五年我跟兰玉爷第一次来上海，就住在那里。这间看过去，还是老样子，一点不变的，好像昨天刚刚来过。这么快就一百年了，吃罢酒席讲不定我也要走了。日子过起来嫌烦嫌累，过来了又嫌太快。现在想来，麻烦多点好的，麻烦越多活得越长。我这间没有麻烦了，只剩得在这里笑啊，笑啊，笑得眼泪水都要出来了。人生下来，起初是清爽的，后来越过越发模糊，忘记原本的样子了，模糊到头又清爽了。我的手脚不灵便了，倒是不再有气力去烦我的心了。心没有变过啊！"

昭平说："我吃过那么多筵席，那么多酒局，只有今天这顿饭吃得敞亮。其实，我是一个不大开心的人，今天却真的高兴了。这是我最高兴的一回，为什么那么高兴啊！"

听说在长寿的人边上坐坐好的，会去掉许多病气。于是，大家轮流到光妹边上坐一会儿，吃她夹的菜，想沾点她福寿的光。光妹又说："一辈子长点短点都无所谓的，人以为自己活着，是假的，带你走来往去的是老天爷，老天爷住在你心里头。你的光彩要归给他，你的苦痛都是自己作孽。"

我想，没有几个人听明白她在说什么，人们只在人生中虚度，又并不承认人生只是拿来虚度的。像光妹这样，总是从虚度的缝隙钻出来，玩她自己的，寥若星辰。她经历的岁月，有她的纪年，既不在民国里，也不在公元里，既没有冷战热战，也不见复辟与革命，她置万事若罔闻，与我们的竟不同。所以，她是快活的。这个寿宴上，神借着光妹的年纪与我们同在。

一百零一岁的光妹，在某个早晨下到庭院中晒太阳的间歇，突然扔掉轮椅，自己一个人跑到街上去。全养老院上下的管理人员和护工到处找遍了，也找不到她。给兰玉打电话，兰玉急急赶来，顺着周围的马路来回走了好几圈，也不见人影，便责怪养老院的人不负责任。养老院的人无奈，只好报警。黄昏时分，她一个人又走回来了，只是手臂上掉了很大一块肉，也不见出血，也不说疼。问她，她支支吾吾说不清楚。便带她去医院，医生往她伤口里填了好大一团纱布，说缝针也不管用，只好碰运气。运气并未离开光妹，两三个星期后，伤口居然愈合了。

见自己伤口好了，光妹对兰玉说："外头好了，里头裂开的不会好。"

"里头怎么了？"兰玉问。

"你妹妹呀！想到你妹妹，我难过啊！心里头有个口子合不起，裂开得越来越大了。"

便哭，一直不歇，怎么劝都无用。她告诉兰玉，那天她想起浦东房子里她曾经藏着一个旧存折，有一千多块钱，她不会用电子银行，也不会弄柜员机，就想按老办法去银行取出来，再到邮局去寄给兰芳，于是一个人坐公共汽车去了趟浦东，结果在长青公园门口被黄鱼车撞了，爬起来似乎无事，在边上的石凳子上坐坐又晕倒了，然后醒来又迷路了，想自己真是无力再做什么，便又乘车回来了。

兰玉说："这些事情还要你想吗？兰芳现在过得很好，也不来责怪你，你想那么多做什么？你摔一跤，全家上下都牵动，去趟医院，不仅要麻烦我，还要麻烦凌微。你要是死在外头了，我一生都过不好。以后不要再出去乱跑，要听话。老年人有老年人要守的规矩。”

这么一说，光妹又不高兴了，把床头柜上的东西全部扔掉，要赶兰玉走。兰玉不想顶撞母亲，悻悻然只好回家。

光妹一百零一岁，兰玉七十五岁，到这个年纪，两个人看上去不像母女，倒像大姐和小妹。从兰玉十六岁那年开始，她们两人就一直吵，一直吵，吵了五十九年。光妹说：“我不知道哪里得罪她了，她那么恨我。”兰玉说：“对亲生儿女那么狠心，都扔扔掉不要，只图自己快活，天下哪有这么做娘的！”可是，兰玉对娘最尽心，自己已经走不动了，还日日去帮娘擦洗身子，送吃送穿。倘有人敢欺负光妹，兰玉可以舍命相拼。应该说，兰玉是个大孝女，但她孝而不顺。

兰玉顺着苏州河往回走，这条她记忆中泛滥着臭气的河已经渐渐清澈，水道中往来运输的机轮越来越少，取而代之的是一艘艘灯火通明的游艇。她能理解的，是繁忙的机轮，她不能理解的，正是这些悠闲的游艇。

光妹独坐在床上，望着院中一盏坏掉的照明灯一明一灭地跳闪，发呆沉默。甜腻的歌声，夹错着交流电的杂音，还有冷涩轻浮的月季花香，生活寄居在别处，心的光明仿佛有一分钟熄灭掉，飘零的感受便笼罩过来。现在只她一个人，一个人抵抗着那个叫作上海的外乡。妹方的月亮啊，你再出云照她一回吧！她的篮子曾一次次装满你，又将你倾泻到她足之所及的每一个角落。一个多世纪以来，她随处落地生根，庞大的土地啊，你并无力藐视这性情中秉承天意的见证！你们喧嚣，欢腾，不可一世，她的肉身也将随着你们一起毁坏，在你们中间微若齑末，但她披戴的万年月光已经留下了，并随着她子孙的血脉将无尽不绝地荣耀下去。

去年，2014年春，光妹因为胰腺炎复发，又被送进医院。这次，她昏迷多时，医院发出了病危通知书。兰玉将她从养老院送到医院，上上下下跑各种化验，安排病床，搞名目繁多的手续，从中午忙到夜里，又彻夜在床头守着，终于累倒，腿脚肿得不能挪动，肚痛病发作，便不得不给兰章去电话，兰章把大女儿君奕派来。君奕小时候有一段时间在上海生活，小学在光妹家住过，初中又去到兰玉家。她生性顽皮，长久懵懂不肯开窍，在学校跟男孩子打架，男孩子一般还打不过她，常被她弄哭。她是借读生，功课又差，纪律还散漫，老师自然不喜欢她。三年级一年读完，就不想再让她续读。为此，光妹去求老师，直到给老师跪下磕头。老师还算懂事，见这么老的阿婆为孙女不惜扔掉一切，也就通融又让君奕续读，这就一直读到她小学毕业。君奕住在光妹家，跟昭平不一样。昭平是兰玉不断寄生活费，君奕却要吃奶奶，用奶奶，甚至学杂费都由奶奶交，除此，奶奶还要挤出一点钱寄回汤溪，去补贴兰章。当时，育金已经退休，物价也已早不如前，家里生活处在底层边缘，属于被社会抛弃的人群，可以用度日如年来描写老人的处境，而即使这样，光妹和育金对君奕仍是呵护有加，视若明珠。因此，奶奶最后一程由她来送，也在情理之中。

光妹醒来，觉得浑身无力，吃不进任何东西，连半流质食品入肚也会呕吐出来。便只好熬一些汤水给她喝，或枣汤，或银耳汤。喝几顿嫌甜腻，又换红薯汤和玉米水。君奕一匙一匙喂她，手脚有些粗重，总不慎会流出一些到床单上和衣服上，光妹便生气，说："端的不如你大姑，做事那么毛糙，空日如何是好！"

过几天，忽然爱唠叨，逢人便说："我的外孙危险敏工，在国家里都有名头的，国际上都请他去讲学。"或者："便是我的大女儿最行，虽再难弄的事体，勿有她摆不平的。"

又过几天，兰玉去看她，发现她脚上烂开的伤口没了，多年的湿疹消失无影，皮肤光洁干爽。沈之翰曾惊叹，说自己七十岁就没火气了，老太太一百多岁还犯湿疹，可见身体多好。光妹从九十六岁开始，脚上破出一个口子，总好好坏坏，兰玉几乎天天帮她洗，帮她敷药，什么正方偏方都试过了，一概无效，这下突然不治而愈，莫不是征兆。兰玉想，老天爷看来要召她走了，让她白净净来，还她白净净去。

昭平接到病危通知时，正在名古屋。他想想，竟决定不回上海。他对行江说："我不敢看她离去，在这件事上，我是胆小的。她是一点一滴把我抚养起来的，她带我走过的路，众山万水，百转千回，如今送别她，便是要将来的路退回去再走一遍。每一处，每一景，都会让我哭上三天。我哪有那么多眼泪！"

名古屋的雨水突然多了起来，夜里冷雨敲窗，春雷隆隆。雨点一阵比一阵大，像要把玻璃窗打碎。昭平听着，心里极度不安，起床凑近窗户，不知为什么竟不敢掀开窗帘去看。他想，这不会是外婆的眼泪吧，越过海洋，哭到他床前。他站一会儿，雨声小了，便又回去睡。一躺下，雨声又大作，其间有一声非常刺耳，像有东西裂了。他又起身，雨声便又渐渐弱了。他祈祷，说外婆你不要来找我，你安心去吧，我心里害怕。他紧紧盯着窗户，用意念推走风雨，直到雨停风歇，然后才回床上入睡。

晨醒，他听到有人敲玻璃窗，像敲门的节奏，声音越来越大，他转身看见行江也醒了，凝神也在听这声音。"谁啊？"行江问。没有回答。但声音停了一会儿，又响起来。行江径直走过去，掀开窗帘，打开窗户，见一只画眉鸟飞进来，停立在床头柜上。两人看着这鸟，心知肚明，这不是答案。

昭平说："她来找我了。一定是外婆的魂灵。"

"她那么爱你，怎么会来吓唬你？"行江问，"难道她责怪你不去送她吗？"

“所以，飞进来的是画眉鸟。”昭平释然，看着画眉鸟又飞走了。他说：“人是气化生的，气之极为精，精之极为神。神就是人的魂灵。魂灵也是物质，是身体中最高级的一部分。人死气伸为神，人死气屈为鬼。伸者，神也。外婆那么软，那么柔弱，她看着我的一举一动都会落泪，她不会变作凶鬼来找我的。”

“为什么我也听见了？”

“因为她也喜欢你啊！”

光妹病倒的日子里，名古屋几乎每晚都下雨，每晚昭平和行江都听见异样的声响。她就是这样，慈悲的心肠伸展出一条长路，越过黄海、日本海，来与后生作别。

有云从窗口涌进来，绕着睡床不散。云里有声音传出来，说：“昭平啊，外婆这间去罢。侬不要忘记我啊！外婆知道你一直很不开心的，他们对你都不好，不懂你的心。这个囡会对你好的，她么俏，么嫩，你女儿么的，她也有外婆一样的心呢！你们两个好生在一起，不要要争，不要贪心，也不要怀疑，越处越有甜头的。外婆不回汤溪，就睡在海边，跟你外公一起，他们谁要把我弄回汤溪，你要拦住啊！魂灵也是肉身，你们常来看我，常来祭我，魂灵就不会散，外婆就永远跟你们在一起。外婆嫁过很多人，最后嫁给了育金。育金对我好，我是育金的人。哪有死了又嫁回头去的？乡下好啊，那是人心好。好心不管走到哪里，哪里就是汤溪。你不要回来送我了，我知道你看见我死心里会难过。我们这里说说话，就作予别了。外婆一生一世，跟你祖孙一场呢！味么味么的。再会哦！再会！”

2014年4月19日上午，夏光妹逝世，享年一百零一岁，虚记一百零二岁。

夏光妹死后七七四十九天，名古屋的雨一直下，鸟儿和云儿也一直来。夏光妹死后，昭平还要过完余生。余生里，这雨，这鸟，这云，常伴在他身边。

论冒

下跪

昭平将房子的事处理停当后，带着行江陪沈阿姨去了汤溪。沈阿姨兰玉要给她父亲程佳琏修坟。佳琏死后，葬在灵台村祖地，后来兴修水利，坟被移到公路边，1974年兰玉回乡，村里的干部指给她看过。再后来，承包，圈地，搞经济作物，这片坟地又移到别处去了。兰玉曾嘱咐兰章，让他看好祖坟，有机缘的时候修缮一番，但兰章完全不热衷这类事情，当灵台父家的人来通知迁移时，他敷衍着推托给别人，结果族里的几位叔伯的棺椁纷纷重葬了，偏没有佳琏的牌碑。再去找时，竟尸骨无存。兰玉说："爸爸太可怜了，三十八岁就离开人世，旧社会吃尽兵役的苦头，好不容易回家种地，又得了重病。他晓得他死后，我们孩子会吃苦的，常常不停落泪。现在连个归处都没有，我心里不安。妈妈已经落葬，这下我要去给爸爸找个地方。"兰章家有一张旧长案，案面底下写着程佳琏的名字，这可能是他留在此世间唯一的遗物了。按民间的说法，做一个衣冠冢，或者遗物冢，也可以招魂聚魂。灵魂需要一点依托，由后人供着养着，便不散。兰玉按此，就想到将旧长案焚灰，当骨殖埋下去，做一个新坟。

昭平走后，我回到北京，在静明园行宫附近找到一处别致的花园，住在里头继续写这本书。从夏天到秋天，我一边写，武玮一边帮我看稿整理。她看到夏光妹为君奕读书的事给老师下跪，很不舒服，问道："她这样的人也会下跪吗？要么你干脆隐掉这个情节，让她洁净地立在那里。”

我说：“光妹只向天地、祖宗、长辈和夫君下跪，不曾向其他人下跪。这样的人走到20世纪末，不得不给老师下跪，这是一件什么事呢？我无意写夏光妹这个人，我对什么小说、人物和情节向来没有兴趣，我是借着光妹写上帝，神的光芒由她彰显出来。你想想，是谁在逼上帝下跪呢？是什么力量以敢迫上帝下跪而沾沾自喜呢？如果有一种势力硬要让工人的妻子下跪，那只是一份人间的阶级账目，不得免除的债务终究要还，而人心如一，此跪必也是彼跪。”

“圣灵即是上帝，人心中圣灵充满的，可移山倒海，为什么非要下跪来面对这个具体事情呢？”武玮又问。

“光妹这一跪，还有另一层意义。”我说，“君奕这个孩子，做什么事情都不肯承担，欠账是要还的，一分一厘清清楚楚，她只贪慕别人钵里满满的，从不看自己的亏欠，这些我在后面的章节都要写到的，这里先起一个引子。光妹因爱自己的孙女，替她去担过，好比人子为我们与盗贼共受刑罚，这是谁的屈辱呢？神爱世人，世人爱他的子女，光妹学着神的样子，用爱为不爱的过错买单，全部买下。”

“所以，她的下跪，不仅是挺立，甚至尊及云天？”

“这还不重要。而是当我们看见神屈膝的时候，心里受到何样的震动。震动了，就是神临。看过这里，都震动了，才能见证人心未死，心神万能！我记得有这样一个故事，好像是托洛茨基在他的传记里写到的。过冬前，女人给关在牢里的丈夫去送冬衣，狱卒竟要那女人脱光了，屁股朝着他，跪着爬过长廊把东西送过去。那丈夫说，这一条长廊，长似百年岁月，妻子爬到他面前的时间，足以染白他的黑发。俄罗斯的冬天，没有冬衣，是要冻死的。如果那个女人没有爬过去，那么日后彼得堡的起义队伍中就会少去一个壮烈的勇士。这是血债，里面藏着天神的怒气。因为那一刻，有人逼迫上帝下跪了。不同的是，那个工人没有欠债，而君奕欠债了。”

“我们看到太多的人动不动就下跪，麻木了，也心生厌弃。很多人轻易下跪，是贪心，想以这个姿态捞到便宜，他心里其实是明白的，受跪的人也非常清楚，这里面既没有担当，也不存在逼迫，只是借着神的名义做人的买卖。而另有一些人是不屈的，屈人不屈，诸罪之罪，也由此见到诸爱之爱。”

“谢谢你提醒我这一节。这样，我得到机会直接说出来。神派你来指点我，而不单只做一名看客。”

情爱与恩义

子俊娘曾经对光妹说：“情这个东西，麻烦大着呢，你以为专为它生死，结果它转身就骗了你。以后慢慢你会懂的。活一世不能没有情，也不能只为情。情是罪孽，无情便以为干净，实在是更大的罪孽。”开始光妹是听不进去的，年纪小的人都听不进去。情爱与生俱来，从性而发，人皆有之。男女之间，生出爱慕之情，这是最基本的。有点情爱算什么！谁没有点情爱？圣贤们常教导人们，本着男女的情爱推及世人，这正说明情爱只是起点，而不是终点，更不可能是性命中的一切。不知从什么时候开始，有一种情爱至上论泛滥开来，宣传为情爱生死，为情爱搏斗。而女人恐怕更信一些这套说法。上帝考验女人，设着情爱这一关。女人超越情爱的，必得救。而女人鲜有超越情爱的。又有人说，国人麻木，不及猪狗，连情爱都不懂，只寻一个伴侣度日，好生昏暗。殊不知，西人也并不始终以情爱为至高，裴多菲言“若为自由故”，可抛可舍。自是从人道主义盛行以来，人从教门中出来，诚挚者无所依托，便祭起了情爱这面大旗。情爱曾是一件武器，去抵挡教会的专制，道德的虚伪，宗法礼教的压迫，实在所向披靡，锋利无比。但情爱断不是终极，断不是人生的全部。或以为它是生的目的，那便成为深重的迷信，堕入罪孽。人不信教门，转而信自己，并不能因此得救。

倘专门论到性情，情爱也只是性情中的一方面。人的喜怒哀乐，忧思悲恐，趣味所至，怨忿所及，皆发乎性情根底。没有情爱，也是要吃喝的，也是有些别样的爱恶志愿的。苏州人说，爱死肉不爱活肉，指的是那些玩玉的人，痴迷进去了，把老婆扔在一边。上海人专注吃喝，到了精益求精的地步，那往往是老婆讨不到，色欲转换为食欲了。食色，性也。凡吃不到的，就想睡；睡不到的，就想吃。爱吃的民族，往往不大在意情色；流连于儿女红妆的，大凡总淡泊口腹。北人穷了，先就舍掉碗碟里的；江南人穷了，宁愿少买一些穿扮的。这便可见一斑，根性有长短，有偏颇，都是度日过活，不可厚此薄彼。

然而，恩义又不一样。恩是因心而发的，是仁心，是对你好，是好处，是来自天神的。又说恩情，意思是恩借托情爱而生。天恩发乎心，却要借着人性才能达到。离开情爱便无所谓恩爱，情爱本身又并不成恩爱。男女爱慕，有的起于彼此相好，有的起于彼此贪恋，前者牢固些，后者弄不好就反目。所以，子俊娘说，“它转身就骗了你”。起于相好的，有恩在先，发乎于心；起于贪恋的，情投在前，发乎于性。但情投意合的，若久而久之生出好意，触动到心神，便也有恩情流露出来。旧时男人宠爱妓妾，说“恩狎”，意思是恩爱而亲热。人只在贪恋倾慕这一层面，并无惠及实处，中国人是不大相信的。你只对我有情，那看看，玩玩，点到为止，却无以托付终身。你必须对我好，而所谓好，要看见好处。好处并非给我荣华富贵，好处是足以寄托恩情的凭证。所以，恩，有时也说成恩惠。惠字底下也有个心，实惠不是利益，而是见心的好处。给我实惠的人，我是要记住他的；而爱我的人，我总要以君子之心待他。一个男人对一个女人好，这个女人看不上他，转身对她爱的另一个男人卑躬屈膝，男人们常在背后说这个女人贱，这就是因为这个女人没有君子心，轻贱掉别人的好处，不懂得以礼相拒。情爱，并不是什么神圣不可侵犯的。情爱，只不过是人世俗情，它离开了恩情、背负了恩情，在旧时的中国人看来，是低贱的。这便是重心恩轻性爱的天道观，曾经带领我们走了上万年。

那么，义又是什么呢？义是规矩，是标准。它有两方面的解释。一是天矩，二是人规。天矩在自然中，在山川河海，在草木鸟虫，人心应之，则受到匡正和助推。性有长短，你这里长了，那里就短，吃五谷的血气之身，不可能是完善无过缺的，这就是起初的天矩。既生下来，依着自己的短长，应合外界的进出而活命，则在天矩中不偏不离。但人又是社会的生物，在人群中又须遵从人规。人规靠近天矩的，谓之德；人规偏离天矩的，谓之习。人常错把恶习当善德，便陷入道学文章，谓之道德（ethics）。德者得也，从天矩和人规中借助他性修缮己缺，谓之有德，即有所收获。收获丰满的人，靠修德补上了性缺，其心光明，天神必临。恩义连在一起说，既注重先天性情的仁爱，也不偏废后天修行的用处。人先是对你好，但好处是不够的，要义来完善，来长久不弃。这本是完美的格局，只是人的性情的罪孽彼此聚集在一起，你推我搡的，又要弄到恶习上去。于是，恩义又总是被旧文化利用来说教，遏制别人的性情，张扬自己的欲求，结果，恩义就落到比情爱还不如的地步。这便是“情是罪孽，无情便以为干净，实在是更大的罪孽”这话的来由。

所以说，先讲一讲情爱，是有好处的，如果做不到恩义，不如多看重情爱。只是不可陷入到情爱中不能自拔，又跪拜在情爱的形式下，成为另一种盲目的信徒。曾经以恩义吓唬人的，跟如今唯情爱至上的，同出一辙。好在讲恩义，必要见到恩惠，这点并没有分裂，我们尚能作为依据。

活法

性情，情志，性命，生命，都是同一个东西，简言之谓“性”。万物性异，各有长短。或不足，或过度，过犹不及，即为罪孽。有情的，必是有罪的。而无情并不是无罪的方式。人依性之长短而弱肉强食，罪孽深重；人以恶习遮掩性之长短、扭曲性的本来面目，乃罪上之罪。貌美的，身强的，机智的，坚定的，成为人中豪杰，本顺天理，而豪杰英雄草菅人命，践踏弱小，必遭报应，此亦为天理。人骄傲得不得了，以为大能又万能，进而藐视神天，不知身体发肤受之父母，来自天赋，则心中昏黑，暗昧无道。丑陋的，体弱的，愚钝的，软弱的，借着合众的势力颠倒天矩品级，指恶为善，言丑为美，背离自然属性生造出人规，强迫少数服从多数，以势为法，称法的精神，拜制度为神天，则无道又入魔道。天道凭性情分出高低贵贱，世道靠势力颠倒是非黑白，只因心同才会有平等公正。天神派人子担掉人自以为是的诸重罪孽，难道还会再担掉魔鬼本身的罪恶吗?

所谓性之长短，也体现在生活方式中。夏玉书说民国夺了他的活法，说的就是他的生活方式。妹方人的这种生活方式，没有电灯汽车洋房，却强过电灯汽车洋房。他们穿戴披盖的轻裘绸缎，他们饕餮浅尝的佳肴珍馐，他们起居坐卧的宫舍床榻，他们行走游逸的车马舆轿，他们养性怡情的亭榭楼阁，大到坛台殿宇，小到笔墨纸砚，从衣食住行到戎祀玩赏，无一不比工业化的廉价物品贵重。这并不是关于返璞归真与现代化进步之间的讨论，这是实实在在的物质比较。东方人，无论农贾士工，还是术艺政祭，各个方面都要优胜西方人许多倍。但这样的活法若不是为神活着，只为人自己享受，便会走向没落。牲祭是第一位的，神先受用，剩下的人才可以吃。起初人都严守这个规矩，渐渐地便荒疏淡薄了，直至全然忘光了，只当自己聪明得不得了。天允繁荣，是因为天允千差万别的通神之路。以为汉唐强盛，乃帝国威武，不认神授权柄，势必衰退。

皇帝叫作天子，本不是欺世盗名，而是宾于天，格于皇天，替万民在天神面前交通，所以才需要三宫六院、锦衣玉食的规格，这是神主，而不是民主。民主是什么意思呢？如果你不需要皇帝去跟天神打交道，自己直接就能应付一切神事，那么你就可以民主。民主断非纠结一帮刁民，仗着人多势众，拆毁宫庙，分了嫔妃贵人去睡，像强人贼寇一样，大碗喝酒，大块吃肉。美国实行民主，教门将职责推给万民，农工庶民直接与上帝沟通，按圣经的法则作为准绳匡正自己，将财富不是分了，而是悉数信托天国银行，这才自主。自主，而不是皇帝或者官府恩赐下来一个制度，制度是自主牵制彼此监督形成的。自我既无担当，又想着坐享其成，出事了想再找出个皇帝来责怪，天下哪有这样的便宜？

松元行江说："日本人一时性强的时候，就大弹兴亚的论调，不可一世，藐视邻国；自己被人打败了，又反过来唱脱亚，以丑人懦夫的心态倚仗强势在那里喧嚣。一夜之间，从自负的狂人堕为仗势的小人。我们到今天这个地步，成为亚洲和世界中最可怜的一族，绝不是兴亚和脱亚的过错，而是背弃神道的后果。我们在战争爆发之前，总是有个论调，说神遗弃了中国，现在看来，是神遗弃了日本。爱知大学从60年代以来承继的那些亲华观点，也好不到哪里去，那只是见中国崛起了，又想找一个强势靠一靠的左右摇摆的心理。亚洲的生活方式好，那是因为曾经这个方式适合我们靠近神；欧美的生活方式好，那是因为现在他们找到了民众自己靠近神的路径。以为自己了不得，又以为靠着了不得的可以了不得，都是人道至上的疯狂。还不如曾经一亿玉碎算了，倒尚有复活的机会。"

沈昭平说："王道和革命本不冲突。王道远离了神天，形同僵尸；革命背弃了替天行道，势必腐败。革命究竟为了什么？革命不是为毁坏旧秩序而毁坏旧秩序，革命是要破除脱离天道的旧秩序，回到起初的原点，回归天道。中国人要是扔掉那些旧东西，学会了自己担当，重新建设一种文明，也不失为一条光明的路。然而现在，人民只晓得人家的好处，只想便宜捡到一点，甚至不知道单从好处上讲，我们丢掉的好处要好过人家几百倍。倘只论人道，那么，妹方人的活法是物质层面上最完善的。英雄已经退场，天怒其骄，夺走了他们的好运，而一套以丑为美的标准正呼之欲出。”

人依着性入世，也依着性出世。人丧其性，也即不成其为人。中国人的活法，来自中国人的性情，妹方是中国人性情中可以看见的天国。我们怎么可以丢掉自己的性情，又学不来别人的性情，去行走人世呢？你不要神道，单求人道，又比不出在人道中，自己原比别人富足，通统扔光，瘪三一样地期期艾艾，这是怎样悲惨的人生啊！或者别人也在败坏呢，曾经信托给天国银行的钱，那些科技巫师想僭越地拿回来。或者你看透了这一点，想通了，回转头找个皇帝代理天国银行的业务，或者他弃我取地回到人家曾经的自我存取之道，你都必将成为混世中得救的幸存者。于是，我们看到旧社会的夏玉书、夏光妹的光芒，兴亚中松元正雄的理想，这些以民族性情说着方言的人的本心。于是，我们也有必要在下面的章节里，看看程兰玉如何在新中国的方式里彰显神光。

人类学发展到今天，从研究血统到研究语言，从研究语言到研究生活方式，渐渐倒接近了中国的事实。中国不是一个血统的民族，即汉人从方国融合到蒙古—通古斯入侵，已经没有相对纯粹的人种意义；中国也不是一个语言的民族，即从书同文到多语一文并存，从来没有语言的障碍。中国文字，这唯一的人的文字，极少地用来作为交流工具，更多的是一种思考，一种思维，用以诗传，用以固定原义，使一切事物不至于分崩离析。蒙古人来写，通古斯人来写，日本人、朝鲜人、越南人和突厥人也来写，带着他们各不相同的语音，体验笔画和字义的呼应，排布时间和空间的仪式阵仗，以迎神临。中国是一种方式，一种靠近神又远离神的方式。因此，本书也想寻找一种写作方式，从万年妹方寻找天国，从夏玉书一家人寻找上帝，从历史环境的道场寻找天理，并企图弥合各种方式的冲突，只对各种方式作出比较，提供艺文视角的一本材料。这是微薄的人力所及的点滴，呈现，见证，出入，印合。倘有荣耀和成功，必是神启，带引我推开一扇窄门，窥见天光。

玩物丧志

昔武王定万邦，西面旅方送来厥獒。召公对武王说："玩人丧德，玩物丧志。"

玩字，来源于弄，双手捧玉，即盘玉，赏玉，体会玉，借玉通神。

志，志愿，气之帅也；也有记录、记忆、叙述的意思。召公所言志，乃一统天下之志。意欲取之，必先予之。君王布德于万民，天下乃归顺。把自己的所得让给他人，人心怀感念之情，必恩报。而志亦发乎性，人性各异，其志必不一。以君王志得天下而言，玩弄四方珍异，所得则非天下而珍异也，其心移向他处难以专注朝政。然万民万性，万性万志，民之志殊异于君之志，我之志亦殊异于汝之志。君王所玩，非民之所玩；君王所得，必非民之所得。因此，玩物丧志一言，本是讲给做王的人听的。

晚清以来，受民族国家观念的影响，所谓"仁人志士"纷纷捶胸顿足，涕泪四溅，大喊丧国皆因民不知有国，读书人不报效朝廷，玩物丧志。殊不知，这样的国，于民何干？万民百姓，生于山林湖泽间，与天地日月同耀，国乃君姓大家，大家受惠小家，理应负责担当，岂有迫民志与君志合一之理？我玩我的物，你玩你的天下，各得其所，原本相安无事。如今非要小民为了国事国体舍掉自己的志趣，与你玩一个自己并没有份额在内的天下，谁心甘情愿呢？说民国以来，人民没有觉悟，吃仁人志士的人血馒头，在外侮内乱面前不给力，只想着自己的小日子，实在并没有说错。老百姓被教育了一个多世纪，国难当头，国难当头，难来当头便当头，这头是大君大家的头，又不是我的头！谁要做那个大家，自让他做去，他活该当头；谁要因着这大家的好处，受些小家的惠处，我们也都认命给点。只是话说多了，什么天下为公，民国是公家，大家的大家，于是，多多少少有人听进去了，久而久之，大部分人也便信了，以为想着自己的生活不好，是私利小人。这么一来，志的意义就变了，为了国家利益、民族大义仿佛才是志愿，所谓大志。光宗耀祖、图取功名，齐心协力，万众一志。人生的价值，一夜之间被解释为“复兴”“振兴”，只有官家的价值，并无私家的价值，私家是为了官家而存在的。

事实上，玩人并不丧德，玩物也并不丧志。德为人生收获，男男女女玩一玩，才有所得。男欢女爱，才可收获人生。而志为人生志愿，人生志趣，各样事物玩一玩，才晓得情趣所在，才有人生的意思。玩物非但不丧志，甚至养志。只是此志非彼志，此德非彼德。民国以来的读书人往往不风流，风流人往往不读书。这都是因为信了“玩物丧志”那一套，为了别人的事业消耗掉自己的趣味，成为书呆子、木头人、国家机器的螺丝钉。立志励志，远大志向，出人头地，建功立业，这些宣传将人生分裂为两处，似乎养花养草、吟风弄月，要偷偷摸摸藏起来，不可光天化日之下堂而皇之，似乎流连山水、蝶穿花叶是游手好闲、不务正业的流氓行径。于是，风流人的书被一炬焚烧，解得风情的人无书可读；读书人的风情被粗暴剪断，书中再无如玉之颜。多样的人生志趣，在这个世纪末总是行走在犯罪的边缘或者出离道德的邪路，被称之为“另类”“文艺”“怪异”，而主流中的精英达人，则一副呆若木鸡的样子，面面相觑，满口奋斗、奋斗，相逢见面连一杯茶都喝不好。更可笑的是，自以为功成名就之后，又出钱去上各种培训班，希望有人教授“如何诗意地生活”。玩啊玩，善待自己，要学会生活，竟然成了当代的时髦话题。人因为鲲鹏大志，已然忘记生活，要从头学起，这真是千古不闻、贻笑万方的事情！

长久地不玩物不玩人，不许玩物也不许玩人，世道人间味同嚼蜡。人们丢掉了一切玩人怀德、玩物养志的书籍和教导，潜意识中还生出玩一玩会遭灭顶之灾的罪恶感。事实上，灾难降临，玩物也来，不玩物也来，人总不能放着日子不过了两眼紧盯灾难一辈子。灾难来了，又怎样呢？要学会在灾难中生活。灾难中不敢生活，非要去战斗的人，不见得勇敢无畏。夫子说，仁者必勇，勇者未必仁。佳琏便是这样的仁者，为了按自己的方式活着，宁可玉碎。而子俊，随着大志的进步车轮速速去了，却花费了一生的时间，仍回不到原点。光妹更是仁者见勇，战火中安详，和平中安详，安详中安详。说机械化的部队，政治化的运动，可以撼天动地，那么，你们看一看，这些究竟动得光妹的一丝一毫么？是人心的力量大呢，还是文明和野蛮的力量大？夏玉书坐在乌瓦白墙下纹丝不动，不是精神、理想、不死的中国魂之类的东西支撑他，而是天心不灭，其志不移。你说做到这点挺难的，说难是因为你被他人夺了志，三军之帅可易，匹夫之志不可夺。人守住他的志，才可不为外力驱使，才可不落到疲于奔命的境地。人的志，有这么大力气吗？是啊！团在一起搞唯物主义，物的力气之大你又不是没有见到；分开在各处搞各种主义，分散的力气也可大到难以团聚。这就证明了，是心的力量在主宰世界，而不是世界的力量在主宰心。巴别塔的故事，也是讲这个道理。人们团在一起要造一座通天塔，结果上帝一夜之间让人们各说方言，语言不通无法交流，于是做歇，各散四处。上帝是不希望人类同志一志的，他要我们按照各自的意愿去看见同心。性志便不在一处，而心神却是唯一。

我的一个朋友做文学，每次见面就要人听他写的东西。他一长段一长段念给你听，你给他端茶递水，告诉他新上的炒青不错，他无心喝；又给他切点水果，说海南空运来的新鲜果品，他也无所谓。外面下雪了，说去走走雪地，深一脚，浅一脚，留下一长串脚印，跟他谈起猎人和脚印的关系，他无兴趣，还是扯到他写的关于雪的诗上去。其实那是首与雪毫不相干的诗，只是标题和诗句中用了几个“雪”字。要么有时候故意约他钓鱼、泛舟，他便阴沉着脸，一肚子不高兴，直至又扯到所写小说的布局、字数以及出版，面孔才放晴。难得泡个温泉，说说活络经脉、松动骨节的各种名堂，他竟尴尬地笑笑，仿佛欠他账久不还的样子。起身到房间里仰躺一会儿，享受按摩、点心和影片，他又便趁机拉着服务生，将新写的几章念给她听。吃喝，恋爱，收藏，猎奇，放松，无聊，一概引不起他兴趣；吃喝，恋爱，收藏，猎奇，放松，无聊，一概都成为他摹写的对象。他就这么，一生一世心心念念文艺着。“《爱丁堡监狱》分成上下两册，你说我这本出的时候也分册怎样？”“托尔斯泰写《复活》，几易其稿，你说我这本也烧掉重写怎样？当然，也不必事事向名家学，我就偏留下一切污点给后世，未尝不是一种创新！”“雨果写《巴黎圣母院》，其中多少冗长的篇幅都与情节无关，我才花了五百字写一把扫帚，编辑怎就说我离题呢？这些人真是没有见识！”

我的另一个朋友在伦敦做学问，每次我去看他，必跟我滔滔不绝地谈计划。计划无外乎几点钟见怀特教授，几点钟去一趟基金会参加听证会。或者又与我分享最近认识的人，文森特作为策展人要安排他做一次关于裸体艺术的讲座，司各特在沃尔芬比特尔奥古斯特公爵图书馆任职，最近来信收藏他一篇论文，这图书馆如何了不起，又司各特如何重要，得到他青睐将有什么样的命运变化。要么又拉着我去给奥登博士祝寿，饭局上偷偷指给我看谁谁谁坐哪个位置，而他现在靠着奥登博士只差五把椅子，这里面的奥妙意味深长。但当我提出要去逛街，要走沼泽地边上的芦苇丛，要到城楼上的雉堞边坐着喝茶，或者需要买一些银器，看看什么牌子的金表有新出的机械型款式，这便激怒了他。他谴责我不看博物馆，不上图书馆，不结交有用的名人，完全在伦敦消磨光阴，对融入国际的飞黄腾达的事业无所作为。可是到了英国，我最想做的事情，就是买一支好的墨水钢笔和一块新造的机械金表。气人的是，我去了三次，没有一次如愿以偿，总是被这家伙给我制订的出行计划弄泡汤。在他的行动表中，从早晨八点起床到夜里十二点睡觉，都在见各种他认为“非常重要”的“人物”。“罗伯特夫人曾经请高行健做过客座教授，所以不能忽视她的邀请。”“艾伦看起来只对修自行车感兴趣，但他认识工党的一个议员，所以，明天你要把从中国带来的那几瓶辣酱送给他。”“当然，伍德夫人只是嘴上说得好听，背后并没有多少硬资源，明天路过她那儿打个招呼就行了，千万别听她讲什么因纽特人的人类学故事，这会浪费你一个上午的时间。”

还有一种女人也要不得。大凡男人和女人相处，总是男人心急，希望快点达到肉体的目的，完事倒头就睡，而女人则希望拉长前戏和后戏的时间，沉浸在梦幻的场景里。不过，新近偏出了一些年轻姑娘，比男人还没耐心，请她吃饭、看电影、玩游戏，都提不起精神，只专注到处认识有用的人，分分秒秒寻觅机会，粉拳紧握拼搏不懈。进屋落座，席不暇暖，就主动替你宽衣解带，一个吻还没亲完，大事便已了结，一侧身又开始在微信上寻找商机。春花秋月都是虚设，簪钗裙衫都是装备，食只为饱腹，性只为止痒，仿佛一辆装载货品的卡车，匆匆加油，速速奔驰。她没有时间交谈、厮磨、会心、娇嗔，她按既定的图纸车、铣、磨、冲，然后装箱、打包、上市。说什么情趣，连最基本的成长发育都未完成，就支出耗尽，血气抽空。

受不了了，受不了了，我快要疯了！哪里是玩物丧志，明明是志丧人命！

法治

在前面很多地方，我都说到过天矩和人规的问题。人既是神创的，那么人规也必在天矩里。人规出了天矩，一定是恶法。

义作为标准，体现到具体的约定层面，就是法。法，归根结蒂，是一种契约。人们自“人道主义”盛行以来，特别热衷于谈论法治，以建设法治社会为文明象征。那么，什么是法治社会呢？孟德斯鸠在《论法的精神》一书中说：“唯有人民才可立法，这是民主政治的基本准则。”但是，他并没有给出人民立法的依据，只是啰啰唆唆长篇累牍地述说了立法与历史、宗教、习俗、自然、政治等等的渊源和关系。人和人制定契约，究竟依据什么呢？我要在你门前挖壕沟，你不乐意；你要在我田里牧羊，我也不乐意。于是，互相钳制，立订章法来制衡。说白了，这是欲望法，即性法。诸性长短不一，长抑短；诸性千差万别，互相依靠。在社会中，人们因为较量和交互，需要契约来并存。这样的法得到应许了吗？

上帝原本是直接与人签订契约的，人不断撕毁、违背，又派人子降世另立新约，完全旧法。人子为人类担掉一切违约的罪过，并要人以认罪悔罪而得救，这就明确地告诉我们，新旧之约皆不可废，人须按照神与人所订之约订约。按孟德斯鸠所分，政体不外乎共和的、君主的和专制的，但无论哪一种，倘无立法的依据，便不得恩准。“唯有人民才可立法”显然是妄断。唯有上帝才可立法！人民按上帝之法立法，或君主按上帝之法立法，都在天道之中。只有按照这个准则，我们才知道哪个君主堕落了，哪个共和败坏了，才有依据造反革命，革命不是以革命的名义进行的，革命是以回归天道的名义进行的。君主立法是受了人民的委托，代人民与上帝签约；人民立法是个人完成个人的义务，直接与上帝签约。因此，这个地上是没有法治的，只有神治。神恩允人民立法，但人民自傲起来，忘记掉立法的依据，以为自己就是神圣的，必然走向灭亡，就好比君主僭越神权，把自己当作上帝，必遭颠覆。前者所谓暴民，后者所谓专制。

说中国人没有法治观念，我以为是一件好事。在旧时的中国，人们并不理解共和的、君主的、专制的什么政体，人们只是选择一位代理神事的天子去过一种应天呼地的生活。国家并不是政体，而只是生活方式。人们与山川签约，与四季签约，与生产方式和祭拜仪式签约，在这些约定下人与人之间只不过相互监督相互劝导，并无须再订立人约。所以，但当西方的法制进入中国社会后，大部分老百姓是难以理解的。那么多法律条文，你说了算？即便我们一起讨论，投票决定，我们就能说了算？你和我们由谁来担保呢？既无担保，说说而已，就像台上唱戏，戏罢便散，何必当真？

一个人规避掉限速规则，或者走后门免遭惩罚，在执法者看来是刁民，在一般人看来却是能人；而一个人即便按照法规去抓捕老人和孩子，便一定会被大家认为是坏人。

刁民是有的，那些背离天道自行乱来的人，才是刁民。不守人法的，未必是刁民。

一个中国老太太在伦敦的名牌商店门口，垫张报纸，让她情急的孙儿当街拉屎，这事法治社会的伦敦人未必不通人情，而中国社会中的几个自认精英的人却大呼小叫“国人素质低下”“没有法治观念”，普遍的中国人当然又另执一种说辞，以为人情急了找不到厕所，还能不拉屎？再说垫张报纸，秽物自行解决，自己拉屎自己擦屁股，非常得当，这种情况下，若不让拉屎，才叫天理难容。

这并不是人情观念，不是所谓情大于法，而是天大于法。天道社会对进步、科技、速度、效率是不感兴趣的，所以当“五四”以后“仁人志士”想改变这套千古法则，想跟上坚船利炮的钢铁世界，人民即便出于利益热情被动员起来了，其潜意识中的深层理性仍是难以响应的。权力可以被转移，可以被重新确立，权力的制度却难以固定。一句话，国家过国家的，我过我的，什么法不法的，抓住我算我倒霉，抓不住我我就赚了。故此，法制不能由意愿确立，便只好由权力去推动。这就是中国社会为什么权力凸显、权力恶性膨胀、人们崇拜权力恐惧权力的原因。

那么，何时才能法治？法的精神何时才能深入人心？如果你找不到立法的依据，无论民主立法还是专制立法，恐怕中国人永远不准备接受法治；如果你顺应了千古的法则，以天矩订人规，那么，人人都会自觉接受法治。进步也好，退步也好，并不是我们真正关心的。我们真正关心的，是天矩与人规的顺理成章，是天人合一的坦然。这么说来，中国人就那么信上帝吗？中国人在漫长的中国方式中，固然并没有经历人神分裂又人神联盟的宗教，但恰是因为并没有类似的宗教方式而选择了人神合一的非宗教信仰，这样的信仰传承有序，经历史反复证明，的确反倒难以撼摇。如今，尽管现状并未以信仰的胜利姿态呈现，很多方面甚至陷入巨大的迷失和困境，但这并不是传统与革命的过失，这正是弃守自我生活方式两难的冲突和尴尬。

我们或者真的需要革命，只是革命的去向，并不是别处，而是故乡。

卷五

沈阿姨

第一章　解放之路

沈阿姨说起解放，总要提到两件事。一是她姑姑说给她听的，二是她自己亲历的。

沈阿姨兰玉的大姑姑，本是程家买来给佳琏的二哥做童养媳的，姑娘长大后不肯，程家老太太便收她做闺女，给她取名程佳珣，兰玉叫她珣姑。珣姑后来嫁给汤溪守城部队八十六军的侍卫长罗开明，罗开明是湖南邵阳人，黄埔四期生，三十四年随二十六师进驻江苏，内战中官至少将旅长。珣姑说，三十六年罗将军回来汤溪探亲，带来的兵穿破衣烂衫，冬天连双棉鞋都没有。沈阿姨对罗将军这次探亲也有印象，她说，将军的军装口袋很多，用这些口袋跟她玩藏花生的游戏，藏一颗花生到口袋里，花生会长脚，一会儿跑到这个口袋，一会儿又躲进那个口袋，但翻遍将军所有的口袋，除了这颗花生，竟什么都没有。三十八年过完春节，罗将军来信，跟珣姑约定，说打完一仗，清明前后必回灵台。清明未到，珣姑便去金华，日日守在火车站等，从清明等到谷雨，从谷雨等到立夏，未见人影。一日，一节长长的货车停靠站台，门一开，齐刷刷下来一支部队，黄澄澄的，衣冠整洁，步履矫健。她上前去问，说是共产党二野十一军的部队。她看他们的军装，全是新布缝制的，鞋底厚厚的，棉袜一尘不染。她一下就明白了，国民党输定了，开明或者死在外头，永远不会回来了。开明倒没有死，1949年9月，他带着一个勤务兵，化装成收旧货的，偷偷逃回灵台。之后，珣姑去了上海纱厂做女工，开明潜回湖南老家邵阳务农种地。此是后话，按下不表。

解放军进汤溪后，土改工作组分给光妹两亩地，地上满满的稻谷快要长熟，入夏开镰收割，现成白得九石谷子。空地翻土，又随便撒下一点豆种，豆苗便疯狂地长起来。光妹忙于政工，家里的事务就交给兰玉。兰玉挑水去灌溉豆田，一眼望去，叶叶相连，没有尽头。那年她才十一岁，身子太单薄，一个人从城里挑一担水，出了西门走到田头，已经气息奄奄。一瓢一瓢水洒下去，就好像落入豆海，一担水不够一分田饮。一天下来，浇不满五分地。她独坐在田垄上，累得站不起来，心想，什么时候才能浇完啊！一队解放军骑兵从远处过来，看见小姑娘一个人挑水浇田太辛苦，便纷纷下马来帮忙。领头的派人骑马去借水桶，又派人去溪边汲水，分组从两头向田中浇灌，不到一个时辰，全部完活。他们留下三个煎饼和一个猪肉罐头给兰玉，外加一只装满水的军用水壶。兰玉看着他们远去的背影，戏文中文武场面的锣鼓和弦索声顿时上扬，她以为他们是天兵神将。这以后，她几乎日日站在田垄上翘首盼望，等解放军过来。她并不贪图解放军帮她干活，而是想再看看这些英武的雄兵，与他们说说话，跟他们讲心中的苦楚。

沈阿姨将这只军用水壶一直随身带着，用着，直到现在。这样东西于她而言，是见到天军的见证，是力量的源泉，是取之不竭的活水源头。她常常装满一壶水，隔一夜再倒出来看，水清就证明世道好，水浊她就担心出了坏人。她说，这个办法非常灵验。

佳琏从军事监狱回来后，便租种邻居胡庸卢的地，第一年种种还好，第二年生病便力不从心，日子每况愈下。兰玉也只好帮着家里干活，去外面割猪草。江南百姓养猪，一来可以增加补贴，二来收集猪粪肥田。所以，猪是很重要的，关系到谷粮收成和现钱进账。兰玉当时七八岁的年纪，与其他贫户的孩子一起早出晚归地辛苦劳作。丁字口南街上有户人家的女孩叫娄尼，岁数比她小，外出总是跟着她。穷人的孩子出去干活，富家的孩子尾随着戏耍、搅乱。胡地主的小儿子富根就是这样，兰玉和娄尼顺着城外草坡的小路走着，他便躲在草丛里吓唬她们，有时还拿弹弓飞暗弹射在她们身上。娄尼家一般不给孩子预备干粮，做到中午时分，娄尼常饿得饥肠辘辘，有时兰玉就将自己不多的麦馃分一半给她吃。富根拿来几个肉馒头，一边自己吃着，一边喂狗，以此想招徕女孩子的关注。兰玉告诉娄尼，千万不要吃富根的东西。娄尼不听，吃了富根一个肉馒头。兰玉看她吃着，眼泪就禁不住掉了下来。她不知道自己为什么那么难过，为什么要哭，是什么力量驻在她心里让悲恸阵阵袭来！她躲进树林里，转过身子去，好让自己不再看见这一幕。

父亲死后，家里几乎就没有热饭。每每晚归，灶头上陈列着几碟菜，陶钵里还有一些剩饭，她便急急吃下，心里蛮高兴，也不觉得苦。只是到了十一岁，还没得学上，有些缺憾。从七岁以来，爸爸就许诺有钱富裕了，便送她上学，她便一直等着等着，等久了，渐渐遗忘了，也开始认命，以为家里本来就穷，穷人家的孩子本就不上学的。直到有一次，她看见光妹用旧报纸点火，点燃前，母亲嗫嚅着念了几行字，她感到诧异，便问："妈妈，你看得懂字？"妈妈说："那是自然的。我小时候读过不少书呢。你外公家，三代举人，远近有名的书香门第。只是妈妈不喜欢读书，读一点忘一点，以前还看看话本，现在好久不看字了。这下做妇女主任，不看也不行啊！"这件事，对兰玉冲击很大。她想，原本家里不是她想的那个样子，母亲自己读过书，却荒废掉她的学业，实在对她不好。她情绪低落，一个人坐到角落里不吭声。光妹似乎看出她的心思，便走过去对她说："兰玉，不要生气，妈妈嫁给你爸爸后，谁知道有那么多不如意的事发生，直是让你也受了不少苦。你看这样行不行，我空闲下来，教你识字。"听这话，兰玉自是高兴，之后便开始跟光妹学字读书。学了两年，到1951年底，光妹要去上海投奔泷莹，只好将她寄养到灵台小姑子家，这便又中断了。

小姑子看兰玉十三岁了，抵得上半个劳动力，又赚得上她母亲从上海寄来的钱，便满心欢喜地收了她。在小姑子家里，兰玉成天就是养猪、烧饭，农忙时间还要下地插秧、割稻，哪还有什么学上。过了一年，到1952年隆冬，小姑子听说，罗埠附近洋江对岸上叶地方有家剃头店要用人，给工钱一月五万（相当五元），便送兰玉去那户人家帮佣。一月五万，一年六十万，相当于旧时六亩地的地租，这对乡下人来说，可是一笔不小的收入。小姑子受此诱惑，也不顾骨肉亲情，直便给光妹去了一封信，诉说自己生活艰难，又抱怨兰玉吃掉她许多粮食，不得不如此为之云云。光妹第一年刚到上海，寄给过小姑子八十万元，后来一时没找到工作，便寄不出钱，小姑子等不及了，就生出了这般坏心思。

兰玉来到上叶，在剃头店人家吃尽了苦。她常常隔着洋江望汤溪，想家乡的人为什么遗弃她。她给光妹写信道：

> 妈妈，你在上海好吗？我在这里很不好。
>
> 店里的东家一天只给我两顿饭吃，早上是一碗粥，晚上是剩饭剩菜。锅里一勺盛下去，就见底，一碗干饭都盛不满。中午没有饭吃，隔壁阿婆看我可怜，有时给我一个花薯。夜里睡在店铺的地上，铺一点稻草，被子是漏洞的，膝盖露在外头，冷得发抖。五更起来就去挑水，烧水，拌猪食，等小孩子醒来

还要背他玩。中午要洗毛巾，店里有洗不完的毛巾。下午挑粪去浇菜地，一担一担，挑几十担。人家与我一样岁数的小孩都长高了，我还是跟八九岁那样，又瘦又小，被担子压着，我想我可能长不高了。

冷天不给棉鞋穿，赤脚走石板路去井边提水，脚都冻烂了。

春天我逃回灵台，姑姑只留我吃一顿饭，就让姑父送我回上叶。我哭着求她也没有用，她说都是你娘造的孽，有什么娘就有什么女儿。妈妈，你究竟做了什么坏事，让姑姑那么恨你？我又逃到外婆家，在外婆家住了五天。外婆脚小，下不得地，舅舅只贪玩，在外面打牌，元香阿婆照顾他们，帮他们种田。家里三顿都吃粥，弟弟太可怜，吃不饱，没有糖吃，也没有玩具。我看看他们罪过得很，就只好又回上叶。

昨天去井边提水，饿得一点力气都没有，水桶太大，一放下去装满水忽然直往下掉，桶绳拖着我拖到井口，差一点就把我拖进井里，正好有个大婶经过，一把抱住我，才没有掉进去。

妈妈，你快来救我吧，我要死了。

光妹接到这封信，便速速给元香回信，并寄去一些钱。元香去上叶找剃头店老板，老板说小姑子跟他订了三年的契约，如今要毁约，必须赔给他十万元。这便回家跟丰奂英商量，将光妹寄来的钱拿一部分出来买一担谷子，交予夏旭宝挑去，将兰玉赎出来。又给兰玉置一身新衣裳，买一双新鞋，预备一些路上吃的粮食。这样，钱算下来便不够买火车票了。元香出主意，让兰玉去找她哥哥，说瑞明现在政府上做事，找他帮忙或者有望。兰玉去找瑞明，瑞明说："去上海做甚？去做婊子么？那样的地方充满毒素。家乡解放了，在家乡安心劳动好过一切。"话虽这么说，还是借给了她两万元。终于凑足了钱，兰玉买了火车票，从陶家车站登车，离开了汤溪。这一别，竟二十一年，直到1974年，兰玉才有机会回乡探亲。

走时，兰玉对丰奂英说："外婆，我这便去了。去上海挣钱，寄回来给你和弟弟用。你们要好好的，要多保重。空日有钱寄回来，一定要让弟弟读书啊！"

光妹叫了一辆三轮车去北火车站接兰玉，在出站口望了半天，不见人影。兰玉个头矮小，挤在人流里，并引不起注意，自是早就先出了站，母女俩失之交臂。她按照地址，走一程，坐一程电车，居然找到华山路施太太家。过了大半晌光妹才回来，看见女儿非但没有长高，甚至比送去小姑子家时还瘦还黑，眼泪便扑簌簌往下掉。母亲给女儿做了一餐饭，有鱼有肉，还有新上的螃蟹。光妹教兰玉上海人吃螃蟹的办法，如何吃黄，如何吃肉，一直到蟹脚末端都挑干净。整整两年了，这是兰玉第一次吃到饱饭。吃饱了，暖洋洋的，加上旅途疲顿，兰玉倒头便睡着了。光妹将窗户开一道缝，花园里的桂花香阵阵飘进来，沁人心脾。这是1953年秋，母女俩经过热闹的世事变幻，终于又团圆了。尽管寄人篱下，给人家做帮佣，但越来越多的声音在许诺，她们将成为新社会的主人。

施太太善待兰玉，教她上海人的生活方式，亲自带她去菜场一样一样认识荤素菜品，又告诉她几条常走的电车路线，交给她煤气卡、电卡和家庭生活必需的各样票本。又领她去里弄扫盲班报名，要她利用业余时间读夜校。兰玉因跟母亲学字不少，上来便报了高小的课程。她读书很用心，夜校回来后也不歇息，或挑灯做功课，或找来施老板的一些小说看，不到半年，便将《水浒传》《红楼梦》都通读下来。

兰玉在夜校认识很多同年龄的朋友，都是在资本家家里做佣工的少女。她们周末常结伴出去玩一会儿。有时去看一场电影，有时到淮海路电影公司门口，等秦怡、王丹凤、上官云珠这些电影明星出来，讨一个签名，一睹芳容。她们拖拉着小木屐，从华山路格达格达一路走来，在上海的梧桐树下嬉笑打闹，渐渐在春秋交替的季风中将遗落的童年捡拾回来。童年非常短暂，辛苦的生活将它磨得伤痕累累，但有时候时间也会停滞，不管朝鲜战争的硝烟刚刚消散，也不管工业化建设的大潮在各地汹涌澎湃，它只专心停留在几颗悬铃上，又静心坐在老大昌的几个酸奶瓶子边的玻璃窗后面，看护着一群贫家女儿，故意将分秒拖长，以细细修复她们内心深处的疼痛。神临的瞬间，并无时事，片刻的悲悯与人心遭遇，贯通万世。

光妹认识育金后，便辞去施太太家的工作，将事全权委托兰玉。走时，她交给兰玉一只小箱子，里面有诸神的牌位、画像和灵签。

光妹说："姑蔑人到外乡，乡神也会一起跟来的。家有家神，灶神，门神，谷神，酒神，花神，还有祖宗的灵，后面一屁股跟来许多。自己立足了，也不要忘记让神立足。空日我们有家了，这些神都要请出来，设立牌位，到日子都要一一上供，不好敷衍的。现在，妈妈去别家做事，还不知道会怎样。这里施太太人好，算我们一个暂时的落脚点。妈妈把各路神灵寄放在你手里，你要好生看牢。"

"夜校的老师说，不要给神磕头，这些都是封建迷信。"兰玉说。

"妈妈没有让你迷信他们呀，"光妹说，"祖宗神和家神，都是活过的性命，他们还没有死呢。有的已经活了几万年，一直还有气息的。比方说你爸爸，身体死了，魂灵还在呢。你想他，他就还活着。就像学校里教你们纪念烈士，这些英魂也是长久活着的。这怎么能是迷信呢？空日我们死了，肉身坏掉了，灵魂靠着后代祭祀，也会一直活下去的。当然，他们不是天神，他们跟我们一样，只是众生，众生依托肉身和牌位存在，是可以相互依靠的。你只是依靠他们，不是迷信他们。这个世界上，可以相信的，只有老天爷，老天爷常驻在你心里。”

“这么说来，我们不是孤独的？”孤独是兰玉新学来的词。

“姑蔑人是有靠山的。你要晓得，不只是你跟我两个人出来了，说不定整个姑蔑都跟来了呢。我们做事，是有神灵看护的。有谁敢欺负我们，神灵是会出来帮忙的。带着这些神灵，就好像带来四邻街坊，而且是几万年的邻居都一起来了。靠着这些神灵，我们才守得住自己的心。心守住了，虽再大的恶人，都敌不过我们。你要记牢啊，牌位上的邻居和肉身上的邻居，都要善待他们。他们来找你，你要为他们开门，给他们床铺睡，给他们倒水喝，给他们烇一厨饭吃。你这么待他们，他们也会这么待你。这是看老天爷的面子，大家都依着老天爷的面子活下来。”

兰玉于是收拾好小箱子，跟她的衣物放在一道。

到了1954年，施太太死了，兰玉便辞去这家，由夜校的同学介绍，寻到嘉善路一家工人家里帮佣。

诸神在箱笼里终于等到花神回来。花神说：

“我打听清楚了，这是泷莹小姑子夏明珍的家。这里是马当路278弄西成里，法国人管的时候叫白来尼蒙马浪路，老百姓简称为马浪路，战争结束后改为马当路。泷莹答应光妹，让兰玉从乡下把户口迁到上海，先落在这家。上月云南兵工厂来招工，兰玉去报名，这便把她的箱子从嘉善路搬过来，暂借寄放在这里。她明天就要走了。”

门神问：“我们要跟着她走几千里地，去那么远的地方？这下离汤溪可是真的远了。”

花神说：“带不带我们去还是问题呢！今天上午兰玉来取箱子，

夏明珍居然不肯，说她母亲欠了她钱，要抵押这个箱子。昨天这个臭婆娘还骗走兰玉十万块钱。兰玉从兵工厂办事处领了十二万元路费，夏明珍听说后就管兰玉借十万元，说早晨买菜没有现金，先借来用用，第二天就还，结果今天兰玉来要，她又说光妹欠她钱，她不能给，十万元不够，还须加上箱子里的衣物。”

“那么，兰玉只剩下两万元了？”灶神说话，“这么长的路要走，怎么够花？”

“要想办法帮帮她。”谷神说。

“怎么帮？”门神有些怒气，“她母女两人还没有安家，既没设神位，又没有自家的门板、米缸、刀剪家什，我们魂无所依，一直憋在这个箱子里的箱子，连出去透透气都不行，我觉得我都快要死了！不像你（指花神），轻灵扁小，钻头觅缝地还能飘忽。现在只有你再出去，跟夏家的神灵打打交道，看有无路走。”

谷神若有所思，说：“我听说佳琏这个月还会来。箱子里有他的牌位，他不放心他们母女两人，上个月来过，走时说这个月还要来。现在是阴历八月，有一阵白露风要从江西过来，估计佳琏会乘这风来一趟。对了，今天正是八月十二，白露，雁儿头上带霜来，未准他会骑雁而来。”

酒神喟叹道：“往年每至此时，我必酿千里酒，众人饮之至家而醒。这间便好，谷神无谷，酒神无酒，只在一起唉声叹气。”

花神接着说：“兰玉现在也不怎么相信我们了。自从她去到嘉善路那家，主人对她不好，让她在楼梯下跟猫狗睡在一起，派出所的马同志看不过去，教训了那家人，还指点她报户口，告诉她云南招工的信息，她于是跟新派政府里的人越走越近了。政府宣传破除迷信，我们在兰玉的眼里恐怕都属于旧社会的垃圾。”

“光妹总相信我们的。”门神说，“明天兰玉走了，光妹自是要把我们领走的。”

“我看事情没那么简单，”花神忧心忡忡，说，“空日她嫁到梁家，怎么还会设佳琏的牌位呢？佳琏的牌位不设，我们怕是也没有位置的。”

“不设神位，我可以待在米缸里。”谷神自我安慰。

“门板总是有的，我可以依附门板。”门神道。

“他们据说烧煤炉，或者用煤气。我有点不适应。煤的味道我是讨厌的。”灶神说。

“光妹不知是怎么想的！”花神插话道，“我听夏明珍在那里唠叨，说光妹给女儿说了一门亲，是三马路那边一个小开，人太老了，快四十岁光景。兰玉漂漂亮亮的，怎么愿意嫁给一个糟老头！”

“我们都是程家的神灵，自是应该跟着兰玉走。就怕她越来越信政府里的新神，渐渐要离弃我们。”门神说。

“她带我们走就行。往后她遇见难事，多少靠得上我们。我们出力了，她哪有不敬奉我们的道理！”酒神说，“只是怕这下夏老太婆不放我们走，把我们跟这些衣物抵押在这里。这就糟了！”

“那就要看佳琏的了。今夜白露风到，他该是不会爽约的。”谷神道。

花神钻出箱笼，见兰玉衣衫上别着一朵白兰花，便依附上去，跟着她离开了夏明珍家。

兰玉刚跟夏老太婆吵过，又恼又伤心，一路走一路掉眼泪。路过嘉善路，她想起了年初的事。当时，她做佣工的这家乡下来了一个亲戚，主人就把她换掉，让亲戚做。她没有地方去，一夜在街上游荡。十六岁的年纪，从悲苦中走来，刚到幸福的边缘，又突然陷入茫然。上海的街灯冷若冰霜，上午的阳光在子夜掉落一地碎月。她从嘉善路走到静安寺，从静安寺走到曹家渡，又从曹家渡折返，直走到天色蒙蒙亮，又不知不觉回到嘉善路。她不晓得自己为什么回来，好像天神引领她的双脚，没想到一进门，主人千恩万谢她归来，原来新来的亲戚不会做事，提开水下楼的时候连壶带人翻滚下去，烫伤了，还跌断了骨头。这下闯了祸不说，家里五个小孩没人带，乱得一团糟。这便又住下来，又继续在这家做工。兰玉想起这件事，又加上被夏老太婆欺负，顿时百感交集，不知何去何从。

花神缭绕她，熏风破浊地用香气安慰她。这正应了一句古诗："花意犹低白玉颜。"

花神领她进了一家杂货店，她用所剩的两万元买了一只面盆，一只茶缸，又到隔壁食品店买了一只罗宋面包。这样，她口袋里便一分钱都没有了。

花神又领她去妩姨家。妩姨收留了她，给她床铺睡。这是她在上海的最后一夜，明天她就要去兵工厂的办事处报到，随新招的工人一起出发。夜里，佳琏果然来了上海。兰玉在梦里看见一道白光，那是爸爸的亡灵从她面前闪过。兰玉记得，父亲入殓时，穿的是一身白色的长衫。醒来，她便又去马当路，她要取走箱子里的小箱笼。她对夏老太婆说，她父亲的牌位在里头，如果不让她取走这个箱笼，她父亲的亡魂不会饶过她。夏老太婆害怕一语成谶，便留下大箱子和衣物，将装有神灵的小箱笼还给兰玉。

妩姨给兰玉的茶缸里装满了米饭，又压上一点咸菜，加上那只罗宋面包和空面盆，还有妹方的万古神灵们，这就是她所有的东西了。没有秋冬的衣服，连一床被子都没有，这个做奴隶的女儿，踏上了中国真正的无产阶级之旅。

在办事处报到后，新工人们被组织好送到北火车站，坐上西行的火车出发了。那时的火车速度很慢，停站时间也很长，走走停停，一日不过走半个省。夜里过山区，气温骤降，兰玉既没有毛衣，也没有被子，穿一身单薄的衣衫，靠在座位上，冻得瑟瑟发抖，反反复复睡不踏实。好像入到梦里，弟弟兰章来告诉她，说母亲死了。她想，这下糟了，爸爸死了，妈妈也死了，弟弟怎么办，她刚参加工作，还没领到工钱，到下个月拿到工资还有很多天。她走进院子，看母亲横躺在一块木板上，紧闭着眼睛，似乎死了很久，眼泪止不住就涌上来，刚涌到喉鼻间，正要哭出来，忽然醒了。列车停靠在衢州车站，天已经大亮。她是黎明天起晨光有了些暖意的时候才睡着的，这时候太阳已然高照，光洒在她身上，车厢里有了热气。同行的人告诉她，要进江西了。这便错过了看金华，也错过了陶家车站。她原本是心心念念地等着火车过汤溪，想看一眼家乡的。她问边上的人，陶家车站停车了吗，可是没有人记得陶家车站，甚至也没有人知道这个站名。她又问正走过来送开水的列车员，列车员说这趟车只停大站，陶家车站是小站，凌晨四点多过了，没有停。啊，的确是有陶家车站的，的确火车也路过了她家门，她的家在地图上是有的，这么伟大的一次建设也必须从她家门前经过，而她竟然也坐在这支伟大的建设队伍中。现在，她已经不再是故乡的故人，她是一名新中国的新人。程兰玉，再也不是一个可以被人随意丢弃的小孩子，她长大了，她成为这个国家的家长。因为，他们说，工人是这个国家的主人。她转念又想起刚才的梦，便随口问身边常州来的姑娘许景华，问梦见人死了会怎样，许景华说，梦大多是反的，那大概是长寿的意思。这样，她便安下心来，又开始想母亲的不是。母亲每次都跑去她做工的人家，替她把工钱领了。两个月前，母亲又去领，发钱的日子还未到，人家不给，母亲便生气将兰玉的毛衣拿走，说拿去卖了，填补给乡下寄的钱。她看周围其他年纪与她相仿的孩子，人家母亲并不这样，偏自己的娘这么逼人，心里很是难过。光妹跟兰玉，总是走不到一处来。母亲想的，跟女儿想的，实在太不一样。兰玉认为，爸爸死以前，妈妈对她不是现在这样的。于是，她产生了一个看法，以为母亲只想嫁人，不要从前的家了。或者母亲真的不是一个好女人，打算遗弃掉她和弟弟，兰芳妹妹不是给她送掉了吗？她背弃了爸爸，不再信守曾经与爸爸订立的约定，她变心了。兰玉还是爸爸的女儿，而光妹再也不是爸爸的女人。那么，光妹还是不是兰玉的妈妈呢？这一点，应该是不会变的，兰玉不愿意变，世人也看不得变，天理更不容许变。好吧，兰玉决定，不管怎样，要帮着光妹做好妈妈。于是，女儿看到的都隐藏到心底，女儿做出来的却与隐藏所指向的大相径庭，这便形成了长久不止的冲突，冲突使间隙日益开裂，竟成鸿沟。兰玉无数次想在大庭广众之下指出光妹的不是，兰玉又无数次地在光天化日之下做一个响当当的女儿。一个响当当的女儿是不是就等于一个响当当的母亲？好女儿逼成一个好母亲的事实。这就是兰玉对光妹的全部想法。

花神回来通报："兰玉躺在军区医院的重症病房，已经昏迷几天了。这里是昆明附近1058基地，一家生产常规武器的兵工厂。"

灶神问："什么是兵工厂？"

"就是制造枪械、子弹、坦克诸等杀人武器的工厂。"花神答道。

"就是三十一年日本人带来的那些东西吗？声音很大，火焰也很猛，吓唬屈鬼还行，对我们不管用。子弹穿过灵魂，不过是一阵疾风。"门神道。

"我看兰玉是冻病的。"谷神说，"在都匀那边，火车路没了，他们改乘大卡车，没有篷盖，一路下雨淋着，淋了好几天。本来她没被子，也没毛衣，在车上已经受了风寒，身子早就很弱了。"

"我听扳道工说，日本人进攻到独山一带也走不进去了。三十三年，国军坚壁清野，将交通部运来藏在都匀车站的一节豪华车厢都烧掉了，这可是圣母皇太后的御列。国军的脑袋瓜，似乎到得这地方也不灵了，尽只会自残抗敌，宁可毁掉祖宗的宝贝，也不留给他人享用。这是什么思维！贵州这地方，俗话说，天无三日晴，人无三分银，地无三尺平，神鬼厌弃。我们路过那一带，也吃了不少苦，到现在栖身的那些木牌和画纸都是潮乎乎的，灶神爷那块都发霉了。”花神说。

“什么时候，把我们放出去晒晒太阳！”门神抱怨道，“那些运输工把我们堆放在储藏间，跟旧衣物、雨具和机器零件挤在一起，终日不见阳光。这样下去，神也要霉烂的！”

药神一直睡着，这下醒过来，插话道：“我是从夏家过来的。文圭先生把汤溪城的药房分出去后，就将我的画像给了光妹。后来到得程家也一直将我锁着，倘那时把我放出来，佳琏的病我也早替他治好了。按我的看法，兰玉这是得了重伤寒，风寒湿交结，入了心包经。他们西医说，这是一种心脏病，只得用盘尼西林。这种药很贵，要进口，上年才刚有国产的开始试点使用。”

门神问：“按你的方法，兰玉现在一直昏迷，该怎么治？”

药神答：“兰玉真是个有心的好孩子。上车后厂里发补贴，一天八千元，十多天下来，她一分未用，积攒了十万元。倘要是路过车站，买些鸡鸭鱼肉吃吃，身体得了阳气，也不至于病得那么重。她只是吃每天发下的例餐，有时饭发到后面的车厢，都冷了。吃冷饭，营养不足，肚里便有冷湿不化，加上淋雨受凉，风寒化热，直入营血。现在是外寒内热，寒包热毒。我要是出得去，带上灶神和酒神，设一个壮阳还魂的道场，再从她心包经绕走的几个穴位放点血，也就好了。”

“这下便是出不去，”财神也是夏家来的，从来都不说话，这时也出来讲几句，“出得去什么问题我们都能解决。端的要花钱，有我在，还怕不财源滚滚？如今就看共产党这尊神仙了。他们也不是一般人，听说都是仙人下凡。”

花神说：“军区医院的院长，我看有两下子。他亲自给兰玉治病，每天查病房，指点开药。这人双目失明，什么都看不见，心里却明镜似的。按以前，这样一个穷人家的孩子，什么技术还没学会，一天工都未做，生这样的病，早被工头厂主扔掉了。现在，医术最好的专家，不是专为首长治病，而是把穷工人捧上了天，把兰玉放在有阳光的高级病房，每天配最好的营养菜送去，不惜给她用最贵的进口药，还不收一分钱，说是劳保制度，每个工人都可享受，这真是千古未有的事。我看财神爷可以退场了，工人生老病死有依靠，还要你做甚？”

财神生气，对花神说：“你呀，只会招蜂惹蝶，凭着分量轻，钻得出去，四处探听点街头里巷的闲言碎语，一点别的用处都勿有。该退场的，当是你！”

兰玉躺在病床上，一点醒来的意思都没有。医生每天要给她注射好几次盘尼西林。她脸孔浮肿，头发几乎全都掉光了。可怜她好不容易参加工作，还没开始起跑，就跌倒不起。佳琏的魂魄乘着南飞的大雁，来到昆明。这天夜里，兰玉梦见爸爸着一袭白长衫坐到她床前，似一道白光，照得她睁不开眼。光里有声音道：“兰玉，你真是可怜啊！生这样重的病！爸爸从汤溪来看你了。我去九峰找山臊，他给我一枚赤果，说你吃下去就会好的。只是我答应，要去帮他守山一个甲子。六十年里，我不会再来看你了。你要帮我看好坟地，不要让人毁坏了，空日回来没有地方住。”佳琏说罢，出一枚赤果，置于枕边，光就消散了。光去时，似有东西坠落在地。

兰玉醒来，见护工进房打扫，便问是否见一物坠地。护工说没有，什么也没看见。兰玉便找赤果，果然在枕边有樱桃大小的一枚浆果。便吃下去，心里顿时感觉凉爽许多。

院长来查病房，给她按了脉搏，又用听筒听诊，还测了体温。护士说体温正常。院长又拉着兰玉的手，反复抚摩，然后，脸上露出笑容，说："姑娘，这下危险过去了。我估计你的命保住了，再过一些日子就会恢复的。要吃营养，努力多吃，让身体壮起来。"

之后，医院每天给安排田七炖鸡汤，外加炖牛肉、炸鱼、肉丸子诸等高蛋白，兰玉吃不下，尝一口就要吐。过点撤下去，到点又有新的佳肴推来，推车上的食品每餐都胜似一桌小筵席。就这样，多少吃一点，渐渐吃得多起来，兰玉的手终于握得住一支笔，头发也重新长出来，面华有了血色。到得冬天，她可以下地走路，便申请回厂里工作。院长不准，直要她住到来年开春。

兰玉在她的工作手册上写道："妈妈不要我了。可是，爸爸并没有遗弃我，他在我病危的时候来救我。还有那些好心人，他们给了我第二次生命。"

第二章　窄门

车间主任李富标决定，让兰玉、许景华等三个新女工试试上机。这是1058基地的磨具车间。新工人经过基础的培训后，已经获得一般的操作知识。机器开动起来后，声音很大，砂轮擦过钢质的零件，飞溅出吓人的火星。这个工作既需要长时间站着，还需要头脑机敏的反应，稍不留意就可能磨损零件，也很容易伤到手指。从来也没有这么近距离接触电机和钢铁的姑娘，其心理的脆弱和肉身的娇柔促成一种害怕的直觉，害怕带来慌乱，一时间多会被怔得不知所措。硬和软，在这里相撞；柔情和冷酷，狭路相逢；秩序和散漫，究竟谁能战胜谁！第一个姑娘上去几分钟就下来了，面色苍白，浑身哆嗦，直冒冷汗。许景华硬挺着，几次摇轮从手上滑脱，终于勉强支撑过去。兰玉倒是一点不怯，在李富标指点下，很快精神集中起来，渐渐将磨床当一个大玩具轻松摆弄。于是，车间决定留下两个人，把第一个姑娘淘汰。当时，招收的工人不少，但可以培养进入技术体系的并不多。像第一个姑娘那样淘汰下来的，有的分去做搬运，有的分到食堂，也有的连食堂工作都不能胜任，继续被淘汰，分到医院挂号室站在门口叫号。从农业社会和小市民生活中走来的青年男女，并没有任何经验和准备去面对工业化的大潮。

文化、知识和认识是一方面，更重要的是劳动觉悟以及组织纪律跟不上。工业生产需要严密的秩序和专注的投入，分工明确，配合得当，整个节奏和思维都在数理逻辑和线性程序的控制下进行，这对过惯自给自足天然经济生活的人们，简直就是赶鸭子上架。他们中间不知有多少人这是第一次摸到叫作钢的东西！几千年来，我们的日夜如丝绸般柔软，我们的车舆器服平顺无棱，心绪是一块饴糖，歌唱好比一块籽玉。如今，这么温润的人生要坚硬起来，要刚强起来，要拿血肉的身躯去磨砺时代的锋刃，这对大多数中国人来说，是一件惊天动地的大事，是过不去的坎儿。

许景华问兰玉，为什么学得这么快，一个月下来就得心应手。兰玉说："这是个用心的问题。心在，头脑和手脚就跟得上；心不在，再简单的事情都是麻烦。"

1058基地在昆明附近的山沟里，没有民间的交通可以到达。老百姓的村落与基地相距遥远，工人们要外出，须按照休假制度先打报告，厂里凑足人数，派一辆大卡车，运送到城里。一般一个月一次，每次半天时间让大家自由活动，然后集合上车，再运送回来。这个基地，是抗战时期国民党老兵工厂的底子，解放后，共产党按照计划生产的方式，又从四面八方调来科技人才和基础工人，重新扩建升级。像李富标这样的成熟工人，是民国时期留下来的，经历过抗日、解放战争和抗美援朝，无论从技术上还是政治上，都是非常可靠的中坚力量。他对工作一丝不苟，严肃负责，上面派他组建新磨具车间，他要求新工人热情、智慧、坚韧。而这三点，真正做到的，只有程兰玉。

许景华和兰玉随着大卡车来到昆明市内，这是她们的第一次休假日。两人领到了工资，一月二十二万元。兰玉中午请许景华吃一顿过桥米线，那时的过桥米线做得很好，鸡汤做底，有猪油渣、云腿、猪肉片、鸡蛋、鸡肉配料，一碗才四百元，相当后来新币四分钱。两人吃得很满足，觉得像大餐一般。吃完又高高兴兴去看滇池。滇池比汤溪山坑里的紫菱湖阔多了，看着就像大海。她们坐在岸边的石阶上，任鹭鸟从面前飞过，凭阳光慷慨地洒下来，心情无限自由，筋骨舒展自如。

许景华问："兰玉，你是怎么做到的，这么快就掌握了技术，每天人家下班了你还有力气接着做？多少人都在偷懒，三组已经有六个人逃回上海了。你看我，一出来玩，就神气活现，一上机器就想睡觉。是不是思想觉悟太低，不热爱劳动？"

兰玉答道："这是心思问题。我早跟你说过了。心思在，没有兴趣的，也会有兴趣。人有兴趣做事，就像玩一样，怎么会觉得累！"

"心思是什么？我怎么就没有你那样的心思？"

"我爸爸在旧社会给地主做长工，我也跟着他做奴隶。解放后到上海，还是一家一家给人做帮佣，依旧是奴隶。现在参加工作了，还没上班先病倒，人家把我当人看，一分钱不要帮我治好了病，我这才真正尝到翻身做主人的滋味。一个主人的心思跟一个奴隶的心思，能一样吗？我要感谢人家，要报恩。就像你到神坛上许愿，神灵救了你，你能不献祭吗？我这么想着，浑身就有使不完的力气，还嫌自己力气太小，总觉得自己太微薄，起不了太大的作用。我不是志向有多大，而是还报的心大。"

"这么说来，我们都是些不知好歹的人，只晓得吃喝玩乐，享受多得？"

"话不能这么说。以前过惯的生活，现在放弃掉，谁会情愿？只是许多人过以前的日子，也不用心呢！老天爷给他们的东西，他们不看重，随便丢在路边的沟渠里，眼睛张望别人家的成果。现在党号召搞工业化建设，许多人只看到外国人的飞机轮船好，却不知道人家怎样好起来的。从前他们种田做生意，也只看人家的收成，不想人家的辛苦。其实，谁愿意一天到晚做工呢？谁喜欢那些冷冰冰的钢铁呢？我也想现在回到紫菱湖边，跟爸爸在一道喝一杯热茶，可是党需要建设，他们是救我的人啊！”

“你的意思是说，我不理解党的需要，没有把党的需要变成自己的需要？”

“人自己的需要是最重要的。是党把我的需要变成了它的需要，我才有气力工作的。它不管我，我怎么会理它？”

“它实现了我的需要吗？”

“我不知道。但我知道它实现了很多人的需要，而许多人却不知道自己的需要，有时甚至把不需要当成需要，跟着势利去找需要。”

“兰玉，我真的很佩服你！”

许景华的同乡路平来看她，见到兰玉在做几何题，便指点几句。兰玉知道路平是西安交大毕业的大学生，在厂里担任技术员，便拜路平为师。

路平看兰玉好学好思，便多说了几句：“代数几何这类东西，关键不在能解答多难的题，而在通过习题深入了解原理以及逐步建立思维。这个思维，就是由因至果，前果为后因，后因又结成新果，一路下去，由简至繁。只要按这个理去探究，简单加简单就等于复杂，再难的事情也不难，都是由最简单开始的。所以，在我看起来，问题和答案都不难，难就难在始终要坚持这个道理、这个思维，不要跑偏，不要走到无因无果的结论上去。棉花是白的，无因无果，只是一个经验，你必须用数理逻辑证明才行。磨床工作也是这样的，弧线、切线，不能想当然，要量化计算。一个零件卡到槽里，严丝无缝，不是靠眼睛看直的，而是靠数据拉直的。很多人用榔头、靠经验锤一块铁板，看似越来越平，实际永远也不会平的。质量不是勤劳的结果，质量是严密的数据的结果。勤劳如果不用来实现数据的切实，反而是一种破坏。我们现在很多武器，上来用用还行，用一阵就稀里哗啦，这里松了，那里堵了，都是因为这个问题没有解决好。粗略的数据有了，细密的数据靠猜、靠摸，产品的寿命就无法保证。”

兰玉被他一席话点醒，顿时开窍，渐渐静下心来，以极耐心极细致的态度逐步推进，在别人看来她慢了，实际上却做牢了基础，迅速建立起科学思维。这般思维贯彻到实践中，她的活计就比别人胜出多筹，始终能够提供最佳品质保障。加上用心用力的出发点，她每日早到晚归，一天工作达十几小时之久，一站到机器边就不再坐下来，常常到饭点，车间的人走空了，她还在盘算琢磨。第一年，她被评为车间先进生产者；第二年，她被评为全基地先进生产者；第三年，她被评为全省先进生产者。

砂轮按照日常的速度每天都转着，零件一个一个从她手中离开安插到各样的器械中，她只是又做一个再做一个，每天提高一点点，看似只前进一毫米，身后的路却已经甩出去很长，整个武器生产系统的大小单位，都将她看作英雄，都将她树为效仿的典范。当许景华拿来报纸，给她看报道她事迹的文章，兰玉着实吃惊不小。吃惊之余，她又想，一个做奴隶的女儿，如今在主人的队伍中也显赫起来，这意味着什么呢？难道她是为着社会的要求来做人的榜样的吗？她从来就没这么想过，也从来没有这个愿望。她只是想长大，想离开母亲过一种独立的生活；她也想寻找一种能力，来支撑她想过的独立生活。倘如今的成绩已经证明她获得了能力，那么，接下来该怎么做呢？她没有忘记她来时的目的。她相信，那些救她性命的人，一定会帮她实现她的目的。

根据兰玉的成绩和技术水平，1957年全国实行八级工资制，她被评为五级，每月工资六十三元（此时已实行新币）。当时一个大学生转正后的工资为七八十元不等。她的待遇和地位已经跟一个正牌的知识分子差不多了。兰玉给自己留二十三元，那时吃饭俭朴一点十元足够了，另十三元中八元存起来应急，五元给自己买些书和衣物；剩下的钱二十元寄给光妹，另二十元寄给丰奂英，她曾经答应过要外出挣钱给外婆和弟弟用的。弟弟这年已经八岁，上二年级。本来前年就入学的，但他贪玩，每天晨起外出就先去溪滩里抓鱼，结果一年下来，老师说这个孩子几乎没来上课，便不得不重新读起，比同龄人晚一年。兰章的性情也甚为稀奇，不知怎的，就跟水生物打上交道；小小年纪，深谙水性，蛙鳝鳅鱼，各类湖河生鲜，没有他抓不来的。这倒好，家里每天都有鱼有虾吃，加上兰玉有钱寄来买菜买粮，日子着实富裕起来。

弟弟可以安心读书了，妈妈那边嫁了新人也逐渐稳定，一家子终于从爸爸早逝的阴影中挣脱出来。整整八年，这户不幸的人家闯过了难关。现在，兰玉可以想想自己的事了。她的目的，绝不是做先进生产者，也不是李富标说的，先入团再入党，然后提干当领导。劳动成绩和政治地位，在兰玉看来，只是用来摆脱困境和实现幸福的阶梯。男大当婚，女大当嫁，十九岁了，她也想有个自己的家。不过，兰玉是一个很现实又很聪敏的人，她知道草率成家很简单，但建设一个称心如意的家还有很多路要走。于是，她的主要精力还是工作和学习，仿佛有一种力量指引她去提升人品，从奴隶到主人，她相信此世间真有这样一条路。

兰玉长得像父亲，大眼睛，白皮肤，修秀的小国字脸，容貌姣好；只是幼弱起便做工挑担子，身子被压坏了，到年龄不蹿条，显得娇小玲珑。倘在江南一带，她这般个子算矮小的，但在西南地方，当地人普遍身长有限，男女都不见大高个，她看起来就不显小，也够得上中等身材。如今，这样一个灵透娇美的女子，还是连年的先进生产者，在人群中固然出类拔萃，暗中追逐她仰慕她的年轻男子自是不少。

李富标先就为她谋划了一局，想把自己的儿子说给兰玉。便请兰玉中秋节去家里吃饭，当然，顺便也请去了许景华。李家是本地人，住在离基地二十公里外的篁园村，李夫人李阿姨陪着公婆在家里种地，儿子在昆明市检察院工作，这天利用节日好不容易凑到一起。一桌饭，有野菌山鸡、乌鱼大雁，有珍草鲜蔬、腌腊咸香，但按当地的做法都放很多辣椒，这对两个江南女子来说，几近煎熬。兰玉只吃蔬菜，但木耳菜滑腻的口感和苦涩的滋味，她也不适。只好喝两盏淡酒，剥一个橘子，就着咸菜吃一碗米饭。席间大家畅谈无阻，听李阿姨津津乐道儿子在朝鲜战场杀美国人的故事。儿子从小在兵工厂长大，深知武器更新对士兵心理的影响，美国人更怕新玩意，于是他建议连队战士在AK冲锋枪上都绑一个茶缸，美国人以为是新式装备，一阵猛火力后再不敢上来，结果一连人干倒了一个整团编制的美国兵。儿子说："打仗要动脑筋，兵不厌诈。"兰玉是个很敏感的人，一来就知道李富标夫妇的用意，只是她一方面不想太早谈婚论嫁，另一方面也不大喜欢行伍出身的人，她根底上很文秀，总觉得跟她呼应得上的人远未出现。可是，人家是一番好意，倾情相待，必须以君子之礼回应。后来，李富标的儿子去基地看过兰玉几次，直到挑明了，兰玉便说母亲在上海早给她找了人家，已经订亲了。

兰玉这么说，是有意图的。她深思熟虑，既婉拒了这门亲事，又微妙地传递了想回上海的愿望。

兰玉生日，路平寄过来一张贺卡。许景华对兰玉说："他是喜欢你，我看出来了。上次他来，下大雨淋湿了，你帮他脱下衣服擦身子，我在门口看见了，就没有进来。你们看上去热络投缘，天生一对佳人。"兰玉说："你这就说错了。他人好，热心肠，教我这教我那，乐此不疲，像兄长，是我的老师。做徒弟的敬重他，总想多多照顾他。但他这个人太信他那套学问，跟我不是一种人。我们有师生缘，并没有夫妻缘。我猜，倒是你真喜欢他，说不定你们能过到一起来。”许景华这下便放心了，想只要兰玉无意，她直拼命对路平好，不怕做不成鸳鸯。路平这个人不是不懂情义的，可怜他与大学时期的女朋友处了四年，到头来女的跟一个首长走了，抛下他形只影单，他心寒了，将情爱闭锁起来，人显得灰冷扁平，干干的像一块木头。许景华决意对他好，万般关切，柔情似水，再固化枯死的心也渐渐回春了。久旱逢甘雨，草木醒过来，长势甚至超过从前。没多久，两人便结婚了。

最真心祝愿他们的，一定是兰玉。兰玉在他们的婚礼上想，多么好啊！她最要好的朋友成了眷属，他们三个人的友谊定会长存不坏。人生按着各自的路线步入正轨，仿佛先前就有一张图纸，将一切都预备好了。

1963年底，有个消息传出来，说上海自行车三厂要在厂内设一个保密车间，到1058基地来要人，一共三个名额，一名领导，一名工程师，还有一名技术工人。兰玉便去找李富标，说消息可靠的话，一定要举荐她，她在外面快十年了，想回上海。李富标答应了。果然第二年，上面派人来基地抽调精干，李富标不食言，首推兰玉。来人看了兰玉的资料，甚为满意，一锤定音。就这样，兰玉作为优秀人才被引进新单位，回到了上海。

这对于兰玉来说，实在不是一次简单的调动，而是人生价值和情谊价值的最高认同。按常理，那时出去了，就休想再回来，再大的本事再硬的后台都不可逆转。而她竟然凭着信誉，靠一个相信她的人的承诺，做到了。她觉得，她胜利了，从1058基地一万多名工人中胜出，依着自己的努力迈向更高的台阶。然而，兰玉真的是与众不同的，她转念又想，她这具平凡弱小的躯体，有什么大能做得成这件事？一定是有一种巨大的无敌的力量在引领她。她决意依傍这种力量，将一生托付给这种力量。

火车路过陶家车站，这次她没有睡着，她看见一排排水田中，农人倒退着插秧，南边大山中有烟霞生出来，滚滚涌向铁路边，树木苍翠欲滴，飞鸟成行如诗，弟弟应该长成了少年，外婆身体还健吗？那些跟她嬉戏的童年玩伴，那些她们曾经一起走过的塘堰田垄，依然如故吗？夏家和程家的诸神灵们随着她回来了，又很快要经过了。从衢州到金华，近一百公里的路程，火车不消两个小时就会走完。她希望火车慢一点，再慢一点，让这片方圆不足一万平方公里的妹方阔大起来，辽远起来，她好看得更仔细更清楚一些。她打开那只箱笼，让太阳光线照到诸神的面孔，让他们也趴到车窗前看一看故乡——故乡啊！你在过去的光阴里，在今天的路线上，将在未来的永恒中！

珣姑自从到上海做纱厂女工以来，一直租住在公平路长江里沈家。罗将军1949年9月化装成收旧货的商人逃回灵台后，做了一些简单的安排，自己就先回湖南邵阳老家去了。珣姑嫁给他，是做偏房。他原本在湖南有家室，膝下两个儿子，大儿子跟兰玉差不多年龄，二儿子小二三岁。他对珣姑说：“你先去上海寻个事做，我去趟湖南，安置好两个孩子，回头便去上海找你。”可这一去，竟十五年不还。起初镇反运动时，按照“一个不杀大部不抓”的政策，罗开明主动去当地政府部门自首，写明情况后，被宽大处理，安置在邵阳一个偏僻农村种地，但被严格监管，不得离开住地。后来抗美援朝期间，又掀起新的镇反高潮，广大群众全面介入，揭发、批斗、追剿，一浪高过一浪，不少县团级以上国民党军人被重新处理。罗开明因在淮海战役中与共产党部队打过仗，作为“双手沾满革命者鲜血”的历史敌人，被送到沅陵“和平军官训练班”学习。这一学习，十几年未结业。他从训练班给珣姑寄信道：“珣妹，你不要等我了。我这番学习下去，怕是下辈子才能改造好。你好生嫁一个人，过一段清净日子，也算如我心愿。只是两个儿子放心不下，他们母亲已经过世，上年老家发洪水，家里田房靠着河道边，全部被大水冲坏，现今难以立足，还望你替我照顾他们，看看能否在上海给犬子谋点事做。我辜负你一片衷肠，给不得你一天舒心日子，还拖累你至今，开明匍匐叩首泣拜不起。”琍姑见信，便立即寄钱给开明的儿子，要他们速来上海。在上海，琍姑介绍大儿子去公平路码头做装卸工，又安排二儿子到一个中学看门，顺便旁听读一点书。诸事安置妥当后，她给开明回信道：“孩子已经自立，望安心改造。此世改造不好，下世接着改造。琍妹心中别无他人，此生无缘再见，心已随君远去，死愿与君同葬。”

公平路码头，在苏州河接黄浦江入口附近，属于虹口区辖地，曾叫耶松新船坞，同治十三年招商局收购后称招商局第一码头，又称招商局北栈。旧时大量从沧州一带来的青壮在那里当搬运工，他们暗中组织起来，成为帮会，逐渐势力壮大，开始贩卖毒品，专劫国民党要员的走私船，所谓“黑吃黑”。沧州帮主要聚居在杨树浦路的长江里，掌门人叫沈大辰，其父曾在宫中当御厨，十三年随宣统皇帝出宫后，流落到上海，因带出一些上等的翠玉带钩，变卖后获得本钱，拿这本钱在栈上经营仓库，随后日益发达。家业传到沈大辰手里，越做越兴隆，加上结伙成帮，倚势互助，各路白道黑道也让他们三分。沈大辰为人仗义，尽管做黑吃黑的生意，却愿意为远近穷工人提供帮助。这传统一直延续下来，直到解放后都未曾改变。琍姑就是认识了沈大辰手下的人，才得以安居在长江里，靠着他们的热心帮忙，解决了罗开明两个儿子的工作。1952年，沈大辰遭人揭发，说家里设有地下烟馆，于是被公安抓去劳改。自此，沈家财产被冻结，政府只留给他们一座独门独院的石库门房子。沈夫人失去顶梁柱，一时生计没有着落，只好出租石库门房子里的几间屋子谋生。琍姑就是几位租户中的一个，住在二楼亭子间。沈家夫妇膝下姐弟二人，姐姐待嫁，弟弟正在上中学。弟弟就是沈之翰。幸好有珣姑里外照应，沈大辰不在家的日子，沈夫人还能勉强支撑，对付过去许多艰难和周折。

兰玉回到上海，在自行车三厂的保密车间工作。一个季度下来，赢得领导和同事的诸多赞赏。支部鼓动她写入党申请，希望不久扩大这个车间组建新厂时可以提拔她当技术厂长。兰玉的先进事迹和肖像照片贴满了厂部的宣传栏，她一时成为新单位的红人。

兰玉的户口落在珣姑家，人也与珣姑住在一道。一方面房租可以平摊，另一方面也可以照顾珣姑。周末，沈夫人常请大家吃饭，房客与房东济济一堂，好不热闹。席间，兰玉与之翰，两个同龄人自是渐渐熟络起来，有说不完的话。这一年，他们二十六岁。珣姑把一切看在眼里，心里开始为侄女盘算婚姻大事。

珣姑问兰玉："你觉得之翰这个人怎样？"

"人看起来宽厚热情，学问也不错，性情挺温和。"兰玉答。

"姑妈为你做媒，去跟沈夫人说说，怎样？"

"厂里要提拔我当技术厂长，忙得没日没夜的，哪有时间谈恋爱？"

"姑妈问你愿不愿意，哪里问你有没有时间。"

"没时间，愿意也没用啊！"

"这么说，心里愿意了？我看你们两个郎才女貌，岁数也老大不小了，是该谈婚论嫁了。你成天只晓得做啊做的，这么大年纪对象还没有，空日嫁不出去的。即便升任什么技术厂长，也不好当尼姑呀！在旧社会，像你这么大，都该有二三个孩子了。之翰早前谈过两次恋爱，要么人家嫌他呆，要么人家怕他家庭背景，最后都没有谈成。如果你看上他，可要想好了，他爸爸还在牢里，按外面的说法，叫黑社会出身，大流氓，你吃得消这个背景吗？开结婚证明时，双方的档案都要领导过目，一本红，一本黑，你是跳到染缸里洗不净的。”

“那你跟我提这门亲事做什么？”

“兰玉啊，你看起来跟你娘不一样，实际根底上又是一样的。姑妈看出来你想找个称心如意的人，要论人品、相貌和学识，之翰首屈一指，打着灯笼都找不到。我估摸着，你心里会喜欢他，忍不住就当面跟你说说。但生活是生活，社会是社会，人在社会里生活，不易啊！按社会的标准，你姑父是反革命，我是工人阶级，断不能再走到一处，只是姑妈忘记不得，情分难舍，心里只愿随着他去，这么一世见不到人，分居两头，也甘心情愿呢！”

“姑妈，你这么说，我倒真的要好好想一想。”

兰玉想，在昆明，那么多干部、青年、技术员等才貌双全、政治背景好的人追求她，她都没有动过念头，如今之翰出现在她面前，为什么会动心？她究竟要的是什么？当初拒绝李富标的儿子，也许是不喜欢行伍的人，想着找一个有学问的人；可路平学问那么好，为什么也没看上人家呢？显然，她的初衷不在这些社会标准。那么，她的心中难道还有别的什么标准吗？之翰好在哪里？一表人才？温文尔雅？为人仗义？好像这些也不能从根本上打动她。她想起来了，之翰是个诗人，曾经给她念过诗。之翰的诗中写道：

“我要寻一个人，跟她一起在炎凉中不顾炎凉，只为了心头一热，就一直热下去，用身体燃柴火驱散寒冰。”

“那蝴蝶，人们扑灭了它的身形，却激起我的同情。”

“夜并不甚黑，我心里的日头还没落下去呢！”

最后那句，让兰玉想起一件事。

那是她三岁的时候，因为父亲逃壮丁家里已经日子拮据，母亲只好外出江西贩盐，一去几天不归，将她寄放在灵台奶奶家。断黑时分，她看见伯父去关大院的木门，就走过去拦，坐在高门槛上不肯走。伯父说："天乌罢！"她说："未乌，娘未归便未乌。"就一直坐着，任人怎么哄劝都不起身，直到坐累坐困了，珣姑将她抱进房去。

之翰还愿意长久地跟她一起谈童年的往事。草垛，栎子，灰糕，还魂稻；弹子，刮片，洋车，霓虹灯。乡下和城市的意象对视着，交互着，又混将起来，像互换珍贵的明信片，一年一年，一筐一筐。两人坐在公平路码头的铁缆墩上，远看机轮和帆船在落日下穿梭，像六岁的孩子一样流连忘返。没有人叫他们回家吃饭，想玩多久就玩多久，自己对心里的自己说："啊，我有一个好朋友，现在我有一个好朋友了。"兰玉相信，只有之翰会陪她一直守着童年，不离不散。

那么，还需要想什么呢？参加工作，不是为了建设社会主义，是社会主义帮她找回了童年。如果社会主义不同意她跟之翰玩，那么，社会主义也就不是社会主义了。为了将来的社会主义，先跟小朋友断交，哪有这样的社会主义！

她往水壶里倒满了水，睡一夜，又从水壶里倒出水，看看水的清浊。水是清的。于是，她做了决定。

珣姑去跟沈夫人提亲，沈夫人高兴得合不拢嘴，说她也早有此意。这便双方订下亲，开始准备婚事。

1964年秋，沈之翰与程兰玉结为夫妻。

兰玉向支部要回了入党申请，也渐渐疏远了那些干部，却比从前更加用心更加努力地工作。

沈夫人身体一直不好，本就有长期慢性肝病，此间不想突发肝昏迷，进医院住了一阵，竟不治亡故。她没有等到兰玉和之翰的婚礼，也没有等到丈夫回来。1964年冬，沈大辰因在监牢里改造积极，被减刑提前释放。他带回来一身病，哮喘，肺气肿，关节炎，都是在改造单位的采石场超负荷劳作造成的。他一心想早日回家，便拼命干，脏活累活抢着做，不说思想被改造得怎样，至少身体被彻底改造了。回到家里，看到之翰娶进门这么好的媳妇，心情颇为振奋，力气好像又大了几倍，又去社会上自谋出路，找工作做。黑帮早就散伙，但情义始终未散。过去的兄弟纷纷帮忙，给他谋到化工厂一个临时工的职位，做一阵又转到一家电器厂副业部门养猪，第二年即转为正式工。

沈大辰的病好一阵，发一阵，发作起来喘如雷鸣，很是凶险，一般的抗菌素压不下去，要用激素强的松。当时强的松还很贵，按片论价，兰玉常省下钱，给公公买一些，偷偷藏在他的床头柜。沈大辰对兰玉说："兰玉啊，你良心真好，放着康庄大路不走，偏要嫁到大流氓家里。公公对不住你啊，什么也拿不出给你。按旧社会，三列车队助阵，八抬大轿迎亲，都是小意思。如今连个金戒指都没有了，实在愧对你啊！"兰玉说："爸爸你不要这么讲。我心里想着，就是要找一个之翰这样的人。老天成全了我的心愿，我感激还来不及。社会上怎么说我们，让他们说去好了。人不做亏心事，吃睡都安稳。你好好养病，做不动就歇下来，我和之翰会照顾你的。"

沈大辰另有一个相好，住在金山朱家角，逢着休息天他便坐长途车去找她。1965年昭平生下来，兰玉想，不如将孩子交给金山那个阿姨带，这样孩子有人看顾，两个老人也有伴，索性成全他们。兰玉和之翰商量好，就对爸爸说，从电器厂退休，去金山住，倘愿意的话，就与金山阿姨结婚。沈大辰自是高兴，看儿子媳妇支持他，就带着昭平搬去朱家角住了。

接下来，1966年，"文化大革命"开始了。沈之翰从上海师范学院中文系毕业后，分配在杨树浦一家中学任教。本来运动也搞不到他，偏偏他脑子发热，也去带领几个学生造反，结果与校内其他造反队撞车，人家有高干背景，势力大，将他档案老底翻出来，就把他打倒了。一时间，大字报铺天盖地就贴到长江里。红卫兵三天一小队、五天一大队地来抄家，楼上楼下兜底翻，还殃及几家租户，那架势非掘个底朝天才罢休。珦姑吓坏了，怕株连到她，挖出她跟反革命军官的旧案，便匆匆收拾东西，逃回汤溪灵台。

好在兰玉身份好，光妹又保护之翰，随着运动深入长久地拖下去，之翰做做检查，批斗游街过过场，热点过去了，人家也就淡忘了。

这时到了1969年，三线工作又重新抓起来，兰玉厂里要调一部分工人去江西组建新厂，兰玉正好怀上沈凌微，便拖拉一阵，等沈凌微生下来，报上户口，才去江西。在江西做一阵，工厂说孩子没有当地户口不能长久放在托儿所，要将户口调过来才行。兰玉不肯让孩子将来做江西人，便带着沈凌微打道回府，干脆赋闲在家不干了。这样，家里一时陷入困境，只有沈之翰五十多块钱工资收入。同年年底，沈大辰病故，沈昭平又从金山被接回上海，兰玉便在家里带两个孩子，一带整一年，直到1970年开春，江西单位又根据新命令去支援云南，兰玉便趁机重新回到厂里，跟着江西的车间转移到云南，再次上岗。这次到云南，也在昆明附近，是家电器厂，兰玉决定带上之翰和凌微，将昭平交给光妹。厂里看之翰是个大学毕业生，有文化有知识，可以用来办子弟学校，便接纳了之翰。这样，之翰便彻底逃过了“文化大革命”。其实，当时很多领导干部热衷支援三线，纷纷举家内迁，大部都是为了逃避运动。从某种意义上讲，三线成了世外桃源。

兰玉和之翰离开上海之前，将长江里一套石库门房子换成重庆南路一间极小的灶壁间，把两个孩子的户口落在那里。这灶壁间是之翰同学的住处，阴暗，潮湿，终日不见阳光，大小才十六平米，根本不适合人居住。所有人都不理解他们的做法。多年后，兰玉说：“我们反正走了，长时间不会回来住。有人需要，把好房子换给人家，也算助人为乐。但关键是换房就换掉了根底，至少没有人知道之翰家的底细了。大家都挤的那扇门，大归大，罪孽也大。我选一扇小门，对我来说，已经很宽阔了。”

从沈昭平开始，他的档案出身一栏填“工人”或者“教师”。

“你们要进窄门。因为引到灭亡，那门是宽的，路是大的，进去的人也多；引到永生，那门是窄的，路是小的，找着的人也少。”（《新约全书·马太福音》）

第三章　沈阿姨的决定及片言只语

新组建的电器厂，有十几家分厂，合称“红星电器基地”，在一机部直接领导下，上海方面管不到，云南方面更不能插手。基地设在昆明西北一百多公里的深山老林里，地界荒僻，千百年来人迹罕至。基建部队先到那里，建了几间粗陋的厂房，砌了几排简易的宿舍，然后开一条石子路，蜿蜒盘山出来，与省道相接。为了在地图上有个标识，将那个新地方取名叫作泥丸镇。泥丸镇初起只有0.5平方公里，跟梵蒂冈差不多大，石子路沿着厂房和宿舍直线展开，路上唯有一爿小卖部。火车到不了，长途汽车没有线路，只有厂内汽车可以进出，遐迩稀疏的村落中的一些马车偶尔也经过。工人们被放在那里，几近与世隔绝。基地有一部电台，有一条电话线。电话始终支支各各，听不清对方说话。似乎铺排电话线的时候，就有人做过手脚，故意制造传达障碍，好让一机部方面失去沟通耐心。有一支配备常规武器的民兵队伍，左轮手枪，三八式步枪，卡宾枪，各口径子弹，一应俱全。民兵与当地村民关系紧张，经常不断有意无意扩张警戒线，侵占坟地、自留地和荒野河段，造成农民憎恶上海人的情绪，以使工人脱离土著居民，不能得到外界帮助。整个基地还办有医院、学校、邮局、研究所、文艺小分队，俨然政治、治安、经济、科研、教育独立自治，国家和地方都难以染指。除了每天大喇叭播送一点新闻，少部分领导和知识分子订阅一些期刊，再也没有更多的外部信息。因此，社会运动和国家政治，根本影响不到这里的生活。到1975年，基地又在山脉主峰上设一个电视塔，主要用来转播一些经过选择的省内和中央电视台的节目，一天播送三个小时，以满足部分领导的娱乐要求，当然，有电视机的普通职工也能收看。用水主要靠河道导引，建造一些蓄水池；用电与省供电相连，另各分厂自备柴油发电机；燃料以煤为主，靠指标从一机部调配，也从附近矿山私购一部分，为防短缺，又挖掘许多沼气池，接通管道入户。从1970年至1980年，外面风声很紧，世事变幻莫测，但基地自有一套文化章法，高层领导通过关系借来部分外国原声胶片拷贝，有学问的人私底下交流从上海带来的四旧书刊，甚至工人们普遍偷听英美台港澳敌台，一股特别而宽松的文化暗流竟漫延流淌起来。

一个独立王国，在泥丸镇红星电器基地这个尘土气和革命性很浓的名字装扮下自生自长。

那些逃避斗争的领导，既不想发财，也无意升官，只求安稳太平，过一点特权生活。因此，他们管理工人，只要求老实、勤快、安分、听话。他们的旨意，就是圣旨，听不听中央的话不重要，听他们的话就行，就可以获得在外界想象不到的空间。谈恋爱，轧姘头，跳舞唱歌，听资产阶级交响乐，吃香喝辣，摄影弹琴，打扮修饰，穿奇装异服，随你喜好，不闻不问。只是不可生事，不可出头，要站好船台，在各自追随的利益集团的交互中保持平衡；或者做逍遥派，做好本职工作，享受分内所得，不要掺和基地政治。

当然，不是谁想吃香喝辣就能吃香喝辣的。基地也按照计划经济模式，实行食品凭票供应：猪肉每人每月一斤，白酒每人每月二两，食油每人每月四两，粮食凭粮票购买，粗细搭配，男人女人干体力活的一概三十斤。只有在上海有背景、有靠山或者有家底的职工，才可以在比一般人丰裕的基础上享受独立王国的特别自由。人家缺油缺肉，你家有人从上海给你寄邮包，牛肉干、午餐肉罐头、巧克力、奶油饼干、大白兔奶糖，或者寄来现金、粮票，你去当地人那里换乌鸡、野鱼、山珍、农副产品，那么，加上你周末还可以随心所欲办一个地下舞会，给领导送点佳馐他给你一张内部电影票，你真的就生活在世外桃源了。

到1972年，基地的住宅楼建好了，子弟学校按十年制教育排了从入学到高中的课程，各样人才纷纷到位，有美国留学回来的音乐家，有知名的连环画家，有建筑设计师，有清华大学被斗争下来的物理教授，有日本关东医学院时期主刀的外科大夫，反正在外面有问题被扫地出门的学术权威，在学校里都找到了自己的兴趣和位置。一派安居乐业、欣欣向荣又静谧祥和的气氛。兰玉于是与之翰商量，说把昭平接过来读书。昭平一共在泥丸镇住过五年，断断续续的，一会儿回上海，一会儿又过来。他离不开外婆，内心非常不情愿待在西南山区。但在基地，昭平确实接受了当时最好的教育，除了在子弟学校听那些名师的教导，还在家中被之翰耳提面命。之翰决定，用传统私塾的方式灌输孩子，四书五经，琴棋书画，外加野史笔记，杂家诗文。五年下来，昭平通读了经史子集中许多重要的篇章，这为他日后做语文研究奠定了扎实的国学基础。

沈阿姨后来说，之所以嫁给之翰，其中有个重要因素就是看中他的才学，他在旧社会读过私塾，在新社会又上过大学，学贯中西，博古通今。之翰没有辜负兰玉的期望，不仅教出了两个孩子，还提高了兰玉的学识，教会了兰玉写文章、读古书，又辅导她全面学习理工科的诸多课程。故此，兰玉在基地成为磨床工中的领袖级人物，大部分青年党团员都成为她的徒弟。

沈家有之翰在子弟学校当校长，有兰玉在厂里独当一面，还有姐姐特殊的背景，一时在基地成为众人仰慕的家庭。之翰的姐姐嫁给三野的一个营长，营长进城后担任中百公司军管会的主任，后升至商业局当大官，“文化大革命”时期被斗过几次后，学会与群众合作，以至未受更大冲击，官复原职，继续坐稳太师椅。姐姐靠着这地位和方便，常常照应之翰一家，每月寄去的邮包足可以开一家小商铺。所以，沈家不受物资计划供应的局限，天天有荤，烟酒不断，穿着花样百出，上海最时新的服饰不出两个星期就到昭平和凌微的身上。这般游刃有余的生活，自然招来众人的钦羡，两个孩子顿时成为佼佼者。这便吸引来更好的资源。云南省歌舞团的大提琴首席，不远百里，自己找来汽车，翻山越岭进到基地，热心教沈凌微拉琴。后来沈凌微考入上海音乐学院管弦系，现在上海交响乐团任大提琴首席。

兰玉的路线，造就了一个文字语言专家，一个音乐家。

1974年冬，兰玉决定回一次汤溪。这是她1953年出来后第一次回乡，整整二十一年了！她回去有两件事，一是帮弟弟兰章建房娶妻，二是回去看望珣姑。有人写信告诉她，说珣姑病得很重，没有人照顾，孤伶伶的，生活凄淡。本来她可以按规定到休假的时间再走，听到珣姑的消息，她心里不安，便决定向厂领导打报告，哪怕请半个月事假扣掉工资也先动身。

到得汤溪，走进灵台村，只看见一座孤坟，落在村后山背的草丛里。珣姑已经死了。

珣姑1966年逃下来，原本住在小姑家。小姑贪她有退休工资，答应匀出自己的地让珣姑造一间瓦房。珣姑分出一半退休金给小姑家，自己留一半养老。起初日子还可以，与小姑相处还算平稳。不想后来，小姑贪得无厌，妄图霸占珣姑所有工资，就闹出了矛盾。

说要拆房子，珣姑说拆便拆。于是，房子拆了，珣姑被赶出来，只得租住异姓人家的屋子。在异姓人家，别人拍她马屁，哄骗掉她所有的储蓄，又渐渐冷淡她，直至病倒在床无人照应，得肝癌生生痛死了。

解放后，珣姑成了程家实际上的家长。光妹性格再强烈，兰玉在外头做事再有主张，归根结蒂看见她都怕。她是家里的定海神针，是程家的精神。她帮着兰玉成家，又教她带孩子料理家务，亲戚邻里的诸多事务都靠她出谋划策、拍板定夺。昭平回忆说，那次光妹带他去灵台，珣姑见昭平脚背有个烂开的伤口，顿时便发火大骂光妹，说怎么这样带孩子呢，伤口烂了只贴块橡皮膏，感染了怎么办呢。便拿出酒精要给昭平洗伤口，昭平怕疼，不肯洗，向外婆求救，光妹竟不敢作声，任由珣姑摆布。这是昭平第一次直接体会到珣姑的威严。

珣姑高个子，大骨架，眉眼分明，说话声气洪亮，脾性率真刚直，是那种健实康硕的大美人，究竟只好配罗将军那样的行伍汉子。这体格和性情，曾经帮她扛过了人世的艰辛和灾难，到头来也带给她不幸和悲剧。如今神一般的力量和血气，只化作野地里一抔黄土，兰玉看着，不禁悲从中来。

兰玉说："珣姑，我来迟了。我本来打算来接你跟我去的。"

兰玉问，珣姑留下什么，村里人交给兰玉一封信，是罗开明将军寄来的。信里写道：

"珣妹，见信平安。我的刑期终于下来了，被判处二十年有期徒刑。从1954年关押日算起，到现在已经十四年了，折抵刑期，算起来还有六年就可释放。我出来后，就去找你，跟你一起过日子。我想过了，可以去爆米花，你要给我买一台爆米花机，我们带着它游走各地，自由自在地生活。我打听过了，这种机器不贵，上海应该有卖的。你记牢了，一定要买到。我们将来没有什么牵挂，四处流浪，多么好啊！你要多保重，静静地等我归来。顺致秋安。开明字。”

这是1968年秋写下的信。珣姑一直保留着，一直静静地等将军归来。按说到1974年，他应该出狱了。可是，直到珣姑离世，罗将军竟仍未出现，杳无音讯。

兰玉跟光妹一道凑钱，给兰章造三间泥瓦房，就在十一进院的后门。兰章在外面那些事，兰玉也不过问，只跟他讲：“先想自己的需要，才知道别人的需要。跟着势头去热闹，未必发自真心。静下来过日子，总不会错。如果真想做大事，也不能始终在门外犹豫。先进一扇门，坐下来，吃起来，睡安稳，门里长短高矮明细了，自然晓得冷暖。住不惯，就拆掉，推倒重来。媳妇讨进来，处一处才知道好坏，不好就离婚，再找合适的。等是等不来的。”

兰章说：“你这是风凉话。你怎么不随便嫁呢？非要等到沈先生出现呢？你如意了，怎不想想我是否称心呢？”

兰玉说：“人吃五谷的，谁能无过？我这边称心了，那里未见得如意。过生活，也要修的。修一修，补一补，两头拉拉平。当然，牛头不对马嘴，也不好勉强。我看你现在的处境，跟印鹃在一起，倒最合适不过呢。你读那么多书，难不成读到风雅里，却要丢掉朴实么？跟平庸相对的，正是朴实。毛主席还让他女儿嫁给农民呢！”

兰章听罢这番话，心有所悟，便爽快娶了印鹃，高兴起来。

到1980年，昭平十五岁，凌微十二岁，兰玉决定让兄妹回上海读书。先是让昭平学习独立，一个人住在重庆南路的灶壁间；凌微寄托在之翰姐姐家，每天从黄浦区坐公共汽车到卢湾区市中心上课。兄妹两人在同一所中学，哥哥上高二，妹妹上初一。半年后，兰玉回到上海，三人便住在一起。这年兰玉四十二岁，不到企业职工退休年龄，按五十岁标准，还差八年。她通过关系，做了病退，以全心照顾两个孩子。这样，之后评级、加工资，就都没有轮上。直至现在，她的退休金才两千多块。她说："我只取我要的那部分。"

昭平大二的时候，因为搞诗社、结交洋人、四处谈恋爱，学校方面对他很是有意见，派出团委系统的人监视他，宿舍七个人至少有三个是被校方收买的奸细；另外，保卫科和公安文保的人也盯着他，尾随他外出、会友或者旅行。昭平感到透不过气来，像是穿了小鞋。周末回到家里，垂头丧气的，萎靡不振。母亲对他说："你退学吧！这样下去不会有好结果的。他们终归要收拾你，要惩治你。你不如在家歇一年，安安稳稳地，哪里都不要去，等他们淡忘你了，再另考一所大学上。"母亲这话，让昭平吃惊不小。那时考上个大学就不易了，一家人还围着他转，全部付出基本都在他身上，退学不就玩完了吗？万一再考考不上，父母的期望便落空了。昭平没有听母亲的建议，退学他想都不敢想，便还是硬着头皮将大学读下去，最后某个社群活动中果不其然就犯了事，被送去农场改造。事后，昭平感叹说："娘就是娘，比我大气有魄力。当初按她的意思做，恐怕就不会落到这个地步。"

为了调回之翰，兰玉着实费了一番心思。她想，姐夫有权有关系，这事却不大肯下狠功夫帮忙。一方面难，另一方面姐姐有三个孩子工作也未落实妥当，都要靠姐夫去走后门，姐夫定然先留着关系给自己孩子用。她想到了姐夫的邻居张局长。张局长当时是黄浦公安分局的第一把手，他提干全靠姐夫引荐区党委的老干部给他认识。区里的李书记，原是姐夫营里的连长，老部下，新干部的名单都由他拍板定。新上任的张局长，恰巧房子分在姐夫家隔壁，这就有机会互相走动。张局长赏识昭平的才华，提干时个人传记交给昭平写。昭平写得扎实具体，声情并茂，张局长为此心怀感激。兰玉趁势就提及之翰，说儿子这一手文章都是老子教的，如果他回来上海，真能教出一批人才。张局长于是直接跟文教部门的人打招呼，人家二话不说，就发出了调函。沈之翰这就被顺利调回上海，分在格致中学的高中部教语文，没多久又被评为高级教师。张局长为人仗义，好事一做做到底，既工作调回来，那户口也一起解决。好在他是公安系统的老大，一句话便摆平各方神圣，之翰和兰玉的户口直接就落在了黄浦区。按现在的说法，人脉、关系不是主要的，如何整合资源才是关键。兰玉称得上这方面的高手。

一家四口，终于在上海团圆了。这是最早从三线基地返回上海的一家，之后十几年返城热潮，大部分职工纷纷回来，无数人家既报不上户口也无处安身，即便基地最高层干部也很难将自己和家属的户口工作一并办妥，更有一些人家直至今日还住在泥丸镇的旧楼里，儿女下岗，老一代的客死他乡。

凌微上高中时，为了贴补家用，跟着几个拉琴的朋友一起去宾馆、会堂拉氛围音乐，有时也钻棚子给流行盒带做伴奏，生意好的时候，一天能挣一两百。兰玉不让她做这事，要她关起门来练琴。兰玉说："一块玉倒手卖了，只挣一笔钱；养起来，养得住，才价值连城。"凌微说："孔夫子有美玉韫椟，说卖掉它，只等识货的商人来。"兰玉又说："问题是没有识货的商人，只有在大堂里炫耀自己虚荣的小商小贩。你应该去上大学，即便我们要花很多钱，也在所不惜。人投资得起，就是富贵。借钱投入，也是富贵。人生来都是富贵的，一路贱卖才穷塞，而且常常还知贵贱卖。"沈凌微听了母亲的话，便收心在家苦练，1984年参加艺考，被上海音乐学院录取。

本来昭平大学顺利毕业，就可分到房子。但不幸出事，这路便堵塞了。只好从凌微身上想办法。凌微毕业，有两个去处，一是去歌舞团，二是留校。兰玉竟给她想出第三个去处。说不如去商业局工会，搞搞群众文艺，教教大合唱，组织组织业余娱乐活动。这个建议，对凌微而言，简直是晴天霹雳。母亲不是说韫椟不售的吗？现在好不容易打磨成一方重器，何故置之旮旯，明珠暗投呢？兰玉说，姐夫还在商业局任官，用他的权力先分一套房子再说。日后，有本事还怕考不进一流乐团？那边考进，这边姐夫还能卡着不放人？凌微觉得冒险，心中迟疑，但还是听了母亲的话，去到商业局。第二年分房，姐夫给房管处打招呼，房管处征收了原先重庆南路的灶壁间，再按三个户口（昭平户口已迁至改造农场）增加面积，便将山海关路一处石库门房子的大前楼分给了凌微。一间变两间，两间都朝南。拿到房子后，正值上海交响乐团招人，凌微便去考。她业务过硬，有童子功，又有学府深造背景，一试便中。乐团来要人，姐夫立刻放行。兰玉此计功成，不到一年半的时间，住房职位通统解决。2002年静安区东八块大拆迁，凌微的房子也在此间，换得两套两居室的新房，还得一笔数目不小的拆迁款。凌微运作了一番，加上自己的储蓄，买得香山路一处洋房，还给父母置得莘庄华轩小区一套高尚住宅。

凌微买回来一部汽车，停在车库里，三个月不开。嫌上海牌照费太贵，动脑筋想让君奕在浙江搞一个外地车牌。兰玉说："汽车买得起，牌照不肯付钱。滑稽戏里唱：买得起西装，买不起领带。唱的就是你啊！"

凌微买回来一百公斤大豆油，说商场大减价，四十元一公斤的一级油只卖二十元。兰玉说："吃多少买多少，这个月需要两公斤，即便二百元一公斤也买。买一百公斤，人家是抛售，占你现金。不管借来的，还是挣得的，钱在你钱包里就是有钱。在一分钟就一分钟有钱。人活着不是永恒的，是暂时的，每个暂时连起来就是一生。每个暂时都有钱停留在你钱包里，连起来就是一辈子有钱。”

兰玉其实又很节俭，一支铅笔不用到手握不住，不会买第二支。香烟盒翻过来，铺平展开，将没有印刷图案的一面用来写字。

老洋房上市时，才七百万元一套，她让昭平买。昭平合计着钱不够，要借钱，便不肯买。如今升值到三个亿一套。

兰玉说，当初到上海，在人家里帮佣，一心想找个工作，怕自己条件不够。外地来招工，近的地方不敢报名去，怕条件还差一些；不如干脆走得远一点，去人家都不愿意去的地方，这才一步解决问题。退一点，才能进，往往进一大步。

兰玉说：“以前是先给钱，后干活。现在是，先干活，后给钱。人为什么起劲选择后一种？”

兰章的大女儿君奕在光妹那里读书，光妹管不住她，兰玉便接她过来，与之翰一起管教她。之翰快要退休了，身体也不好，有糖尿病，并发感染眼睛，视力下降，教君奕读书，自然力不从心。兰玉要求之翰像曾经对待儿女一样对待君奕，将君奕视如己出。为了君奕的学习问题，两人常常吵架。之翰吵不过兰玉，只好诸事都按照兰玉的意思办。有一次兰玉找不到胡椒粉，认定之翰弄丢了，之翰否认，便为此遭到长期质疑、猜忌、追查和逼问。后来，之翰替君奕整理书包，竟在书包里发现一个碎掉的胡椒粉瓶子，问，才知道是君奕打碎了，怕挨骂，连粉带瓶用纸包裹藏起来的。之翰说：“那段日子，地狱啊！想死的心都有！”君奕说：“我大姑危险敏工，真正有本事呢！找到这么好一个大学生，还将他管得牢牢的，服服帖帖。”兰玉听说后道：“她看不起我呢！”

兰玉看君奕读书不好，就想送她去银梦学习制衣。有个培训班，有日资背景，招收一批学员将来要送到日本开服装厂。君奕嫌学期太长，不愿意去，只想赶紧去打工挣钱。拗不过大姑，就撒谎说乡下家里劳动力不够，要回去帮衬干活。兰玉说：“杀鸡取卵。对自己太不好！不给自己投资的人，好比自杀。你这么贱待自己，也贱待别人，空日一钱不值的。”

兰章的小女儿君寅高中毕业，来投靠大姑。兰玉让昭平找关系，找到昭平同学姐姐的一家美资公司，将君寅安插进去。兰玉说：“工资的一半拿出来读书，自考一个本科文凭。我不用你交钱，吃在我这里住在我这里，免费。”君寅一边工作一边读书，三年后考出英语系的文凭。然后，兰玉又说：“你这个文凭在上海不算什么，回金华去还有含金量，加上你在上海美资公司的履历，到金华谋一份职，人家会器重你。宁做鸡头，不做凤尾。”于是两年后，君寅退居金华，在三线城市的大公司里独占鳌头。

之翰诗人情怀，常漫撒花种。兰玉来上海照应昭平和凌微那些日子，他竟在基地与师范学院来实习的女教师出轨一段。事发后，兰玉给他电话，说：“她对你比我好，你就跟她过，我不会责怪你。想想还是我好，你就回来。”之翰还是回来了。后来，兰玉跟行江谈起往事，说：“你喜欢一个人，就全部担下来。不能喜欢这点，割掉那点。人是活的，割开不就死了吗！我喜欢你公公，既喜欢他的优点，也喜欢他的缺点。要好是有代价的，别人舍不得，你舍了，才专属你。”

昭平出事那几年，兰玉找到一家工厂食堂去打短工，早上五点就去择菜洗菜，天气冷，水冰寒刺骨，手上长满了冻疮。又骑着一辆小三轮车去集市卖菜，车子被城管没收，人被拉去训斥、罚款。昭平刚从农场释放回家，家里条件困难，兰玉又早起去郊区河塘摸田螺卖，五十出头的年纪，还未绝经，例假期也不间断，水深齐腰，深一脚浅一脚地踩进淤泥里去。昭平看见母亲的月经带晾晒在竹竿上，呼吸几近停止。

兰玉跟行江谈得来，渐渐忘掉了媳妇是日本人。兰玉说："昭平以前那些女朋友，表面都尊敬我，心底老大不愿意理睬我这个老太婆。她们嫌我不时髦不懂经，我做的衣服她们都不爱穿，连凌微都把我给她做的衣服扔扔掉。这里宽了，那里短了，式样又不中意。嘴里不说，眼神里百般挑剔。你端的就好呢！不是说多么看得上我，而是愿意跟我一起去割猪草，一起去汤溪的田头玩。"兰玉终于在这个齐心向外的年代找到一个朋友，而这个朋友居然是她曾经如鲠在喉的东洋邻居。兰玉感慨万千，为什么家里人都成了陌路人，而外国人却愿意跟她一起回家？

那条鱼还在吗？兰玉想，应该带行江去看看，放一点米粒下去，看它吃掉，看它摆尾，看它游弋着带她们回到三十七年的那个阴雨天。三十七年，为什么离现在那么遥远？那个曾经出现的时刻，如今跑到了将来。她要教行江认识刺萼龙葵和菟丝子草，告诉她菟丝子收集起来可以卖到药房换钱，又教她采集还魂稻，拿这些不够饱满的谷粒去米行换新鲜米粉。然后，她们一起坐在城隍庙门口，用青瓷碗盛着热乎乎的新粉，拌一点鲜酱油，不要全拌匀，要留一点原味的，吃咸了赶紧补几口淡的，既尝到浓烈的滋味，又体会到适口的清爽。吃罢有了气力，就去爬山，从山巅看成汤溪从松影下蜿蜒，落日照得溪水一半红一半绿，鸟儿还巢，零落的啾鸣打破寂静，寂静更寂静了，歌声便流淌出来。歌唱："毛栗三层壳，又好吃，又难剥。小囡两身衣，一阵风，一阵雨。爷娘啊，不要送我予人做童养媳……"

行江问兰玉："妈妈，汤溪为什么没有庙？"

兰玉回答："有啊，九峰有一座，汤溪城里有城隍庙，山里听说还有几处。"

行江说："我指的是佛寺。"

"专门的佛寺好像没有。城隍庙供的是城隍老爷，九峰山供着各路神灵，其中也有菩萨。"

"这么说来，汤溪人不信佛了。"

"怕也不是这样。我小的时候看见，有人家办丧事，就会请来和尚做法事。当然，也有请道士的，也有请巫婆神汉的。汤溪人供许多神灵，有佛庙里的，道观里的，祖宗，火神，稻谷神……很多很多，我记不清了。"

行江帮兰玉收拾屋子，翻到兰玉的小箱笼，打开看见许多神像和牌位。又问兰玉："妈妈，这些是你们家的神吗？"

兰玉翻看发黄发霉已经变色的各页神像，说："哎呀！我许久没有打开过这只箱子了。倒是一直带着它走南闯北，这许多年过去了，早都忘了。你把它找到了。我妈妈曾经交托给我，说姑蔑人出来，神灵和祖宗也会跟来的，要我立足了，不要忘记让神立足。"

"妈妈，我们把它们请出来，设好神位供起来吧。"

于是，行江从木材厂弄来一些柏木，请人打磨成大小不一的牌子，将发黄的、皱裂的和残破的神像、字书都修整好，裱起来，牢牢地贴在木牌上，再用毛刷蘸水刷平，几乎印嵌在木纹里。牌位弄好了，按照大小前后放好，搁置在大厅朝门的一隅，这是风水上的神位。佳琏的牌位按祖宗位摆，不可高于神位，放在靠下的位置。

一切安排妥当，兰玉便请来光妹、凌微，还有泷姐和姚姨家的人，烧一大桌酒席，算是开光供养。

兰玉对行江说："其实，人是不可以吃太好的东西的。我们小时候过年，杀猪宰羊，先奉老天爷，献完了人才可以吃。老天爷不吃过，人是不可以吃的。天最大，天之下才有各路神灵的地位，各路神灵下才有祖宗的位置。人的位置最低，人只可吃饱劳作，够力气劳作就行了。现在人大吃大喝，吃不下还扔掉，罪孽深重啊！有些东西本来就不可以吃的，比方酒，只供给神和祭师，常人也贪杯是不允许的。祭完神，神可怜人，人才可以喝一点。"

"人就那么可怜？"行江问。

"人生是无意义的。"兰玉答道，"如果不受老天爷管，人活着，尽是罪过。"

"妹方人信天敬神，分得很清楚。"行江说。

"我们将命交给天，将运交给神和祖先。"兰玉说，"天定的不能变，神灵保佑的可以变通。敬神就是为了善待神，神也善待人。我妈妈说过，神也是人，是人中豪杰。"

"就像古希腊的英雄，半人半神，灵气和英气顶天的，就是全神。"行江似有所悟。

"做父亲的，爱子女爱到极致，不幸早死了，又放心不下，就会化为祖先神；或者他功德无量，也会上升为精神。"兰玉有些感伤，"我爸爸就是这样。他放心不下我，我当初生病快要死了，他就跑到云南来救我。"

"但是，他们都是上帝管辖的，也是世间万物。我们要学会跟他们打交道，而不是信仰他们。可是在日本，神社里的神被抬得过高了。"行江说。

"信仰是另一件事。它在心里。"兰玉扪心，很敬肃的样子，忽然像个孩童一样，"心与天相通，在外为天，在内为心。心神就是上天。”

大家坐在一起，按照神的应许吃一顿，心里很满足。兰玉对大家说：“我怠慢神多年了。幸亏行江有心，翻出来那只箱笼，才得有今天的聚会。现在好了，姑蔑的神见天光了！姑蔑的人和神都安身立足了！”

是夜，诸神开会。

门神说：“我们现在有位置了，也有岗位了。她家有好几道门，我要适应学会用铁门，还有电子锁。你们几位也要加强学习呢！米缸换成了米盒，水井换成水龙头，柴火灶换成煤气灶，够你们受的！”

灶神说：“没有油烟我端的受不了。中国人的厨房怎么可以没有油烟？那个东洋婆老是进出厨房我看不惯，什么菜都不放油水，一点气氛都没有。”

花神说：“灶神生来就是个淫荡胚子，看人家男人不在，就化作小白脸去骗主妇。行江大眼睛，修长身材，很少东洋婆长这样的。你是因爱生恨吧！不起油烟，你没有噱头，不好施展魅力。”

财神说：“最苦的是我。再也摸不着沉甸甸的金银，连纸钞票都难得一见，我竟只好管银行卡里的一串数字。人们只喜欢看见0，一个个0往后面加上去，他们就高兴。我的价值，现在就是0么？”

药神说：“兰玉也真是的！关我们几十年，别说供养，就连一点光气都不见。我现在身子很弱，我倒要吃点药补养呢！”

门神又说：“这番放出来，倒着实要感谢东洋婆。三十一年和三十三年来打仗的，是东洋人。如今放我们出来的，也是东洋人。他们到底没有忘记敬神养神的传统。小归小，不折腾，挺好的。灶神啊，你下回变一个蝙蝠侠，弄得俊一点，去哄哄东洋婆，也代我们谢谢她。”

灶神答：“她那边也有灶神呢。我要先打招呼，君子不夺人所爱。不过，我是没机会去东洋的，他也过不来。这个交道难打！”

酒神说：“这便终于出来了。我们先是应该好好吃几天，受一阵供养，气力上来了，才好帮兰玉一家。我倒是不嫉恨她忘记我们，她一辈子跟着上天走，命硬如铁，空日怕也是一尊神圣，还要与我们一起共事呢。人天天供养的，把我们当天帝拜，那是折我们；人天天算计的，跟我们斤斤计较，那是利用我们。兰玉讲情义，按天道做事，既将我们请出来了，定会周全善待的。人立足难，神立足也难。”

门神说：“许多地方，许多人家，都再也想不起众神。兰玉由上天引领，终究不丢弃我们，又把我们请出来，诸位要感谢上天啊！”

花神说：“诸神和众生都在上帝统治下，我们怎么能揣测天意呢？现在又有很多新神出来行事，钢铁神，飞行神，数据神，我飞出去玩的这些年，看见的新鲜事太多了。但天道恒常，永久不变，诸位不必担心，各司其职，天矩有序，人坏掉的规矩终会由人身体中的心归正的。”

灶神问：“你是说，人心未坏？”

花神答：“人心即上帝。人心怎么会坏掉呢？只是蒙尘，尘雾弥漫，外面的壳子硬了。”

门神最后说：“所以，祭祀供养并不重要，怜悯的心不可丢失。兰玉的心，一直是软的。”

“‘我喜爱怜恤、不喜爱祭祀。’你们若明白这话的意思，就不将无罪的，当作有罪的了。”（《新约全书·马太福音》）

第四章　兰玉与光妹见面就要吵一架

星期六，兰玉安排好，从养老院把光妹接出来，由凌微开车先去音乐厅，凌微在那里有场演出，或者听演奏，或者去附近吃个点心，等散场再让凌微送光妹去长乐路泷姐家。泷姐来电话，约好周末与光妹见面，玩几圈麻将。

光妹一上车，便说不听音乐会，说那些洋胡琴挤在一起像锯木厂的噪音，她受不了。她想去八仙桥吃排骨年糕。于是，凌微先送兰玉和光妹到点心店，自己又驱车赶紧去音乐厅演出。光妹要一份排骨年糕，外加一碗鸡鸭血汤，又瞥见对面桌上有人吃毛蟹年糕，想只要毛蟹不要年糕。兰玉去与服务员交涉，终于搞来一只半毛蟹。光妹很耐心地一只蟹脚一只蟹脚地剥，吃得极仔细，极满足。

乐团的曲目是《F大调第六交响曲》，凌微拉毕前两个乐章，把后面三、四、五乐章交给了徒弟，就又匆匆赶来接母亲和外婆。凌微顺淮海路往西开，准备在茂名南路右拐往长乐路去。车过黄陂南路，光妹探头望了望，说："微微，这边去马当路或便些？你带我去马当路吧！"

"去马当路做什么？"兰玉问。

"明珍上月来望过我，还带来一只盐水鸭。我去谢谢她，跟她说几句话。”光妹答。

“不要去！死老太婆坏死了，怎么还没死！”兰玉顿生怒气。

“哈么讲说儿经呢（怎么说话呢）！”光妹板起面孔，“她年岁那么大了，心里还惦记着我，哈农（非常）不易的。你这个人良心太坏！你忘记掉以前你到上海，户口还落在她家呢！”

“我还记得，她骗走我的钱，那是我的路费。我一路上连条被子都没有，得了心脏病，差点死掉。”

“她那么阔绰人家，怎么会骗你钱？呣终麻（你终究瞎掰）！”

“她那么阔绰人家，还骗我小孩子钱，不要脸！”

“你这个人，总要气死我才味！好好的，出来玩一下，偏与我寻争。我九十岁的人了，日日受你这怨气，天下哪有这等事？你回去好了，我自去！我又不是走不动！”

“虽去哪家，我陪你去。偏这家我不去……”

“好了，好了，你们不要吵了！”凌微插话，“见面就吵架，我真不懂你们两个人！这点事情，有多大？去就去一趟，到前面重庆路左转，绕一圈就到了。”

“你敢！”兰玉真的发威了。

“那就不去。”凌微继续直行。

“我怎么教出你这个女儿！当初不如扔扔掉你，也少受今天的洋罪。”光妹说，“明珍花你点钱作孽啊？她说起来也是你远房姨娘呢！”

“她那叫花我点钱吗？那是诈骗，诈骗青少年的救命钱！”兰玉几近喊出来。

“都是什么时代的陈年烂事了，又翻出来说！”凌微有点不耐烦了。

这时，汽车已经快到茂名南路，凌微给泷姐打电话，说马上就到了。

光妹突然去开车门，说：“让我下去！我不坐这车，我自己有脚，会走。”

兰玉抱住她，迅速阻拦她的高危举止，说：“你非要折腾出车祸，搞死大家吗？”

光妹挣脱开兰玉，非要开门下去。幸好凌微一个急转弯，将车停靠路边。泷姐已经站在弄堂口，拄着根拐杖，在那里等。兰玉要搀光妹下去，光妹一甩手，狠狠地将兰玉一把推开，自己就下车了。兰玉想想，觉得当泷姐面继续争吵不妥，便追下去劝慰。越劝慰，光妹越来劲，嗓音越来越大，骂不绝口，直引得过路人来围观。兰玉只好作罢，将母亲托给泷姐，自己灰溜溜进到车里，让凌微赶紧驶离。

凌微点着发动机，踩油门将车开走。车上，凌微问妈妈：“那个叫明珍的，怎么得罪你了？”

兰玉说：“你外婆啊，说起来叫人寒心！夏明珍一家是西夏人，她兄长夏明魁是泷阿婆的前夫，恶霸地主，被人民政府枪决了。夏明珍逃到上海，跟那些一起逃出来的地主婆、地主偏房厮混在一起。你外婆跟她们这些人也有往来。这些人成天吃吃喝喝，化妆打扮，勾引男人，不务正业。她们的目的就是在上海找靠山，贪图安逸，不肯劳动。按现在的说法，就是傍大款，傍大官。有一次，你佳珣姑婆对我发脾气，问我：‘你娘到底在外面做了什么？公安的人几次三番到我厂里调查，还上门找我谈话。’咳！我一直不敢对人说她那些旧事，现在你大了，讲给你听听吧。她竟跟夏明珍那帮人，跑去大世界，涂脂抹粉，拎着个包，钻进那些陪聊出台的女人堆里，泡男人，寻机会。”

“你说的是解放前的事吗？”

“这已经五三年五四年了。”

“解放了，大世界还有这种场合？”

"现在都解放几十年了，这种场合少吗？不是又出来了吗？"

"她玩得倒蛮疯的。"

"公安那时铲除毒瘤，这样的事情抓得很凶。有便衣早就在大世界里蹲点，见到这样的女人进来，就偷偷在她们后背用粉笔写上号，然后跟踪，看她们做什么。稍一出轨，就抓起来。"

"外婆被抓过吗？"

"她倒没有被抓。"

"这么说，她没有做这种生意，只是跟人去玩，轧闹忙。"

"你想没想过，这事对我造成的影响？我那时才十五六岁，我出生在一个本分人家，爷死了，娘竟然到这种场面里去混，我怎么抬得起头做人？你妈妈要是在外面也这么不正经，你怎么办？"

"好了，好了，我听不下去了。我们不要再谈这件事了。"

凌微加快了车速，将车开上环线，又插进一张光盘，用音乐屏蔽掉往事。

妩姨被媳妇赶出来，住进一个护养院。她有心脏病、支气管炎、肾病和严重高血压，子女们不肯出钱给她做手术，只好吃点药在医生看顾下生活。拆迁旧房的时候，她偏袒儿子，将自己一份给了儿子，另外还多加一份。这便只好住到儿子那里养老。住一阵，媳妇嫌弃她，将她撵走。她只好又去大女儿家。大女儿待她不错，也不计较分房的事，日日下厨给她做吃。另外几个子女看母亲那里有好吃的，便又借着看望母亲的名义纷纷来蹭吃混喝。大女婿不干了，意见很大，妩姨就又回到儿子家。这下，儿媳妇想出坏主意，索性将她送进护养院了事。

护养院里，妩姨的空间很窄，房间像一只盒子，没有窗户，只容得下一张病床，光妹去看她，贴着床沿坐下，腿都伸不直。

妩姨说："兰玉和兰章端的好啊！你要去汤溪便去汤溪，要来上海则来上海。养老院和家里随你主张，想去哪里就去哪里。”

光妹说：“兰玉敏工些，主要靠她。”

说得好好的，结果回来的路上两人又寻争。

车里，光妹说：“妩姨对儿子危险好呢，分房给他几百万的钱，这间自己连扇窗户都没有。好生可怜的！”

兰玉说：“爷娘对小囡好，小囡未见得就能回报；对小囡瘆些，空日小囡倒也有孝顺的。”

“你这话什么意思？埋怨我对你不好么？”光妹光火道，“我做什么不为了你和兰章？我叫作没有房子拆，拆了不通统给你拿去？”

“你对我，说好也好，说瘆也瘆。恶毒的事情不是没有做过。”兰玉不服气。

“我做过什么恶毒的事情？”

“我在嘉善路做的时候，你去向东家要工资，人家不给你，你怎么说的？你说儿女的命都是你的，几个工钱不能领？你说想杀就可以杀掉我，自己生下的自己可以随便杀。你说拿把薄刀把我斩成肉酱都可以。东家听你的话，吓得不敢叫我出去倒垃圾，怕你叫来人真的闹出人命。再说，你又不是没有杀过小囡，瑞明的姐姐不是被你故意弄死的吗？”

这里，突然又出来了瑞明的姐姐。这个事情，光妹，昭平，甚至瑞明都没有提过，在前面的章节中，我按照多数人的说法，并没有记叙。然而，沈阿姨却说出一个新的版本。我几番问过沈阿姨，她有时支吾过去，有时只字不提，有时又说得有鼻子有眼的。沈阿姨告诉我，说她也见不到这件事，也是从母亲口里晓得的。按她母亲的说法，刘萨瓦留下两个孩子，大的是女儿，小的是儿子，就是刘瑞明。光妹离开刘家时，带走了女儿。后来嫁到程家，女儿一起带过去的。本来程家老太太和佳琏愿意接受这个孩子，只是孩子过去没几天就生病了，得了肺炎，高烧不退。光妹生将孩子扔在地上，不请大夫，不给药吃，活活将她冻死掉。

兰玉在车上突然提及此事，狠狠地伤到光妹的心底。光妹哭了，说："兰玉，你真的不知好歹的人！这间跟我说这事，想我去抵命么？孩子死掉的事，你爷不晓得么？你嬷（奶奶）不看见么？我一个人想做做得成么？都是为了迎你来这个新家呀！你不想想，你爷死后，我那么难，送走你妹妹也没扔掉你呀！"

兰玉于是不作声，也默默地落泪。

凌微上次被惊得加快车速逃离现场，这次又被惊到，惊得停下汽车，熄火在路中间。顿时，道路堵塞，后面的汽车不断揿喇叭，却鸣不醒被时间停滞的人。

兰玉想，娘真的对孩子好吗？爷死后，家境困难，她那么小年纪就拼命干活，处处讨好娘，总是紧紧跟在娘后头。娘不在家，弟弟妹妹都由她照顾，起早贪黑地去割猪草、浇豆苗、采野菜、捡拾地里可吃可换钱的所有东西。她殚竭气力做尽了她可以做的一切。她心中只有一个目的，求妈妈不要将她送走，求这个家不要散掉。她无数次哀祈地望着母亲，希望母亲可以听到她心底的呼求。可是，妈妈听不到；可是，妈妈还是将她送走了。

光妹想，孩子是她生的，孩子的命是她给的，老天将生杀予夺之权交给了她，她为什么不能做选择？她不想生，十月怀胎就断掉气血，你还出得来吗？究竟是人命关天，还是天关人命呢？按现在人的说法，人生来平等，爷娘不可以打孩子，孩子也有人权。什么叫人权？人权不是天给的吗？天分出四季昼夜，分出谷稗龙蛇，高低尊卑，上下有序。人间怎会有平等？人间足见长短不一，过失缺溢。说众生平等，那是心的平等，哪来性情的一致？此命死，彼命中心在；彼命死，此命中心亦在。人不是为自己活着的，人乃是为心活着的。心不是自己的，是来自神天的。光妹喟叹，世道坏了，人自以为是，越来越自尊，要尊到天顶上去了！

是的！按照光妹的看法，按照万年不变的天矩，人命是不值钱的，人生是无价值的。人依着性情活在此世，只为实现神天的意志。而人实际上又是贵重的，人的贵重在于，他是上帝的子民。因着上帝的恩允来到此世，是至尊不可杀的；而因着父母的选择降生人间，不过贱比飘零草叶，是一件可以随便摆弄的物什罢了。

汽车终于开了。

凌微沉重地说："外婆，你这是卖儿卖女的思想啊！"

光妹更沉重地说："微微，又不是我一个人这么做！有的是人卖儿卖女！"

兰玉去养老院给光妹送饮料，穿过二楼的走廊，正准备拐弯上楼，忽听得邻近的房间里传来一个粗暴的声音：

"我叫你再撒，再拉！再撒尿拉屎，我就打死你！"

原来是一个护工在给一位阿婆换裤子。护工用铁钳子一样粗壮的手一把抓住老人两只干瘦的脚踝，像拎鸡鸭一样将她倒提起来，将老人的屁股展露出来，另一只手拿塑料拖鞋抽打老人的阴部。边抽打边骂："自己不晓得要干净吗？屎尿随便拉在裤子里，一点羞耻心都没有！痛不痛？痛就给我记牢了，下趟我换一次打一次，打到你不敢撒为止。"

这是一位中风瘫痪的阿婆，生活完全不能自理。按规定，养老院专门派给她特别的护工轮班照料，一般情况，她的儿女或者家人还会在私底下再塞点钱给护工，感谢她们辛苦，酬劳她们费心。但有些护工背转身去，就会虐待老人，不啻折磨凌辱，甚或大打出手。

兰玉看不下去了，冲进房间，责问那个护工："你在干什么？你刚才做了什么？"

护工看见兰玉冷冷的眼光，被慑住了，将举着拖鞋的手停在半空，嬉皮笑脸地说："我跟她开玩笑，哄她玩呢。"

"你再虐待她，我就叫人来打你。"兰玉不放过她，"你记牢了，下次不要让我再看见。我说话算话的！"

兰玉想，妈妈也在这些护工手里，刚才护工每一下抽打，都像是抽打在自己的心里。人为什么会变得那么坏呢？

她突然不放心起来，想接母亲回去。她对光妹说："你还是跟我回家一起过吧！"

光妹说："跟你回去做甚？寻争么？你一分钟会让我安神么？我不跟你去！我在这里味么味么！"

兰玉又说："你看不惯我，那就去乡下跟兰章过。印鹃会对你尽心的。"

"乡下我不去。能说话的人都死光了，天总不放晴，阴煞煞的。你想冰冻死我？"

"我不再与你寻争了，虽什么，都听你的。"

"漂亮话而已。一间转脸就变了。我不信你的！"

光妹究竟不肯跟兰玉回去，这让兰玉五内俱焚，日日不得安心。

然而，兰玉去了，光妹逢人便又夸兰玉好。她常常想起旧时光景，想女儿小时候的样子。她说：

"她二三岁时，将她放在木桶里，我一转身，她自己翻出来，落在地上，头跌破了。她说：'自己跌的，自己跌的，不怪娘。'大一点了，自己跑出去，追着羊惹耍，拖着羊尾巴，抓不牢，一个趔趄，把门牙撞掉了。还好，后来换牙长出来新的，长得不齐。你们不信去看看，她那副门牙有点歪呢！五六岁的时候，成天在县衙门大院和城隍庙里嬉，县官、警察局长、城防长官都住在一处，他们的小囡跟她一起癫，捉迷藏，骗她进庙里的大殿，乌么乌么，虽介些（什么）都望不见，一头撞到大柱上，鼻头都撞扁了，一片天掴上来么的，满面孔是血。这便好，日后鼻头一直有毛病，终归要发鼻窦炎。危险顽皮呢！一刻都不叫人省心的囡！”

光妹又说起夏明珍：“明珍这个人，心眼真的不大。‘文化大革命’抄家，她有三万块钞票怕被查到，藏这里也不放心，藏那里也不落实。我叫她放到我家里，我家里比国库都保险些。她竟不肯，还怕我吞吃掉她的钱。最后，放到一双长筒套鞋里。没想到，红卫兵一进门就看见那双套鞋。整整三千张十块钞票，一张都不剩，通统被没收。”

兰玉说：“她是坏人，老天有眼，不义之财终究不归她。你呢，好端端老天爷给你的财都守不住。”

光妹问：“我哪有财守不住的？”

兰玉答：“那年兰章造房子，你急忙忙回汤溪拆老屋，要那几根烂掉的老梁。书记陈双田说你拆不得，拆掉根就没了，空日回不得汤溪。你非要拆，说不回去了。结果，丁字口那间客堂就没了。那边市口多好，我现在去开个杂货店稳赚钱的。”

“那点老屋算什么财，晦气！拆拆掉安洁！”光妹说。

“后来人家翻地基挖土可是得了你的财哦！”兰玉提醒道。

“哎呀！”光妹恍然想起来，叹道，“可不是么！整整一坛子银圆埋在地里，我竟忘记了。那是二十五年年底埋下去的。当时国民党说不用银圆了，改钞票，你爷说家里的银圆都拿去兑换不合算，不妨藏起一点，空日国民党又翻转来用银圆也未准。后来一直不用银圆，索性忘干净了。这倒好，便宜了那家！”

“你晓得是谁家挖到那坛银圆吗？就是胡地主的儿子富根。他挖到了，不说话，细细摸摸藏起来不用，这些年才拿到文物市场去换钱，一块换两百元不止呢！我上年回去，娄尼告诉我的。”

“一块银圆换两百元？可是有三百多块放在里头不止！这便六七万块白白给他拿去了！”

"你痛心么？痛心也活该倒霉！我跟你说不要拆，不要拆，等我回来再说。你偏是等不及！我人未到汤溪，你就稀里哗啦全拆掉了。只拆下几根梁木，还都烂掉了，兰章盖新屋根本用不上。这事先放下不究竟，还有呢，梁家从宁波搬来的那套紫檀家具也给你卖卖掉，你晓得现在一架紫檀大床要多少钱？"

"多少钱？"

"六百万都买不到！你当初大床，八仙桌，太师椅，方凳，通统加起来才卖多少钱？才五百块！"

"那个淮国旧（淮海路国营旧货商店）的老头子太黑心！"

"不要怪人家黑心，那个时候这些四旧物资也差不多就值这点价钱。只是你守不住家当，通统给你败掉。败掉做什么？不又是给你做面子，买些东西下乡送人扎台型（争面子）。"

"你这个断命牝，真正不孝顺呢！"光妹生气了，"说这些混账话给我听做什么？存心让我肉痛心痛么？六万,六百万，危险再多些，你亲爷后爷有金山银山全部叫我败光了，你好骂我，赖我，四下到街市上去数落我。我端的作孽败家，你究竟本事顶天。没有你，我要睡马路去；有了我，你们倒要睡马路。你现在好得不得了，我不带你出来，你有今天么？"

"我要是靠了你，才叫死蟹一只呢！你挖个火坑叫我往里跳，我偏不跳，偏不听你的，你记恨我一辈子。还好我去了云南！我不去云南，会有今天吗？会有人这么前前后后伺候你吗？梁家那些人怎么不来管你？你那么多儿子女儿怎么不来管你？"

"你给我滚出去，把你拿来的东西通统拿走！快点滚出去！我根本不要你来，我在这里味么味么！"

兰玉转身就走，光妹将兰玉送来的饮料、点心和水果，一样一样扔过去，边扔边骂。

兰玉下得楼来，转念想想不忍心，又折返上楼。对母亲说："好了，姆妈，非寻争罢，我也不是故意予你气受，话到嘴边忍不住就滑出来了。我叫你生气，是我不对。以后不提过去的事了。现在我们一家人好好的，今天好，明天更好，比什么都好。我给你冲点西洋参茶喝，你再吃几块绿豆糕，这是早上老大昌新做出来的，里头豆沙还有点温呢。一间我再给你按摩腿脚，你静静地困一觉。”

光妹转过身，虎着脸说：“人，不好逞能。”

兰玉不说话，心里想：“你也好逞能。”

昭平从农场回来后，考入北京社科院语言所，从硕士一直考到博士，留在北京工作，在北京娶妻成家。2000年，妻子怀孕八个月将近临产，昭平要母亲北上来照顾。兰玉去北京前，正好印鹃上来请光妹下乡住几日。兰玉便顺势对光妹说：“这间便去几天住住，不便不快我即去接你回来。之翰眼底感染，怕是要做手术，我正好腾出些日子照料他。”这话是兰玉铺排出来哄她的。那年光妹八十七岁，兰玉不放心娘一个人在上海，又怕带娘上京搅乱昭平生孩子，就这么好说歹说地将光妹说通去汤溪一阵。兰玉又对印鹃说：“昭平生小囡，我不去不行的。娘就交给你，千难万险你给我顶住，顶住三个月，等昭平新妇坐罢月子我便回转来。”

光妹在乡下住着，找不到老人说话，尽是一些后生面孔在眼前晃过，觉得厌气；又看印鹃不惯，嫌她只会苦做，不会陪她说话，便左右挑剔，百般难为。印鹃坐在一旁给她按摩捶腿，捶得累了，困着了，光妹一脚就踢过去。印鹃哭起来，说：“姆妈，我一刻待你不疲，你这么轻贱我，作予我纳尼（丫鬟），地主婆么的。”光妹听此，气不打一处来，又一脚踢过去，说：“我便是地主婆，又怎样？”印鹃向兰玉求救，打电话哭诉了一个小时。兰玉也没办法，只好说些劝慰的话。印鹃实在忍不住，为讨好光妹，说漏了兰玉去北京的事。这下，光妹火冒三丈，直接跳起来，说：“去北京我去不得吗？要这么一家人欺瞒着我暗地里藏着吗？昭平要是晓得，肝都要气破的！你们就这样拆开我们祖孙，良心坏绝了！我要给昭平打电话！”老太太这么一说，印鹃怕了，只好拨通北京长途。那边接电话的是兰玉。兰玉说：

“姆妈，等几天我就回转来接你。不是欺瞒你，是怕你跟来北京吃不消。这边春夏天风太大，干燥得皮肤都皴裂。你从来没到过北方，不晓得北方艰苦的。”

“我不晓得，你晓得！我身体终究好过你几倍，我吃得住的你倒吃不住！”光妹说。

“昭平白天要做研究，晚上要去学堂讲课，一分钟不停，忙得团团转。她新妇挺着大肚子，怀孕反应很大，什么事都不能做，我忙前忙后给他们做吃，没时间照顾你。”

“我不要你们照顾！我就想看看昭平，看他在北京过得好否。你让昭平接电话！”

“昭平这间不在，出去上班了。”

“你用心危险坏呢！我晓得你是不让我跟昭平讲话的。我晓得打电话也无用的，你们都铺排好了！”

“你嘴上说对外孙好，实际上在拖外孙后腿。昭平要是晓得你这么闹这么作，真要生气的。”

“他怎么说，告诉我。他不想外婆吗？”

“他说，孩子生下来后，他要抱来给外婆看。”

“这便好。他还记得老外婆，我心里便落下罢。那你好生在北京住着，多住些时日，月子里要尽心，万事妥当再转来。我无碍的，兰章和印鹃对我比你好！”

“……”兰玉竟无话。

光妹又说：“不要跟昭平说我打过电话了。就作予没有这件事。”说罢，她就挂了，像逃避这件事，仿佛再说什么，昭平就听见了。

之翰得了糖尿病，医生说这也不能吃，那也不能吃，每日一点稀粥，几样蔬菜，清汤寡水，度日如年。长此以往，也不见好，他便决意放弃医生建议，开始遵从口腹之欲。先是偷吃零食，渐渐自己跑出去买点心吃。吃过一阵，倍感精神爽朗，腿脚也麻利起来。便说："治糖尿病的关键，不是禁食，而是要多吃，多吃营养。营养足了，免疫力提高，反倒不易感染，并发症逐步减少。只是少吃淀粉，不吃糖，就无大碍。现在医学，越来越发达，却丢掉了基本常识。"

兰玉听了，说："你是嘴馋，好吃懒做，小时候安逸惯了。"

光妹在一旁听见，插话道："人不安逸，活着做甚？吃点用点，天经地义。糖尿病，本来就是富贵病，要吃山珍海味的。"

兰玉驳斥道："你们都是出身富贵人家，自是吃惯用惯了，好逸恶劳！不像我命苦，为你们做牛做马。反正，我晓得，人要劳动，做做才有吃，不做没有吃。"

"谁说做做才有吃？"光妹说，"天上飞的，水里游的，山上跑的，都是天赐给人吃的；树上的果子熟了，掉在地上，捡起来就能吃。人太贪，吃饱了想吃好，吃好了想囤足，这才拼命做，落得苦命不歇。"

"那给他一碗粥吃，日日吃粥，他坐得住吗？"兰玉问。

"没有别的吃，只有粥吃，也只好吃粥。有的是可以吃的东西，何苦忍着不吃？"之翰说。

"给你吃吃光，不是还要我去做吗？"兰玉说。

"吃吃光便吃吃光。"光妹说，"尽吃不行，不吃也不行，吃过白吃才是看空。一路拼命，又忍着不吃，也是留恋。你究竟看不透，迷信劳动。"

"劳动有什么不对？劳动创造财富。"兰玉不服。

"这是贪婪的人欺哄你，按北方人说法，叫作'忽悠'。"之翰说，“奥斯威辛集中营和古希腊奴隶庄园门口，都写着‘劳动神圣’，你信么？这是奴隶主对奴隶说的话！”

“贪心的人要你做，卖苦力的人多做又少吃，我看一心迷在劳动里，就是作恶，帮衬人家作恶，自己到头来还吃恶果。”光妹延伸之翰的观点。

“哦，我辛苦一辈子，还成了恶人？”兰玉火了，“我成天服侍你们两个，忙前忙后，你们不记好算了，还说我做坏事？我这就不干了！让你们看空去！”

“娘是让你寻开心，不要苦着自己。这话都听不懂！”之翰点拨道。

“她是寻开心，寻到我头上。那些年我不寄钱回家，她有那么惬意吗？”兰玉又转回来直对母亲说，“你跟人家私底下换房子，人家骗你，把三间里弄公寓换你永嘉路洋房，先借给你钱花，你大手大脚又请乡下人来吃喝，到头来政府不允许你换房，人家又逼债要你还钱，我不寄给你三百块，你怎么过得去那个难关！”

“你无事又寻争！”光妹恼了，“我一分钟跟你都处不来，在你这里歇一个下午吃杯茶都吃不静宜。我真是白白生你，当初不如扔掉你，省得今天受这份怨气！”

“你扔得还嫌少啊！”兰玉翻出旧账，“瑞明哥不是你扔掉的？兰芳不是你扔掉的？天下哪有你这样做娘的！”

“好了，兰玉，不可以这么对姆妈说话。”之翰厉声道。

“你不要拦她！我看她有多威！”光妹立起来，抓起个杯子就要扔过去，之翰一把夺下来。光妹提高嗓门骂道：“你个断命的东西！我早几年有气力便拷死你作数！”

“哈么拷来？”兰玉逼问。

“终归拷来，终归拷来，拷得呣侬死安洁！”光妹怒不可遏。

兰玉并不想触怒母亲，只是心中不知哪来的一股怨气，挡不住地往外冒。她想起初到小姑家时，以为回到了祖家，可以尽情撒娇、顽皮，可以放开心来纵情，不想头天刚过，第二天小姑就对她说：“人，凡事要靠自己，不好依赖别人。”作恶有很多种，但诸恶莫过于斯。人将心放开来交在你手上，你竟践踏之揉碎之。兰玉当时才十一岁，一个十一岁的女孩子，听见小姑这句话，会怎么想？天允可以依靠的祖家成了一座冰窟，或者母亲做错什么了，另有天矩规定着不能依靠祖家，而女儿是那个依赖别人活着的小孩，或者她的一家只能仰人鼻息……她又想起了珦姑的责问：“你娘到底在外面做了什么？”她又想起兰芳妹妹被送走的事，瑞明大哥被抛弃的事，以及那个不知名的姐姐被冻死的事。还有，切肤之痛的是，娘竟要将她许给一个老头子！当然，娘曾救她于冰火危难中，娘也几近一刻不离地抱着她走过那些战争岁月，娘教给她文字，娘告诉她天理，娘一勺一勺喂她爷从伙房里带回的饭菜……这究竟是个什么样的娘？为什么竟与别人的娘那么不同？她不好将这些问题去问领导、工友和兄妹们，她有时就去问之翰，之翰说旧社会都这样。这个答案她不满意，因为她看见旧社会有人也并不这样。她只好直接去问娘，可是娘根本听不懂她的问题，娘只按自己的逻辑解释这一切是非。反复问，不停追问，已然形同责难。

光妹按着性情行走人生，兰玉靠着大能闯过难关。在世间，这两人就好比两部逆向的汽车相撞在一起。兰玉并不知道，她心中有一个她愿望中娘的样子，她要按照这个不实的梦去塑造娘。这是一个世间法中规定的娘，却不是天道先验中理想的娘。理想和梦想，断不在一处。理想由造物主规定好了，怎容得人来塑造？梦想来自于尘习的浸润、污染和侵袭，是别人的模样，是社会的要求，是按人的意思看起来光鲜亮丽的脸面，其中并无半点真实。兰玉一方面强烈感受到母亲的爱意，一方面极度忍受不了光妹出格的诸多事体，思想便冲突起来，分裂开来，长久地不能愈合。而这个世道，终究是理想和梦想的搏斗。理想必胜，梦想必败。娘的事实，作为先在，容不得检验，不论好坏，都是娘。人若按照既有的律法，并无权审判娘的善恶；人若按照先在的道理，定然可以从爱中找到匡正的力量。中国人讲孝，原是有爱在先的。孔夫子说到守孝三年，提出的依据是，“子生三年，然后免于父母之怀”，即爱在前，孝在后。兰玉从爱出发的责难是成立的，而从无根的道德伦理出发的怀疑是虚妄的。可是，人又处在俗世中，孰能摆脱俗世的纠缠进入真空呢？人既来世，只在世道的昏昧中见光。而光的力量之绝对，是实在地必定刺破昏暗而敞亮的。

兰玉想，按照这俗世的道理，她断是对娘有无尽的怨忿，可是转过身来，手脚却不听怨忿的导引，尽做出满溢爱的举止。这一定是有一种超乎人的力量在教她这么做。这力量，作为光妹的靠山，不可移动，也作为把持她行进的动能，给她航向。

昭平说：“我母亲的本事我学不来，她那么大岁数，还有十八岁姑娘的机敏。”

兰玉听她儿子这么说，倒停下来思索，说：“我哪有这么大本事呀？我想想自己一路走来，总好像有一只手牵着我走。那是老天爷眷顾我，给我本事。”

昭平又问母亲：“你总是说外婆这不是，那不是，难道你就从来没有不是？人不可能没有罪过的。”

兰玉听这话就生气了，说：“难不成你非要给我寻点不是？”

昭平坚持说：“人吃五谷，血气之身，总有过错的。”

兰玉说：“要说过错，那就是跟你外婆寻争。”

“除了这个，就没有别的过错？”昭平疑惑，“耶稣见到有人打女人，说：‘你们中间谁是没有罪的，谁就可以先拿石头打她。’结果，众人放下了手中的石头。”

兰玉说："我出身贫寒，在世间难以立足。每走一步都反复思量，总怕走错，走错一步就彻底完了。我很小心，心中惧怕。每次刚想这么做，就有一个声音来告诉我要那么做。我听那个声音，就纠正过来。"

昭平听母亲这话，便想起那些被上帝悦纳的义人，带着罪的义人。"因为人心里相信，就可以称义；口里承认，就可以得救。"这是一种至高的力量，人心里敬畏，因敬畏而远离罪恶。

"曾子有疾，召门弟子曰：'启予足！启予手！诗云："战战兢兢，如临深渊，如履薄冰。"而今而后，吾知免夫，小子！'"（《论语·泰伯》）

而兰玉和母亲，在敬畏里，却是走在一处的。

夏天，光妹眼睛有点发炎，想让兰玉带她去医院。一是为散散心，二是为坐公共汽车看看热闹。医院很近，离养老院只有三站路。兰玉带光妹坐上公共汽车。

车上，一个浑身戴满廉价首饰的老阿姨说话："天气嘎热，老太太年纪嘎大，侬好意思让伊乘公共汽车，真的不孝顺啊！"

兰玉说："我的生活条件就是这样。要么走路，要么乘公共汽车。伊走不动我背伊，伊乘汽车，我陪伊，看牢伊。有一只馒头，伊吃大半只，我吃小半只。我有啥不好意思！侬有铜钿，侬八抬大轿去抬侬格老娘！"

老阿姨语塞，转而对光妹说："老阿婆，侬个囡姆对侬不好。前头侬跟我下车，我帮侬叫部的士乘。"

光妹对老阿姨笑笑，扔给她两个字："瘪三！"

第五章　兰玉就是从正统年走来的葛云

2014年4月光妹过世，兰玉将母亲落葬后，本想接着就去汤溪给生父佳琏做坟，正此时梁育金的大儿子梁飞云生出分房产的事，兰玉便只好将昭平从名古屋召回上海，这就是本书开头的那一幕。

昭平回到上海后，跟律师打过几次交道，陈明了自己的立场，又直接约见飞云舅舅。飞云接到昭平的电话，就软了。毕竟昭平在梁家长大，舅舅和他之间有深厚的感情。舅舅觉得无脸见昭平，在电话里只说："都是你舅妈搞的鬼。舅舅不会要你的东西的。"这便撤了状纸，之后再无事。

行江借了李晓珞的汽车，载着昭平和沈阿姨，顺着沪昆线一直往西，朝金华开去。除了在杭州绕城公路上滞留一个小时，其他路段上还畅通，太阳落山前，三人便进到前夏村。次日，兰玉带上一些瓜果祭品，另有虾蟹若干，要昭平和行江陪她去九峰。到得九峰山，顺着阶梯直上山崖，一层一层的崖洞都空置无物，并不见神像牌位。

行江说："神遗弃人了吧，他们都离开了。"

兰玉说："我父亲曾经托梦给我，说山神跟他约好一个甲子。那年1954年，现在2015年，正好刚过六十年。山神不会食言的，该是会放我父亲的魂灵出来的。”

昭平说：“我记得山神的名字叫山臊，在第七层，我小时候来看见过。他长得像猴子，一尺多高，裸着身体，只有一只脚。”

在第七层，他们只见崖洞中一片平整的岩石从山体里倾斜出来，光滑洁净，尘埃不染，而并无神像和供台。

兰玉说：“山神喜欢吃虾蟹，自己还会去捕捉。我们先供上果品，然后找一些柴火来，点上篝火，将虾蟹烤上。他闻到虾蟹的味道，就会出来。听说他会一直蹲在人边上不显形，等人去睡了，他会偷人的盐酱之类，蘸着吃烤熟的虾蟹。”

“这是当地人的传说？”行江问。

“《神异经》中亦有记载。”昭平答，“‘见人止宿，暮依其火，以炙虾蟹。伺人不在，而盗人盐，以食虾蟹。’应该有些依据的。”

“那要等到黄昏了？”行江问。

“等就等吧。终要将他等来。他跟外公订的约，只好由他来践诺。”昭平说。

“他真能将人的灵魂保养六十年吗？这么长的岁月，他靠什么让灵魂不死？”行江觉得不可思议。

兰玉说：“神的事，人难以晓得。”

他们尽量在附近多拾一些可以找到的柴草，堆在崖洞里点燃，三人围着火，炙烤虾蟹。近夜时分，昭平支撑不住了，倒在崖壁上睡去，只兰玉和行江守着火。兰玉拿出一个大盒子，里边有许多隔断，每格中盛放一种佐料，有盐、味精、醋、豆瓣酱、鲜酱油、辣椒酱等。兰玉用剪刀将虾壳剪开，又打开螃蟹盖，嘱咐行江用刷子一层一层将佐料刷在炙物上，这样，随着火焰不断燎熏，气味就散开到周围。他们烤了将近两三个小时，也不见动静。行江说：“我们或者应该假装睡去，他才会来偷吃东西。”于是，二人躺下佯睡。不到一刻钟光景，听到有脚踩到柴草上的声音，还有拨弄火苗的声音。她们不敢睁眼看，也不知所措，只静静等着事态发展。又一会儿，听见吃东西的声音，大口大口饕餮，并似乎闻到硬壳掉进火里被烧焦的味道。行江坐起来看，却什么也没看见，只是仍然有吃东西的声音。吃着吃着，好像停了，突然有人扯她的头发，她痛得轻轻叫了一声。兰玉便顺势坐起，说：

“山神，山神，我知道你来了。不要靠近这个囡，她是我新妇，不好动她的。我这么尽心伺候你，你不好欺负人。你还有什么条件，提出来，我会按你要求去做的。”

兰玉说罢，果然山臊就显形了。他跟书上描写的样子一样，一尺多长，人的眉眼，鼻子很短，额头有很深的皱纹，丑得令人震惊。行江一直盯着他，竟吓得一句话说不出来。

“你待我不错，还想到拿来虾蟹款待我，配的佐料味道真好。”山神一边说话，一边眼睛却还直勾勾看着行江，“只是蟹肉太松了，天气炎热，蟹还没长熟。”

“我父亲在你那里还好吗？按约定，时间到了，你该放还他了。”兰玉说。

“他在我这里守山一个甲子，还算尽心。我正准备放他归去，不想你亲自来领了。”山神说着，又跳到行江身边，从她腰间撩起几缕长发盘摩，“只是放归亡灵，尚须代价。”山臊又眯起眼睛，对行江说：“哦，这头发真美啊！”

“我已经说过了。我的新妇，你不好动她的。”兰玉拿起一根树棍，朝山臊抽打过去，打疼了山臊的手，“人神都在老天爷眼皮底下。我守我的规矩，你守你的规矩，谁越雷池都会受到惩罚。我现在来求你，你不好乘人之危。”

“神界是没有人间的君子之道的。我喜欢这个女孩子，我就领回去。我领她回去，就放归你爷的亡魂。”山臊说。

兰玉用勺子盛一点醋，伸到山臊面前。山臊过来嗅嗅，兰玉趁机一把抓住他的腿，将他倒拎起来，说："我一把将你扔进火堆，你就会被烧死。这并不影响我父亲亡魂回归。你们的约定，由天帝看着，到时间就失效了。只是我烧死你，也会毙命，一命换一命。我死去，换归我父亲，保全我新妇，你以为我合算吗？以一换二，救生救死，我赢了。"

山臊被兰玉这么拎着，有点扛不住了，说："我受不了了，你先放下我说话。"

兰玉放了他。行江急了，说："妈妈，你怎么可以放掉他！万一他不守信怎么办？"

"他不敢的。我们没错待他，只是按规矩办事。"兰玉很镇定地说。

"老太太做事有章法。山臊佩服你！"山臊说，"你比现在一般人知道根底。是啊，人间丧掉君子之道，神界不失神仙之道。你们不懂，我们就欺负你们，多占一点，反正人答应我们的、因害怕我们退让的，我们就占了，占了也白占。不过，像你这样，敢抵掉性命去见天帝的，是可以直接告状告到天庭的。我并不敢违逆天道，否则我几万年的修行就泡汤了。好吧，还是要谢谢你带来的美味。我不食言，定会按期放归你爷亡灵。只是看你人好，就多提一点贪心的要求吧。你明天再来，弄一点像样的螃蟹来吃，我便将他魂灵交还你。"

兰玉说："这间春夏之交，哪里来得像样的螃蟹？要不然我去买一些罐头给你，都是上年上好的蟹膏蟹酱，味道也极可口的。你看怎样？"

"这听起来不坏。我还没有尝过罐头螃蟹呢！你去弄来，尽量多一点。"山臊很满意，只足跳跃着，便消散在夜色里。

山臊走后，行江说："妈妈，你真厉害！这就将他镇住了。山神你也敢顶撞他！"

兰玉说："人是软弱的，没有胆量的。人靠着天帝，守住天道，才不怕的。我有理，按照约定来领魂魄，老天会给我撑腰的。我怕什么？"

"我这才明白人实在不如神。人中有敬畏心的越来越少，神中却尽执天道不弃。"行江说，"另外，我也见识到了，原来神道不过是高一点的人道，人和神都是由天帝管着的。所以，神并不可拜，只可敬用，人神互利而已。"

次日傍晚，兰玉将从金华市里买来的六箱螃蟹罐头放在第七层崖洞的斜壁上，又敬上香，摆放好酒水，喊道："山臊，山臊，你要的东西拿来了！你不要食言，放归我父亲的魂灵吧！"山神并未显形，只朝一个方向弯曲了未断的香灰。兰玉便知道，山神将敬礼受了。

是夜，佳琏来到兰玉梦中，依然穿着洁白的袍子。父亲只对兰玉笑着，只言未发。兰玉醒来后，对行江说："他回来了。我们可以落葬了。"

兰玉在她的路上走着，从生满锈迹的钢铁中穿行。草从土中长出来，锈从铁中长出来，铁腐朽了，终究要归于土。工业正扔下它第一具尸体，向土地征要它第二副身躯。只要神天应许，人们可以无限制地向土地索取，获得粮食，获取日用，甚至从曾经埋葬的尸体中攫取能量。工业，就是土中铁的精魂和草木禽兽的遗体凝聚的。亿万年的森林和动物骨骸被集中到几十年里，来推动人的速度，延伸人的高度，扩展人的广度。葛云从正统年走过来，出西坞，下塔石，顺着山腹中淌出的两行铁泪哭泣，那是亿万年的悲伤瞬间被释放了，这泪因为太悲恸，遇火融化后更坚硬，冰冷而决绝地按照活着的人新的悲恸，由仇恨和消极的秩序组织起来，任由毫无怜悯的思维折曲成枪、弹、刀和炮舰。这两行铁泪啊，让少女的筋骨坚利，又让少女的肌肤鲜嫩！妖闲和娇痴被磨掉，多余的婆娑被剪断，唯有朴直和清澈被留下。唯有朴直和清澈的人才能活下来！暧昧倒下了！慵懒倒下了！虞虑倒下了！惆怅倒下了！缠绵和蹀躞倒下了！那站着的，她最本来的性情透似水晶，心神一览无遗，令无怜之恨、无悯之悲屈服。一些人死去了又复活了，去了又重新再来，不变的心意由千变万化的诸象承载，一个个意象，都是同意。从葛云到兰玉，心不死，活了又活，一次次柔软地活，柔软地战胜强硬，看强硬历万古而生锈，铁朽成土，复归尘埃。少女的躯骸与钢铁同归尘埃，少女之心永恒。

堀部终于同意将资料寄到上海，由行江翻译，然后再发回去。这样，从今年6月一直到暑假，行江和昭平就可以不回名古屋，一直待在中国了。

给佳琏做完坟，兰玉与儿子、儿媳妇三人便离开汤溪。汽车顺着前夏村一路往北，过后徐、上镜，往洋埠方向去。这条路，十八年端午，光妹送子俊去龙游码头，曾经走过。现在公路开通，直接就连到沪昆高速。车近洋埠镇，兰玉问：

“这便上高速公路了吗？”

“再往前一点，接上S46，有岔口上去。”昭平答。

“沪昆高速，一头连着昆明，一头连着上海。从上海到昆明有几里路？”兰玉又问。

“什么叫有几里路，至少两千公里，四千里路呢。”昭平答。

行江打开电子导航仪，目测了一下公里数，说：“统共二千七百多公里。”

“这么开汽车，要开多少时间？”兰玉问。

“从上海起点算，不停开，大概二十七个小时；从这里出发，估计二十三四个小时。”行江估摸着车速与距离。

“你问这个干什么？”昭平纳闷。

“妈妈怕是想去云南吧。”行江说，“这倒也方便。一会儿我们上了高速，车头掉向朝西，就能去。”

昭平说：“岂止二十多个小时！进到江西后，都是山路，还要过湘西，走云贵高原。这可不是理论上的一条路，具体路况很复杂，我们都没有走过，很难计算时间。”

“反正也不用回名古屋，整个假期我们都可以在中国。何不横穿中国，做一次大旅行？我曾祖父在同文书院时，要靠两条腿做大旅行，现在我们有汽车和高速公路，会省掉多少周折！”行江有点兴奋。

“以前有你外婆在，要照顾她，我走不开。现在她去了，外公的坟也修好了，我便想去看看云南的那些老人。从我离开1058基地，已经二十一年了，一次都没有回去过。我很想去看看呢！”兰玉说。

“妈妈想去，我们就载她去吧！”行江起劲地说，“我也想去看看。多好玩啊！横穿整个中国，从东到西，走妈妈走过的路！”

“也是小鬼子走过的路。小鬼子一路往西，直到贵州边境，就进不去了。”昭平奚落道。

“那可不是更要进去看看了！”行江高兴地说，“这下小鬼子长驱直入云南。日本军队没有进去，日本媳妇进去了。”

说着，汽车就到高速入口。行江摇下车窗取卡，说：“妈妈，我们去云南！”

兰玉与行江击掌，肯定地说：“去云南！”

汽车开开停停，一会儿服务站，一会儿旅店，有时岔到国道上逗留半天，看路边风景，吃省县里的当地菜，喝江南浑浊的米酒稻醴，过衢江、信江、湘江，走鹰潭、株洲、贵阳，不紧不慢，走了五天，终于到达昆明。从昆明往西，至西山，贴着滇池南下，进抵山南海口，再折向西面进山，到大村，村西北的山冲里，即为1058基地老厂区。海口镇离基地两公里，因有滇池的出水口而得名。由此可入滇池，观水天一色，苍茫无际。

在基地老厂区门口，兰玉向人打听一个叫杨六宝的人。人说没有听说过这个人，让她去山冲公园问问。山冲公园紧贴着厂房，类似上海市里的三角花园，几株树，一些石凳，锈铁柱支撑一个铁皮顶，所谓“亭子”，几个老人在那里下棋，或者做健身操。这些老人都是从旧厂退休下来的，但年纪显然比兰玉小，大致在20世纪60年代中后期参加工作，对兰玉问及的人一概不知，只说更老一些的工人好像有住在海口镇疗养院的。兰玉就又来到海口镇，果然在滇池岸边找到一家疗养院。所谓疗养院，只是一排平顶薄墙的矮房，砖缝里长满青苔，地下水和雨水将整座建筑渗湿，房子的颜色与岩石已经融为一体，倘若没有窗口门洞，几乎没人会以为这曾是居室。岸边有一座亭子，这亭子倒是一座真亭子，乌瓦石柱，木质廊椅，几棵古松簇拥着，面朝正东，望水而立。一群上了年纪的阿公阿婆终日盘踞于此，唱戏，遛狗，跳广场舞，间或还有些人拿点手工和土特产来卖。疗养院，名存实亡，机构早就散了，空余废墟，遗为角落。老人们说，他们“占领”了这个地方。占领，像是一种文化的表述，意思是他们的文化，在这个角落滋长。如果这个角落丢失了，那么，此世间再无令他们留恋的东西。兰玉不认识他们，他们也不认识兰玉，但他们中间有认识杨六宝的，说她眼睛耳朵不好，最近来得少了。问住处，并无人知道准确地址。兰玉便决定，坐在亭子里等，从早晨天亮等起，等到掌灯时分，一日等不到，又等一日。就这样，直到第三天傍晚，有人说杨六宝来了。兰玉望去，见西边坡上有人踽偻而行，这是一个矮短的老太太，正拎着一大塑料袋蔬菜朝亭子走来。人家说，她是来卖木耳菜的。她在家里楼下的空地种点菜，不时会拿来卖。

兰玉迎上去，跟杨六宝打招呼：

“你是杨六宝吗？我是兰玉。”

杨六宝一怔，听生人叫她名字，有点诧异：“我是杨六宝。你是谁？”

“我是兰玉啊！我从上海来看你了。”

“兰玉？我怎么不认得你？你是哪个兰玉？”

“我是做磨床的程兰玉啊！你不记得我了吗？”

“老厂里的？”

“是啊！老厂的程兰玉，跟你在一个车间做工的，李富标的徒弟。”

“李富标的徒弟？那我们应该是认得的。”

兰玉有点伤心，她思忖，杨六宝可能太老了，想不起她了。她接着又说起很多往事，努力帮杨六宝回忆她们相处的时光。她端详杨六宝，尽管看上去老得不像样子了，声气、语调和神态却未变，定是这个杨六宝，不会是别的杨六宝。

断续的散点渐渐连起来了，杨六宝有点兴奋，又依然迷茫。她逐渐相信起来，却未必记忆起来。她热情地拉着兰玉的手说：

“上海来的，真是上海来的，这么老远的路，还特意跑来看我！要去我家坐坐的，到家里吃饭。走！跟我回去！”

一行人跟着杨六宝穿过数条老街巷，七绕八弯，来到一座老楼前。木栅栏圈出门旁路口一片菜地，那是杨六宝种菜的地方，就在她屋子的窗底下。屋子在底楼，一间卧室，一间厨房。杨六宝和丈夫住在卧室，儿子睡在厨房。杨六宝说，她有两个孩子。女儿嫁到昆明去了，女儿女婿都不错，待她也好；儿子赋闲在家，没有工作，吸毒，游手好闲。为帮他戒毒，杨六宝的办法是鼓励他赌博，以赌移毒，从一个坑跳到另一个坑，结果还真戒掉了。现在，赌的兴趣也锐减，只蹲在家里反思，很少出去。

丈夫中风了，躺在床上，见客人进来，抽搐地侧身，表示打招呼。

兰玉问：“你爸爸呢？他从香港回来过吗？”

“他把我姐姐、哥哥都接去了，继承他遗产，开一个运输公司。”杨六宝说，“后来，父亲死了，姐姐管家。两个哥哥照顾我，想到把我女婿接去，帮他们开车。女婿去过半年就回来了，说，妈妈，你姐姐是坏人。”

“我去上海以后，路平、许景华夫妇还跟你常往来吧？”兰玉看她说起香港的事那么分明，便抱一丝希望，又重提往事老友。

“上海好啊！生活方便，街路上闹忙，吃的玩的东西多。”杨六宝说，“可惜，我在那里没有人了，这辈子回不去了，也不想回去了。”

兰玉实在吃不准杨六宝是记忆断线了，还是她另有隐情不愿回顾过去，便只好东拉西扯，一鳞半爪地漫谈着。但杨六宝的热诚又是真切的，她不断从铅皮饼干箱中拿出水果糖，铺得满满一桌子。昭平已经十几年不吃糖了，看着这架势，也只得剥开一颗吃掉，又剥开一颗吃。杨六宝又支使儿子去打酒，自己下到厨房要弄菜弄饭。兰玉拦住他们，说：

“饭不吃了。我们来这么多人，要你一个人忙，绝对不可以的。我只想来看看你，看你怎样。现在看到了，也知道了，我该走了。”

杨六宝留不住兰玉，只好放兰玉走。兰玉一边起步向外走去，杨六宝一边抢到前面，出门跨过菜地，去敲另一户的窗子。窗子开了，一个老太太伸出头。杨六宝跟她嘀咕几句，老太太便掏出几张钞票给她。她又极快地，忽然好病了似的，像一只山猫一样，窜到路对面，拦住一部出租车。昭平看明白了，便急忙跑去车旁，对杨六宝说：

“阿姨，您太客气了。我们不好要您出钱叫车的。”

“饭不请你们吃，车总要请你们坐。”杨六宝说，“你妈妈跟我是好朋友呢！还在乎这些么？”

兰玉和行江这时也过来了。兰玉见状，坚执不肯，将钱塞回杨六宝兜里，说：“我告诉过你的，自己的钱要看牢，不要借钱给别人，也不要向人借钱。这下你还借钱请我坐车，怎么可以？我领你心意了，我肚里都晓得了。你回去吧！明年我再来看你。”说罢就上车，并向杨六宝挥挥手，嘱咐司机快走。司机猛踩一脚油门，汽车从坎坷的泥路上颠起，轮子甩出一堆尘灰，将杨六宝遮盖了。

车上，昭平问母亲：“这个杨六宝是什么人？你这么老远，走两三千公里路，就为了来看她？”

兰玉说：

“她是那时跟我一批来云南的，也是上海人。她母亲是偏房，在家里受大老婆气，气不过，就走了，扔下杨六宝在夫家。夫家人对杨六宝不好，当她丫鬟用。解放后，杨六宝父亲和大老婆逃到香港，扔下一群孩子给祖母。后来，兵工厂招工，她跟两个哥哥一起报名出来做工。两个哥哥是大老婆生的，对杨六宝还算过得去。杨六宝人老实，到得厂里，常受人欺负。钱放在枕头下，被人偷走，常常连饭菜票都买不起。我就告诉她，钱要管好，是劳动所得，不能轻易给别人拿去。还借给她一个箱子，配上锁，让她把珍贵的东西锁在里面。两个哥哥花钱大手大脚，工资用完了，就来向杨六宝讨，我说他们自己有钱不可以占你的钱，不要再给他们了。杨六宝怕他们，不敢回绝。我就去请他们吃茶点，当面跟他们讲，要他们以后不要再来讨钱了。

“杨六宝谈恋爱，基地轴承厂有个小青年追求她。她带我去见那个男的，大家就认识了。后来，杨六宝来跟我说，那个男的要跟我处朋友，要杨六宝把这层意思转达我。我一听就生气了。哪有这样的事！分明居心不良。我让杨六宝不要再理他了。这是一个不正派的人。没过多久，她又交上一个男朋友，叫林新民，湖北人，是我们厂动力车间的。这个男的人不错，有技术，很沉稳，对杨六宝也好。杨六宝来告诉我，说把自己每月的工资都交给他，由他保管。我说，他真心待你好，钱不是问题，放在一起用，有人帮你精打细算，也是一种福气。

“接下来我走了，调回上海去了。他们两个结婚了。结婚后，两个人处得很好，日子过得还算平稳。‘文化大革命’时期，林新民去造反，带着路平、许景华一帮人，势力做得很大，夺了厂里的权，还夺了云南省委的权。省革委会组班子的时候，林新民居然还占有一席。行江可能不懂这个意思，进了革委会，就好比当了省领导，是很大的官呢。就在这个时候，杨六宝跟林新民离婚了。林新民又娶了别人。‘文化大革命’结束后，整治三种人，第一个就将林新民抓起来，查他问题查不出，就抓他生活作风，说他曾经抛弃糟糠之妻，乱搞男女关系。路平就去找杨六宝，说林新民的前途捏在你手里，专案组的人来，要说实话啊。杨六宝说，是我不要他的，我看他做了大官，怕自己成分不好，影响他，就提出离婚，他并没有不要我。

“这些，都是路平回到上海后告诉我的。”

“那么，后来，这个林新民和杨六宝就没有复婚吗？”行江问道。

“后来的事，我不大清楚。路平他们回来了，也不清楚了。”兰玉说，“现在这个老公，你们看见了，就是中风躺在床上的那个，不是林新民，应该是她后来嫁的人。估计在‘文化大革命’时期，杨六宝就嫁给他了。”

“嫁给他就嫁给他了。怎么能又离婚，再去找林新民复婚呢？”昭平说，“杨六宝这个人，是一个义人。应该她内心还深爱着林新民呢。怕是她不是记不起来了，而是不愿再记起那些往事。往事再美好，都已成为过去。她既然做了新的选择，她就认命承担，即便苦不堪言，也是她自己该得的一份生活。她似乎故意要远离林新民，以及林新民的朋友、线索和时代。她并不晓得路平这路人，以及妈妈，是否会和林新民有往来。但她又是情深义重的人，她看见妈妈，恨不得将她的所有都拿出来寄托她的好意，没有钱借钱也要请客。这绝不是一种遗忘，我看这倒像是一种更深的铭记。”

出租车将他们三人送到海口镇的旅店，天已经漆黑。兰玉说：“明年你们放假回国，再带我来。我要送点东西给她。”

可是，本书还没有写完，深秋，路平给沈阿姨去电话，说他和许景华去看杨六宝，杨六宝已经死了。

兰玉从杨六宝口里得到张霭龄的地址，这下次日寻人便没有周折，直接找上门去。

张霭龄，住在上海的苏北人，跟兰玉那批一起来云南的。当年她被分去学铣床，跟一个叫艾柯奇的师傅学技术。艾柯奇是当地人，大村南边一个村里出来的，那时三十六岁，比张霭龄大十八岁。师徒处了不到一个月，便谈起恋爱。厂里人觉得稀奇，私底下议论纷纷。有传言艾师傅在家里有老婆，不会生仔；也有传言说他老婆短命夭折，早想续弦。更令人瞠目的是，艾师傅跟张霭龄好以后，竟搬出自己的宿舍，钻到新学徒的工棚里来。当时，宿舍不够住，新学徒就住在简易的长条竹篾棚子里，睡大通铺，一张张床紧挨着，彼此都看得见。艾柯奇不顾这些，直接下一道帷子，师徒两人就在里面寻欢。好些人看不惯，就从工棚里出来，去宿舍里寻空床铺。因宿舍有许多当地人住，他们有的时而回家，有的索性占着铺位人却不来，便实际上空出一些睡床。兰玉也寻到一个空床位，将被褥杂物搬过去，自此倒住上了正式宿舍。

不多久，张霭龄跟艾柯奇结婚。艾柯奇在大村附近觅得一块地，找来木材，盖起一间简陋的房子，两人便住进去过活。结婚时，艾柯奇扯来一块红灯芯绒布，给张霭龄做一件外套，算是结婚礼物。张霭龄一直穿着这件红灯芯绒外套，直穿到生出孩子，穿到破烂不堪。

厂里有规定，新学徒三年满师才允许结婚。张霭龄破了这个规矩，受到惩罚，只拿一级工工资，三五年都不满师。又照顾老公、孩子，家务沉重，常三天两头不来上班，记了不少旷工，又被处以留厂察看，厂里随时准备开除她。再加上艾师傅酗酒，还有事无事打她，婚后一改先前面目，变得粗暴凶蛮，不可理喻，张霭龄的日子便艰虞起来，常常背着孩子，穿那件破洞的红灯芯绒外套，哭哭啼啼地向人借钱，一副样子甚为可怜。

张霭龄来找兰玉。兰玉问她底细，她将事情和盘托出。兰玉问她心里怎么想，她说苦便苦，也甘愿这样苦下去，偏是离不开艾师傅。兰玉想，她心里喜欢，究竟便不觉得苦，到底根本上还有甜头。于是，向李富标反映这个情况。李富标说，都是上海来的，都是年轻人，兰玉那么好，怎张霭龄就好不了？便向厂里打报告，将张霭龄调到磨具车间，交给兰玉带。兰玉是团小组长，青年人都围着她，看着她，以她做人处世为标准，张霭龄既来了，慢慢也融进这个气氛里。张霭龄因早早谈恋爱，蹉跎了时光，没有学到技术，只好去做给磨具刻字的简单工作。做一阵，心静下来，劳动成绩不错，厂里就让她满师了。

行江按着兰玉的指示，驱车从海口镇出来，往大村方向去，又拐弯南下，到达一个叫海丰村的地方。这就是艾柯奇的祖地，现在张霭龄就住在这里。

张霭龄见到兰玉，高兴得手舞足蹈，咯咯笑不停，像个少女，疯疯癫癫。行江和昭平，都被她笑得有点尴尬起来。张霭龄说：

“老东西还真能活，九十岁死的。他死了，我倒想他，恨不得

他活过来再打我两记。现在也没得人打我，没得人骂我，一个人吃饭没得劲！厌气啊！（笑）

“儿女都蛮好，生了三个。大的那个女儿，你见过；又生两个儿子，六四年一个，六五年又一个。多亏李师父帮忙，让我满师，后来一点点做上去，加了工资，才生得起娃。（笑）

“他们都在昆明市里上班，一两个月，一季度半年，会来看看我。什么都不缺，向村里租块田种种菜，自己吃，吃不光送给儿女，也送给邻居。（笑）闲时跟人打打麻将，就这点乐趣了。

“老艾退休，我就跟他来这里住了。他先前有个女的，难产死掉了。我们过来时，婆婆还在，身体还健，就是眼睛耳朵不灵，我又伺候婆婆几年。那个辰光真叫烦啊，现在想想倒是蛮热闹。（笑）我这个人清净不下来，就欢喜热闹……”

兰玉想，她性格一点没变，痴头怪脑，越老越疯，说话咋呼，笑起来毫无顾忌。

坐半天，谈谈往事，在一起又吃一餐饭，将近黄昏。兰玉问：“李富标家住在哪里？我想去看看他。”

“应该还在篁园村。我带你去吧！”张霭龄说。

兰玉看昭平和行江面露难色，便只好回绝她，说：“还是我自己去吧。我看过他，就要马上赶路回上海。家里有点事，停留不得。”

一行人来到篁园村。村里人说，李富标死了，死多年了，李夫人随后也去了，两人葬在一起。知情人将他们带到坟地，见有合葬的墓碑立在那里。那座坟，在一条路的尽头，人生在此终止。兰玉捡起一些荆条，扎一把扫帚，扫洒出坟前一点净地，又折来一些柏叶，放在坟前。她深鞠一躬，说：“谢谢师父，教我技术，帮我调回上海。你和那些好心人器重我，为我搭了那么大台子，我竟走了，离开你们的路，辜负了你们。人不可知恩不报，这一世报不上了，下一世定当还报。”

兰玉给李富标带来一双好皮鞋，这下没人穿了，只好又带回去。昭平对着那双皮鞋，视之良久，竟悲恸起来。他感触到母亲的心，也感触到那个教诲母亲的人的心。

翌日，他们三人离开海口镇，过昆明，上高速公路，掉头往回走。车过贵州，将入湖南。兰玉拿出那只水壶，又借昭平的旅行杯，将水倒出来，又灌进去。车身颠簸，水洒到座位上。兰玉说：“全洒了，看不出清浊了。”又问：“前面到湘潭吗？”

“从娄底往西，过湘潭、株洲，然后是萍乡。”行江说，“妈妈想去湘潭吗？”

“我还要去看一个人，他对我有大恩呢！”兰玉说。

“谁啊？”行江问。

“毛主席。”

卷六

沈昭平

第一章　光妹寄诒录

昭平将外婆说过的话，整理成册，名曰《光妹寄诒录》。现将这册寄诒录的主要部分，摘抄如下：

天雷

天上有雷公击鼓，鼓声连天震地，惊心动魄。妹人称之为“天雷鼓”。人罪孽深重，违背天道行事，必遭天雷鼓敲打，甚者遭雷电劈死。

里金乌有后娘虐待小孩，行至路亭外栎树下，遭雷劈成焦炭，背后有红字，谓“恶人”。人并不死，行走言语如生人，日夜泪流不止，面目全非，苦状不堪。天不夺其寿，只毁其形貌，丑鄙可憎，以昭世人。

人相爱谓仁。此爱彼恨，报之以恨，此失道而未离天道；此恨彼恨，冤冤相报，于天道中无道；此恨彼爱，报之以爱，天帝降世，大道行焉。唯恶待孩童，罪之端，不可恕。

雷击树倒，木焦叶枯，取诸焦枯枝叶、根皮佩戴，可辟邪挡灾。乡人谓“雷击木”。

妹曰：“非么死人厌，害人害己，空日天雷鼓拷来，拷拷啕死！”故心生畏怖，畏怖乃知天帝在。

春深，雷乃发声；仲秋，雷始收声。冬里，阴气沉郁，恶鬼横行；开春，阳气渐至，诸邪挫消。阳气勃发性情，性情光辉无邪，而执性情无所畏怖者，跃然天道外，罪愆生，为病为苦，日久积重难返。

天有阳火、阴火。阴火有二，一曰雷火，一曰龙火。龙吐霹雳之火，亦为神火。阴火不焚草木，唯金石湿气助燃。以霜雪雨水覆之，火愈甚；以明火草灰扑之，则光消焰灭。故千里日照之地，必无雷电。

龙虎

龙，鹿角，兔眼，牛耳，蛇颈，蜃腹，鲤鳞，鹰爪，虎掌。能飞能潜。春分登天，秋分潜渊。呵气成云，口吐火焰。龙火属阴火，得湿则焰，得水则燔，以人火逐之即息。

龙性淫，与神人兽交，生九子。野龙施虐，兴风作浪，常毁屋舍良田，偷奸民女；善驭龙者，驯以为乘骑，又以玉针刺其唇，取血疗顽疾。

龙失聪，不闻声默，故名龙。龙者，聋也。

龙之鳞在背，有九九八十一片，合阳数。其鳞大如葵扇，质硬如铁精。

麟，凤，龟，龙，古之人谓“四灵”。

马八尺以上为龙，龙八尺以下为豖。龙马豖，为龙之三象。故曰，龙，千变万化。

姝人先祖为养龙族，姝方转徙，龙随姝人南下，化身豕形，藏匿于越西山林间。英雄隐而耕读，巨龙盘伏圈栏，以两头乌为印记。豕，首尾见乌如云图者，应时得势，可化龙。

云从龙，风从虎。

虎为兽王，形似大虫，又名大猫，大狸。声吼如雷，风从而生，动梁尘，振林木，百兽畏恐。人死于虎，则为伥鬼，导虎而行。虎食狗则醉，狗乃虎之酒也。闻羊角烟则走，恶其臭也。虎害人兽，而鼠能制之，智无大小也。

虎五百岁则变白。又海中有虎鲨能变虎。

虎骨入药，治诸筋骨痛，令四肢屈伸自如。

衾虎皮，令女人洁白，肤如凝脂。

昔药王孙思邈遇虎。虎踞而哀号，并不伤人。趋前视之，见有巨鲠在喉。邈以赤铜环入虎口，撑其腭，上下齿难合，遂速取骨鲠出。虎愈，悲泣而谢。故今人称郎中手执环铃为“虎撑”。

姝有虎牙一柄。柄者，谓其大，根齿相连，合约八寸。未见虎牙者，以为虎牙不过一牙耳，殊不知虎之牙如匕剑，寒光闪闪，森森可怖，悬之，虽恶狗猛犬不敢近，垂首蜷缩而退。此牙质如玉石，包浆醇厚，光泽静穆，遍布笑裂纹，不似近百年中猎获，应为先人遗物。问之，对曰不知来历，于箱柜杂物中拾取，因奇之，遂常携身侧，今以之为尺。

姝曰：“虎之象，祥瑞之符。有威势，驱邪禳灾，辟小人。然龙亦瑞象，龙虎互不服，相斗不止。两瑞并处，必有祸。”

大虫蜿蜒，于草泽林麓间穿梭，虽威猛泰侈，竟游走疾飞，出没无踪。瘦长者居上，饿馁胜于饱足。

虎毙，精魂入地，化为琥珀。

雨

天哭为雨。天汗为雨。

天心悲悯，以雨滋濡万物；天累而失其液，气机紊乱，水涝而淹万物。积土成山，地气遇山而折回，回旋上升为云，云迷天眼，或悲，或苦累，水从云下，则雨。然密云又不雨，密匝不透风，似腠理紧促，汗液不泄。人感风寒，取麻黄阳气开腠理，所谓解表。密云不透，须聚地上人间诸阳上升，如斗牛，杀牲，焚艾，醉酒，放炮，祭天祈雨，使阳气上达云层，开天之腠理，解表透雨。

有土造青龙之法祈雨，不用巫觋歌舞，此法不验。以为阴甚龙至雨必来，实为谬误。龙乃阴中之阳，兴风作浪，一时之雨，并不长久。似人外感风寒，寒凝无汗，再投以清峻利下之药，寒愈甚愈重，气闭。

雨来有兆。蜻蜓低飞，燕子回落，蚂蚁迁徙，鲤鱼出水，蝰蛇上路，大雨至。蟑螂乱飞，有阵雨。蜘蛛结网，久雨将晴。云压山巅，有雨。云绕山腰，无雨。

天雨水，亦雨粟，雨豆，雨毛，雨衣冠车马。同治九年十月，妹方诸地天雨谷，外黑里赤，味甘甜，皆因天哭长毛兵败。

雨落不上天，黑遮不住光。

妹人有铸剑师，名翟逋，取九峰山中铁精熔炼剑身，又以龙须、寄智草、莲菁实、空青水煮水淬之，不成。越六十载，与山中豹神媾和，得孪生双子。子生而能语，夜于熔炉前谋议，欲成其父事，遂双双跃入炉中，化为铁精水。剑成，名童焰。佩童焰者，雨不湿身，皆因此剑乃稚阳之体所化。

取立春雨水，男女饮之，旋即同房，必有孕得子。此法神验。

取梅雨水，炖牛羊猪鹅肉，易熟烂。皆因梅雨生霉，人受之则病魔，物受之则霉烂。梅雨水煮酱，其香醇厚。

立冬后十天雨，谓液，此日俗称入液。液雨大寒，百虫饮液皆伏蛰。故液雨又名药雨，饮药雨愈百病。

大雨如注，谓潦；淫雨不止，亦谓潦。潦雨大湿，竟可疗湿热。诸疔疮疖疹，涂抹潦雨，必瘥。

雨气令人郁。雨者，郁也。闷雷郁雨，别离之象。雨留人，不留人心。一别如雨。于寮房中，长廊下，观雨帘，更思故人，复念旧情。尔雨我湿，天哭不止，心泪不已。

江河水

水过石，有工工声，谓江。水过石，有可可声，谓河。江在南，河在北。

江河，百川诸水所聚。水为生之源。有水生，无水亡。

江，劈山而行，引水开道，虽林密岩邃，难当其势，人顺江而行，必有出路。江底有石卵，江水青白幽碧。江渐行渐阔，水与岸齐，江面如平地，江青似草木。两岸之人轻捷多智，幽利生猛。

河，九曲十弯，盘丘野而出，汇百渠成川，聚千川成河。河之所至，汀沚芬芳。河，濯石成砂，河水浑黄沉浊。河曲且直，或低于岸，或高于岸，浪急波高，水、岸、人皆一色，苍黄难辨。两岸民人敦笃仁厚，彪悍威凌。

水泽万物，借草木之性而成万叶之形，顺人兽之情而生千面之貌。水轻之地，人多有秃发、生瘿疣毒瘤者；水重之地，跛足者、肢体萎痹者居多；水甘美之处，人亦美；水辛辣之处，人生疮疽痰证；苦水地方，多见突胸或驼背之人。急水令人贱，静水使人贵。水干涩凌冽令妇人淫，水宏阔漫延使男人多有才情。妹方有成汤溪，姑蔑溪并谷水。成汤溪激流而下，姑蔑溪折曲玲珑，谷水浩淼无际，故妹人曲中有直，尊卑有序。

水神共工，江神奇相，河神河伯。

共工触不周山，擎天柱倒，天破，女娲采五色石补天。五色石，即昆仑于阗五色真玉。

有女蒙氏，窃黄帝玄珠，沉江死，化为江神，人称奇相。江底因有玄珠，故水媚生光，多有鱼虾。珠去，则江涸。

河伯贪汙，嗜食童男童女，故河水不餍足，虽暴雨如注，百川归聚，亦不常满。

珠玉美人，水所钟聚。万古水精不化，或为山中玉，海中珠，人间婕好。水性至柔，又绵长不绝，故金石难当，烈火不敌。是故，得珠玉美人，如得万古水源，一生福寿，谷米满仓。

水宜清不宜浊，在北有利，在南须水火相济，在东涵木而自损，在西金能生水得势，在中为土所滞，最不利。水有涧下水、泉中水、天河水、大溪水、长流水之分，其中天河水最贵。命中有水者，智财不缺，然易变动而不专志。水不恋土，不择高处，逊且宽，可容万物。故水至大方能化浊为清，车辙水，阴沟水，屋檐水，皆浅小，易枯易染，凶多吉少。

人有血，则面华；地有血，则山川秀丽。江河为地之血脉，江河水为脉中之血，发乎昆仑，昆仑为地之心。心气足，则血脉偾张，营血充盈；心气虚，则血脉干枯，营衰血竭。俟某日，倘人心败坏，则昆仑崩塌，江河断流，赤地千里无生灵。此乃心一故，地心人心天心皆一心。

山

妹曰："吾塾师曾云，山者，宣也，宣地气蒸腾而上，遇冷凝为金石。冰，水坚也；山，气坚也。”

山生万物，有石而高。山不厌高，水不厌深。山至高若昆仑，万仞及天，昔有天梯达天庭。帝由天梯上下，上至天庭上都，下至昆仑下都。楚辞云：“缘天梯兮北上，登太一兮玉台。”天梯，伐建木可造。建木，生于都广之野。都广，西去妹邦八千里。建木玄华金实，枝上有神兽、神铃、金蛇、花果。太公藏有金铃一尊，大小一寸，于日中悬起即有声，声如洪钟，远及后大、汤溪、谷水之滨，昔楚威王赐姑蔑子离，楚先人得之于成王，乃建木所结果实。

问神铃今何在？曰三十二年见之，试之，果闻钟声如雷，遐迩村民惊异，时天光大亮，万籁俱寂；三十三年倭寇复至，之后再未见，或遭掠盗，沉没东洋。

山乃地之筋骨，出地之所藏。飞禽走兽，草木花果，溪泉江河，金玉宝石，具生其间。人依山傍水，择地而居，取用于斯，取之不尽，用之不竭。

山上有薤，地下有铜；山上草木生光下垂，山中必有玉，玉之精如美女。

山不足高，为冈；山少石而多土，为阜，为丘；大山曰岳，有东西南北中五岳。群山之山，万山之祖，为昆仑。昆仑，天气所出之地。

山峦起伏平稳，连绵而雍容，树木苍翠，有紫气环绕，可为陵墓，葬先祖之地。山高耸入云天，如神掌覆地，必有圣人高士居于其中。山平举齐天，托地而起，颠上有平原千里，沃野无际，必有山民人家，村寨相连。山势陡直，崖壁峭峻，有神灵巫觋。山断续不接，杂草丛生，林木高矮不齐，有匪盗出没。

妹方山中多狼、虎、熊、豹，封豨，长蛇，汽车火车进出后，渐少。又山中深潭急流中常见虫童，人面蛙身，耳目清晰，头覆一盆，长七八寸，得水勇猛，失水无力，春夏化身为石鸡，秋冬还形为童。童害草木庄稼，入室魅惑女子孩幼。旧时建桥下墩，或造房夯基，写生人姓名于纸上，粘贴桩尖，借生人魂魄之力下桩，则桩木入地深，桥墩屋基坚不可摧。俟桥屋落成，魂散不知归处，无所依附，辄纷纷化为虫童。春秋多捕石鸡，秋冬则虫童少。石鸡大补，一食增一岁。故妹人偏嗜石鸡，一以祛害，二以添寿。妹人中，老嬷过百岁者，勿鲜见。

山之根为地心。深山有水道、岩穴可通地心。欲往地心者，必先过阴曹地府。地府中，历千万年之久，人之枯骨，鸟兽之残骸，层层堆积。冥界阔大远胜阳间，阴人万国，森然有序。生者入之，百往一返。返者得紫金刚，佩之诸毒不侵。洪武年，有往地心返转者言："见亡妻老母于地中，骨殖完好，不能言，哭泣无泪，紧拥不释，难舍难弃。以玉斧斫之，乃断。"此皆闻自太公，所言当不虚。

禽兽

禽，二足而羽。兽，四足而毛。

鹤，乃禽中仙。雄鸣上，雌鸣下，声交而孕。仙人以之为乘骑。鹤顶有赤盖骨，人取之为丹珠，色如血，光似玉，其气入冲任血海，令人血充盈，不衰老，佩之青春常在。又以鹤骨作笛，声悠扬远柔，久绕不散。

雁有四德：寒去暑至，其信也；飞行有序，其礼也；失偶不再配，其节也；夜群宿令一雁卫巡守，昼衔芦以避弓缴，其智也。雁毛凉，夏取之可避暑。雁毛轻，作囊可渡江。雁为聘，娶女为妻。

鸡者稽也，能稽时也。故雄鸡唱晓报时无误。高丽鸡，味甚美。鸡，乃凤鸟落俗之形，有翅难飞，庸妇之象。焚雄鸡毛为灰，入酒，饮之，有求必应。阴历八月末，夜半子时，面北吞乌鸡子一枚，可隐形遁迹。《肘后方》记：腋下狐臭，鸡子两枚，煮熟去壳，热夹，待冷，弃之三岔路口，勿回顾。如此三次效。

燕，玄鸟也。梁上有燕巢，主家富贵。古人谓燕“肉灵芝”，食燕肉长寿。人见白燕，必生贵女。女生冰肌玉骨，位尊至妃后。

雀可化蛤。秋寒露，雀入大水为蛤。六月又化为黄雀。雀不入水，朝中有佞，国滋乱政。

杜鹃，蜀王杜宇之魂所化。春夏时，啼声凄厉，绞人心肠。晨起，先闻杜鹃声，主别离，学其声令人吐血，如厕时闻之最不祥。学狗吠应之，可化解。

凤凰，形如鸡，前羽后鳞，贵如龙。天下有道，凤鸟至。俗言：“凤凰要把高枝占。”居梧桐，食竹实，饮甘泉。东夏有猎人，曾捕一幼凤，羽有五彩，鳞有蜡光，足短，身轻，其鸣甚哀，饲之虫鱼不食，唯见灯火飞扑，欲自焚。乃放归，去时，遗金环一枚，以谢。

雕，又名鹫，大鹰也。能轻举猪羊獐鹿，以胸膺搏百禽，故又名鹰。食腐肉，嗜人尸。雕产三卵，必有一卵化犬。雕犬与家犬无异，唯背有数片鹰羽，逐猎所向无敌，所杀无不获。母鹰盘旋于高空，鹰犬常随母影而行，一生不离左右。

豕有两种。一为龙化，一为野猪化。龙化豕，即两头乌，妹方独有。野猪所化，为家养豚，各处可见。野猪食橡子，故有橡树之地，必有野猪。吴越先人追猎野猪，曾有歌云：“断竹，续竹，飞土，逐肉。”即以利器伐竹，续竹为弓，飞弹土石之丸，以杀猪烹肉。

犬，伏兽也，俯伏于人，犬奴也。犬有智德，善解人意，效忠不移。有古木成精，化为乌犬，名彭侯，食之令人忠信。无情化有情，精灵之变也。人不可食犬肉，食之则失信。今闻西鄙之人尚食犬肉，乃无道之象，必遭天谴。犬亦招财，属马之人养犬，得宝无数。

狼，犬之先祖。狼者，良也，兽中良品。狼行千里食肉，狗行千里吃屎。燃狼粪生烟，其烟直上不曲，曰狼烟也。狼嗥似婴孩啼哭，以惑人。嗥则口与二阴皆沸，腔窍大开。故声音奇异，闻之不祥。狼牙锋利，如玉，冠根相连无隙，有棱槽如剑匕。佩之壮阳，辟邪，逢赌必赢。

羊，肉食者喜之。其肪肌筋骨皆细润，盖因食肥草故。西北之羊上佳，东南之羊衰。羊之江南力损，食杂草、毒草而性移。南方羊肉膻，虽姜葱椒桂，难以去腥。医家所谓羊肉壮阳补虚，归羊于火属，乃用其邪火也。北人谓羊肉清热补虚，牛肉温寒壮阳。北狄之地苦涩，风燥沙旱，刮骨削肉，人多精枯血败，牧民夏食羊冬食牛，以羊脂充血府，滋养体肤。江之南，以水润燥；河之南，以浆润燥；河之北，须以膏血润燥，方可填阴解渴。阴血大虚，则燥火旺，羊肉肥腴可益营血，故谓清热。地不同，性亦不同。又羊者，烊也，主旺；羊者，漾也，主畅；羊者，养也，主生；羊者，祥也，主吉。人借羊首为符，祈安泰富足。

羚羊，木属。其角入肝经，解痉息风，祛诸恶。羚羊慈柔，温良恭俭让，不争食，专啖猛兽所弃之毒草，既活，则百毒不侵，抵万千邪祟。羚羊挂角，无迹可寻。夜宿，悬角于树，足不落地，以避祸患。故真羚羊角，其尖可见挂痕。角以公羊嫩枝为佳，见血丝，莹润如玉，琢之，作圆珠佩戴，护身防病。老枝干裂，谓劈柴，次之。

牛，件也。一件两件物件之件。件为事理，牛中藏有细密事理。上镜，灵台向有大野，古木参天，道光年造祠堂，族长差人伐大树，见有青牛跃出，入水而没。“千年树精，化为青牛。”可见，此言不虚。闻西域大月氏牛，今日割取肉，明日其创即复合如初也。杀牛食肉，杀生也，罪或可赦；生割牛肉，令牛生不如死，罪上之罪，罪不可赦。

马，火属，火不生木，马有肝无胆，盖因胆为木之精气所化。地之精为马。地生月精为马。月数十二，故马十二月而生。又马为龙化，马过八尺为龙。天上有天马，名吉光，有翼能飞。今吉光无存，唯余片羽。武帝时，西域献吉光裘，入水不濡。马，亦武兽也。良马为将，兽中之英雄也。姑蔑子墓边有驹冢，葬英马之躯。妹人征战，裹尸而还，不弃马骸。马死，其脑坠地，化为玛瑙。玛瑙有五彩缠丝，色鲜活如生。

豹，虎生三子，一为豹。毛或白或黑，纹赤烂大美。自惜其毛采，常深居密林中，栖树上，云蒸霞蔚，渐晕染成章。豹蛮，有龙蛇之腰，神女裸身乘之而行。今妹方大山中偶见。豹出，必有美人来。相传，美人豹身蛮腰，婉而不软，韧似钢剑，屈曲不折，唯天下真豪杰可驭，可柔之。

犀，大牛之身，猪首，独角。犀皮为甲，刀箭不入。妹人乘犀而来，养犀用犀。犀角珍奇，造皿器盛肉不腐。唐以降，殁不存。犀望月纹而生角，角中有一线贯通，可吸食月华。

象，猪首长鼻，庞然大物。妹人乘象入越。与吴征战时，世人称姑蔑子师为犀象之师。象牙白皙如玉，纹理缜密，可护佑孩童平安。妹人不取象牙为箸。夺他之齿，以实己口，虐行不可恕也。象闻雷声而发牙，牙中有花，皆天雷之象。象牙静雷声，以安稳四方。象有十二段，为十二生肖肉，唯鼻乃本肉。象胆不与肝相照，按月于诸段肉间行走，正月在虎肉，春在前左足，夏在前右足，秋在后左足，冬在后右足。象牙合榆木，沉江，杀水中百怪幽灵，深渊化陵，葬妖，不复兴风作浪。

熊，似能也。能为劲兽，骨坚肉实，鹿足。能之力，为能力，能力坚，贤能也。得大能，即如大能之贤。坚实不移，信心不虚，虽五音五色不能惑，谓能；反之，则不能。熊，有力似能，故名。熊行百里，虽山重水复，终可觅穴居伏，人称其穴为“熊馆”。冬蛰春醒，蛰中饥则舐前右足，足中蓄藏精锐血气，故熊足可食，珍馐也。前足胜于后足，前右足又美于前左足，有“左亚右玉”之说。史书记，商臣逼楚成王死。成王曰：“孤方命庖人治熊掌，俟其熟而食之，虽死不恨！”商臣对曰：“熊掌难孰。”烹熊掌难，难熟，又难在去腥膻。余幼时随外祖母往寺平，村中猎户于塔石山中获一黑熊，出其前右足馈大母。及返至前夏，大母烹之。余亲见亲历，楚楚在目。先掘地挖坑，置熊掌于坑内，覆以石灰，灌以生水，及发，乃出。出则毛易去，连根拔起，无残秽存留。又米泔水泡发，洗净。再入大釜中，釜中井水已先煮茴、蔻、椒、桂、葱、姜诸料为汤。如此反复三次，又以半坛白酒煮沸洗之。再以火腿、母鸡、干贝、海参制汤，合掌炖煨。及熟，取出，去骨，去爪尖。又于笼屉中定型，渗鲜，蒸烂，方可食。入口滑腻，芳郁入喉，美在有味无味间，善在罢食又欲食处。静人心气，养人精神。倘以甘冽之酒佐之，血脉通畅，醉有春意，性情不拘。熊，轩辕帝姓氏，上古尊为族神，像能，像猪，像龙，有熊龙玉饰，佩之有能，惟贤是从。

鹿，仙兽也。牡有角，六十年角下生玉，色赤如琼。鹿戴玉而角斑，鱼怀珠而鳞紫。肉，血，茸，皆纯阳之物，通督脉，治风寒湿诸痹。鹿者，禄也。喻得福，居高位，受封爵。漠北至极地，有驼鹿，重千斤，越五百年不死化为白鹿。白鹿为神，不可杀，猎杀者必获罪。白鹿有人之眼目，慈哭有泪。目为心之窍，见目见心，悲悯也。哀恸者有福，恸动天地，过去未来如同现在。鲁南有王者，人称郯子，孔子之师。父母双老，患眼疾不愈，思饮鹿乳。郯子衣鹿皮，佯扮鹿混迹群中，猎人见欲射之，郯子起而具告，乃幸免。猎人感其诚孝，赠以乳，护送出山。此即“郯子鹿乳”之掌故。鹿性纯烈，燥损人精气，其茸血不可多食，多食折寿。

猫有九条命，死而复生，复死复生。知人言，会人意。猫嬉人侧，蛊毒不近。蛊者，养虫施咒，为害；中蛊者，魂受人牵，不自知。

狐有媚珠，常化为美人俊男，惑人难敌。置犀角于其穴，狐不敢归。故燃犀可照见原形，狐畏之。然杀狐取皮，竟可辟邪魅。女子中，美丽者多有狐精，嗅其鬓角，气味殊异，可辨。狐精所化男女，皆淫，淫以窃人精血，切记。

兔亦精魂所化，月精也。有一种赤兔，月中之日，阴中之阳，化为女身，善歌舞，工诗画，敏捷过人，智慧卓群。兔亦好色，淫无度，却不害人，反益智强身。古书云：“兔舐毫而孕，及其生子，从口而出也。”故名吐子，兔子也。兔有家德，不食窝边草。属兔之人，耳聪目明。

猩猩，又名野婆，有雌无雄，跣足裸身，飞行山谷间，见美男负而归，与之媾和。食猩猩肉可辟谷。猩唇，味中至美，为食绝，绝不思百味。

狒狒，类猩猩，人面兽身，设鬼市，与人交易，或夜叩门求物，资以重金，皆冢穴中钗钏金。

善德

德者，得也。善德者，善有所获者。

人经此世，有先天德，有后天德。先天得于上帝，后天得于人间。性有高低贵贱，情有喜怒哀乐，皆长短不一，深浅有异，过犹不及，孽障是也。天下之人，性情绝无周全者，故必以修德全其性。静者少动，视兔而后晓动；智者未必仁，近山而渐知仁。目圆睛大者，肝气旺，食酸涩柔肝，气乃顺；面白发稀者，肺气虚，葳蕤沙参可润之。诗有志而鲜韵，歌永之而传情；琴有音而无声，人唱和而成谣。龙乘云而腾，凤据梧桐而远瞻，锁阳生于冬青，狈依狼而行。是故，通物性者，借他之长而补己之短，乃有德之人。善德之人去孽障，去则见心，心出则大光明，复归如初。人入世，非远行，实乃归朴。非朴则庸，庸庸碌碌，困累伤残，坏矣！

春三月，宜出游，远山如黛，湖光潋滟，尽收眼底，明目养肝也。饮薄酒，穿行林下花前，醉卧芳草间，令形骸懒散，放而不浪。松香熏蒸，蜂蝶环绕，肢体舒卷似白云，心体裸立草叶尖。食笋、荠、糯、饴，升阳发毒，令冬日所郁之邪出。胭脂，海棠，连理，鸳鸯，明媚春光里，有比翼双飞，不比不飞。

仲夏之月，居高楼以避湿，坐堂屋任风吹，驱散濡浊，令脾土燥。佐肉食，宜以豆蔻、藿香、紫苏、厚朴，芳香通窍，神清气爽。戒酒醴，少食甘肥。可吸食烟草，行气止痛，通经活血。用紫檀床椅桌凳，虫蝇不近，诸毒不侵。紫檀生天竺，受湿婆感召而长，八百年成材，木坚结缜密，硬实如铁，钟灵毓秀，得西地之灵气，可凉血止血，清热解毒。药铺中常备紫檀屑，急伤涂敷，血立止。又可含玉鱼镇暑，杨贵妃昔用之，甚效。非鱼不可，鱼形属水，取其水族冰寒之意。玉润，入肺胃经，生津止渴，荣养毛发。含玉鱼，虽身外酷热，身内则灵泉遍布，久之，冰肌玉肤，触之如藕。

秋，禾火也，禾受火而熟。落叶归根，万物收敛。人在外，亦宜归，归途风雨顺。春意融融，秋情悲愁。故秋不宜喜，行为言语爽利静穆，不张扬，但求沉稳。八月半，为仲秋，月圆明，光彻万里，谷中珠玉润，人禽兽虫脂血荣皮毛，皆因受泽月华，得阴精滋养。善德者，于庭中晒月，饮桂花酒，默吟诗辞而不赋；食羊羔，品果脯，淡取茗汁益肺。九月九，农事备收，谷米归仓，宰牺牲以谢上帝。佩茱萸，簪菊花，蒸肥蟹。茱萸香烈，可除恶秽；菊者，鞠也，穷尽也，花事至此而穷鞠，备受四气，饱经露霜，百花之末魁，补阴气，延年益寿；蟹，水虫有介，腹中膏黄，应月盈亏，大寒可解秋燥气。秋末雨浓，一阵秋雨一阵凉，凉盛则寒。春捂秋冻，杂病不生。于密林深处，观积云，云漫山谷，渐青，云山一色，忽有青化雨，雨则白，一青一白，白雨飘摇，青山不移。山仁水智，仁静智动，动出静，如云雨出于山。故山为本，山高生云，云密则雨。仁厚必生智。

隆冬有大雪。是时虫兽蛰，人亦入藏屋室。冬藏旨蓄以御寒。故肉脯浆酪，味厚不迁之物，宜多食，所谓进补。虫草乃上品，一二两置于鸡鸭腹中，煨炖，取汁饮，鸡鸭虫草弃之不食。虫草，夏菌入虫体，吸食虫肉而滋长，至冬而成，可补益肺肾，护养先天精血。三七为中品，锤裂之，于碗中盛水浸没，置碗于笼屉中隔水蒸煮，一二个时辰可熟，取啜碗中汤。三七，其叶左三右四故名，又名山漆，山中老漆，可漆合金疮，有粘力，凝血补血，入五脏筋骨，食之骨坚齿固，发乌睛黑；然生打熟补，不可不知；生研末，入散治跌打损伤，熟汤内服，方可补益；俗人不知，生吞活咽，竟无益。下品为核桃，裂壳取囊中仁生食，可养肝脑，盖核桃肉形似人脑故也。雪野千里，策马奔驰，畅和血脉，以动制静。静藏不可日久，偶动以一扫沉滞，得序合矩。于半江封冻中凿冰捕鱼，于半江黑水上泛舟围炉，鲜汤美，浊酒浓，白皑皑满幅，有一线逶迤，又见丹珠一点。

春夏居木楼，秋冬住砖房。江南地湿，以杂错砖木为上，木以通风，砖以聚暖。竹寮亦佳，长夏之日，秽浊之气浓，居竹以清心。竹木之器，皆不长久，人亦不长久，人去物不存，善哉！人生既不恋物，死岂有执手不舍之能？

屋坐北朝南，门窗宜南向，受光面阳，吉也。中厅起居，西厢榻卧，东厢作书房，会私客密友。地势西高东低，砌屋须东高西低。东厢高，则龙抬头，宁可青龙高万丈，不让白虎抬寸头。东方青龙位，宜男子；西方白虎位，主女儿。南设院门，置影壁挡煞，不让流邪入，不让过客行人张望。院东侧建灶开伙，西侧排房储物，南面为倒房，因门倒向而开，住佣役。一进院曰口，二进院曰日，三进院曰目。通常人家有三进院。一进院住杂仆，二进院住主人，三进院做闺房。庭中宜植棠、梨、梅、竹、牡丹、蔷薇、杜鹃、兰草，不宜松柏，松柏肃正，拱卫庙堂，不利闲居。四墙方正，象地有规，不可或缺，缺则侧漏，邪进财出。今人拆墙，谓开放自由，实则福禄难聚，脏秽环绕。墙宜高，宅院宜深，树木葱茏，花卉遍地，令氤氲之气升翔，富足乃生贵。庭中开池建亭，水中有游鱼莲藻，生养不息，青春永驻。

左庙右社。左为东，建庙祠祭祀先祖；右为西，设社坛谒款地祇。礼天拜上帝在南，敬用地上诸神在北。飨日月在东西。葬遗骨于远郊，宜西宜北。

此乃风水大局，应承天道。顺者得天之大能，逆者死。

被服亦要事，不可怠。春青夏赤秋白冬玄，此为色。春夏丝棉，秋冬毛裘，斯为质。武短文长，女轻男重，外繁内简，远多近少，乃形制礼数也。化纤塑料，万不可用，非天工开物，皆人力强取，逆节伤化，不道。配饰亦须在理，或一色，近色，或上浅下深；矮宜短快，修宜飘逸；圆脸浓妍，瘦脸素雅，方脸硬朗；男戴白玉，女戴翡翠，盖因白玉助阳气，威重势胜，翡翠助阴气，灵动轻巧；河海珍珠，添妪媪神采，不利少女；宝石，诸如照殿红、祖母绿、瑟瑟珠、木难、空青之类、男女老少皆宜。手修长配红，手粗短配青碧。发密如丝，见黛玉之光者，簪钗挂坠，大美；发稀毛疏，或粗黑无泽者，以头绳彩巾绾缠，可见神光。凡被服衣饰，旨在借光，或同气相投，或参差对照，出神而不可没采，物理使然。

风湿寒病在骨节，腹中有恶血，诸瘕证，戴育沛日久可愈。育沛，又名虎魄，虎毙精魂入地所化。今写作琥珀。

金刚石，今呼钻石，世界毁灭之时，万物消散，唯金刚石不坏，悬浮于空中。质硬，可断磨一切珍宝，为诸宝之冠。一种隐见蓝光者最佳，称火油钻。佩戴金刚，辟诸邪，卜生死，知后世。细听，石中有诵经之声回旋。

木难，今称蓝宝石，罽宾所产矢车菊蓝最佳。光照三指宽，价约千金。佩之，神清气爽，令人圣洁。

照殿红，即赤剌，即红宝石。一种血红，一种似炭火，皆佳。通透而沉郁，深邃不可测。或明净无遮，或红中见紫，不佳。以红宝石为戒，驱除邪魔，可居高位，掌握权柄。

祖母绿，旧时称助木剌，子母绿，或芝麻绿。色似嫩葱，绿偏蓝者佳，偏灰者下。佩之，毒蛇不敢近。又开运势，转厄为福，含之舌下，能言善辩，口出诗谶。

珊瑚，红似牛血者贵。出东海为上，出西域次之。二十岁长一寸，三百岁成树。入血，安神，续骨，强筋。佩之，可避险躲灾。

瑟瑟珠，主治中风，降魔。夜以水浸瑟珠，晨起饮之，可治中风血病，止痛。古有良马易瑟珠之说。

金有山金、砂金二种。其色七青八黄九紫十赤，以赤为足色。砂金为优，为天神推出，所谓浑金璞玉。金能解毒排脓，镇惊压邪。金聚财，聚大能，庸人不可佩，佩之恶俗不堪。佩金而有神采者，必大贵。

银，古时谓白金。入肺，应秋气，收敛而镇惊，辟邪恶诸鬼，寒凉解毒，祛风定心神。银可解毒。采沟渠生水，投银圆或银饰于内，半日，水自洁净可饮。

松石，形似松球，色近松绿，故名。产荆楚大野中，又有出西域突厥地一种。色青为上，碧次之，灰绿为下。赠女以松石，观其变，色黯发黄，则失贞。邪魔见松石，则盲。又名玉娘，喻其宛如处子，娇艳欲滴。色青入肝，治气郁，治黄疸。护驾，防跌仆，甚效。

玛瑙，古为琼瑶，红玉。赤烂美艳，似马之脑，故名。又有书记，为鬼血所化。清热解毒，护肝明目，生智慧。

玳瑁，深海大龟之甲。佩戴，可镇惊，解蛊毒，为一切毒物所嫉之品。生杀获取者，遇毒自摇，死取则不摇，甚为神奇。玳瑁出水，水向两边开。故又避雾水、风邪。玳瑁之效与犀角同，灵异，并添人寿数。用之，可卜未来事。

古钱，又名泉。泉体圆含方，轻重以铢，周流四方，有泉之象，故曰泉。主流通生财，汉五铢与唐开元通宝，清五帝钱最效。另可治疗疼痛，火毒，尿淋，带下病，狐臭，目赤肿痛等。

沉香，归真气，纳气归肾，治上热下寒。佩戴沉香木，治胃之宿疾及女科诸病。定喘亦有神效。

妇人发卡，通小便诸淋，解诸毒，祛百邪鬼魅；少女衣裤，暖虚寒，温阳接气，调和阴阳气血。

铁，纯利坚骨。铁之纯精者，其色明莹，曰钢。钢炼自铁，亦有天生，出西南海山中，生成状如紫石英。钢可安心神，坚精髓，除百病，润肌肤，令人不老，体健能食。化痰镇心，抑怒解郁。常携寸钢于身侧，强健体魄。又有天铁，天神所降，辟邪降魔之功胜于世间铁。可以之造法器、刀剑，所向无敌。

伞，行走之屋，张收舒卷之盖，遮阳蔽雨之具。曾有鬼魂，欲往台湾，无力渡海，借藏旅人伞下以涉抵。故不可无故张伞，易招鬼魂。

玉，万珍之珍，神之体，天神精血所化。在世谓水之精，阳之因阴也，故胜水，其化如神。恶人手中必无美玉。玉亦诸神谷粮，飨神娱神必备之品。佩玉者，与神同在。神在，则不见鬼，常立于不败之地，如磐石不移，如高山不倾。玉有五色，女娲以之补天。得白玉者握权，得青玉者辟小人，得碧玉者颜色美，得黄玉者生财，得墨玉者归真返朴。真玉出于阗，天神聚居之地。玉籽，种籽也，生生不息，性情，福寿，妻子，禄米，功业，荣耀，皆由兹而生。得玉籽者，得诸善之源，源远流长。玉籽中，见红者最佳。羊脂朱斑，神仙肉芝，有血有肌，永生不死。

用宝如用药。上古巫觋为王，王者以诸珍宝通神，得神力护佑，以治天下。巫医同源，同理，借天地之力修性之溢亏，溢者损之，亏者增之，失调者和之。骨董珍异，多聚先人名实，又得神恩应允久矣，施之以法以咒，有序应矩，锁契匙齿，神界门户为之洞开，释大能大力，非凡人凡思可及。

验宝有方，然万方不如见神气。视之，钱自囊中自欲跃出，非他莫属，重宝是也。

人间

天圆如张盖，地方如棋局，人处其中。天地有规矩，人依规矩而活。规矩出自天命，乃天之志。人亦有志，或悖于天，谓人道。人集居日久，渐离天道，以人道高于天道，堕俗也。俗，习也。“习习笼中鸟，举翮触四隅。”彼飞己从，随波逐流，习深重难去也。人，性朴习庸。人或言，鄙陋者庸。然陋者未必庸，失其真性者必庸。得真性者，方可学，学以修身养性，弥补先天不足。真性难出天矩，不逾矩，乃见心。心为天道之源，天帝是也。心即天帝。

于天矩中而不知人间道者，亦死。天道之于人，必经人世而见心力。心本一，一生二，二生三，三生万物，万物又归一。无万物，何以见一？无一，何来万物？一之大，大于万物。或言，一本净明，何出万物染脏？莲出淤泥而不染。无淤泥，有莲心而不出莲花。莲花亦莲，莲心亦莲，花以见心。是故，入淤泥方可出淤泥，不入淤泥，必死。是故，人由天矩而入世，入世亦天矩所预定，惟不可入世而忘天矩，从习以为性，盲不知心又死。淤泥重，窒心而死；无淤泥，难活而死。千重道理，只在见性明心。见性活，活以明心。

人多有钦羡圣通者，谓圣通知变通，变通则如鱼得水。殊不知，无天矩而专喜人道营营者，变而不通。世事幻迁，纷纭莫测，人因之而变，失通反滞。善通者，守一而知万物万事。有恒在先，化移在后。百千为万,万中有万,万上又有万，终难穷尽。人生有限，浩渺中一瞬，沧海中一粟，追万末而舍一本，穷苦无尽。不如据一对万，以不变应万变，不离其宗而变通。无恒常，何来变通？无一，何以至万？万者，非得一弃一可得，乃由一出而自生不息。人间事，须由内而外，由外而内，万不可由外而外，无根漂移。

知善行善，不善；知恶行恶，不恶。知善行恶，大恶；知恶行善，大善。贪官奸，清官更奸。君子非无能而成君子，君子乃大能而远小人。此世间，大善大恶，伪善伪恶，皆有所得，唯小善小恶，昧善昧恶，无所得。大善得自天道，大恶得自魔道，唯人道势利可悲可哀。人道微小，借众聚势图大。故言，歌咏小人情，酒壮俗人胆。借势谋利，总在势头之后；人云亦云，总在所云之后。势之末，云之余，残羹冷炙，所得甚薄。故凡大商贾，不鬻势尾鬻势头，探人所求、发人所需而沽售。或言，其鬻甚贵，小本难为。斯言善矣！因知己贱而随势，认命则无过。可怜万千众生，身在势中不知贱，反以贱为贵，藐视神天，身心俱苦，沦为伥奴一世！盈来空去，废矣！

何为一？一无所不在。在庙堂，在江湖，在珠玉，在草芥。所谓君子随遇而安，即随一而安。一在耕则耕，一在士则士，安于眼前一而不旁顾，一自生万物。由一而生万，方可有所择取，切不可择一又舍一，未有一而先择不已，终于一外而无所得。徘徊，踟蹰，惴惴不安，唯恐错失良机，无德薄福之人。君子顺天命，视诸一为同一，故无所畏惧，贼船可上，逆境可处，坦荡荡不戚戚。

闻西人厌蟹膏黄而喜螯跪，可膏黄价一螯跪价十售之。有买椟还珠者，可以珠价售之椟。人贱贵而贵贱，勿怪之，亦勿从之，然可因势遂其欲，用他欲而得己所欲。人弃我取，不易我所贵贵，不改我所贱贱。世势可为用，不为世势所驱，驱世势，商贾精要大义也。以椟养珠，以弃养得，又以珠、以一切所得养心，大贾也。大贾大圣！知贾者知大道，人间道如跃掌中。

少年忌狂，中年忌怒，老年忌贪。年少者常仗天赋足、血气旺而轻视艰险，多狷介轻狂；中年人有所得，又有所不得，耿耿于不得中好与人争，怒气生焉；年老体衰，精力不济，忧恐难有所为，常萎缩以退，遂起贪心，贪得无厌。故善德者，于年少时光虚怀若谷，于中年壮盛淡寡情欲，于暮年岁月不离不弃，老骥伏枥，志在千里，必寿无终，青春焕发。

取卵勿覆巢，猎兽勿杀孩虫；张网三面而网开一面，穷寇莫追。生者必有死，人难免身处绝境。置人于死地如置己于死地。既死，则无畏，纵微蔑亦倾尽身心一搏，必出神力，难当。

顺境中贵贱难分，逆境中见高低。困而不乱，君子之道。穷亦乐，通亦乐，穷通乃寒暑风雨之序。或言，一生穷困，如何？岂有一生穷困！乃舍己之贵而从人贱也。又言，一生富足，如何？何来一生富足！盈则亏，亏则盈，祸在福中。此世间无所谓穷通。大道皇皇，顺之者昌，逆之者亡。于天矩中行人道，善德大福！

人食禀赋，大悲苦也；人养禀赋，大富贵是也。人于世间无所依，亦无所执，复无所得，必食禀赋。禀赋者，禀受于天，与生俱来。诸如丽质、才情、体魄、智量、年华之类。青春丽质，不养，反以为方便，卖色卖笑，赤贫者也。世人笑贫不笑娼，皆不知娼穷，色尽而获财，岂可以财养衰而复如故？失尽禀赋者，虽资财充裕，空皮囊难养。善德者，弃丽质、才情不用，修短养长，用短不用长，日久则短渐长，长愈长。一径快捷，一径艰远，择难而行者智。便捷得利，日损天资而不自知，此即欲速则不达。艰远繁重，知其不可为而为，常为不可为，不可为可为，我可为人所不可为，于是卓拔超群。俗人谓，何茹苦啖辛至此、不图方便寻烦恼？竟不知大方便之后小方便，小方便之后无方便，必至于匮尽。人生经世，积后天德者厚，耗先天德者薄。薄来厚去者贵，厚来薄去者贱。是故，善德者，必劳以其短，作以其长，于穷境中用方便，于跃进中用方便，出乎庸常，仙风道骨。

战战兢兢，如履薄冰，不逾天矩，善矣！善者善矣，非大善！大善者，随心所欲，逾天矩则知过认罪，克己胜己，不畏罪，不畏担当，足有天资后德东山再起，化险为夷。然大善者大善矣，非至善！至善者谦逊知退，无是非，无得失，归功于天，听命于天。

断臂，曰倘如何如何则不断。又右臂断，左臂在，日久左臂代右臂行事，伸举自如，则忘左臂断之事，曰吾臂生就健好，不曾错失。然人既入世，难免错失。断则断矣，命该如此，唯余左臂，以右臂断为戒，不复断左臂即可。或日后左臂如右臂，一臂如二臂，则不可忘右臂已断，虽左臂有大能，亦独臂人是也。

一足失，另一足可立足，强于两足不失竟难以立足。人因失而知得，胜于先得而尽失。

妹曰：“人由天生，必蒙神天眷顾。信此不移，则不好好，不悲悲，缺鉴不缺，不缺则满。获双倍德，死后升天。”

玉鉴

观人面首身形，知其所藏。人精魄魂灵，七情六志，皆藏于五脏六腑、骨髓经脉间。脏者，藏也，神舍也。舍坏神散，死。舍坚，则神采奕奕。

头大，胜于头小。头，元首也，人身之大君，诸阳汇聚之处。头小者，阳气弱，命不硬。身大头小，短命。头大如盆，胸肩不堪负，气血难养，亦不寿。头骨平坦硬实，谓虎头；头骨朝前隆起，谓龙头。肉包骨，见骨而不嶙峋，佳。露筋不露骨，促狭。骨突肉陷者，败家，害父母。

面方阔为上，细方为中，尖、圆、菱、横，皆不善。面上皮肉，润泽有光，富足；松弛者，气虚；晦涩者，运蹇。男见横肉，凶；女见横肉，贵。

目主青春。目灿烂，则青春得志。睛白分明，光如炬，定走决然者，非常人也，必握重权，智高一筹，役人无数；顾盼流光，星芒月辉，有才情，风骚，灵变无常；迷离若笑，媚眼也，专吸人目光，夺人精魄；痴昏若冰透不透者，专情不移，为情而死；空茫无底，飞鸟进出无阻，良慈柔弱，不与世争；暗灰沉滞，愚而多疑，好猜忌，又妒毒。

鼻主中年运。宜秀挺饱满。隆准龙颜，王天下；悬胆鼻，中年旺；狮鼻蒜鼻，进财，吃用不愁；鹰钩鼻，斤斤两两，患得患失；鼻梁高直，孤胆无助；鼻孔朝天，散财童子；准头肉圆，鼻梁平坦，妾命，为人妾或为继室偏房，必贵。

唇薄，情薄。唇厚，愚钝。露齿，败相。吹火口，家破人亡。樱桃口，糯米齿，出类拔萃。龙口，清高奇俊，呼聚喝散，位登三公。弓口皓齿，大富大贵。

女不过五尺，男不过五尺半，修而不长，善材。壮而不肥，或瘦而不细，皆贵格身形。五短身材，粗俗小气。肩平直而宽，堪重任，不畏道远。形秀而骨骼大，栋梁之才。肩肥肉厚，犹疑不决，多虑不善断。

男子手宜绵，女子手宜纤。绵慰人心，纤勾魂魄。最忌指趾短粗，不解风情，性志闭锁。男子擘指宜曲不宜直，曲者慷慨，直者狷介。女子擘指宜直不宜曲，直者坚贞，曲者淫贱。尾指短，不善当家理财。将指长，善读书治学，然命孤。食指长，颐指东西，亦好管闲事。次指连肝胆三焦，关乎水气，次指长者，才情茂盛，为人倜傥。

妹曰："玉鉴在心，不在目。心蒙尘则目不明；心光大放时，光可鉴人。此为要，莫失莫忘！"

女子

妹曰："平，来，告汝女子事！君子明明，不惑于女子，必先察其妙徼。"

四体之末端莹洁分明，足见其精血旺盛，好与男子嬉戏，能生养，其性情亦炽挚，可交。反之，营血不荣四端，仿如兵马粮草不备，将卒官士不足，无以戍边守关。血府同湖海，盈者达三江，涸者不达，河川枯，草木不生。手足宜骨骼清奇，不可肉满，亦不可盘虬，当须隔窗可见骨，颖拔峻立，数尺以外有感其肌滑骨柔，艳气逼人。骨有感，非柴瘦也，不似猴似狐。稍腴亦美，旨在骨架挺立不散，行走有跳脱弹跃之势。

"男子手大抓四方，女子手大抓粃糠。"此言意不在手小，而在男手大于女手，则佳。女子手大，亦可有为，然大于男子则克夫，男子无艳福。

鬓如蝉翼见黛光，青丝楚楚，分毫历历，辉芒可见。此皆所食精细，运化布输顺达之故，所谓天地灵长，钟聚山川日月之精华，乃世间尤物是也。是故，视其发，视其鬓角，见细而生烟、朦胧有晕者，为上。若平素饮食粗粝，所食浑浊，则相貌必浑浊。

女子三七又三岁，为一分界。过此岁，则脚跟发硬，脚皮生茧；又鼻翼渐陷，干涩失光，不如先前圆润。善养元阴者，虽六七，亦光彩照人。养生妙义，男子在食，女子在睡。所谓睡，绝非懒睡之功，奥趣深藏枕席床笫间。

闻声可辨性。声啸、促、细、尖，则气郁，久不交泄，欲火焚炽；声沉、宽、粗、松，则血盛，纵欲不节，气陷气滞。声气平中宛、厚中嗲者，上佳，其性必收放自如，筋脉结蒂紧固，交可欲泄则泄，不欲泄则不泄。

臀者，肉之殿也。不可紧窄，宜阔大。高堂明殿，可居可处。分桃、梨两种。桃举梨垂，桃丰梨重。宜桃不宜梨。

乳，左右略有微异，无人两乳大小如一。左乳大，淫；右乳大，贞。男子乳大当宰相，女子乳大守空房。乳以紧实娇小为上。

察肤色，亦紧要事。手足黄，乖僻，好妒。面若傅粉，如缟裹朱，则元真未泄，心慈悲，纯贞。身白，面白，性淫好色，毒蝎心肠，存杀父弑君之念。

目为心之窍，观其眼目知其心。眼中见问，风情盎然。见答，心如死灰。见止，处女未适夫家。见顿，好管闲事，碎嘴长舌。见惊叹，疯颠无常，突发奇想之辈。见忽略，见草率，亵慢，势利，井底之蛙。清澈如水者，见心底，眼语胜口语，无声胜有声。

有一种女子，昼夜求欢，永不餍足，或云雨，或歌舞，或高谈阔论无休，欲罢不能，令男子焦枯，远之。此乃至阴化阳、恶火炽精之象，其人阴中淫水稀涩，多而不濡，慎察之，可知。

生死

无中出有，曰生。天之大德，曰生。先生于我，谓先生；智胜于我若先生于我，亦先生也。

得血气者生，少血气者枯，失血气者死。截木，木失血气渐枯，枯又死。斩首，身首分离，置首于案上，令血不泄，睛转如常，可闻能言，又移首他处，血出，立毙。金石无血气，死物也。然人常佩戴盘玩，得人血气滋养，则活，裂可愈，色渐浓，褪青吐脏，栩栩然生状。玉尤神物也，金石中独活也，人养之，复养人，气血不衰，永不死，中有神灵精血贯通。下邳太守王玄象，好发冢，见墓中女子，年可二十状如生，臂有玉钏，斩臂取之，复死。此人死玉活，玉活人之故也。

血气何来，何聚于万物体中，使万物生？不可知。血气何故又去，草木人兽失血气则死？不可知。此生死奥妙，人不可知。

生，亦化也。初皆一卵，生化变幻，小而大，浑而精，眉目渐分，肢体渐析，久不似初，乃成。既成，复败，叶落枝残，羽秃毛疏，复归于尘土。此万物盛极必衰、衰极必盛之理也。理何来？天矩不可测，上帝司纵，人唯由之，顺之，应之，而不可逆。故生老病死，寒暑风雨之序也，不可逆死复生，亦不可老不服老，少不服少。少则少矣，老则老矣，欲返老还童，非人力可为，天允乃成。欲长生不老，乃抗天力之妄，终不果。故圣人曰，未知生，焉知死。知生，方安于老死，视死如归，死亦福。

人死，有复生者乎？唯神力可为，人力无奈。吾邻有女，尝病血瘕，虽遐迩医巫施咒用药，不效。将入殓，忽坐起，吐血数升，乃愈。曰："昏睡多日，有厉鬼近卧榻，狞笑呼号，引余出户。过街市，衙门，城隍庙，折入南门一窄巷，顿觉其疾步如飞，难追，则返。"此乃地府差领失误，冥王生死簿中无姓名，故遣还。

死，歺人也。歺，残骨。人与残骨分离，则死。故，人生如寄，心寄于形而有生。形有外形内形。外形如气血津液，皮肉骨精，内形盖三魂七魄，神灵情志，皆非心神。心神乃天神，居万人心中始终如一。一心寄万形，形死心不死。死有外形死，内形死。外形死，体坏；内形死，神死。人外形先死，内形仍活。屈为鬼，伸为神。所谓人鬼，祖神是也。故祭祀供奉，立碑造祠，乃养内形，令祖先神魂不死。废祀毁庙，内形遂死，不复生。于天道中死，寿终正命为祖神；失道无道而死，非命也，为人鬼。古人云："朝闻道，夕死可矣。"人为天道而存，非为人道而活。故上古圣人以人道中忠信礼义为耻，以为以物易性者，必殉利，殉情，殉家，殉国，殉天下，虚荣枉然。生不伤性，死乃不屈。鹤立虎踞，熊经鸟伸，养性活命，可矣。于人世中，少交往，慎交往，不为义利左右，独与天地精神往来，根性不移，常立于不败之地。不劳身形，不摇神精，性情舒卷自如，死不屈。又须知无用为大用，不为人世用，上智也。木秀于林，风必摧之；羊大于群，人必食之。左不济，右不堪，人视之若鸡肋，则弃之略之，虽无显达，亦无祸。潜龙飞凤，豹身虎首，不可名状，不可捉摸，有形中无形，游走于入世出世间，善始慎终，一以贯之，明性见心，乃永生。

东海中祖洲，产不死草，鸟衔之覆死人面，立时起坐而自活，一株可活一人。南海中亦闻不死国，生神木灵草，朱实离离，欲离不离，仙果也，人食之不死。

此类皆求道成仙之说，虽荒诞不经，不可信，未必不可用。上帝造化，玄机莫测，人自揣度，以为灵明，乃大不可信。

生不易性，死无所惧。死，亦性也。由生而长而成而败而死，节节分明，善生亦善死，死即生。

第二章　昭平简历

沈昭平，男，1965年生于上海。祖籍河北沧州，外祖籍浙江汤溪。父沈之翰，教师。母程兰玉，工人。

1971年入学，就读于永嘉路第二小学。至1976年小学毕业，之前，五年里间或转学去云南昆明泥丸镇红星电器基地子弟学校。

1976年秋入红星电器基地子弟学校初中部，三年后初中毕业，转入上海卢湾区长乐中学高中部。又三年，至1982年，高中毕业，考入上海复旦大学中文系。

1984年，患重症肝炎，病休一年。次年，复读三年级。

1986年，因卷入某社会群体事件，被校方开除，送公安机关收容审查。该年春季，被劳动教养复审委员会处以三年劳动教养，送至青浦县改造。1989年获释。

次年1990年考入中国社科院语言研究所，1993年获所内语言学硕士学位，1995年于北京大学获汉语言文字博士学位。现任中国社科院语言研究所研究员。

2002年至2007年，受欧洲三国大学邀请，任教于瑞典斯德哥尔摩大学、奥地利维也纳大学和丹麦奥胡思大学。

2008年受日本名古屋爱知大学邀请，兼职客座教授，开中国古典文学课程。

1997年结婚，2000年得一子，2008年离婚。

2013年又结婚，娶日本人松元行江为妻。

沈昭平的主要成就在中国语言文字和中国古典文学方面。出版有《义符文字精要》《当代汉语中的蒙古—通古斯发音》《汉诗学》《续修姑妹志》《宗庙与神社》《三个中国》《论诗成于宋》等著作。

沈昭平的主要学术观点，概括起来有三：

唯中国有文字，其他民族和地区使用拼音记录语音，不成文字。象形符不是文字，是指示图案。文字是义符，义托字形，传承有序，表意达意。

有三个中国：上古万方联盟的多元中国；中古儒家为中心的汉人中国；近古蒙古—通古斯为主体的大东亚新中国。汉人文化是靠着北方牧猎部族的拓疆开土才得以留存并弘扬的。

诗起于楚辞诗经，兴于魏晋隋唐诗赋，成于两宋词曲，熟于明清诗文。若四季萌、长、收、藏四象。初外以求异，情志皆泄，宏浑而粗粝，至两宋始内归，情事一体，圆融不涩，无所谓入诗不入诗，信手拈来，天凉好个秋。又清人诗词无形，文体杂芜随意，老来见童心，虬枝上绽放新红。沈昭平对宋词的大俗大雅极为推崇，说："意象在世俗中扎根，入淤泥，出莲花，足见人心性不坏，虽繁琐愆孽，难掩明光。恶魔与天使对抗，孰胜孰负，透现着沉阔而飞扬的力量。一边乳臭未干，另一边久雨霉黧；蛮腰修腿，明眸皓齿；铜臭和淫欲的气味，推送出层层玉音。美哉！烂昭昭兮未央！"又说："清诗好过唐诗。唐诗笨，清诗愚。大智若愚。然而，清诗守不住那点愚中灵动，似老夫难养少妻。太老了！"

第三章　矜事

昭平想起跟外婆在一起经历的事，心里欢喜又难过，矜闵笃念，芳弥泽溢。

高中一年级时，他常会陪外婆去复兴公园听越剧，戏罢人散，祖孙二人便去园外的点心店吃小笼馒头。那时物价已经涨起来，光妹用钱不再像以前那样大手大脚，虽不是拮据难济，也已经捉襟见肘。他们常只要一屉馒头，外加两碗小馄饨。有回两人分吃完一屉，见对面一个穿劳动布衫的工人匆匆吃两口就走了，留下满满一屉一筷子未动。光妹说：

“他要了那么多，吃不掉扔下了。我们拿过来吃。”

昭平便拿过来吃。

光妹又说：“吃得不？”

昭平停箸，疑虑一下，又左右看一下馒头，接着又吃一个，边吃边说：“吃得。”

“会有毒吗？”光妹问，“谁人那么傻，买了不吃？”

“快吃吧，不要紧的，他是吃不下，或者有急事，不吃走了。”昭平又吃一个。

光妹于是放心，也不停吃起来，说：“哎呀！从来没有这么好吃过。今天真正拾到便宜了。”

吃罢，两人满意地借着月光走南昌路回转去。路上，光妹不停地打饱嗝，昭平快步走到前面，在有花坛石阶的门户前一跃一跳，嘴里还哼哼几段英国歌谣。突然，昭平从一个花岗岩柱墩上滚下来，捂着肚子在地上翻来覆去。光妹紧追上来，喊道：

“死罢！死罢！我说不会有这么便宜的事！这下中毒了！”

“痛得要死。外婆，快救我！”昭平紧蹙眉头，语音微弱。

“快起来！还起得来不？”外婆情急，眼泪流出来了。去搀他，搀不起。

突然，昭平一个翻转，跳起身大笑，说：“骗你的。我好着呢！晓得你疑心，故意吓你一下。”

“么鬼！这么大还顽皮。外婆真正让你吓死过去了！”外婆边说，边拍拍自己的胸口。

昭平高兴得不得了，这出逼真的戏又在意外收获上平添一份快乐。他拉着外婆的手快走，得意地摇头晃脑。外婆落下心后，也越发畅意起来。于是，祖孙二人一路歌咏，一路回家。

那年1976年，一月份放寒假前，天气奇冷，基本都在零下，这在江南是少见的。那些日子，光妹跟梁育金为春节是否接待乡下的客人吵架，一气之下便带着昭平去重庆南路住。那个向北的灶壁间，终年不见阳光，冷得不得了。每天，光妹早上送昭平去永嘉路上学，自己跑去附近复兴路妩姨家坐一天，傍晚又来接昭平回重庆路。那个月八号夜里，祖孙两人回到重庆路，穿过黑漆漆的弄堂时，广播断续传来周恩来逝世的讣告，又有些半掩门户的人家里闪出几许荧光，跃动着电视里死者枯陷的脸……这些让昭平感觉到死亡与他们靠得那么近，仿佛灶壁间也成了一间墓室。翌日，光妹早早去菜场买了一只活鸡，装在一个绳线网兜里，想带给妣姨吃。从菜场回来后，就叫醒昭平，让他速速吃了早饭，两人便一起出门。走到延安路，搭乘42路公共汽车。车上很挤，光妹一手拎着网兜，一手搀着昭平，难以站稳。有人让出两节车厢转盘处的长椅位置给他们坐，这才落定。光妹坐在长椅外侧，靠近车中门，昭平坐在中间。车到襄阳路附近，售票员报站，一些将要到站的乘客便开始往外挪动。昭平沉浸在昨夜关于死亡的气氛中，昏沉沉，意识有些迷离。突然，车里骚动起来，传来尖叫和惊呼的声音，有人喊停车，车便停了。然后，他感觉他听到了外婆的哭喊，夹着他从未听到过的惊恐呼叫。原来是快到站了，外婆俯身去拿那只放在车座和门侧栏杆间的网兜，而正此时车转弯，车座的铁椅框与栏杆架子顺着转盘转动呈夹角折过来，将外婆的头夹住。还好停车早，倘汽车继续运动，夹角再紧一点点，后果不堪设想。所有人都紧张起来了，很多有机械经验的人挤到事发处帮助光妹。一个老工人说，不要往外抽身，也不要左右挣扎，只轻轻往前一点一点拱，到脸部骨肉削瘦的地方，就会滑脱出来。光妹按他的指示做，果然慢慢挪出来了。整个事情过程中，昭平一动不动，人被凝住了，他觉得不是外婆快要死了，而是自己已经死了。外婆头挪出来，脸已然变形，昭平看见死神停留了一下，停在光妹的脸上，极为愤怒地想要杀过来，又气息顿蔫，偃旗息鼓，走了。

下得车来，光妹一步都挪不动，只好坐在街沿回神。昭平想说点什么安慰她，竟止不住泪水往外涌。他帮外婆捋平整头发，闻到头发里一点油烟味，于是相信外婆还活着。外婆终于站起来，说："无事，无事，阎王爷都嫌我，不要我呢。我晓得，只有你要我呢！"昭平帮外婆拍拍灰，搀着外婆离开车站。祖孙二人又回到上海的阳光里，扔下两条阴影，在身后拉长变虚。

事后，昭平想，好险啊！就那么一点点，转盘再转一点点，外婆就没命了。而外婆的确是老天爷看顾的人，上帝在那一刻，亲自让车轮停止了。如果那个时候外婆没有了，那么世界也就没有了。昭平由此认识到，他跟外婆是一个人，甚至整个世界，都只是一个人。

光妹曾经试着将昭平放到幼儿园去。幼儿园在街对面383号，这里过去是孔祥熙的宅子，二层加阁楼，英国田园式的建筑。昭平不喜欢幼儿园的原因，是小朋友都太精明，午睡的时候不安宁，常捣出鬼来，让老实睡觉的孩子吃苦头，而且阿姨不辨是非，只想着太平，粗暴简单地解决各种问题。午睡醒来要吃点心，所谓点心就是半个淡馒头，外加一碗番茄洋山芋汤。有一次阿姨为了逼大家快吃，居然用一块抹布到处扔来扔去，以训斥动作慢的孩子。昭平坐在靠后的位置，阿姨老远就扔过来抹布，正好掉在他碗里。他将抹布捡出来，放在一边。阿姨看他没有动静，便走到他面前责问，他说："抹布掉到里头了，这还怎么可以吃呢？"即将碗反扣过来，汤洒了一地。接下来到花园里围成一圈做游戏，有个比他大点的男孩说："我们逃吧，奔出大门，不被阿姨抓牢，就逃出去了。"话音刚落，那个男孩就往外跑，三个阿姨紧追不舍，在门口把他抓住，他大喊大叫，哀哭不止。昭平趁乱，也跑出去，等阿姨发现时，他已经横穿马路，直往对面396弄里钻，边跑边喊："外婆！外婆！"昭平回头，见阿姨追到弄堂口，竟然停步没有跟上来，还满脸堆笑，向他招手。

既逃回家，光妹便打消再送他去幼儿园的念头，还多增添了不少玩具给他，仿佛亏欠他似的。

昭平坐在楼梯口玩一支铁皮的驳壳枪，从弹夹里取出塑料子弹，一枚一枚整齐地排放在木梯的边缘。不小心，有一颗滚落下去，他跟着去捡，一脚踩空，整个人便顺梯滑倒。不想，楼梯的扶手不是栏杆式的，而是平整的墙面式的，一点可以抓的地方都没有，身子一路滚下去，毫无阻挡。经过亭子间厨房时，外婆正在里面做饭，一回头瞥见，吓个半死，急忙跟出来追拦。一个滚，一个追，越滚越快，后面追的三步并作两步也追不上，直滚到底层的拼花瓷砖上才歇。光妹急急将昭平抱起，左看右看，看看哪里摔坏没有。这次，昭平彻底厥倒，身子倒没摔出任何毛病，受惊着实不小，半天才回过神来。他也不哭，只是怨恨得要死，竟也不知道怨谁。光妹看他这副神情，突然将他放下，用脚猛踩瓷砖地面，骂道：

“你个不得好死的瓷砖，都是你，一副挨天杀的模样，为什么专门欺负小孩？你有本事让托儿所的阿姨跌倒，让马路上的小偷强盗跌倒！看我不找把榔头来，将你们都敲敲碎，碎成粉，倒进抽水马桶，一把冲掉！”

边骂边跺脚，还顺手拿起靠墙的一根木棍戳地，直至真有一道砖缝里冒出几片碎瓷，又用脚搓搓，模糊掉裂口，说：

“痛了吧？知道痛就记牢，下次不要再欺负小孩了。”

又搀着昭平拾级而上。上一级，踩一脚，或者用手抽打一下，随口再骂一句：

“你个倒路鬼，让你自己倒回去，劈断你脊梁骨！

“这饿死鬼，拿点开水烫烫你，烫得你皮肉都熟掉！

“还有吊死鬼，拿根绳子再吊你死一次！

“阿傍啊，你不孝父母，在阴间长出牛头，这番我叫你牛头也落地，做个无头鬼！

“夜叉啊，你不是布施送财吗？这么伤我昭平，多多赔钱来，给昭平买肉馒头吃！

“还有你，臭口鬼，空日拿大便熏死你，叫你呕吐，叫你吃进什么都烂掉，烂心烂肺烂肚肠！

“大头鬼，你也来轧闹忙，走路那么慢，头比缸还大，人家落难，你也跟上来踩一脚，最最不是东西！

“顶顶可恨，就是你这只吊靴鬼！是你刚才在昭平脖子吹凉气吗？是你在他耳朵根发出啪啪的声音吗？你跟在他后面，又落井下石，看他跌倒又推他滚下去吗？不要让我捉到你！我捉到你，偏拿一把剪刀将你剪得粉粉碎，拌点辣椒辣得你一丝也不得安宁，洗也洗不净，捡也捡不光！

“……”

光妹就这么一路骂来，一路踢，打，踩，敲，直教昭平感到稀奇，觉得好玩，慢慢从惊恐中出离，让他心绪平复下来，叹出一口恶气。

“我可以再朝前走一点吗？你搀牢我，我脚踩着那块石头，就不会跌下水里。”

“你一点都不可以松手的！脚不要打滑，身子斜出去一点，抓到那枝芦花就退回来。”

“我晓得的。不要紧的。你抓牢了，哦！”

“拿一根木头去勾一下。给你！”

“勾住了……哎呀！风把它吹跑了。”

“你身体不要再斜出去了，再出去我抓不牢了。你怎么那么重啊？我快要被你拖下水了！”

“再坚持一会儿，快要勾到了……好，勾到了，勾到了。但是我那只手被你抓着，没办法去摘。你松一下手，我已经站直了，不会掉下去的。”

“你站稳了！我要松了。”

“好。……终于摘到了。”

“快快，快跑过来。看着脚下，不要滑倒！”

"终于成功了！这枝芦花真的大，可以插在帽子上当花翎。"

"你太公的爸爸以前做官的，帽子上就戴花翎，是孔雀翎。翎子要插在翎管里，翎管是玉做的，帽尖上有顶子，大官用珊瑚，小一点的用青金石，再小一点的用水晶。我给你弄一个苇管做翎管，你把这支芦花插进去。对，就是这样的，叫作顶戴花翎。"

"快看！你看那是什么？"

"野鸭子吧。"

"不是，那些大的，羽毛白的，朝我们这里飞过来。"

"那是野鹅。"

"野鹅就是天鹅吧。老师说，它快死的时候，叫的声音很好听。你听见过吗？"

"哎呀！它们一点都不怕人，都飞过来了。怎么那么大呀，半个人么高的。"

"我问你，听过那个声音吗？"

"什么声音？"

"它快死的时候的声音。"

"'鸟之将死，其鸣也哀；人之将死，其言也善。'难过的声音罢了。我死的时候，怕是声音也好听的。"

"我听到过你哭，那年太婆死了，你就哭过，哭着还唱，那个声音很好听。人非常难过非常难过的时候，就会唱起来吗？"

"我跟哭丧的唱师学来的。初学的时候，只是记牢唱词和调子，觉得蛮好听的。那次太婆死了，我也没想唱，走到家门口，眼泪上来了，堵在喉咙口，就滑脱出来了。"

"你再唱一个。"

"这间唱不出来。"

"那告诉我你唱的是什么呢？我记着你好像唱到溪滩，塘堰什么的。"

“住你肚里本是气和血，与你一道望日头望月。树上的鸦么乌黑，溪滩里的水么清洌。乌黑的苦，清洌的泪！这间你丢下我走去不归，一勺饭一口肉再无人喂，那间大大小小都叫你操心碎。”

“那塘堰呢？”

“你没偷过人，你没做过贼。勿有在碗里下毒，也勿有在别人缸里撒尿水。那个后生啊，偷走你的心再不回！这间你朝塘堰走，头也不要回，一条路去外埠，一条路去山背。外埠通仙界，山背等你的，便是那个冤家那个死鬼！”

“看！看！天鹅围过来了！它们蹲在我们边上，赶都赶不走。”

“这样东西抓个回去，焐熟了吃才好。非常好吃的。”

“这个也抓得？怎么弄？”

“捏牢它脖子，折断便死的。”

“那么大，我们怎么带回去？”

“藏我包里，压压紧。”

“你的包那么小，一个翅膀都藏不进去的。羽毛露在外边，人家会看见的。”

“我去抓一个来。”

“还是算了吧！我怕你抓一个，别的天鹅会啄瞎你的眼睛。它们看起来很团结，也很凶。再说，万一你折它的脖子，它忽然唱起你那些歌，听起来很难过的。不是说，它快死的时候，会唱吗？”

“这个机会很难得，错过就没有了。”

“外婆，一个动物大到这样，就跟人没什么不同了。我们是在谋杀，有罪过的。我觉得，你已经犯罪了。”

“你害怕了？”

“我觉得，我们现在哪怕逃走，它们都还会追上来的，不会放过我们的。”

昭平和光妹坐在西郊一个湖边，说了上面这番话。夕阳已经贴近湖面，水色半绿半红。芦苇，野鸭，天鹅，人，都很美。可是美为什么让他认不出外婆了？

他看见一头水牛游入水中，一只金头天鹅独立在牛角上。天鹅不知牛的用意，还没有唱出最后的歌，就死于非命。

这次他们去西郊，为的是摘芦叶包粽子。光妹嫌南货店和菜场里的粽叶都是萎黄枯败的，早就没有清香味，而且很多人包过用过，又被捡拾回来洗洗晒干，再出售给人。她以为这样的东西不但包出粽子不好吃，而且不洁净。她包粽子，要求很严格。要新摘的芦叶或大片的茭白叶，要上等的五花肉在酱油里浸透，要使细长粉白的秋季收的籼糯，然后用棉线扎紧，上角一边与下角一边交错，呈扭转的四角长方。妹方人只吃咸肉粽，不吃包枣、豆、莲一类的糖粽，也不包成小四方或者三角形状。光妹说，粽子是用来祭龙的，五月五为一年中，之后阳中阴生，故蛟龙出动，投粽于水中飨之安之。又斯月为恶月，地气蒸腾，梅雨降临，疫气邪毒遍生，妹人食糯挂艾以升阳辟恶。曾经皇帝还赐枭羹予大臣，又摔坏一面镜子以破獍，即喻破杀一种叫作獍的恶兽。枭食母，獍杀父。母枭哺雏，雏成食母而去。枭生八子，俟子成之日，无力悉数供养，子枭饿急而逼迫母枭，母于是择一地仰卧，合翅掩面，以待子枭啄噪分食，肉尽而亡。食枭破獍，皆为除恶。是故，端午日食粽升阳，食羹除恶，渐成风俗。

昭平想，天下还有吃掉父母求生的。他体会着那仰卧掩面的母枭、任众子群起而吃掉它时的恸楚。这事又打动了他心中矜闵之处。他想，枭大恶也大慈，那些长大又飞走的子枭，将来不是还要给它们的后代吃掉吗？

光妹与昭平路过外白渡桥，两人抓住栏杆，俯身望苏州河汇入黄浦江。光妹说：

“河水都是相通的。苏州河流到黄浦江里，黄浦江又流到大海里，从大海出去到杭州湾，那里逆水上去就是钱塘江，钱塘江接连着洋江，洋江岸边就是洋埠罗埠，罗埠那里就有陶家火车站。外婆带你去汤溪，就是在陶家火车站下车的。”

“你的意思是，我们乘船也可以去汤溪？”昭平问。

“以前，从杭州乘船可以去的。现在我不晓得还有没有船去。”

苏州河里，机轮突突，往来穿梭。昭平指着那些船说：“我们去乘船吧！就乘这样的船。”

“这些船怕是可以到苏州，端的到不得汤溪的。空日外婆带你去杭州，问问看有无船票卖。外婆也想坐一趟船回汤溪呢！”

“我们就坐船去苏州，只要坐船就好。”昭平执意说。

于是，光妹给昭平写了一个假条，骗过老师，再利用星期天，一共加起来五天，就借乘一条船去苏州了。

这是一条不大的货船，铁皮外壳，船身是木头的，木板被擦得锃亮，油光可鉴，坐在上面凉凉的，让人心绪宁静。船主是一个四十多岁的中年男子，他的妻子很年轻，才二十多岁，有一个女孩，比昭平还大一些。他们三个人以船为家，住在驾驶舱下面的卧室里。卧室有两间，一间夫妻睡，一间女孩睡。光妹和昭平上船后，他们将女孩睡的那间腾出来给客人，三个人挤到另一间睡。厨房在驾驶舱后面的一个简易棚子里，其实就是搭一个遮雨的顶，架两个灶头并一块长条案。

光妹和昭平一大早来到上海大厦附近，在河北岸的护堤上来回行走，看哪一艘船样子好。在四川路桥边上他们看见这条船上有烟囱冒烟，估计有人吃住在上面，便顺着扶梯下到河堤低处的水泥坝上。光妹向灶头边忙碌的女人招招手，那个女的很和蔼，探出头来问话。她得知来人用意后，就去找男人。男人下船，从架在船与岸之间的窄木板上走过来，跟光妹谈定船价，就接他们上去了。

船主说，他们本是运纸张到普陀区的印刷厂的，在那里卸完货又装上一堆书本准备运回去。前天刚刚装好货，这会儿船开到这里，是顺便上岸去南京路买点衣物糕点拿回去送人。这下刚准备吃吃早饭就开船，既然来客人，就一起吃罢早饭启航。他说，主要是看着有小孩子来乘船，才答应这桩买卖的，这样他的女孩有伴，他会省心很多。光妹说，早饭已经吃过了，不必客气。这便祖孙二人坐在船头看风景，等船主一家吃完再出发。

一捆一捆的书包在蒲席里，用粗绳打成方块，又一摞一摞叠放在船身腹中露天的大仓里，上面又铺上苫布，以防雨水淋湿。装满货物的船，水已经没过吃水线，甲板离河面很近，昭平倾身就可以摸到河水，他坐在船头一边稀奇着，一边脱下鞋子伸脚到苏州河里嬉水。他问：

“这么低，开起来会不会淹下去？”

“不会的。虽多少东西装进来，船都无事的。这种船专门装货的，很能吃水。看着要沉下去的样子，其实很稳当的。你站在桥上往下看，它像一片贴在水面上的叶子，扁扁的，宽宽的。倒是不装货，风吹来，浪打来，船身不稳，轻飘飘的，左右摇晃，有些险的。”光妹说。

“船桨在哪里呢？我们帮着一起划船，开得会快些。”

“没有船桨的。这个不是舢舨，是机动船，马达突突地，就自动开起来了。只是开船的人在驾驶舱里要转动一个轮盘，把牢左右方向就可以了。那个轮盘是竖起来的，上面有一个一个把手，很好玩的。一歇我带你去看。”

“它速度有多快？可以追上舰艇吗？”

“我看不行。就算有速度，装那么多货，也快不起来。”

“这可好了！越慢越好，等到苏州都十天了，十天不用去上学，才好呢！”

“也慢不到这般地步。说好五天回来的，就五天。我们乘船去，乘火车回来。火车顶多两个小时就从苏州到上海了。”

“人真笨啊！放着火车这么快不用，要用轮船运输。”

“火车贵啊，轮船便宜。”

“对了，外婆，你给他多少钱？”

“五块。”

“这么多啊？”

“他包吃包住呢！不过我也带来不少菜，一只鸡，两条新杀的鱼，几包熟小菜，一瓶老酒，还有给你吃的水果。”

“水果也要分给那个女孩吃吗？”

“那要看情况。”

“外婆，我觉得你有点本事，这样的船也能买来坐，真是稀奇！”

“没有什么稀奇的。不是什么东西都要去商店买的，人只要情愿，虽怎样交换都是可以的。你情我愿，就做成生意了。生意生意，就是生的意思，就是活气。人总要活吧？想活就要动脑筋，找出活的意思来。你只要活着，不想死，总找得到生意的。”

船开了。昭平去到驾驶舱，看船主转动那个舵盘。果然左左右右地，人手转动它，就可以控制轮船的方向。苏州河里来往的船只不少，有的机轮后面拖着长长的一艘艘水泥船，蜿蜒逶迤，像水上火车。行驶中，最需要避开这样的拖船，跟它保持距离，以免相撞。昭平是第一次从水上看上海：一座座桥从头顶越过，装载众人的公共汽车在上面疾驰；北岸敦实的石头建筑上一扇扇窗门抓牢太阳光不放，一些阿婆在河边护墙上晒棉花胎，拿着掸子不停拍灰；有人将泔脚钵头里的脏东西往河里倒，还有工厂的装卸斗直接顺着窄轨就冲到河滩上的驳船里；一个穿红衣服的女孩在棚户区的屋顶向他招手；他还看到一个小贩不慎打翻了篮子，生梨蹦蹦跳跳地顺着坡道就滚进了河里，那个小贩一直追到水边，只拾到一个生梨……船长久地在城中缓驶，船主看见对面有过来的船只就鸣喇叭，他也去揿了一下喇叭按钮，船主居然没有反对，还对他笑笑。上海啊，难道有这么大么？什么时候才能出离这个城市，看到别的东西？

昭平跟女孩终于玩到一起。女孩教他怎么用铁桶从河里捞水，侧着划过来一下就装满了，直着朝下，用再大力气也放不下去。女孩说：

“水是有力气的。它的力气是朝上的，要从水腰劈过去，它就断了。”

“那么铁不会沉下去，就是因为水有朝上的力气，是吗？”

“你放一块铁到水里，马上就沉下去了。因为一点铁的力气还是比一点水的力气大。你要把铁做成大铁壳，这样许多点水的力气就比铁大了。”

“怪不得有万吨轮都沉不下去！”

“所以，不是因为木头轻才漂在水面的。轻轻重重的东西，只要样子对了，吃到水力了，就都会浮起来。”

“人借着水力可以走那么远，以前我没有想到过。”

女孩拿出来她用筷子做的小船给昭平玩。筷子被截成许多段，每段都是一艘船。中间挖空，尾上开口，将圆珠笔油注入空处，油从开口处渗入水中，自行就推动筷子船前行。一大堆筷子船放下去了，按阵仗排列好，就像雄壮的水师。

“我们这船也是靠油推着走的吗？我闻到柴油的味道。”昭平说。

“不是的。柴油用来烧马达，马达转起来，带动一个铁扇，就像电风扇那样的东西，快速在水里转，船就向前了。”

“转得越快，开得越快？”

“是的。”

昭平于是用手在水里搅，看有没有助力将船推快。

“你的力气太小，推不动这么大的船。这可是我们一家啊！你怎么推得动我们家呢？”

“你们家就在船上？地上没有别的家吗？”

“我们不住在地上。我们住在水上。”

“水上也能成为家吗？就这么一直走，一直走，从这里到那里，永远不停……”

“我们也停啊，不停你怎么上来呢？我们走走停停，想走就走，想停就停。每天把房子带到一个新的地方，你不觉得比一直留在一个地方好吗？”

昭平生出极大的好奇心，也生出一丝难过。他不知道为什么，想一想一个家在水上漂浮，就伤心起来。

中午，光妹将两条新杀的鱼交给女人，又帮着择菜洗菜。女人焖一锅籼米饭，炒了几样猪内脏，做一碗鲜笋汤。船停靠在长风公园附近，船家三个人，加上他们两个，一共五口人围在搭好的折叠桌边，坐定船头的甲板上，就在正午阳光下露天用餐。

再往西一点，出了北新泾，那时就算出上海了。这条河，古代叫吴淞江，一般进入上海那段才叫苏州河。吴淞江的出海口现在还叫吴淞口，即得名于此。明代黄浦夺淞，将吴淞江从外滩往北的河段占了，所以人们只知黄浦出海，并不知黄浦借着吴淞的河道出海。吴淞起于震泽。震泽，即太湖。大禹建底定桥，所谓“震泽底定”，震泽于是不震，烟波浩渺，三万六千顷，风平浪静。这才有了江南壮阔而和顺的气象。

船主决定好好吃一顿，吃饱喝足才离开上海。因为往前去，河面渐宽，多少有些风浪，掌舵驾驶会有些困难，要加倍聚神。

饭桌上，女人总是让菜、夹菜给客人。光妹也不客气，昭平喜欢吃的东西她都搜罗过来，只是非常有礼地将一些味厚肉实的部分让给船主吃。船主看出光妹既爱孩子，也懂规矩，便松弛下来，按照平素的习惯，将一只脚抽起，蹲在长凳上饕餮。男人吃饭很快，夹着几块肥鱼肚，再往大碗里浇一些浓油赤酱的汤汁，哗啦哗啦几口就下肚了。吃停一大碗饭，光妹即刻将她带上来的老酒斟上，递给船主请他吃，自己也倒一杯，给女人也倒一杯。昭平轧闹忙，也要一杯。这便激发了女孩，女孩也要一杯。索性五个人都斟满，大家撞了一下杯，畅饮起来。光妹想起，包里还有两盒短支无过滤嘴的牡丹牌香烟，便拿出来递给船主。这种烟，那时要凭票供应的，是上海老烟客最推崇的牌子。船主看到牡丹牌香烟，几近感激，说道：

“这位大姐，你待我们太好了。请酒递烟，我们都不好意思了。”

“你这是说的什么话，”光妹说，“我们祖孙两人又吃又玩，麻烦你们太多了。”

“你还付那么多船钱。我都后悔上午开口要了。要是你们有闲，也不嫌弃我们船小，就在船上多住些日子。等我到苏州卸完货，开船带你们去太湖玩玩。那个风光真是好啊！大海一般的。鱼也好吃，白丝鱼味道鲜呢！”

女人又说：“两个小人也玩得来，认作姐弟罢！我最是欢喜男孩子的，想生一个呢。”

“你们这么有心待我们，空日我们再来。”光妹说，“这间不便当，小囡要读书的，是骗了假出来的。”

说到这里，夫妻两人神色有些黯淡。光妹看出来了，心知肚明，晓得他们为女孩没有书读难过，便将话锋转到别处，又多劝几杯酒，以酒释怀。

夜里，船到三江口歇脚。女孩进到光妹昭平的屋里，女人也跟过来。昭平跟女孩一起玩，女人跟光妹说话。玩着，说着，母女竟不走，四人宿在一处，扔下船主独处另室。

昭平将耳朵贴紧木板，听水声在船底晃荡。女孩说，细听能听到鱼撞到船上的声音，重一点的是大鱼，轻一点的是小鱼。昭平于是跟着女孩学细辨水底的各种动静。听着听着，女孩先睡去了，昭平倒越来越兴奋，失去了困意。月色溶溶，透过舱底的圆窗洒进来。圆窗一半在水里，一半透见天空，月光在上面和下面造成了两个世界。外婆好几次催昭平睡觉，昭平假装睡着，其实一直在听她们说话。

女人说："我家是苏州城里人，本来也蛮殷实的。妈妈在药材公司做事，爸爸是木材厂的采购员，还有个哥哥比我大六岁。爸爸做事太辛苦，常跑外地，陪人家吃酒谈事，后来吃酒过度，肝硬化死了。妈妈一个人带着我们两个小孩太吃力，过不得几年生癌也死了。当时，我十六岁，哥哥二十二岁。哥哥不肯去农村插队，跟一帮小兄弟在外面寻衅打架，捅死轻工局一个干部，被判刑劳改。这便只剩我一个人。妈妈的亲戚都在乡下，爸爸那边的人支内去了西安，我只好一个人靠自己混。在南门一带结识几个小姐妹，一个馆子一个馆子吃过去。就是讨一碗馄饨，或者一碗面，让人家亲亲，摸一摸。都是船家，长年跑水路的人。南门那边有个码头，船家大半都是单身汉，船靠在岸边就上来吃饭吃酒。我们这些小姑娘，上衣少扣两个纽子，将头颈多露出一点，衣服收腰，看得出身条，在馆子里找空位置坐下，船家进来一看便看出名堂，会主动靠过来搭讪。要是他大方，请一桌酒吃，也会跟他上船，到舱里跟他睡觉。我的男人可怜我，在南门码头请我吃过几次馄饨，有一次他说，你不嫌弃我，就跟我上船，以后不要下来了。我就跟他上去，做了他的新妇。他是孤儿，被船老大捡来的，从小在水上长大，快四十岁了也没女人，没钱讨老婆。我那时十八岁，他三十九岁。他像叔叔一样宠我，照顾我，我看他人老实，对我真心，就决心一辈子跟他。之后，就生下这个小鬼头。他可怜我，我也可怜他。我们两个人在一起，要么想想就哭，要么你看我我看你就笑，笑得老开心。哭了笑，笑了哭，辰光长了，只晓得戆笑了。”

第二天，船出三江口，向昆山市驶去。天下起毛毛雨，湿透岸两边田里的油菜花。这是春天，江南烟雨朦胧。坐在家里，只看得见小楼窄巷，走到外头，一望无际的湖泽港汊，田土薄得像一张巨幅宣纸，长久地浸在水里，漾开来，化作一斑一星，断断续续。水平岸失，天地相接，只所谓稠一点稀一点的一大片汪洋。

昭平和光妹穿着胶布的大雨衣，倚靠船尾驾驶舱的木墙坐着，看水波向两旁劈开，看一路模模糊糊的人家。沾满青苔的古桥，洞口收拢河道，又放宽河道，人从它上面也从它下面一再走过……百年，或者千年，一直不变。

昭平说：“什么叫可怜啊？”

“可怜，就是一个人看另一个人，觉得是同一个人。”光妹说。

“外婆，我想你。”

“怎么说想呢？外婆就在这里，想什么呀？”

“夜里头，你们讲话，我听见了。我听那些话，好比已经走到很远的地方，一个人孤单单的，就想你，想你永远不要与我分开。”

“外婆活着不会与你分开的，死了就分开了。将来你到头也要死的，我们跟这个世界总要分开的。”

“我们一直坐在这里，船一直开下去，一直开下去，不分开多好啊！”

“人来世上，都是临时住住的。父母儿女，夫妻亲朋，都好比过客。我们借这艘船宿宿，一辈子借世界这条船宿宿，都在船上呢！所以，人相互可怜，人的心竟比这水还要软许多的。”

“课文里有个人说：‘不要可怜我，我不要人的可怜！’这话是什么意思？”

“这话的意思，是他心坚硬了，比铁还硬。哪怕有人扔点剩饭给你吃，他的同情心都没死呢！不要想他屈辱你，你自己不屈辱自己就好了。人不好以为自己大能，不好以为自己抓牢的东西不会毁坏的。总是这一条船，总是临时的，没有长久。你遇到外婆，也是临时的。这一家都是临时工，莫非你外公在工厂里就是永久工么？”

“这么说来，我还是想你，会一直想你的。”

又过了一天，日头出来了，船经过一片大泽，便开进苏州城的水巷渠道。这里跟上海完全是不同的气象，房子几乎都造在水里，这里一处庭院，那里一座宝塔，茶肆酒楼纷纷从回廊和亭子伸出一截到河里，整个城市是一艘大船，或者一个大码头。昭平看那些人的面貌，居然跟上海人也一样，只是时间停顿在古代，日历翻不动岁月，随意填写上某个日子，任风雨日月循环浸淫。他想，在这里没有年月日，不论住多久，也不会超过假期。

船主的目的地是华盛造纸厂，但为了客人方便，就停靠在觅渡桥码头。下船的时候，女人羞怯地告诉光妹，她有身孕了，如果下次见面，说不定也有一个男孩子了。昭平上岸的时候，回头瞥一眼那条船，看见船头有斑秃的漆字“西谢06”。这应该是船号，西谢也许是个地名。

等昭平长大了，上大学了，他常常会到苏州河北上海大厦门口徘徊，趴在四川路桥边上的护堤，寻那艘西谢06号船。有一次他真的看到了这船停泊在不远处，船比他印象中的要小许多。他想，这么多年，也许是他放大了那艘船，船原本就没有多大，或者他那时候太小了，小孩子看什么都比成人要大。他看见船上有个年轻女子，穿粉红衣服，牛仔裤挽得老高，小腿白白的，光出的一双脚很大，还有一个男人，秃顶，但岁数并不大，留着小胡子。两人在吃力地拉缆绳，绳子上的污水和淤泥落在甲板上，弄得很脏。女人说话声音很响，似乎在骂那个男人。并没有其他人，那个船主和他妻子不在，而那个秃头显然不是他们的儿子。船开了，女人朝岸上看过来，看见了昭平。昭平认定那个眼神，还是以前那个女孩的样子，只是围绕着这个眼神铺张开来的肉身，越出了想象的边界，变得荒诞不经。他别过脸去，避开对视，在岸上这艘大船上走自己的路。

光妹和昭平在乡下的时候，常有人送来鸡蛋。鸡蛋是农村人的黄金，一家人靠它换盐钱、灯油钱、布钱和一切现金开销。那些老老嬷，将鸡蛋看得很牢，一天数三遍，谁也不许动。可是，她们送给光妹，却是一篮一筐，倾其所有。乡下人送鸡蛋，要把鸡蛋全染红，装在一个竹篾篮子里，这篮子往往已经用得发红发褐，挂满包浆，时光浸润进去，将婚丧嫁娶的喜怒哀乐封存得严严实实。篮子底下铺一点谷糠，鸡蛋一个一个叠压在上面，或生或熟，送的人并不告诉你。上面盖几片柏叶，喻常青不败，生生不息。间或还会藏一个红包在里面，夹着一块两块的纸币。这些，她们都不会告诉你，只将篮子往客堂间的桌子上一放，然后寒暄几句，就走人。篮子是不拿回去的，取出鸡蛋后，再将它盛满，才能送回去。盛什么东西不重要，一点花生，一些米面，哪怕放一篮子鲜野菜也可以，只要满，对方就会高兴。她送一些东西给你，你送一点东西还过去，将心寄托在里面，这是一桩真正的生意，来而有往，生意盎然。但这并不是一桩买卖，不求价格相等，但求价值相当。送礼的人将篮子放在那里不拿走，不是为了成全自己，恰是为了成全受礼的人。

最让昭平头疼的是，分不清鸡蛋生熟。贪吃，急着敲破，一敲便是一个生的，再敲，又是一个生的。外婆疼惜，就告诉他辨别生熟的办法。拿一个鸡蛋，在桌上急旋，转得快的，转得时间长的，就是熟的，反之，就是生的。昭平很快学会了，学会了便吃到很多好吃的煮熟的鸡蛋。外婆又教他吃的办法，敲开，剥下一片大一点的壳，将酱油倒点在壳里，然后在手指间边转动边捏松鸡蛋里的黄，再掰开，往已经松软的黄里倒些酱油，慢慢吃，一点一点吃，一口下去要带点黄带点白，黄白一起吃，才有味道。鸡蛋虽小，黄、白、酱的滋味融合在一道，让周围人事、话语和风景也调和进去，就是一个大大的鸡蛋了。

昭平和光妹趴在亭子间厨房的窗口，张望有没有邮递员过来。邮递员打响自行车铃，口里喊："396弄4号三楼，夏光妹敲图章！"这就意味着有汇款单来了，叫领钱的人敲图章签收。昭平往往会跑在外婆前面，一溜烟就到底楼，去开那扇用人进出的门，然后生怕邮递员走掉，嘱咐他，说："我外婆上楼去取图章了，你等等她。"外婆拿下来图章，朝图章上哈口气，让残留的印泥化开，朝汇款单的底根上揿一记。那个印记很浅，昭平凑过去仔细辨认，才看清外婆的名字。但他最关心的是钞票数额，贰拾圆整，还是贰拾伍圆整，或者叁拾圆整。为了知道钱数，他早就认识了各种金额的大写。

邮递员上午来一次，下午来一次。每月程兰玉会按时将生活费寄给光妹，一般一天都不差。偶尔因为邮路故障，迟到一天两天，祖孙两人盼望的心，就一直悬在窗口，互相猜测并安慰道："上午那趟不来，下午那趟一定到了。"他们两个那么殷切地等，加上邮递员又那么高调地喊，整个弄堂的人都晓得光妹家来钱了。有人故意跟昭平开玩笑说："你要把钱看牢了，一块一块用到哪里去了，你晓得吗？你外婆怕是自己都吞吃掉了。她叫王光美，跟马路上画的漫画里的坏人一个长相，一个名字。"昭平于是生气，扯开嗓门喊道："不是！我外婆叫夏光美，不是王光美！"夏光美是光妹的表字。

然而，有一天，昭平真的去问光妹："要是我妈妈不寄钱来，你还会要我吗？"不想，光妹听到这话，竟泪流不止。

光妹从小菜场肉摊的砧板上一星一星捡碎肉沫子，几个摊位走下来，已经拾得满满一把。

昭平问："这些肉捡回去做什么？"

光妹说："包馄饨，做肉饼子，都可以啊。"

"我不要吃这样的肉，脏的。"

"又不给你吃，外婆外公吃，舅舅阿姨吃。"

"你们也不许吃！"

"你看看，人家阿婆都在捡，不快点捡，都要被人家抢光了。"

"反正，我们家不许吃！你捡的也扔掉！"昭平从外婆手里抢过肉泥，扔到马路边的阴沟洞里。

妧姨来告诉光妹，说她家隔壁的小夫妻刚生下孩子，倘光妹愿意，过去做娘姨，可以挣五块钱一个月。

昭平问："什么是娘姨？"

妧姨说："就是帮人带孩子，或者帮人做饭洗衣服。"

"那不就是做用人吗？我外婆不做用人的。"昭平说道，又转身关照外婆，"你不准去做娘姨！你缺钱，我给妈妈写信，让她以后多寄五块来。"

"做娘姨，靠劳动吃饭，有什么不对的？"光妹问。

"广播里说了，人不可以做别人的用人，要有觉悟！现在是新社会了，我们家有吃有喝的，为什么要贪小便宜？"昭平责问道。

见云阿姨分配工作，在精密仪器厂食堂烧饭。她搬到厂里宿舍去住，每星期回永嘉路一趟。回来就会带昭平去襄阳路食品店的冰柜买一块中冰砖吃，又有一次带昭平去厂里住，放开肚皮任吃食堂各种好小菜，吃得昭平满嘴流油。梁育金死后，见云受嫂子杨敏挑拨，跟光妹闹意见，冲到浦东上钢新村，揪着光妹的头发打，骂她霉娘。

芳云有时也独自去精密仪器厂找姐姐，总能带回来二角、五角的零钱。昭平知道了，就问她讨要，她不给，就告到光妹那里。光妹就逼着芳云拿出来，芳云无奈，只好交给昭平。她气得不行，一个人就躲进浴室里，爬到窗口上，想要跳楼。正好被昭平撞见，昭平便大喊大叫起来，说自己错了，求求阿姨原谅他吧。

昭平有一阵太不听话，光妹见人便诉苦，说这孩子越来越难管，自己愁得要死。夏明珍便出主意，说从扫马路的那种大扫帚上抽一些细竹条下来，绑一把竹鞭，狠狠抽打几次就好了。光妹于是就向清洁工要几根竹条。这事是当着昭平的面做的。昭平当时就火了，站在街上对光妹叫嚷道："连你都敢打我！别人对我不好就算了，连你都起了坏心，我在这个世上还有什么活头！"光妹听这话，心里内疚，便作罢。光妹说："外婆不该听人家闲话。外婆错了。"

妐姨，泷姐，元香，夏明珍，都死在光妹前头，连前夏村的老长工、老佃户都死光了。光妹拄杖，站在山背的高处，望着西天，喟叹道："老天为什么还不带我走？我比他们都疲些否？"

昭平在早上半梦半醒中，恍惚看见梁育金和他三个孩子摁住光妹在地上，光妹挣扎不开，梁育金说："你再动，再动就打你！"昭平悲愤得哭出来了，却起不来，像是被魇住了。

昭平让外婆给他做听写练习。光妹打开昭平的书本，竟大吃一惊，说他书上那些字都是错的。光妹只认繁体字。后来昭平学习古典文学，拿回一些线装书，光妹居然和他一起读《左传》。又说："这间你书上终于没有错字了。"

今年夏天，兰玉下汤溪前，带着昭平和行江去海滨墓地祭扫。墓地门口拐角处有一条河浜，河浜边一些摊贩在卖鱼。昭平便走过去看，看见一条鱼放在脸盆里，尤其活络，斑斓的鳞片，黝黑的刀脊，一会儿横平着，一会儿又翻起来。昭平问多少钱，那些摊贩竟无一人回答他。兰玉大喊一声："昭平，快过来！"昭平这才醒过来，回到妈妈那里。兰玉说："这是鬼市，你靠过去做什么？你也不想想，谁会在墓地门口摆鱼摊？小心他们把你的魂带走！他们都是些在墓地里不安静的亡灵，出来透气的。你外婆也贪玩，说不定就在他们中间。"

昭平不停地回头，难忘那一尾瑰婉的活鱼。

部分注解

人道主义

夫子说："诚者，天之道也。诚之者，人之道也。诚者，不勉而中，不思而得，从容中道，圣人也。诚之者，择善而固执之者也。"

诚这个字的意思是，真实不虚。天道本真，人追求真实，才成其为人道。并没有天道之外的人道。中国的方式，不论儒道，历来是师法上天，而后来进入蒙古—通古斯新中国时期，又师法初心，渐知初心即天，这点至少跟基督教的三位一体接近，圣灵、圣父皆为上帝。然而天道在西方另设了一种方便，即救世主以人子降世又升天以免去诸罪。这也是一种圣灵的见证，道成肉身，肉身必成道。人子做得，全体人类何以做不得？一人做得，万人为何做不得？既一人做得，则自证人皆做得，于是人得救赎。只是按照宗教的法门，必须承认人子为唯一救主。心里信了，口里承认了，便得救。这就是新教的"因信称义"。天道择人，不以人的意志为转移，不在人以人的标准做善事行义举，人的道德框定出来的大善大恶，在天道面前一文不值。一个罪人，奸杀淫盗无数，然忏悔认罪，必得救；而一个英雄，积德行善终身，却自以为是，与天地斗争，言人定胜天，必遭遗弃。这是天道的奥秘和大法，人无以探究，任信疑皆不由己。

人所作所为，以为是非善恶，不论以俗世的惯例或以教会的名义来论断，皆属人择天道。而人是不可以代天审判的。即不是我们选择上帝，而是上帝选择我们。

承认有一种高于人力之上的天力，是信仰的起点。承认人力出自天力，由天力驱使，并顺天力而为，是信仰的过程。

夫子所谓“诚者”，乃圣通之人，耳目通达，进出自如，其人不必勉为其难，也不必左思右想，自然就是真实本身。那并不是什么神奇得不得了的人，只是守住本心，未染尘俗之人。而大多数信仰者，乃“诚之者”，即受染而又想借助人世的修行回归本心的人。这样的人，有敬畏心，细听内心的召唤，步履维艰，战战兢兢。他提出了两个方法，择善和固执。这两个方法千百年来，在中国的社会生活中，不但没有起到多少积极的作用，反倒让魔鬼有了方便可乘之隙。什么是善呢？人常常问几遍内心，便又转身去问别人了。结果，别人告诉他的善，竟是维护别人利益的好处。然后，又要固执，固执别人的好处忘记自己的好处，陷入奴隶的境地不可自拔。

人在这个世间走久了，就会渐渐忘记初心。凭着性情伸展一下腿脚，竟想不起“天命之谓性”；随着众人热闹翻腾几下，又看人势利羡慕得不得了。最后，以为人自己强大得无以复加，可以主宰一切。这就是出离天道的“人道”。当然，13至16世纪，发生在西方的人道主义，针对教会代理上帝业务，要断开与教会的关系，退回到人的性情中去，本是有非凡的勇气的。教会既堕落欺诈，那么人以性情为出发点，自寻与初心天道的关系，自己解释圣经，自己沟通上帝，有什么过错呢？只是后来，渐渐地，脱离教道的努力蜕化成脱离神道的追求，欲以人的经验和实证再创立一种“人道教”，万劫不复的苦难便开始了。这一路思想本来还尊重理性，或者说还有理想主义的色彩，但当技术发展到一定程度，工业革命遍地开花之时，人又妄自尊大地将理性也弃之一旁，津津乐道于眼前的实验。科学发端于理性，即人心中本来就有的先验秩序，这个东西承天接道，与生俱来，所谓逻辑是先验中诞生出来的，倘逻辑离开了先验，专事于经验，便是荒唐的混乱。实证主义之后，人们为每一个实证的结果欣喜若狂，拜各样技术的成果为神明，在俗世的各种具体中废立不已，乐此不疲。殊不知主义主义，不管你如何主，这义总是相对的。相对付诸绝对，于是相对也割裂开来，成为碎片。将教会的宏大叙事切成碎片，又不相信个体与天道的浑然一体，人彻底丧失掉绝对真理，人生终于变得毫无意义。

用天道的逻辑，妄想证明人的实验，这就是疯狂，就是骄傲，就是让上帝为人服务，就是颠倒人生。人生倘为了自己，便是虚空的。这话的意思是说，相对的世界是过眼烟云，没有永恒的。我们经此世，原本是为了见证初心，将心的力量和秩序显现光大出来。而这几百年的人道主义，一直想做一件让上帝相信人类、膜拜人类的事情，这怎么可能呢？你可以证明你的存在，但这不等于你证明了上帝不存在。你一次一次地证明了你的存在，又一次一次地证明了你的存在的相对性，如梦如电如泡影，这就证明了虚空一定有一个不虚空的对立面。这就是理性和逻辑的力量。而理性和逻辑来自于哪里？你不敢承认，也不想承认。因此，我们不做信仰的推断，先做不信仰的推断。即如果你承认人道主义的结果是没有信仰，是没有意义，人生是用来虚度的，那么仅凭这一点，是否也指向了灭亡和得救的边界呢？

自海德格尔以来，人索性弃理性于不顾，热衷于具体，热衷于感受，滴水中看不见大海，滴水就是滴水，滴水就是绝对真理，就是上帝。结果，海德格尔又怎样呢？自维特根斯坦以来，先以数理逻辑来证明人的奇迹，再干脆走向逻辑的反面，奉粗粝和混沌为生的趣味，哪怕上天入地，哪怕龙飞凤舞，又怎样呢？

审美！他们只好停留在审美上，以为审美是一根救命稻草，在暂居中吸一支烟，做一段梦。梦里不知身是客，一晌贪欢。只不醒来就好。

接欢

“余情悦其淑美兮，心振荡而不怡。无良媒以接欢兮，托微波而通辞。”

接欢一说，并非体受，意在往来。受只是一面，给是另一面。在西学中，将人的感受作为认知的第一步，进而上升到理性。这样的分析，是断面的。理性本乎心，对宇宙序令的天然认同，并不是由何种台阶上升而来。又理性的对立面，亦断非感性，情智实为一体的，不可分割的。完整的理性，即意象理性，这点我在《手珠记》中有专门的论述。

人倘将感性从整体智慧中分离出来，其实并不只是一种退步，根本上是一种降世的屈服，是拒绝心中序令的评判，是任由尘染摆布，听命于势利左右。这个世上并无具体与抽象的分别。所谓具体，乃是全体。每一个具体都与其他具体联系着，并体现着全体共同的序令原则，所谓滴水见海。而抽象，倘无具象的依托，并不存在，甚至难以成为哪怕不可言说的一念。一念，亦一象。动念则生象。一切将全体分裂成具体和抽象的哲学努力，都是人类自以为是的开脱借口。人企图将内心分割成切片，欲断开神天序令的贯通，以谋求在地上世界的“自由”，这正是偷吃智慧果的应谶。从宗教史的角度来看，具体是多神教的，形而上学是一神教的。后者企图以人的抽象理性来帮助神，来安慰救世主的痛楚，甚至安排出一幅“我的安慰难抚主的剧痛”这样煽情的审美画面。因此，形而上学依然是人的自作主张，自我揣度，想以道德而谄媚的姿态堵住神的嘴，进而转过身又奴役在多神的具体中不能自拔的异教徒。这便是与封建势力沆瀣一气又自命不凡的经院哲学。如今形而上学似乎坍塌了，在胡塞尔、罗素和维特根斯坦们将最后一根羽毛苛刻地放在哲学的尖顶之时，它由极轻而不堪重负。那么，人类又回到多神教的具体中了吗？回到了梦呓，回到了碰撞、摩擦、触摸和猜疑中了吗？

我们似乎板起面孔太久了，不得不自己抽打自己这副紧绷的嘴脸，打得手疼了，嘴角流血了，面目全非了，又自庆这样变态的胜利，说终于自己可以不管自己随地大小便了。但具体的感受，又究竟是怎样一回事呢？

耳朵是只能听的器官吗？眼睛只能看吗？还有鼻、口、舌，它们只是一些接受器官吗？听而不闻，视而不见，只看到进来的那部分，并不曾想过还有出去的那部分。听，是关于声音进入体内的活动，而闻，则是主动去寻找外界的动静。听闻并无孰先孰后，而是同时进行的，是一体的。但人类在所谓文明的进程中，切割开听闻，又极力放大了听的作用，其目的正在于摆脱内心的自律而倾向于捕捉外界的信息。信息时代，是这种分裂的巅峰。成吨成吨的垃圾，在人的交互中生成，滚滚涌向你的视听，逼迫你顺从世道而放弃自我。自我是什么呢？自我是同一心在世间的差异性支点，但当连这个支点都失去的时候，便是毁灭。性，如果只受力一方，谓之奸。口，倘若只用来填满食物，谓之失语。因此，哪里有什么感官一说呢？感受，是一种甘受奴役的状态，是一种贪图填塞罅隙又不得不任人摆布的被动。而人之罪身，从空虚到满足，从满足到排泄，是并存且循环的。思不在脑，想不在心，你做不到去掉理性而存留感性，你却可以完整地切掉四肢、器官而依然存活。整体可以相加，也可以相减，但整体永远不能以局部和分支孤立出来。既在，必是大小不一的整体。故而呼应才是天矩。认识论关于未知和已知的探讨，都是人的妄想，并不在神天的意志中。存在便是先知，但存在又便是蒙蔽的开始。入世是一个去除蒙蔽还原到先知的呼应过程。在这个过程中，认知并不是由近至远的摸索，而是由远至近的回归。人由一个点伸展到下一个点，从未知到已知，其出发点就是谬误，因为人不是未知的，而是先知的。认识是弃已知而求他知，是走向他人的进程；而呼应是以已知见他知，是回到自我的印证。我们经此世，是带着先验先知来求证的，而不是带着空箩来装垃圾的。呼应，在于呼，也在于应，不呼不应。人在理智和情感中盲动，总以为自己不足，靠己力挣扎，正好比逆水行舟。人若不忘先验而呼应，不论大小损益，总可于契阔中归位，入天道中锯齿，得天力推助。这就是接欢的道理，承接呼应，一鼓一偃，一动一静，欢娱自在其中。

人们呢，不管理性求知，还是感性求知，总背转过去，放着明眼不看，非用后脑勺张望。

自由，便是由着自己。倘由着他人，由获取他知来达到尽知，先不说尽知的荒谬，即便知之甚多，也便意味着受缚于他人甚多。这哪里可以由着自己呢？或者按西人的解释，自由乃空闲，乃解放，那么由着他知而框定的人生，除了不断去消费别人的推出，哪有自己的空闲与解放呢？西方哲学说到异化，这是对不自由状态的发现。但如何去除异化呢？难道是掌握人类文化的全部，更大地推动生产力的发展，更大地满足物质精神的贪得无厌，可以做到吗？按照产量和知量来考量这个问题，只会将异化人本的壁垒筑得越来越高，越来越厚重。因为，正是他知和他物异化了本心本知，现代文明带来的海量知识和无穷产品，仿如锁链日益增长，仿如帷幕日益深沉，以垢洗垢，以黑抹黑。我们按照这条路线往前走，失去的不是锁链，赢得的却真是整个世界。整个世界压在你身上，还谈什么自由？这哪里是争取自由，这分明是争取监牢！为什么，为什么我们非要赢得整个世界呢！

进一步，作茧自缚；退一步，海阔天宽。人怎么能只知进不知退呢？如果退步能带来光明，为什么还要在进步的途中扑向黑暗呢？

玉钥

中国历来有坛台、宗庙和社稷。坛台分圜丘和方丘，分别祭祀天地。宗庙为祭祖的场所。社稷，社为土地神，稷乃后稷，谷神。

天子，为神天之子，神授权柄来统治地上万民。从史载以来，一直信奉一神诸灵，唯一神是上帝，其下为地上诸灵及祖宗灵。神这个字有时指万神，有时指天神，但天帝、上帝只用来指最高神。关于何以上天垂象、何以亿兆从景、何以圜丘祭天、何以方丘祀地诸种学问，并不在民间，甚至也并不在学术中，只在代代相传的皇族系统里。中国不似日本，不是万世一系，而是频频改朝换代，这又如何保证天命无误、一脉相承呢？这些学问的一部分，靠博学的宗师来传递，比如商朝的伊尹。这类宗师既不是儒家的人，也不是巫觋、方士、道家一流，但他们悉知百家，熟读文献典章，是上古祭司传统的嗣芳。只是他们晓得敬奉上天和诸神之然，并不了解此间所以然。所以然者，尽在天命。上帝选择谁，只有被选择的人知道。庸人以为，神和天子之间的联系是虚妄的，可以随意编造的，便以“造书”“托梦”欺世。如陈涉丹书“陈胜王”于鱼腹，洪秀全自诩天兄起事，但结果皆以失败而告终。曹魏逼汉帝禅让，司马逼曹魏禅让，从黎民百姓的眼中看，是实力的较量，是枪杆子里面出政权，但何以实力可以转换，何以昨盛今衰呢？伊尹观“九夷之师”从弃夏桀而知天意，武王孟津观兵，有白鱼跃入舟中，有火自天而降，诸侯以为纣可伐，武王却说：“女未知天命，未可也。”天命以怎样的方式选择天子，又以怎样的方式更迭王朝，以常识和一般的典籍，是难以窥明的。

而所谓国学，理应包含这一部分。国学是什么呢？经史子集，甚至延伸到野书笔记中。只是这些以儒学为中心的正典，或者涵盖到佛道仙怪的旁卷，亦语焉不详，不甚了了。而这类学问明白无误地，是确实存在的。中国旧时的读书人，读破万卷书，也几乎只在边缘打转，更别说当今的读书人，或者比较中西文化的汉学家，他们对上帝与这个国学传统的关系，及这个国学传统的根源，漠不关心。所以，尽管洋人的联军据斋宫以为幕府，设火炮于圜丘之巅，甚或革命破四旧烧毁庙坛，开商埠，辟租界，东西方相撞，急切与国际接轨，上上下下，里里外外，刺探，剥离，闯入，翻腾，竟都未曾动弹得这个根本一毫，也未曾推开过这所神殿的一丝门缝。所有西方人士，不论与百年多来多少届政府签过多少条约，却殊途同归地得出一个相似的结论，那就是："为什么至今我们没有进入中国！"

中国作为一种生活方式，也作为一种信仰方式，有表里两个方面。天圆为里，地方为表。天道为里，人道为表。从孔夫子以来，言"择善而固执"，便是从表处做文章，以诗书礼乐的末节来限定人，这一路走去，儒学便成为维护统治的工具。当然，孔夫子是知其里的，他认为民众不能理解，也不可为，甚或根本就不宜让民众知晓，不如"使由之"而不可"使知之"，由性情中之善势利导。老庄一路的人不同意他的做法，认为这样做，会割裂人为与天为的联系，会以人的标准渐渐取代天的标准，是故圣人不死，大盗不止。但汉以后，儒家的书只剩下规章制度，道家的书只谈论方技巧术，纵高士贤达，也只在表皮末梢处隔靴搔痒。但皇帝又是讳莫如深的。他说："匹夫无罪，怀璧其罪。"直接针对老子"被褐怀玉"的圣人说。他握有一把打开神殿的钥匙，那就是玉。他为什么要订出严法，不许他人拥有玉呢？民间私藏玉，杀无赦，直至发冢者入墓穴也竟弃玉而只取金银。他的目的，不单纯只为独享世间珍宝，他干脆毁灭玉市，不许买卖，不许有价。所谓"黄金有价玉无价"，就是由此而来的。那么，他所珍贵的，定然不是玉在地上的价值和价格，而是把玉当作一件有神力的圣物。得玉者得天下，得玉者有重威。和氏璧出世以来，各国君主浴血争夺，最后落入秦王手中，秦一统天下。秦王命工匠琢璧为玺，刻字“受命于天，既寿永昌”。之后和氏璧以传国玉玺的形制存世，谁得到它，谁就有正统的皇权。刘邦得了，项王未得，刘邦赢了。汉献帝失之，曹操得了，曹操得天下。晋遭胡乱，皇室东渡，传国玺落入军阀之手，北人笑曰，司马家乃白板天子。及永和八年得玺，国人才又视东晋为正统。玺至建康，百僚毕贺。玉玺其重若此。后又经隋唐，至后唐李从珂时，契丹军至洛阳，帝与妃后携玺登玄武楼自焚，自此不知所终。鲁迅断言，宋以后的中国是一部衰亡史。或玉玺亡，天命绝，神授不继？后来的历史，当然中国未亡，在蒙古—通古斯的努力下，拓疆开土，反而壮阔非常，北至地极，南至赤道，东至太平洋，西至欧亚边界，只是汉人政权亡矣。满清通古斯女真，出于白山黑水间，上古也崇玉，其地出珣玗琪夷玉，入中原后倍崇昆仑玉，又修四库全书，将汉人的文化复兴起来，国祚二百六十七年，末期因玉龙喀什河玉籽采空，不得已以滇玉翡翠代之，遂亡。

唐宋以降，玉渐入民间。百姓不谙其理，只当佩饰。但心中惶惴，闻其有神力，不知神力何在。于是，士大夫文人玩玉又敬玉，心情十分复杂，畏而好之，据诗所云，“言念君子，温其如玉”，《礼记》所言“君子无故，玉不去身”，又夫子所谓玉有五德，君子比德于玉，便渐渐往品德养性一路走去；农工商贾，市民野人，用玉以巫道祝由，状神迎神，状鬼接鬼，或初浅以吉祥图案讨口彩，辟邪魇胜。

然而，上帝安排下了经与玉。经是锁，玉是钥。打开经锁的，必是玉钥。所有经书上的文字，倘由文字来注解，仿似龙而蛇，蛇而虫，又间生秽物杂草，裹蛇虫以庞然，超乎地界时空，无处容身。尽管中国文字传承有序，但信息的连接，若得不到不竭之源的灌植，或枯或讹，必失真滋谬，面目全非。于是，天设玉牍，以之为介，直通神明。中国的书，每一句都要由玉来明鉴，由玉来直指真谛。在漫长的人生中，玉的光华照耀每一寸迷惑，以其五德，即五种属性，或者更多重的属性，润泽以温，缜密无间，声文舒扬，不桡而折，裂不伤人，带人归正其途，入天矩而不移。读书，靠着玉典指引，发明幽隐，不知不觉中，了然于心。玉，内蕴精光，并无夺目之彩，竟有夺魂之华，先以其表迷人，及至涉足深微，便浑同血肉，视之若己出，与体肤一色。

玉，并不是“钙镁硅酸盐”“透闪石”“腰石”“肾石”“摩氏硬度”“折光率”等等这样的理化或者经验的分析能指定的，它是神仙血肉，古人谓之亦神亦神物也，又说它初为膏液饴糖，黄帝的日用饮食，又上古祭司在瘗埋敬祀中炙烤玉璧，做成糕饼，以飨神明。它的结构像精液，它的水产形态像天神舍利，它的山产脉理像巨人的身体。它在西为球琳，在东为珣玗琪，在中为瑾瑜，在南为瑶琨，纵其色纷呈，其质不二。

所有未从玉鉴照明经义的儒生，一生总在学问的皮毛中出没，然然不已，昧盲夜行。所有由玉引领的君子，触玉怀玉，灵泉应手顿生，直入心底，终日不闻不问，天下事尽知皆晓，如有明灯在手，洞见万变中不变，立于不败之地。玉，乃中国这样方式中一切学问的真根底，天道中的莫大恩典，国人不知，不入其户，洋人不知，亦难启其门。洋人进到中国，难与抱朴守拙的文人相处，总搭上些落第的士子、匪盗强人、娼门伶人、学徒走卒，与这个文化的门外汉结盟，欲以怨恨和不满撬开神殿，往往费尽心机，无功而返。日本人进到中国，弄不透兄长的真学问，不肯坐下来用功夫，只想逞强显能，到头来也是竹篮打水。倒是蒙古人和通古斯人，愿意虚心学习，深究不弃，结果反倒服了人心，做成了中原的皇帝。也有些洋传教士，可算得上不凡之辈，他们为了传播教理，竟也拜倒在儒生的门户之下。所以，这不是一个民族问题，也不是一个侵略和反侵略的问题，而是一个方式问题。认同这样的方式，才有起点。事实上，西学东渐，影响甚微，这边的真人并不肯出去，那边的坚船利炮动摇的不过是些疥癣皮屑。万年神殿，巍然屹立，兴师动众，只落下一些泥灰碎石，并不值得冲动欢呼。

仿佛有一种特别的安排，设下这别样的字和玉，拒人于千里之外，让交流、融通和趋一的大势在这里停步，针插不入，水泼不进，既有恩宠，亦有选择，令世人在热衷进步和文明的途中打道回府，作鸟兽散。这是一件最终将令近现当代的自以为是头疼的事情，出离天道的人道，在这里遇见了不可逾越的屏障。

圣灵论与心学

当提及“圣灵”一词，必先知圣灵之圣，是翻译借字。在中文里，圣字过去写作“聖”，口耳顺通，下面那个“王”，以前写作人在土中的样子，即地上之人，口耳顺通，先知先觉，发乎口，顺乎耳，并不是从后天的学习和阅读上来的。口耳相传，通达无误。所以，中文的圣人，是指地上的人中之圣，即人圣。而西语的意思，是神圣。神性的，纯洁的，无染的。圣灵，以中文表达，准确地讲，应是神圣之灵。神圣而纯洁之灵，即指初心，本心，无脏之心。按宗教的说法，圣灵出自上帝，也出自上帝之子，甚至圣灵就是上帝。这点跟心学中所言之心，是一致的。

万物有心，非人独有。加尔文在《基督教要义》中说：“圣灵入万物，赐万众活命，万物乃生长。圣灵无限，无属受造者，其能力入万物，以性命入万物深处，令万物动静有序，实为上帝之灵。”《约翰福音》中记载：“耶稣又对他们说：‘愿你们平安，父怎样差遣了我，我也照样差遣你们。’说了这话，就向他们吹一口气，说：

'你们受圣灵。'"心学主张，心即宇宙，与天理合一，人同此心，心同此理。这些说法，都指向本初的心灵，无论在人之中或在万物之中，都发乎上天，都体现着神天的意志。神天的意志是绝对而无限的，于是一加一等于一，万物万众同心。这个一，既是原初，也是一切，所以又有一生二生三生万物之说。上帝以一个标准的序令注入世间万物，统管着宇宙，令万事万物不出其道。这个序令于千变万化中持恒，便是圣灵的工作。神与我们同工，这话就是这个意思。

在中国，字传承有序，玉遗世独立，天子充当中保，形成一种非宗教而有信仰的模式。但当天子黯弱之时，人心复苏，人直接与初心沟通，自己承当。宋以来，汉人中国终结后，禅宗、理学、心学，纷纷兴起，与人们对外族皇帝不放心、不再全权委托"格于皇天"的心理不无关系。这就比同宗教所言，圣灵为第二个保惠师。直至今日，天子已去，字，玉和初心，依然完好。字好比经书，玉好比神心的外化，而心驻在我们每个人身体里。虽历战祸，西乱，主义之争，背视盲动而外求，终不能摆脱心力回牵，引我归正。这便是我《手珠记》中所说的内学的途径。人们在失去天子的中保之后，一路狂奔向外，总不知字保，玉保，更有心保，书朽了，玉书不朽，玉书朽了，心书永不坏，纵再远的地方，上帝都设有边界，纵再大的世界，都无非在心中来回。这就是上帝的大恩与万能。既出自神天的创造，既在神天的统治之下，何来别途他路？除了回归，我们并无去处。回归即是救赎。

说到圣灵本心，谓本净不染，又何处染尘？然入世即尘，于世间言净，净亦不净。这又是绝对真理和相对真理的问题。心初之净，高于人世，出自天道，发乎上帝，是绝对无疑，不容辨识的，因为辨识来自于头脑，而头脑由天造天定，在天之下，人是无识的。人之识，乃天之下识，人间识。人间本脏，于人间言净，必是脏中之净，这就是相对真理。以相对真理针对相对真理，好比以脏洗脏，或者越来越脏，或者脏脏得净。否定之否定，指向肯定。人不可说谎，这是向着神的。但公司老板也要你不说谎，是僭天的，没有依据的。我们倘把自己托付给主人，那么主人必须将他自己托付给神，在这个关系中，他作为主人是被应许的。而我们托付给他，他却托付给世间的势利，我们何不自作主张呢？这便是说，人规不在天矩中，是非法的，也必不长久的。从君主制到民主，从本质到存在，就是这样一个觉醒过程。但觉醒过后，个体的选择依然倾向与地上的势利结盟，那么，情况比早先由一人或形而上的本质去堕落，更为不堪。平头百姓的觉醒，并没有觉醒到弃君不道，而是觉醒到许你不道，怎不许我不道？如今民主了，我也不道一个看看。

佛教是最早参透这个问题的，文化，道德，政治，经济，语言，诸法皆空，即诸法皆相对，不可投靠。不可投靠，并不意味不可用，用以作舟，航行人生。大舟小舟，百舸争流，纵使舟舟相连，舟便是舟，总不是岸。于舟中妄谈岸否，不如惜舟慎渡，或可抵岸。既在舟中，则借舟安渡，这就是相对真理的用处。所以，人跟人之间，五十步笑百步，舟有大小高矮，却都不是岸是岸非，只在苦海中沉浮。一个主义有用，就好比一艘航船可以容身，那就上去，亦不必旁顾，又何必沦为信念！（在人间越有信念越沉沦，这就是为什么圣人不死、大盗不止的缘故。）大凡认为相对真理难以把握，于信疑间挣扎，于净染间弃取，必是背岸远行，忘本心迷。这世间哪来什么信疑？信则信矣，那是人与神天的交道。疑则疑矣，起于疑必止于疑，才是科学的道理。诸法中起于信而止于疑，或为精进；然起于疑而止于信，必为迷信。相信世间法，将自己托付给人间的得失，都是迷信。迷信就是拜偶像，偶像就是相对真理。在这里，拜的意思，是绝对化，是信托。在中国上古的时候，对诸神的态度，是敬而不拜，敬可祭祀，不可效忠。祭以为用，人神互利。《尚书》上说：“鬼神无常享，享于克诚。”诚本天道，克诚乃诚之，以天道之诚对待鬼神，亦在天道之下。《尚书》这话的意思是，鬼神的日子也不好过，人神交易，也要讲点信誉。他有所享，你有所得，都看在老天的分上。

节日以及经书

这本书写到这里，时间已经进入2016年。元旦一大早，街上空空的，雾霾已散，行人稀少，汽车零落。从昨天晚上到现在，如果你还在街上走，那么，不消邻居和同事提醒你，你自己就会告诉自己，我为什么混得那么差。仿佛子夜，你不与小孩、老人和妻子一起跨年，或者天明你们不团聚在客厅里互道新年祝贺，你就是一个失败者。异客们已然回乡，豢养偏室的男主会找到第一百零一个理由撇下私妾回到正妻身旁，游子和荡女的心也飘摇失重，囚禁的犯人和重病的患者都望穿秋水等待探视……团聚的人很圆满，离散的人失魂落魄。这就是节日，它有一种力量将野在各地的心收拢来，收拢起来给周围的人看，“我这一年都是为了这一天，这一天乃是此生的目的”。

节日在过去是用来祭神的，而在今天又是用来杀人的。人们早就忘记宰三牲祀上帝、供五菜五饭祭祖宗的节日传统，不知道节日原本是为天帝神灵设的，却不是为人风光炫耀一番立的。聚宗亲子孙于一堂，或叩拜祷告，或焚香礼敬，排筵宴酒席，先让上帝诸神吃了，才轮到人吃帝神的剩饭。岁中定日定时，如竹有节，忙一时，省一时，出而有归，竹约有序，以志不忘。是为节也！但如今，人们要以节日中拿到多少红包、得利多少奖金、父母妻子亲朋是否在纲常中为荣光，孝顺是做给人看的，爱妻疼子是做给人看的，人互相看着，比对高低，以非性无德之习俗惯例为规约，做一把人自以为是的荣耻贵贱的尺子，量一量高矮胖瘦，找一找自己的位置。倘出离这个规约，便是耻，奇耻大辱。于是，鬼神无享，天道罔闻，人结一张势利的网罠自缚。

节日最终沦为一种捆绑，用人间的纲常和伦理捆绑你，虽性情、信仰、事业、爱恨，皆归束到网眼中，让一切追求和目的都指向这个标准，形而上升为人道主义。这人道，以极富人情的面貌出现，常回家看看，十五的月亮，风雪夜归人……然而，我看见，在经济大萧条的夜晚，一个老板满脸堆笑、打躬作揖地给每个员工发完红包，身心疲累地独自一人坐在没有暖气的过道中怅惘。手机又响起来了，他对电话那头的妻子说，明天去澳洲的头等舱船票已经买好，给儿子学校老师的礼金也已备足，丈人丈母那套新房的首付节后就落实，另外，不会因此而折扣掉她的那支冰种翡翠手镯……而就在刚才，财务已经通知他，现金流断裂，银行贷款申请驳回，货款再过三年都追不回来。他已经无力起身，哪怕再走五十步去摁开电梯，哪怕迅速离开这个冰冷的空间。他想，就先这样冰冻一会儿自己吧，为什么冰冻眼下如此美好？再等一会儿情人的电话说不定会来，不过她早说了，没有一个元旦和她过，她或者最终会找别人去过。那就在电话中道一声新年好也行，听这样一句问候也是莫大的安慰。可是，电话铃再也没有响。这个夜晚，他决定步行回家，一路受冻，冻到最后一点温度足以让他进门，他好靠这最后一点余温躺倒在家里的沙发，然后闭眼睡去，第二天再不醒来。他死也要死在这节日的网眼中，绝不可横尸街头，成为笑柄。

我们看希伯来人的书，只看到一本书，那就是《圣经》。我们看希伯来人的先知和英雄，仿佛只是些掠影，那些业绩和荣耀与他们的英名并无太大联系，都只见上帝的手在带领他们做工。而我们看中国的书，竟能看到百家诸子，看到圣贤的教导和君王的遗训，才情和智谋交织在一起，成败功过都记在人的头上。而希伯来人难道真的只有一本书吗？《雅歌》和《诗篇》不算诗辞吗？《列王纪》和《历代志》不算史记吗？以赛亚、耶利米、但以理不算诸子吗？这些浩瀚的篇章究竟出自人，还是出自神？随着时间的推移，越来越多古犹太的散佚的文献被发掘出来，而罗马教廷并不承认那些直接记录神言的经卷，只承认那些由先知记录的神话。《旧约》的部分，天主教承认四十六卷，东正教承认五十卷，基督新教承认三十九卷。犹太教的圣经是《塔纳赫》，并非基督教所谓的《旧约圣经》或伊斯兰教所谓的《讨拉特》。《新约·提摩太后书》中说："圣经都是神所默示的，于教训、督责、使人归正，教导人学义，都是有益的。"这是圣经成为人神联盟依据的依据。但这个依据只指向神的默示，并不指向神的手笔。即神造人，神择人，由人设立这些经卷，归在神的恩典里。神在千万年历史中选择了很多人见证天道，未见得只有希伯来人这一部分；神也在希伯来人中选择了很多先知说出真理，未见得只有目前被教会合集的那部分。人们以各自教会的方式和各类学术的规则筛选了对他们有益的内容，我们应该相信这是神的选择，但我们也看见了人的作为。以色列最近禁映了一部电影，是关于犹太人和巴勒斯坦人通婚的故事，理由是"同化是很危险的"。从巴别塔以来，上帝的确非常不喜欢人的同化，因为人的本性差异正是见证天道的必要前提。既如此，何以希伯来的先知才能得到默示呢？何以经过基督教会修订的部分希伯来先知的传言才是唯一依据呢？上帝默示了希伯来人，也一定默示了高卢人、维京人、通古斯人和中国人。从《尚书》以来的经史子集，谁说不是天启神示呢？每一部书都是神的安排和预备，但并不是每一部书都彰显了神直接的意志和旨意。人将神的默示归结在自己的名下，看起来是一种文责自负的担当，实际上是傲慢而狡黠的佞慧。人只可担当自己的言行，如何担当得起神的决定呢？一种人神联盟的宗教信仰方式将默示甄别出来，这并不意味着非宗教信仰的那部分经典不是神意。我们只能说，各类圣经是各类教会信仰的依据；我们并不能说只有教会的依据才是唯一的依据。在教会之外的非宗教信仰历史中，那些由神默示的经卷，也是圣经。因此，希伯来人有希伯来圣经，欧洲人有欧洲圣经，而中国人也有中国圣经。问题是，我们如何甄别？宗教的人群靠着教会甄别，非宗教的人群靠什么甄别呢？在中国，以前是靠皇族和圣贤甄别的，当圣人已去、天子黯弱之后，又靠初心的慧根明辨。所以，往外走的人看到的都是诸子百家，而内观求真者必见神光天焰。这就是内学为什么在当今生活中成为信仰方式的缘故。心学为体，诸学为用。有了本体，所用皆为圣经。须知，教会的甄别也是由圣灵的启示做担保的。

另外，上帝唯独恩赐中国人玉，这是莫大的恩典和方便，以神在世间的实体照见初心光明。得玉者见性明心，超越天子和圣贤的监护，直面万师之师。师玉即师神。

希伯来人将一切文化归在神的圣殿里，如今西方的无神论者又将这圣经分裂成历史、哲学、经济、文学诸种人的学问。曾经中国的先贤和皇帝也将一切的生活方式归在神天的统管下，如今中国的无神论者也学着西方的无神论者将万事万物分崩离析。不是所有人看中国的书，都看见孔子、老子或者墨子，只有人道主义者这么看。人道主义由来已久，而神道主义亘古不变。

卷七

岐阜县的沈行江

卷首

刚入了新年，第二天武玮给我看微信，里面有一大堆行江从汤溪发来的照片。整整一年了，昭平和行江没有回名古屋。他们送沈阿姨去过云南回来后，用了各种方法，与学校周旋盘桓，生生弄出一大堆考察的名目，这便索性双双又去了汤溪。在汤溪，他们进山住到上阳村一户人家，租了一进院的老房子，从秋天一直到现在。

行江在私信里说：

“开始，我们在那里生活，写作。现在，我们在预备，把一切预备妥当，我们就回日本去了。

“按照亚洲人一贯的方式，我决定更姓为沈。我是沈家的媳妇，今后应该叫沈行江。

“爷爷今年八十七岁了，他将大野町的房子卖掉，迁居到北部的高山市去了，那里离飞驒山地很近。我和昭平商量，今后搬去跟爷爷一起住，我们也出些钱，买一所旧木楼来改造一下。住在雪川古飞驒国附近，不是为远离尘嚣，而是为以昭平和我认同的方式生活。我们不喜欢人多，也不喜欢人迹罕至的山林野地，我们喜欢与人少往来，与自己和心灵多往来。

“今后也请你、晓珞和你们的老师一起过来住一阵。我想，广天老师一定会喜欢岐阜的森林和雪地的，那里有他向往的童年少年时期的青草的味道。他的《手珠记》我看了，其中关于字主义和诗学的内容最精彩，但第一卷带人入境又令人往返不已，是神启之作。

“晓珞和你新的唱片都已收到。我喜欢你的《张老妈》和晓珞的《只有这么唱才靠近永恒》。

“祝你们新年快乐！”

尽管这些私信，读上去像是新年祝贺，但我发现一些重要的信息，它们将本书导向意料之外的结局。我的朋友沈昭平，他后半辈子要搬到日本去生活了。这个一生都浸润在万年妹方不朽光泽中的人，要远行了。或者说，这最后的妹人要离开妹方了。究竟发生了什么事，让他做出这样一个决定？我想，我写得太久了，已经忘记跟我的老朋友交谈。我或者也应该加他微信，用这种快捷的方式写我们固有思维中的书信。

下面的章节，全部来自这几日我和昭平的私信往来的内容。为了方便读者知情，我还是把它们都铺排成了故事的面貌。

第一章　墟

2015年秋天，昭平和行江再回汤溪。这次，是他们时间最充裕的回乡。行江说，要去前夏村的十一进院住，她想随着曾祖父的日记身临其境。

夏旭宝上年七十九岁了，不知道因为酒喝多了，还是得了什么不治之症，说话开始口齿不清，头脑也相当糊涂。他倒是还记得昭平，看见外甥孙，眼睛眯成一道缝，歪着嘴，难以控制面部肌肉，笑容相当难看。杷金还健，从村里的加工厂领来一些电子计时器在家里装配。老两口住原先庭院西处的大厨房里，开慧将那里改成一间可以烧炭炉的卧室，挺暖和，也挺干燥。再靠西一点，原本是一个溪水绕弯处的小平台，兴盛时用来做厨房腌菜下缸的场地，现在开慧在上面砌了一栋新房，和妻子孩子住在里面。庭院正开的堂屋还在，左侧曾经隔出一间小厢房，昭平1984年来就睡在那里，那个秋夜，奕婕光屁股钻进他的被窝，历历在目。正厅里停过戴昆先生的灵柩，放过夏玉书和丰奂英的寿棺，元香阿婆被逼死了，遗体是不是也在这里躺过？屏风后面的出口砌起了一道青砖墙，该是土改的时候重新分产给堵上的，现在想要进到后面的天井，只好从边门绕道，从外墙的一个破洞钻过去。这个洞是1974年夏昭平、开慧跟村里一帮顽皮孩子凿开的，他们曾经钻头觅缝地建造了一条贯通十一进院的秘密通道。如今，从这个入口，昭平又带着行江进到堂屋后的天井。

站在天井里，昭平在这头，行江在那头，想象着松元正雄和夏玉书隔着雨帘谈话的情景。只是中间如今并无雨，隔离他们的，是一蓬蓬蒿草。地砖缺损了，或者翘起来了，回廊的几根细梁垂倒下来，拦住了循环的通道。行江说：

“从日记里看，这个地方应该大得多。”

“时间的遗物堆积起来，往往把记忆都推到一边。我们中间放着七十多年的垃圾呢。”昭平说。

他们又上到二进院正堂的楼上，梯子断缺，扶手摇摇晃晃，似乎走快一点就会坍塌。好不容易上来，推开一扇窗户，窗牖竟然整个掉下去了，落在天井里摔得粉碎。昭平说：

“太公曾经在这里跟你曾祖父谈宋后诗词，元香阿婆在一旁研墨伺候。从这里应该看得见远山。”

他们于是又推开几扇窗门，往远处看去。只见雾霾重重，连村口的稻田都隐没了，更何况远山！

“我们今晚就宿在这里吧。”行江说，“让开慧舅舅弄些铺盖来就行。我们修一下窗户和楼梯，里外有漏洞的地方拿纸糊一下，再将积灰清出去，应该睡得安稳的。”

这便向开慧要来工具、木板、钉子和扫帚，两人忙碌起来。忙了一整天，近黄昏时分，差不多收拾出来一点居住的样子。行江和昭平，靠墙坐在一张竹篾席上。行江说：

“一点太阳光都不见。要是这时候西窗有残阳照来，我们停当了，吸一支烟，也好的。”

“听开慧说，澹台公去后，四十一年了，天没放晴。”昭平接话。

这时候，开慧的女人上楼来，送给他们两床被子。昭平一直不肯叫开慧舅舅，这下跟着行江的岁数，也只好叫女人舅妈，叫开慧舅舅。舅妈说：

“这间住到新屋才味呢！楼上干爽，床也宽，宽带我也装好了，凭你们在网上漫游。这里怎么住得？虽打扫过了，朽木里的虫子灭不净，夜里要爬出来的。我端的不放心，还是劝你们睡过去。再说，你们到我家里，让你们睡在这个垃圾堆里，别人要笑话我的，么待客，要不得的。这边十一进院，通到村后头，大片大片都塌掉了，几十年没有人住，大家都搬到山背和塘堰去了，在那边砌新屋。村里芯子烂掉了，外围才有人气。我们本也想走的，爷娘不肯，随他们只好留在原地，是最后一户呢。”

“这么好的房子，骨架还在，石头和大梁再用上几百年都结实的，何苦再花钱造新房呢？”行江问。

“时代不同了！”舅妈说，“现在的后生都住不惯老屋，要现代化呢！自来水，热水器，天然气，太阳能，用起来方便，谁会在老屋的柴火灶头上烧草灰饭？你们是游客，来玩几天就走的，在城里过厌气了，到这里寻点稀奇。上年我去过一趟上海，危险热闹，危险好啊！地铁那么快就到要去的地方，商店一爿接一爿，虽想买什么都有。那个灯，夜里都不熄的，照得像白天一般，派头十足啊！上海都这么好，昭平新妇，那么你们东京，怕是要好到天上去了吧？”

“东京自是灯要比上海亮些，地铁线路还多些，但东京日子比上海要苦得多。”行江说道，“在我们那边，苦命人才住在城里，要打拼，要赚人生。赚一世，有闲了，都回农村去。依然想着，住木屋，吃钵饭，喝井水，点纸灯。”

“世界总要进步的。老的传统拖人后退。像开慧那样，死脑筋，还包地种杨梅，已经亏了好几年了，谁不说他傻呀！”舅妈说。

“不是传统，而是原本。不是进步，而是变质。”昭平插话道，

“我可不是游客。我跟舅舅一起在这里长大的，我们什么都见过，心里懂的。现在是人穷了，崽卖爷田不心疼，拿金子当废铜烂铁卖，去换糟糕的便宜生活。你们那个印村长，就是印鹃舅妈的弟弟，将我们家整座祠堂连根拔起，卖给安徽的博物馆了，换几部拖拉机、收割机什么的。真蠢啊！我看开慧舅舅，比他敏工多了！”

“下雨天，老屋还要漏雨呢！算算修老屋的钱，比砌新屋还多，也只好造新屋住。”舅妈感叹道，“家里纵有金山银山，养不起，也只好贱卖。”

舅妈放下被子，小心扶着楼梯把手，慢慢下楼去了。走一半，又喊道：“一间天乌前，自落来吃夜饭。我便不上来叫你们了。”

舅妈去后，行江说：“乡音倒是未变。将来按照这语言的思维，还能找到房屋的图纸吗？”

昭平答：“你们日本人的方式，一个兄弟守着，一个兄弟外出挣钱，卖一点不值钱的东西到城里换钱，等发财了再回家养护翻新。我们是通统不要了，干脆扔光算数，重起炉灶。不过，话又说回来，哪种方式养人心，就用哪种方式，也不坏。生活方式都是外在，换一换也无妨。只是蒙心了，便是虚度。舅妈说得也没错，夜间下起雨来，漏雨了，也待不住。”

“今晚最好别下雨。”

“难说。”

吃夜饭，到开慧新屋的客堂间。舅妈照例杀了红头鸭，蒸了一盘咸肉，还炒了几样开慧自种的蔬菜。开慧启了一坛五年陈的自酿米酒，给四个人沥上，用那种蓝边大碗，碗底刺着主人姓名中的一个字，这是几十年前留下的餐具，当时人们交往多，烧点好菜，互相端来端去，邻里间馈送尝鲜，怕碗碟弄错了，便以兹铭记。现在没人这么做了，这个在瓷器上刺字的行当也灭绝了。

开慧说："弄不来好的鲜肉，猪现在都吃化学饲料，三个月就拉来杀，肉都腥气，吃不得。我上年腊月里杀的自养的猪，腌起来慢慢吃，这间只有这点咸肉还像样。"

"再怎样，我们这里两头乌的猪，品种总好过别处，虽吃饲料，也不至于太难吃吧？"昭平问。

舅妈插话道："哪里谁还养两头乌，都买来外面的猪种养呢！一年比一年难吃，连火腿厂都在做假火腿，味道发臭。"

"本村就剩我和你兰章舅舅在种地了。"开慧举起碗，与大家碰杯，抿一口，继续说道，"都是外来户，东北人，贵州人，还有朝鲜人，把村民的承包田租去种，种子都不是原先的，是从种子公司买的北美粮种、菜籽，有很多转基因的。种子换掉，倒也罢，只是种田人心黑了，成吨成吨的化肥往田里倒，恨不得几天能催熟谷子，田土都被他们浇肥料浇白了。他们自己都不敢吃，尽卖给城里人吃。"

行江有点害怕，刚举起的筷子又迟疑着放下。舅妈看出来了，说："在我这里吃，不愁呢！都是你开慧舅舅藏好的种子。我们种田还是老实办法，养鸡养鸭也是土法，它们吃的比人还好呢。"

舅妈刚说完，行江就伸出筷子夹菜，大口大口吃起来，毫无顾忌。她早就饿了。

开慧边吃边说话："一个村，中间几百间屋全废塌了，井死了，溪塘予污泥堵罢，终只有外围有两条街路，住着些外地人，开发廊、酒吧和农家乐，骗杭州和上海来的游客吃住。租地种的那些民工不住村里，住在汤溪城里的宿舍。"

"本村人去哪里了？"行江突然停筷，问道。

"你那么大岁数的孩子都进城打工了。"开慧说，"做久了，在城里生小囡，安家，不回来了。"

"噢，这就是你们说的城市化！"行江恍然大悟，"不是城市多了，而是城里的人多了。都不想当农民，挤到城里当市民。"

昭平嘀咕着算计道："前夏村估计七成人口外出了，只剩下点老人孩子。十三亿人口，有百分之八十是农民，就是十亿多点，再按这个七成的比例，至少也有七亿多。七亿多人拥向城市，小城市还看不上，都去上海、北京。天哪！"

"村里人走空罢，"舅妈说，"树啊，草啊，野兽，都来争地。前两日，印村长五更起来，在山背看见三只云豹呢！它们见人都不怕，赶都赶不走。"

"过两天，我到山里走亲戚，怕要把猎枪背一杆来。"开慧开玩笑道。

"将来倒不愁没肉吃，狼、熊、野猪渐渐多起来，又可以狩猎了。"昭平接话道。

几人你一言我一语地说着，酒菜吃掉不少。这时候行江想起夏旭宝和杷金，便问：

"怎么不让舅公舅婆过来一起吃饭？"

"舅婆喜欢自己做饭，还用旧灶头，吃不惯我们烧的。再说，我们一起喝酒，他们坐在一旁吃力。人老了，吃厨饭也吃不动的。"舅妈说。

"鸭子那么好吃，端一点给他们送去。"行江说。

"吃不得的。人老了，牙齿不好，油腻的也吃不进。"开慧说，"不管他们。来，我们喝酒！"

四人碰碗，又大喝一口。

开慧接着说："都是灶头的事体。老灶头要烧柴的，一个劳动力，五更去斫柴，到天乌回来，背回小山那么高的柴火，也只够烧三五天。还要学会烧柴，取炭，用余灰，后生们不喜这么做的，都图省心，装一个天然气灶，一打火就炒菜，多方便。大部分人弃老屋造新房，实际上都是弃老灶。民以食为天，灶换了，生活就换了。电视里都是新式厨房、现代厨具的广告，亮堂堂，光鲜鲜的，一点油烟都不见，人看了这场面，抵挡不住的。他们嫌我们一块抹布用几十年，脏呢！不过，要我说，没有油烟，就好比没有人烟。”

“那你也改了旧灶？”行江问。

“我也有些抵挡不住呢！”开慧笑起来，自嘲地说道，“不过，我炒菜的方法，是不改的。改了，就不好吃了。我吃不得他们那些没有热油炸炒的温吞水菜。他们更有过分的，都不用明火了，用电热炉灶，烧什么都像煮白开水。不起油锅，白水滚滚，放点盐，酱油也不吃的。”

“亚洲人哪有不吃酱油的！”行江说。

“都学美国人呗。”昭平说，“人丧掉口腹之欲，喜恶都随着风尚，食不甘味而甘势，乘上势头便满足，乘不上便失落。这就不是吃东西了，叫作吃脸面。大凡小时候家里没吃过好东西的，都走这一路。有的家庭是穷，可怜；有的家庭本身就重门楣不重生活。”

“人连食欲都没了，跟死了差不多。”行江说。

“那些卖身的，连性欲都没了。你当她是挣钱？她是挣面子呢！话说笑贫不笑娼。跟不晓得吃，是一样的。但当死人比活人多的时候，欲望才是美德。”昭平说。

“老早是旧规矩压人，这间是消费压人。都是脸面的不同脸色！人看着别人的脸色，替别人活呢！”开慧说。

“所以，欲望是被制造出来的。造出别人的愿望，替代人本身的欲望，才能满足造欲人的需求。他们其实一来到这个世界，就被灭绝了自己的欲望，就被别人杀掉了。”行江说。

“许多人恐怕从来没有想过，他喜欢什么，都是别人教他喜欢什么。这就是文化。所以，不如不读书。”昭平说，“只是如今不读书也救不了自己，文化已经挣脱了书本，变成视听的盛宴，看一看，听一听，都充满毒素。以前是读书的时间管着你，现在是连玩的时间都管着你。书写不过是个坏君子，而视听则是彻头彻尾的伪君子。娱乐也被用来杀人，做出一种假装性情的面目，让你开眼探耳间无处可逃，醒来是它，梦里也是它！”

吃过夜饭，行江来到正堂前的庭院。夏旭宝也在那里，似乎张望远处，又似乎张望自己的心思。行江跟他打招呼，他跟行江要一块糖吃，说日本的糖好吃，他忘记不掉那个味道。行江说，这次并无糖带来，下次来会记得带糖来。行江看夏旭宝，也想起爷爷松元清。爷爷八十六岁了，比夏旭宝长些，当年曾祖父在前夏村的时候，一看到夏旭宝就要想到松元清。看别人家小孩，会想起自己的小孩；看别人家老人，也会想起自家的老人。爷爷三十四岁那年，昭和三十八年，1963年得子，取名松元直男，就是行江的父亲。战后日子不好过，清在家种过田，也外出东京打工，边做工边上学，高中毕业后去一家电子公司谋职，后来被公司派到大阪做销售员，在那里认识了茂吕瞳子，就是行江的奶奶。因为经济条件不好，他们结婚很晚，直到60年代初才成家。成家后，清和瞳子回岐阜县的大野町，在前秋村开了一家面馆，一直做到80年代。直男在名古屋丰田工业大学读书，毕业后做汽车动力工程师，从那时起，松元一家才摆脱战争的阴影，进入到和平的日本生活中。现在直男还没有退休，并没有多少时间回去看爷爷清。行江想，她该多回去岐阜老家，爷爷清的身边，并没有杷金身体那么好的奶奶。

行江趴在庭院的矮墙头，想起曾祖父日记中的那句诗：“残云收翠岭，夕雾结长空。”现在一眼望去，只剩朝夕不分的迷雾，根本看不见片云残云，人仿佛身处孤岛，十几米以外的地方，总好像有浊浪环绕。西边依稀有人蠕动，走近来才看分明，原是一个老嬷推车过来，边走边叫卖糖糕。糕看着是糯米做的，上面撒了一些桂花，里面夹着三层薄馅，绿豆沙、红豆沙和黑豆沙。行江过去跟老嬷搭话，老嬷一口纯正的山坑汤溪乡音。行江买了两块糕，分给夏旭宝一块。一口吃下去，从未尝过的刺舌的酸涩味和刺喉的辛香味漫溢开来。行江连忙吐出来。这时，杷金正好进到庭院里，看见行江和夏旭宝吃糕，神情立刻凶恶起来，急急跑过去对着老嬷吼：

“鬼哩括着！呣个死不忒个东西，各些乌油搓起个糕吃得啊？还勿快些北远点，一间阿便予条棍来拷呣死！”（鬼抓住了！你个死不掉的东西，这些黑油搓出来的糕吃得的？还不快些滚远点，一间我便拿条棍打死你！）说罢，便操起墙角的耙子打过去。老嬷见状，迅速逃离。

杷金回过头来让夏旭宝吐掉那糕，又拿来水让二人漱口，说：“他们是用鞋底胶烊开，放糖精进去做的。豆沙全都是色素，化学粉末。这些无良心的家伙，什么都敢卖。有毒的，吃下去肠子都会粘在一起的。”

“村里老嬷都敢做这样的事情？”行江惊怖万分。

“哪里是什么村里的老嬷，是东北来的骗子，学我们这里人说话，唱戏的戏子么的，演得十足像呢！买些老嬷的青布衫来，结个辫子，头发上还撒些银灰，到处卖给游客这些毒药！天雷鼓敲死他们！”杷金狠狠地说。

“真是人才！为了骗钱，这么难学的汤溪话都学得那么地道。要是有本天书讲致富之道，怕是他们都破译得出！”

“这算什么稀奇，告诉你啊，他们这些人中，六十多岁的老太婆，穿条红短裤，眉毛画得像鬼一般，夜里站在塘堰的空地上，让老伙（老头）摸一记屁股，给五块钱！”

行江这下被彻底惊倒了。这话比刚才那块乌油糕更毒着她了。

“空日到街路上，虽介些（凭什么）东西不要买。都吃不得，也用不得。鬼市呢！”杷金说道。

行江想，市场真的决定一切啊！市的顶巅，原是灭市啊！

昭平和行江来到山背，天色冥幻，街路两旁华灯初上。有青壮老少各色人等站立街旁，人皆披纱半裸，遍体通透，可见五脏六腑、筋骨血脉。另有杭州、上海远近旅客，初肉身如常人，进至驿馆，及返出肉色乃大变，或通透，或半透半不透。戾音喧嚣环绕，酒肉之气弥漫，脂粉异香充斥夜空。两人行至一家酒馆，门前二少女笑脸相迎。赤足，半露肥臀，近视有浓血贯彻腑内血管，媚骨艳筋剔透如玉，一双水晶人，神态娇慈。昭平于是略安心，便带行江进入酒馆。少女引至楼上内室，室内壁上悬挂彩图，画康熙与恺撒于双子大楼前狩猎，时空错乱，人事颠倒。另一墙设大窗，敞明，倚窗可见楼下街市。屋内有镂花青铜桌椅，有垂幔软床，大小绣花织锦枕头甚多。暖黄光线，气氛优雅。

少女甲说："可吃酒宴，也可宿夜。去时付账即可。"

行江问："怎就遍体通透，冰雪一般？"

少女乙答："我们是净人，与你们不同的。人分三种，净人，半净人和不净人。净人如冰，半净人如玉，不净人如土。"

少女甲又说："如果你想做净人，我们这里有三个月套餐，护肤去茧，整容改颜，全体透析。每一个疗程收费不一，从十万至六十万不等。全套做下来可以优惠，7.5折。这都是韩国和法国的技术，今年夏秋以来最流行的。"

少女乙对行江说："我看你底子不错，脚皮应该还没硬，头发也没开始掉，你现在就做起来，估计不出三个月就通透了。越早做越好！"

少女甲说："有不少游客进来做体验。我们可以给你不同部位注射脲腁铱叽，一针五十块，立即生效，体质好的全身通透，体质差的至少也半通透。不过药效只维持三个小时，出去吹吹风见见光，就消失了。"

"什么叫净人呢？"昭平好奇。

“净人就是干净的人，没有各种欲望，是无罪之身。”少女甲说，并将昭平的手拉进她的大腿间，摩挲了一阵，“你看我有生殖器，但并没有淫欲，只拿它来做生意，当取款机用。我们净人没有邪念，只利用你们半净人和不净人的邪欲，给你们需要的，挣你们的钱。”

“挣钱逐利不是欲望吗？”行江问。

“挣钱也不爱钱，只拿钱不断维持干净，保持一生遍体通透。这是最高尚的人的生活，现在叫作‘高大上’。如果身体和脸面上有一点脏了，不透明了，才是我们的烦恼。高尚的人，怎么能不光鲜呢？”少女甲说。

“那么吃饭呢？你们也没有饥渴感，也不喜欢尝各样不同的滋味吗？”行江又追问道。

少女乙说：“吃饭只是加油，维持能量。疗程晋级到一定高度后，我们只补充蛋白质、脂肪、糖分和碳水化合物，不吃半净人和不净人的食品。你们那些食品都是不完善的，人吃不完善的东西，必然缺陷重重。”

“人没有欲望，不就刚强了吗？没有性欲，也没有食欲，人就脱离了苦海，脱离了罪恶。”少女甲很耐心地劝诫他们，“你们不妨先打一针试试，玩玩也挺有意思的。上海人和杭州人最喜欢搞即时体验呢！他们多少人不辞辛苦到这里来，都是冲着我们有脲脷铱叽。现在药监局还没插手，这类东西按保健品出售，还处于未明确的暧昧地带。过些日子也许就要严控了。到那时，千金难求，看一眼包装盒都难。”

“那我们属于哪种人？半净人还是不净人？”昭平问。

“这位先生像是半净人……”少女甲摸了一下昭平没刮干净的胡子说，“这位女士……她是你女儿吗？还是你的情人？她看起来像不净人。”

少女乙想捏行江的乳房，被行江推开。

“不净人就是欲念深重，沉湎于情爱的人。”少女甲解释道，“半净人就是有了脸面光鲜意识的人，开始觉醒，正在摆脱各种罪恶欲望的纠缠。”

昭平愕然，无言以对，只牵着行江的手起身，径直朝门外走去。他泪流满面，心里感到沉沉的痛。行江随着他下楼，低垂着头，想不再看到这一切。

两人离开酒馆，出得门来，罔顾两个少女在身后的讪笑。他们走在净人的街上，像受伤失败的困兽，感到孤苦无助。他们真想相拥在一起抱头痛哭一场！

“他们是无罪的人。人竟然无罪了，无罪还是人吗？”昭平大呼道。

“神是无罪的，只有他是无罪的，其余都是罪身。现在真的出了无罪的净人，无罪还需要救赎吗？无罪的人永不得救，他们跟魔鬼签订了契约。”行江说。

“我现在懂了。在这个时代，有罪好过无罪。所有罪身都是幸存者！”昭平停步，感觉自己突然像一个先知，说，“什么时候，罪恶成为一种光明，成为唯一的希望！”

“人的悲剧不是无爱，而是爱必决定我们，让我们走投无路。”行江说。

他们朝高坡上走去，走到新造的会堂前，见许多净人在那里议事。会堂有石砌的池子，两边顶立着石柱，众人坐在池子上的高台。有人朝池子里扔吃食，有西红柿、鸡蛋、生肉和包子。一人赤身裸体，一足被铁镣缠缚，铁镣的另一头被锁在石柱上。此人高大俊美，肤色黝黑，目光如炬。

“杀了他！杀了他！”一边的人喊。

“卖掉他！卖掉他！”另一边的人喊。

主事的几个头目坐在主席台上，他们交头接耳，又争执不休，不置可否。

行江突然拉了一下昭平的袖子，惊呼道：“他是鲁祝，縠甫人！”

“鲁祝怎么会在这里？他们为什么要绑住他？”昭平定睛细看，有点不相信自己的眼睛。

这时，一个净人头目站起来说话：“经过委员会讨论，确定这个縠甫人不是人类，至多属于不净人中的最不净人。同意按野生动物保护法的原则处理，将他卖给动物研究所。但开价不能低，这是珍稀品种，要充分讨价还价。因此，暂且饲养一阵，交给咘呗吭农业科技产品开发有限公司管理。委员会派专人去广州、上海谈判。”

“你们私设公堂，要受法律制裁的！”行江提高嗓音说道。

众人顿时安静下来，齐刷刷将目光投向发出话音的方向。

“你是不净人，怎么能进我们的会堂？”有人责问。

“把她赶出去，赶出去！”众人喧嚣。

“他是山里的縠甫人，我认识他。几年前我还见过他，那时他在照顾我们的一个朋友。”行江说道。

鲁祝听这话，抬起头看行江。他认出行江，坦然地笑了，还朝她挥手。

“縠甫人是姑蔑子的血亲后裔，从魏晋开始，一直住在遂昌的白马山。他们有四窟两村，一共六个寨子，靠渔猎生活。”行江继续说话，“你们孤陋寡闻，愚昧透顶！”

“你看他的阳具，比油条还长，见到你这样的年轻女子就硬起来。罪孽啊！”一个老净人掩面唏嘘道。

的确，鲁祝看到行江，阳具怒举，紧贴到小腹。净人这么说话，他也面不改色，反倒有一丝快意从眼中掠过。行江有点羞涩，想躲到昭平身后去。

鲁祝开口说道：“么俏的囡，人都欢喜。我自是看见，味得不得了，可恨你们不放我出去。放我出去，便与她快活去！你们看着像玻璃一样干净，日光都可以照穿，风也可以从五脏六腑中吹过，我倒不相信你们是人。你们将一种糖从果子里提炼出来，叫它葡萄糖。葡萄糖与葡萄是一回事吗？你们觉得你们破译了神的密码，可以自己造物了。我还听说现在你们弄出了转基因，好像晓得了遗传的秘密，你们甚至想造出超过神工的生命。你们声称自己是无罪的，是纯净的人，说各个过去的时代都是黑暗的，如今却站在了世界的顶峰。可是，你们连本性都丢掉了，怎么做人？我不怀疑失掉本性便是无罪的，你们想靠毁灭本性来抢夺神权，五点钟想回到一点钟去，做儿子的想证明自己是做爷爷的，看起来绝顶聪明，实际上已经死绝了，连后悔的机会都没有了。你们所谓的不净人，在夜里等着天亮；你们所谓的净人，已经当黑夜是白天。”

“杀了他！杀了他！”一边的人喊。

“卖掉他！卖掉他！”另一边的人喊。

行江和昭平从会堂里退出来，去找印村长，商讨救鲁祝。印村长是个多少有点智障的人，村民推他做村长，是因为年轻的有头脑的人都走了，用他反倒还放心。没想，他蠢笨的头脑，按照一根筋的思维，倒想出了好办法。他说：“净人那么欢喜干净，不妨往干净方面想。让他们择一个吉日放生，这便也算保护野生动物的义举。”他去跟唏呗吭委员会的头目谈，果然说通了。选定当月十五，净人焚香鸣炮，在山背进山的隘口设道场，主事的人说：“散财放生，积德厚报。菩萨保佑！”鲁祝便被作为珍稀动物放还山林了。

这个秋天，尽管天不放晴，雾霾重重，枯叶竟不败，禾谷亦不熟。杜鹃花开到一半停在那里，下过三天雪，打过两天雷，蚊蝇蝉蝗，来了又去。

行江于十一进院祖屋写下如下诗篇：

我必须唱，只得唱一首颂歌，
歌颂卓绝的时代，创造出无罪的人。
那些独立自主，热爱平等的人，
他们断净六根，眼耳鼻舌身意净空，
空明如蝉蜕，扶摇直上，凌空傲视苍穹！

从来也没有过，
在得救和罪恶之外，
如今多出许多无罪之身。

他们的脸上没有皱褶，
他们的衣帽光鲜无尘，
雨不能湿，火焚不坏，
阳光穿透他们，
却改变了自己的方向。

他们破解出往世今世和来世的所有机密，
宣称上帝死了，宣称要重新创世。
一切差异在他们看来都是缺陷，
一切不同都被解释为特色。
生命要净化，岁月要格式化，
万物于己方便的种性嫁接起来，称为“改善”，
改善容貌，改善寿命，改善速度，改善高度。
被造的历史已经终结，

创造的纪元从此开始！
他们已然无罪，何来救赎？

当阴影泯灭的时候，
为什么竟是一片漆黑？
以黑灭光的企图轰然消遁，
以黑为光的转换颠倒乾坤。
四季在哪里？爱恨在哪里？
阴谋呢？懒惰呢？腐朽呢？
一切癖性和病痛呢？
只有春天！
只有青春！
只有健康！
只有高尚！
只有明媚！
只有不犯错误！
除了歌颂我还能唱什么？
可是为什么张嘴却流露出哀音？

我也看见净人的愤怒，
他们恨为什么还有众神和英雄的残宴，
恨封建制度，恨暴虐和反抗，
恨出离在格式外的自由，
恨婊子和牌坊的冲突如何究竟难以上升为神圣的文学，
恨人道主义的破冰之旅为何难以用幼稚的纯洁糊满窗户纸。
某个国家欣喜若狂地宣布大自然的有毒植物被彻底消灭了！
婚姻介绍所以最广泛的网络结束了门不当户不对的悲剧！

没有安全的最后一个寒冬之夜正在迎接曙光，
人类依靠自己终于可以放心生活了！

哪里还需要靠眼缘看上情偶！
哪里还需要什么出众的才华、非凡的身手！
珍宝和黄金都是过时的财富，
才子佳人和英雄仙女都是居心叵测的骗子。
会有君子吗？会有才子吗？会有圣人吗？
笑话！
当然，也没有小人，从来没有过！
平凡才是可靠的，才是经得起检验的真理！
从明天起，做一个平凡的人，
“喂马、劈柴，周游世界。
从明天起，关心粮食和蔬菜。
我有一所房子，面朝大海，春暖花开……”

而我的哀音在于，
第二句又成为颂歌，
颂哀之颂，
颂扬罪恶，
颂扬“罪恶是通向光明的起点”。
我又开始颂扬我的无耻，卑劣，趾高气扬，
颂扬我的目中无人，贪得无厌和恃才傲物，
颂扬我十个指头伸出来不一样齐，
颂扬我哭了，笑了，胖了，又瘦了，
颂扬我神童的幼年，挥霍无度的青春和怡然自得的老年。
我是那么不出息，一错再错，悔恨交加，破涕为笑，

我作茧自缚又挣扎不休，一再醒来，一再昏睡，

我面目狰狞，如一团漆黑的淤泥，莲花的蓓蕾始终没有出来，

我光芒万丈，一声啼哭就惊醒城市的春梦，

我柔弱又坚强，自负又骄傲，

我这么一路走来，跌跌撞撞，几近落入万丈深渊，

竟安然无恙，得到神天护佑……

因为我是罪人，出自罪恶，却从未与魔鬼签订契约。

第二章　君奕

行江起床后，每趁着被窝里带出的余热，便光着脚在地板上走，时间长了，脚凉了也并觉不出，这就得了重症感冒，又并发大叶性肺炎，高烧不退，人神志不清。昭平只好将她送到汤溪城里的医院，在那里住了两个星期，吃药，打吊针，慢慢才见好。程兰章的大女儿，程兰玉的大侄女君奕刚在城里买了新房，听说这事，就接行江和昭平去新房住。新房坐落在原先南门汽车站的东北侧，叫乌秜垄小区，刘瑞明一家也住在这个院里。这个小区，是当地房地产商开发的商品房中最高档的，有联体别墅，也有套间公寓楼。一般人有钱还不能买，只卖给政府干部及其家属亲戚。君奕是靠着刘瑞明这层关系挤进去的。尽管大伯父2014年死了，但大堂姐嫁给新镇长做老婆，镇长一句话就拿到了名额。君奕买的是沿街的公寓楼中的一套，在五楼顶层，复式有阁楼，还有屋顶的晒台，只是没有电梯，要靠爬楼梯上去，楼道和走廊中没有电灯，白天都须照着手电筒行走。其他设施也或漏或缺，断电停水是经常的。这种地方上跟风的房地产事业，上够不到天，下落不到地，其实是很鸡肋的住所，说到底，也只有充充门面的功能。刘瑞明夫妇是跟着小女儿住，一套二层的别墅，接地有花园，生活起来还方便。但君奕住的那种公寓楼是外围的廉价货色，自是情形大不相同。

君奕的屋里，地上贴了惨白的瓷砖，稍不慎有水落在表面，便打滑，整个气氛让人觉得不是在厨房，就是在厕所或者浴室；墙上糊着青竹图案的墙纸，走到哪里都好像在竹林里转悠，或坐或躺，总有飕飕的凉风窜来；合成木的长椅、餐桌和电视柜，差不多所有家具的颜色都是红的，门也被刷上朱赤浓漆，仿佛身置消防队。大凡一来人，君奕就问："怎么样？你觉得？我这个装修怎么样？"怎么说呢？谁能夸奖这样的装修？谁敢违心说这样的装修好？她似乎就等着你说不好，等着你摇头，然后说："对啊！太失败了！这样的装修，还不如路边摊销售活动搭的台子。本来我想让开慧弄的，结果我妈妈非请一个四川过路木匠来做，就弄成这个样子了。钱没少花销，统共用掉十五万，十五万呢！你想想，在我们这个地方，顶级的豪华装修也就八九万。十五万是什么概念？我这一整套房子才三十万！这个数目我又再可以买一套小户型。"这便牵出话头，人问她挣多少钱，人又感叹白白扔掉这些钱在装修上有多可惜。她便得意地告诉人家她每月挣八千，逢年过节还有大额奖金。于是，又神色很无所谓地说："千金散尽还复来。"八千是什么概念？在金华，一个白领，好的收入在三千上下；在汤溪，普遍工资不过一千五；而地方上普通农民的年收入不过二万。君奕在杭州打工，为西湖风景区的一家卖旅游产品的小店做掌柜，手下管着十几名各地乡村来的小姐妹，原先靠手脚勤快努力出货挣工资，如今狠三狠四、跋扈苛刻，靠逼迫手下人拼命而得赏，替老板做监工，俨然旧上海的拿摩温。八千一个月，即便在杭州城，也不算少，一家小店的老板何以出血本给这么高的薪水？因为她卖命，不怕得罪人，不怕拿出一副穷凶极恶的嘴脸。老板是白相人，一副小业主刁钻的心肠。老板娘原是国营时代楼外楼饭店端菜的服务员，极擅察言观色，溜须拍马，对权能豪强卑躬屈膝，对善弱软幼颐指气使。这样一对夫妻，吃准了君奕爱做梦、好虚荣的短处，先用尽她身强力壮的血气，再鼓动她想出人头地的好胜心，活生生将好端端的一个人变成恶鬼。这就是普遍的所谓民营资本家的治人术，管理手段。

程兰章，那个世界革命风暴中心里炼出来的战士，英雄本色，豪杰肝胆，进可以叱咤风云，退可以甘之如饴，他的女儿，怎么会变成这个样子？行江真的难以理解。

“我老爸吗？你真的小看他了。”君奕说，“他说现在日子好了，真的比前几年进步了，他也要好好享受一番。2008年他不是去北京找昭平哥，看奥运会去了？我妈像个书童，每天给他弄好吃的喝的，拎着，跟在他屁股后面转。这下还准备学开车，要我替他买辆汽车，想自驾游玩全国呢。上个星期我去前夏，他又跟我提新马泰几日游的事。自打妹妹在金华买了一套三居室，就开始请客吃饭，把他那些老同学聚到君寅家，讲究派头呢！我这里他看不上，说老土，偏君寅那边厅大，屋子宽敞，他才觉得有面子。我现在特别后悔，当初真不该给他买电脑！他在网络上到处游荡，东张西望，学了不少坏。我帮他清理电脑，发现文件夹里有不少色情图片。真的，我老爸再不是从前那个样子。他现在只会发脾气，拍桌子，以前是虎虎生威，我们都怕他。”

话说到这里，行江和昭平愕然，一切想问的问题顿时变成白煮鸡蛋，滚滚的，圆圆的，一个个又吞回去，直堵在食道里。行江想，就是这个程兰章吗？曾经在尘埃不染的庭院里，借着西照的阳光，将《诗经》当闲书读的程兰章吗？他的出，无所畏惧；他的入，似王者归来。行江曾经对昭平说：“你这个舅舅，是做过选择的。不是谁都可以像他一样，坦然地过这份耕读的生活的。”可为什么如今连他都面目全非了？难道这天道的种子，竟掉落在道路旁、磐石上、荆棘里了吗？或者纵英雄盖世，不被选择，必遭遗弃吗？人大凡自作主张的选择，都是出自骄傲的。存在必不能先于本质。离了本质的存在，鸡零狗碎的，蝇营狗苟的，沦为无常。无常于是善变，唯物主义怎能成为绝对真理？世界果然是荒谬的，在荒谬中寻意义，找精彩，楼外楼，山外山，终究原地踏步。一个非世界的本质，早先就根植内心。人不能将世界看作本质，人同样也不能执于非本质的存在而自由。

行江这么想着，心中渐有所悟。她并不感到痛苦，也慢慢从震惊中平息下来。她现在只感到悲恸从中袭来。悲恸啊，本是爱的力量，人遇见它，才可以坚定。

行江记得，有一年她跟昭平回汤溪，路过杭州的时候，专门去看过君奕。君奕从店里下班后，请他们到楼外楼边上一家茶座喝茶。当时是夏天，君奕穿一件淡蓝色的衬衫，摇一把蒲扇，端坐在木椅上，说话从容淡定，有板有眼。她对自己打工的生活很满意，也很满足。那时的她，与薄暮中的景色是融洽的，游人散去的湖堤被无数的她那样的劳动者安慰，渐渐平静下来，凉却下来。行江很难忘记她说起在杭州生活的门道时的那份恬静和雍容，行江也很难忘记她说起她老公可能在公司里有外遇时的感伤。可是，就是这个曾经坦荡悠然的君奕，怎么一夜之间就变了一个人？曾经她是景色的一部分，如今她跑到景色之外，成为变卖景色的帮凶。有那么一段时间，行江甚至很羡慕君奕那份节奏，羡慕中国劳动者忙而不乱的定性。行江想研究这个课题，研究现代化是如何被夜色中的山水吞没消化的，因为这份动而不摇的变革中的通达，似乎指向古老文化的某种沸腾而包容的气质。然而，后来呢？后来君奕拿到每月八千块钱的薪水，一切就都变了。

君奕说："你知道什么人最威风吗？那天，我们隔壁店来了一个矮小的老太太，背还有些驼。看她穿着，粗布鞋，蓝裤子，灰蒙蒙的上衣，扣子卡紧脖子，一副塑料框眼镜一条腿还是断的、修补过的。她看这看那，半个小时下来，翻遍了所有柜台上的丝绸，就是不买。店里的营业员给她白眼，说买不起别看。这话刺激了老太太，她光火了，掏出那种二百块钱的手机打了一个电话，不到十五分钟，就来了一群大兵，齐刷刷排在门口，老太太一声令下，大兵就把店砸了。你知道她是谁？她是军区首长的夫人，市长都见她怕呢！啧啧，真是有眼无珠啊！”

君奕又说：“你知道什么样的女人最漂亮？老太太边上站着她的媳妇，那真是反差大呀！一边是粗布旧衣裳，看上去像在机关收发室工作的，而另一边浑身上下国际名牌，头饰，胸针，手链，手提包，裙子，皮鞋，那油光锃亮的，珠光宝气的。她一口一声妈，左搀右扶的，既有传统的孝顺，又不失流行顶尖高大上。这种女人，才叫牛叉！我见过漂亮的，没见过这么漂亮的。时尚和威风相加，真让我大开眼界了！”

君奕接着说：“你知道什么样的男人最可恨吗？就是我老公那样的男人！他三棍子打不出一个闷屁的家伙，老实得连跟人打招呼都张不开嘴，我一瞪眼他脖子缩进去三寸，让他往西他绝不敢往东，当初就因为看他规矩听话才嫁给他，硬生生我就拒绝了初恋的相好，以为跟他在一起至少我拿得住他压得住他，到头来，就是这么一个畏畏缩缩的软蛋，竟然背着我搞外遇！他也敢，他也配搞名堂？真是逆天了！我实在咽不下这口气啊！人生大失败啊！早晓得他这样，就不让他去广告公司做事了。这些年他跟着老板南上北下，夜总会，洗澡堂子，私人会所，没有少钻。老板在包房里弄个罗马式，他在楼下发廊打飞机。一个吃鸡，一个喝鸡汤。染缸里泡久了，自然胆子就大起来，眼光就邪起来，瞄女人大腿、胸脯、屁股，越来越不像话，直到跟他们公司的前台小姐眉来眼去，索性背着我到外面开房……悲剧啊！现在嘴硬得敢直接跟我叫板，说爱过不过，各走各路！”

君奕继续说：“你知道什么样的男人最风骚？就是我现在的相好。别看他人个子矮小，长得衰点，家里有老婆孩子，但对我那真叫用心。他是做厨子的，衢州人，也是乡里跑出来打工的。可是人家身短志不短，不干路边摊，也不做饭馆厨房，人家搞餐饮设计，改造老式川菜，融合西洋大餐，中西合璧，当东方遇见西方，铺设舌尖上的丝绸之路。那个时尚哟，连美国总统都去他们酒店尝鲜……我给你看看照片，跟总统的合影。呶，这就是他！酷毙了，要是光看露出来的皮肤，也属于小鲜肉呢！改天你随我去杭州，我让他端几样菜给你尝尝，那个味道，色彩，造型，包装，顶尖一流的，包你吃过看过终生难忘。最令人心跳的还不是他的职业，而是他的爱好。他弹吉他，唱摇滚，戴一顶美国西部草帽，赤膊缚一条领带，说他屌丝他还挺叛逆，说他叛逆他还挺低调。现在人，要低调，不能长得太张扬，要有失败感，挫折感，不要高到令人够不着，要像芸芸众生中的你我他，但又能唱出我们想唱不敢唱的喜怒哀乐。你们小鬼子可能不喜欢这类，但洋人喜欢。洋人就喜欢这种调子，真心唱不准，五音不全，小时候营养不好，气虚才跑调。你知道为什么吗？强人的舞台没有我们的位置，体制内的人油盐不进，中国就像座高墙大宅，洋人和农民一起被堵在外面。我们冲不进去，他们也蹭不进去。同病相怜！但是，不进就不进吧，我们全世界衰人一起玩，团团紧紧，晾着你们得意人，得意你们那一套，得意久了必然失意。看！现在不就孤立了吗？自生自灭！我们步步为营，世界农村包围中国城市！知道吗？去年他巡演，全国一百多个酒吧请他。他如今才算得上正宗滚爷，把崔健逼得没饭吃。可是他那么有名，却不忘记我，带着乐队来我们店看我。他那边一帮小兄弟，我这里一群小姐妹，我们在马路两边并排走，那个风光哟，整条街都嫉妒我们！他说，他那样的国际级巨星的相好，怎么屈就小业主手下卖假丝绸假茶叶呢，应该大显身手，跟他一起捞世界。于是，我就辞职不干了。这不？回来了！几年做做，存下一笔钱，不多不少，也有三十万了。去他娘的奋斗！老子现在要享受，去丽江坐在私人旅店门口的咖啡屋喝一杯带阳光的浓咖啡，跟洋人一样背着旅行袋到米亚罗森林去探险，弄个数码相机记录花开的整个过程，爱护动物，低碳生活，寻找世外桃源……这一切，都是他告诉我的。命运在自己手中，人生苦短，要及时行乐。我想过了，他唱摇滚，我做人生艺术。你听说过人生艺术吗？这可是最近在欧美最流行的艺术形式，行为艺术被它Over了。”

行江想，这个君奕，她刚有辆自行车就拿来当奔驰开，刚有三十万就以为有了三千万。

君奕说到了她大姑程兰玉：“我大姑这个人真正有本事呢！别看她人个子不高，农村出来的，比我起点低多了，却找到一个大学生。顶顶重要的是，她把男人看得那么牢，什么都听她的。姑父这一生，再有才情，再风流，也逃不出我大姑的手掌。我一直在研究，我大姑究竟有什么法术，靠什么做到的呢？我左看右看，看到的只是她在那里做活，一天忙到头，偶尔闲下来看几页书，都是些旧书，废话，老套的故事，会对她有什么帮助？要么就去忙照顾奶奶，跟奶奶吵架。说老实话，我是真受不了她那一套！天天揪着我耳朵读书，学裁缝。她教的那些不过是针脚，画线，打样，计算，从来不教我新鲜的式样。要知道现在大家花样翻新，五颜六色的，稍微跟不上潮流，就被淘汰了，成天花极大的功夫做好针脚有什么用？以前我看见她很怕，现在渐渐地，也不怎么怕她了。她终归老了，她能赚每月八千元吗？以前她寄回来几十块钱，送来白糖、玩具、百货公司的新衣裳，还帮我们造房子，可是，现在谁还稀罕这些？那些老式国营时代的观念早该进垃圾箱了！现在，我们家靠我。靠我给他们买拖拉机、电瓶车，装大铁门，装宽带，让孩子上重点学校，让老爸老妈去国际旅行……咳！只是我仍旧没有搞懂，就我大姑这么一个人，干瘪的老太太，退休工人，社会边缘人群，凭什么还牛哄哄的，始终不改她自己那一套！”

行江打断她，告诉她，妈妈那一套，恐怕她再过十辈子也学不会。行江说：“妈妈，是我们的未来，而不是过去。”

君奕说：“未来？笑话！人能越活越老旧，越活越回去吗？未来难道就是回到过去？乡里的看镇里，镇里的看市里，市里的看大都市，大都市看国际，这才是时代发展的大方向。所以啊，我就不明白了，你跟昭平哥，不好好住在名古屋，反倒跑到我们这个穷乡僻壤来，想定居在这里吗？”

“名古屋是个小地方，比不得中国的豪气。你们现在追赶的速度，早就把我们甩几条马路了。以前我们也追，现在跑不动了。”

君奕不搭理这话，继续说：“老爸前几天说了，要不，干脆让昭平哥将城里的住所跟他换前夏的房子。连我老爸都开始嫌弃这里了！”

行江说：“现在，我也不喜欢这里了。我正和你昭平哥商量，到别的地方去住。”

“到别的地方去？”君奕纳闷，“除非你们去君寅家，她那边确实比我这里好。如果不去她那里，全汤溪，凭你们随处找，哪里还会有比我这里条件更好的地方？”

“我们准备去金华住饭店。”行江说，“每天吃麦当劳和肯德基。”

行江觉得自己真可怜，一颗热诚的心被严重伤害了。她最讨厌住饭店，也最讨厌吃快餐了，她全心全意想做妹方的媳妇，可是，为什么到得这个地步？突然之间连妹方的水都不敢喝了？她现在比二十四年中的任何一天都要爱死大酒店的床铺和麦当劳的炸鸡。

行江对君奕说：“你很努力，将来会更努力。只是这样的努力，挣得的是我们和美国人剩下的日子。”

君奕坦然地回答：“是啊，剩下的日子。只是从前我们过上海人剩下的日子，今天我们过美国人剩下的日子。反正都是剩下的日子，美国人剩下的，总比上海人剩下的强。”

行江说：“问题是，上海人剩下的，说不定远远比美国人剩下的强。只是进美国的门容易，进上海的门难。你可以做美国人，日本人，澳洲人，德国人，世界各地任何一国的人，但你就是做不了上海人。”

君奕更为自信地说道：“你嫁给昭平哥，做最后一个上海人吧。后面的事情，便由不得你们了。汤溪怎么变的，上海也会怎么变。以前是城市带动农村，现在是农村淹没城市。世界的车轮朝着我这个方向转动。”

行江想，这便走投无路了。

但是，君奕也有神伤沮索的地带。她说：“现在这帮80后90后，可不比我们从前。从前婺源过来一个老表，长得骚唧唧的，一心想谈恋爱，满眼惹男人可怜，居然跟老板悉悉索索搞到一起。一个十七岁，一个四十七岁，真是勿要面孔！她有什么本事？每天躲进阁楼里给老板舔下身。看她一张纯纯净净的脸，每一寸皮肤都沾满老男人的尿臊！老头子早上会给她买好点心，偷偷藏在阁楼上的柜子里。有一次我就趁她没上去时，将点心偷走，扔掉，看她找不到那副急坏的样子。我问她，找什么呢，不要找了，给我吃掉了，这么好的点心谁不馋？她这便晓得脏事体瞒不住了，之后见到我就低头，让她干什么就干什么。我告诉她，谈恋爱，做梦！跟老板谈恋爱，梦做梦！家里老爹生病，等着医药费，还有弟弟要读书，等着学费，谈什么恋爱？长得漂亮，拉客呀！白白浪费掉漂亮，陪人家玩，公子哥，败家子啊！后来脑子开窍了，一天到晚数她最能卖，搭着漂亮卖假丝绸，丝绸也不假了。这些时日新来的，可不好调教。成天拨弄着手机，眼睛不眨盯着屏幕，丢魂似的，怎么也叫不醒，怎么也吓不住。说没钱在城里站不住，她告诉你站不住就站不住，没钱索性要饭去，说要饭也有快活的。你听听，这是什么话？要饭居然也有快活？她们三天打鱼，两天晒网，心思根本不在做活上，一点奋斗打拼的精神都没有。不嫁人了？爹娘也不管了？只晓得自己玩开心，多少自私哦！她们不拿我当根葱，我也不把她们当豆腐。短路！”

“不要以为我只晓得挣钱，我心里信上帝的。”君奕伸手给行江倒茶，行江看见她右手的小指是黑色的，盘盘曲曲，分明一条小蛇，蛇嘴里吐出一道红线，火舌缭绕。倒罢水，君奕将手缩回去，又接着说，“我每个礼拜天都去教堂，净化心灵。凡我祷告，主必应许。他帮我战胜竞争对手，帮我出人头地，帮我儿女考试优胜，帮我爹娘无病长寿。信主好啊，信主后我的月薪才涨到八千，有了八千我才可以做好事。人要多做好事，有钱才能孝敬父母，有大能才摆得平里里外外大小事体。你看那些教授、艺术家、工程师、富豪美女，谁不信呀？他们信了，立刻风生水起，时来运转。你以为军区的、政府里的大官小官不信吗？他们人前一个样子，背后又是另一副嘴脸。他们信得紧呢！信上帝还有一个最大的好处，就是他替我们看管财产，保证财产的合法性和永久性。要知道，现在最流行的，不是挣钱，而是财产安全。”

行江想，她不是信上帝，她要上帝信她，每星期去一趟教会绑架上帝，说上帝是她那一伙的。现在，社会、家庭、道德、文化、历史、国际、环保分子、女权主义者，甚至上帝，都被她资源整合到一起，合众聚势了。她的意思是，上帝，就看你的了，世界潮流滚滚向前，你赶紧加入吧，你不加入还能做甚？你不是万能的吗？万能的怎会拎不清，不站在我们这一边？对了，你果然就是我们的贴心人，助一把威，添一把力！看见吗？这是一种传统，一种印信，现在牢牢地敲在我的货品上了！不敲也不要紧，会不敲吗？敢不敲吗？谁给你饭吃？谁供养教会呀？所以，我们是上帝的香客，世上哪有不善待香客的道理？他需要我们。

行江问她：“你不是也不做了吗？要及时行乐，要记录什么花开的整个过程？怎么就容不得人家玩手机，容不得人家去要饭找乐子呢？这哪里是短路呀？按说，这下你们该接通电流了。”

“她们那个玩，跟我这个玩，是一回事吗？”君奕说，“她们那叫穷开心！没钱没能耐，哪有面子？她们懂得什么玩？番茄炒蛋，小孩菜一碟！牵着张纸风筝，在田里瞎跑，和坐上豪华游轮，过高丽，下日本，站在潮流的顶尖上舞蹈，这玩和那玩，是一个境界吗？我的玩，是品级的提升，地位的提高，是打拼后的成功，是融入国际社会和现代化社会的资格准入。而她们？不过是失败者的自慰。”

行江懂了。君奕实在不是在说玩的事，而是在说一种标志。又是别人规定好的标志。

君奕说：“你知道，我走的那天，有多解气吗？我把老板娘多少年给我受的恶气，全还给了她。（大笑）她说：‘你那个相好在外面那么有路，带上我女儿出去混吧。’她那个女儿着实有几分姿色，就是吃惯老娘的了，不想事，神经兮兮的，二十六岁了，没有找到事做。我回应她说，好是好，只是我那个相好要睡女人的，他周围和他共事的女人，没有一个不被他睡过，睡过才给机会。老板娘听我这么说，怔住了，跟我讨价还价，说：‘哎呀，不睡行不行？难道就没有不睡的法子吗？’我告诉她，不行。就转身扔下她走开了。这一天，我一边收拾东西准备回家，一边偷乐着捉弄她。她不死心，一共纠缠了我三次。直到最后退一步问我：‘那么少睡一点行吗？就睡一次？’（大笑）解气啊！”

行江说：“老板娘教你扼杀纯良，结果你将老板娘那点与女儿之间的纯良也杀掉了。你比她下手狠多了。”

“纯良？纯良几斤几两？”君奕说，“没有军区老太太的威风，没有我相好那点实力，哪来什么纯良？纯良出自成功。成功者才有资格爱子女、孝敬老人、和谐社会，失败者除了作恶还能干什么？如果我失败了，连这点接待你的房子都没有，亲情就得不到体现，沦为空谈。你跟昭平哥还能看得起我吗？你以为上帝会保佑无能的人吗？上帝也看菜下筷子。没听说吗？‘凡有的，还要加给他，叫他有余。没有的，连他所有的，也要夺过来。’我曾经愚钝，只晓得没日没夜地干啊干的，好人都让别人做去了。我现在明白了，人必须跟上社会的脚步，与时俱进，得势者胜出，胜出者才被上帝选择。选择你干什么呀？行善啊！做一个义人啊！所以，归根结蒂，是势头选择你，上帝也只好跟着势头选择你。做人千万不要出局，出局太可怜了。”

行江准备走了，她一刻也住不下去，她跟昭平已经订好金华伟达雷迪森广场酒店的大床房，打算在那里先住一阵子。君奕从楼下路边店要了几样炒菜，招待他们吃一餐，说吃吃饭再走也不迟，又拉行江到里屋，神情诡异地说：“人聚财散财，有命有运。命不可改，转运却事在人为。小指短的人，做不来生意，不善经营，凡事好幻想。我看你手长得蛮漂亮，就是小指太短，跟我以前一样。老板娘那么多年，教我这个教我那个，无非都是些表面文章。说实话，她给我八千元月薪，算不得什么。而是她换了我这根小指，我才得了真传。你看，就是右手上这根。”君奕给行江看她右手那根发黑的蛇指，蛇吐弄着火舌，婉转灵巧，又说：“老板娘去年八月初一晚上，摆酒供香，让我匍匐在地，再行师徒大礼，然后在我手上打封闭针，麻醉后，就将她的小指蛇来咬我的小指。先是吃掉了我的小指，几天后长出肉芽，慢慢就变黑，像坏死烂掉一样，还有尸体的腐臭，不过，三个月后就长好了，比以前更加灵动，也成为一条小蛇。”

行江有点紧张，下意识去摸那枚玉玏。这几天行江身体不好，昭平又将玉玏给行江戴。行江问：“你莫不是打算让这蛇吃掉我的小指？”

“哎呀，你真不懂经！这是我送给你的大礼呀！”君奕说，“有蛇指，经营生财，兴隆旺盛得很呢！老板娘当初传给我的时候说过，不得其人不可传。我这是看你是一块料，聪明过人，未来前途不可限量，才送你这个秘器的。”君奕说着，将手伸过来，行江一把掏出玉玏，对着君奕的蛇指。只见蛇一触到玉玏，便缠绕上去，几圈一盘转，便消失得无影无踪。玉却完好如初。

君奕掉了蛇指，掌上起了个隆突，却不见血，也不见骨肉外翻，却是愈合好久的样子，肤色如常。君奕一屁股坐进沙发，脸色彷徨，失血失神一般，口中念念有词：“完了，完了，小命没了……”

行江去扶她，她只傻笑，笑一阵便又垂泪，似乎再也记不起从前的事，说什么话都接不上线索。昭平进来，对她大喝一声，她也无甚大反应。昭平说：“这下便好了。先前的魂丢了，那是蛇魂。过些日子，自己的魂回来了，一切都会正常的。我们走吧！”

昭平和行江收拾行李，撇下君奕，走了。

两人终于落定在酒店里。行江靠在窗口，看酒店楼下宾虹西路上来往的车辆，点上一支烟，像名古屋的早晨时分那样，趁昭平没有起床，任思绪游动一番。然而，这思绪竟无飘寓的着处，并没有雨水洗透的明绿晃眼的樟树叶子，也没有远山、霞光和林雀的欢鸣，秋雨带着粉尘一遍一遍地洗刷远近的建筑物，楼房、茅舍和墙垣一日较一日浮肿，屋和屋之间快要没有间隙，不同层次的灰将要连成色带。她想起自己的成长，又想君奕说的那些话，她觉得自己原来是那么不懂事，那么常常处在荒诞不经中。难道人生真的有那么一套的吗？师生，朋友，夫妇，亲戚，上司下属，全部套在人伦细密交织的纹路里，不可挣脱。或者总是有种力量，让自己游离其外，被人看作谬戾，看作不地道。朋友的孩子生病了，你没有去探望，多么不地道！而不是小孩子生病了你不去管有多么不地道。妈妈老了，你没有时间去看她，逢年过节连个电话都不打，多么不地道！而不是老人无助你不伸手有多么不地道。恩师对你如何，江湖上的兄弟对你怎么样，同窗小姐妹、学校里提携你的主管、邻居、熟人、至交、情人，所有跟你有过交道的人给过你什么，这些你居然置若罔闻，有多么不地道。来而不往，只往不来，目无尊幼亲疏，还有人伦吗？还有情分吗？人，不是人中出来的，倒像是伦中出来的。伦，到底是什么呢？在君奕们看来，这是情义和信仰的依据，是昌明和进步的尺度。所谓不懂事，不地道，就是不知人伦规矩，藐视这规矩编织的神像。这规矩和神像，在人们心中的分量，比泰山还重，是生命的全部。行江忽然彻悟了，二十四年来她第一次弄明白世间轻重贵贱，晓得自己曾经的误失和挫折的缘由。这让她更有信心了，更有把握坚守自己的主张去与他人周旋，利用他人的弱点。知道人的弃取之道，便可实现自我的舍得。反正，你要的，我悉数给你，而我要的，本来就是你不要的。那么，窄门，在我的路上，自然宽阔起来。行江心中，真切地感谢君奕，以为君奕做了她人生反面的导师。

行江钻回被窝，褪尽内衣，赤裸着抱紧昭平。她想她在抱着一位大叔，抱着长辈，卑贱地做女奴，凭男人怎么高兴怎么来。她多么需要颠倒错乱，多么想寻点动物的刺激弄脏自己。她已经无法忍受干净的无色无味，她害怕自己的身体已经随着这里的风上升，化作空气，化作透明的薄纸。她多么希望借着男人的无能映衬出自己的热烈，一方面足见自己生命的征象，另一方面流露出自己的无耻。无耻，在这个早上，为什么变得那么诱人，那么美丽？哪怕做一个老男人的内裤，被他穿旧了扔掉，被他变态地耍嬉，只求他吮一下自己的脚趾，让他颤颤巍巍地激动不已，让他流着口水自慰，这便神魂迷乱了。

而突然，昭平醒来了，一头埋进她的胸间，推举起她的腰臀，从臃肿中窜出一头猛兽，直抵性命的深渊。她有点兴奋得不能自持，虽没有在脏乱中寻见罪恶，却被复苏的野蛮和重实弄伤。她体会到的不是衰与盛的对比，竟是壮与稚的较量。她被欺负了，还没有长牢的身体被洪流一口吞噬。她输了。输，超越了反人伦的生命渴求，从原罪中反败为胜。她根本来不及做任何准备就放弃了，眼泪还没有攥紧任何情感就释放出来。她知道，昭平已经康复，她快要有孩子了。

第三章　行江的方舟

深秋，昭平和行江在南部大山里上阳村找到一处居所。房子在村南山坡上，一进大院，有规整的堂屋、厢房、柴房和厨房。房主一家搬迁到塔石乡的新房子里去住了，儿女们都外出打工，留下一对老夫妻在本地看守。旧屋修缮得很妥帖，水井接上自来水管道，通到各屋，主人每月会派人拉几车干柴过来，堆放在柴房里，电力不足，带不动空调，但照明没有问题，另外，有信号覆盖，可以使用移动电脑。昭平找来一位老嬷，帮他们打扫房间，烧火做饭。行江在西厢房收拾出一点窄小的空间，用旧屏风和废弃的窗牖做隔板，将起居的地方收拢在密闭的一角，再烧上炭炉，在木地板上铺设几张羊皮，可以光脚行走，也可以席地而坐，暖暖的，秋风不入，晨曦满地。

松元直男来信告诉行江，爷爷要将岐阜大野町的老房子卖掉，准备搬去高山市住。行江与昭平商量，盘算着夫妻俩也搬过去。昭平说，这便索性做招女婿入赘，要换国籍了。至于学校方面，已经与昭平新续约五年，并非常乐意长久聘用他。从名古屋到高山，交通非常方便，或者买一辆汽车，来回也迅速。反正将来教学逐渐让位于研究，并不需要时常在学院里露面，搬到僻静的地方，既利于写作，也省去在都市的房租钱。

这么商量了一番，两人给直男去信，说决定拿出积蓄，与爷爷一起买房，定居高山市。

行江想，这或许是在古老的妹方最后的时光了。上阳村不比汤溪别处，竟常有日光，天空好像在这里破了一个洞，凿开雾霾笼罩，尚有远古的春秋寒暑。行江在这日光下，日日看着枫树赤黄青紫的嬗递，酝酿出一个庞大的计划。她要将妹方的遗存，悉数搬去岐阜。她一直借着李晓珞那辆车开，之前不过用来跋涉，这下倒真派上用场，每日串街走巷，翻山越岭，四处寻觅旧藏、弃物和各样种子。

她的方针是，人弃我取。反正你们不要这样的生活了，我用很便宜的价格获取贵重的价值。

她从上阳村老街一户姓项的人家买来祠堂的条案和香炉。香炉洗干净，擦亮；条案顺着榫头接缝拆卸下来，四条腿捆扎在一起，案板用重物压平，先放在堂屋里。

她去寺坪村寻找那些拆旧房的居民，将人家不要的木雕残件、梁头花饰买下来，还有八仙桌、方凳、长椅、瘸腿的太师椅以及一切旧家具旧笼屉旧箱匣。

她去走访村镇里上了年纪的老嬷、老伙，向他们学习烹调和制作，将烘烤煎炸、炒炖煨熏的步骤记录下来，又各样腌晒酿烧的方法，也存录下来。

她自己试制了麦馃、馄饨、年糕、粉干、汤团、肉圆、灰糕，还自制了一缸米酒。

她买了斗笠、蓑衣、老嬷的青布衫、老伙的烟杆烟袋、几方旧手帕、绣蝴蝶和杜鹃的金莲鞋、一块破洞的花盖头，甚至还有一顶断掉抬杆的花轿。

她买来耙、铲、镐、锄，独轮车，竹篾，手炉，扁担和盛谷米的大箩筐，发红的竹篮子，芦箪和瓠瓢。

她还学会了怎么编草鞋，怎么编竹篾以及一切竹匠活计。

她拍摄了手摇扬谷机和舂米石臼的图片，还将一个老嬷将银丝编结成粗辫的整个过程拍成纪录片。

她去前夏找开慧，将各样菜蔬和五谷的种子备齐，还预订下鸡蛋、红头鸭的鸭蛋和两头乌的猪种，至于活畜怎么带回去，还没有想好。

她又用录音机录了溪泉的声音，风过橡树的声音，老人、孩子和青壮年说汤溪话的声音，以及焖煮草灰饭的声音和晨、午、夕、夜的声音。

她让武玮将齐叔公的唱段录音和那年拍摄齐叔公的影片做拷贝给她。

东夏村推翻两排旧村委会的办公室，发现许多20世纪的旧文件旧报纸，她全部买来。有"后大公社火烧云战斗队简报"，有"汤兰衢深揭地富反坏右资料汇编"，有1968年至1972年的《文汇报》，1972年至1975年的《阿尔巴尼亚画报》，等等。

她还寻来中国工农红军浙西南挺进师的袖标，印着红星的一只生锈的铁饭碗，一条掉了搭扣的军用皮带，以及一个掉了翻盖的驳壳枪套。

她甚至找到了丰子恺在黄堂时期画的一幅没有出版的遗作：明月在白天逗留在少女的腕间，成为一弯玉钏。

在九峰姑蔑子宫墟考古的一位大叔，给了她一枚残破的鎏金纽扣，款式神武，看着像妹方大将军轻裘上的领扣。

她在里东坑得到一块司马两五两的束腰银锭，上面刻印着"处州府龙泉县正统三年京粮金花银五两三六轻赍银五两正统三年八月知县马思敬廉吏史柯银匠胡杍"。她想，这会不会是葛云的义父陶逵的藏宝？

她去了横山武彦中将被击毙的高地，也去了兰溪地方酒井直次触雷毙命的三岔口，并拍了照，做了录像。

她居然从夏玉书二弟的亲戚后人家找到了《姑妹志》《逸昧乐书》《大末奏记》《成汤溪》和《蔑遗录》五本中的三本。

在松阳附近，她结识了一位年轻女巫，从她手里抄录了五十多张祝由方。其中一张咒蛊毒文是这样写的："毒父龙盘推，毒母龙盘脂。毒孙无度，毒子龙盘牙。若是蛆蛛蜣螂，还汝本乡，虾蟆蛇蜥，还汝槽枥。今日甲乙，蛊毒须出；今日甲寅，蛊毒不神；今日丙丁，蛊毒不行；今日丙午，还着本主。虽然不死，腰脊偻拒。急急如律令。"

……

行江坐在院子里，松涛和落叶从身后推涌着她，将她高高举起，在天洞倾泻下来的日光中，她如神庙里祭台上的舞女，定点光亮显出她的身形。她将所闻所见，所搜所录，分门别类，按照传统笔记的架构，析理成天神、地祇、四季、大事、列传、人情、方物、礼矩、耕读、起居、饮食若干篇，著成一书，名为《沈氏行江蔑志》。

她于溪边冥想，古树参天，两侧树冠倒影在水面上，如一双神手将她托起。

她从九峰顶层的天帝尊位下行，层层坠落，落入人间。远近村民再次目睹明悦童主复归世间，这次没有白马，而是赤足的裸女，身上泛浮起真玉的光泽。

那些为刘瑞明和他老嬷低下来过的云，再次降落在行江的身边，古墙中的野草也伸出手来搀扶她蹀躞于野道，彩虹作为印记见证了人神之永约，雨帘为她遮挡住萧瑟秋风，而第一场雪融进了她的肌骨，铺开一张硕大的白纸，只见衬出的黑发和体毛，成为全幅的一字落款。

行江一路走来，在万年妹方终结后的岁月中一路成象。成象的字带着神意，一个个被她记入书中。书，并不是情理的分裂对立；书，成象示意，受神启默示而著。

院子里堆满行江搜罗来的各类物品，远看像一个旧家具市场，近看像一处废品回收站。进出变得困难，空间日益狭小。昭平终于忍不住说话了：

“差不多就可以了。事情不能做过头。你想将整个汤溪搬走吗？妹方的遗物，不等于妹方。东西老了，旧了，总该扔掉的。”

“魂丢了，只剩躯壳；魂在，虽新旧，总是生命的机体。”行江说，“我和你走到哪里，哪里就是妹方。再说，地上的物品都是相对的，曾经延展开放的，如今或者已经封闭固守。但当洪水肆虐之日，关紧的门窗，不让滴水渗透，难道不是一种拯救吗？眼下，油盐不进，正好过目穷的张望。我要拿这些故旧给你我围一座栅栏，挡住所谓进步的无尽更新，让眼目内向从心，抗拒外界的干扰。”

“诸法皆法，诸法皆空，何苦拘泥？”

“既空，也无所谓守着或者丢弃。这不是力求复兴的努力，只不过图一个顺从根性的方便。有些人乘妹方的船进了天国，也有些人坐五月花号到达了应许地。人不是一个抽象的概念，也不是一个具体的零碎。人是千变万化的根性，根性中自有天理。”

“这船还能开吗？”

“这船总要开的，即使剩下一片朽木，也要漂浮。壮阔时乘风破浪，残破时搏击浊涛。春夏秋冬，寒暑交替，本在命数中，何必以盛衰论成败？月有阴晴圆缺，人有悲欢离合，地上的事物终究要毁坏的。但人既在地上，又如何腾空？”

“可不可以换一艘船坐？”

“换一艘，你还是妹人，你不会成为别人。夫子说，祭拜别家鬼神，就是谄媚。人不是为了自己，乃是守着自己才可以得救。这个世上，没有丢弃自己还可以存活的人。我在姝人中看见过天使，也从姝方中看见了天国。”

“可是，为什么竟到处是净人呢？”

“只要有一个义人，这城便不致毁灭。”

于是，行江和昭平离开了。离开了，却又抵达了。

第四章　末尾的话

武玮看我写到这里，说："这不是一部几代人百年兴衰的家国史，也不是起伏跌宕的悲欢离合，这是万年妹方的见证。"

我说："一性用一法。诸性诸法。万性归一，不归一法归一心。"

"革命原是为了回到故乡。我又想起你书中这句话。"她说。

"还应该加一句，故乡乃是可以站稳又仰望的根基。"

"茫茫大海中的立锥之地。"

"一种精神，一种生活方式，引领你靠近永恒；或有其他的途径，其他的文明，带领其他人靠近永恒；但方式的不同中，有一些带领你远离永恒的，却要细心甄别。无论古今何种路途，趋向人道的，和趋向天道的，终究分道扬镳。那在祭祀和宗教的名义下趋向人道的，和那在科技化巫术化的助力下走向天道的，我宁愿选择后者。妹方的精神不是回到故乡回到过去，而是回到内心回到无始无终。妹方并不拒绝东南西北各方异彩缤纷的内归之路。妹方为了到达目的，正携带着方物、历史、风俗、各路神灵和它幸存的儿女，继续迁徙，如同万年历史中的迁徙一样。它在寻找，在承继与改换，在舍弃与获得，在世间相对的真理中靠近永恒。”

“人以他的故乡为舟，驶抵心的归宿。”她说。

2015年6月至2016年1月

于上海、北京、石家庄、许昌、合肥、屯溪、淮安、泰安、天津